# DOMINIQUE MICHEL

## «Y'A DES MOMENTS SI MERVEILLEUX...»

AUTOBIOGRAPHIE

ÉDITIONS
LASEMAINE

**LES ÉDITIONS LA SEMAINE**
Une division des Publications Charron & Cie Inc.
1080, côte du Beaver Hall, bureau 904
Montréal (Québec) H2Z 1S8

Éditeur: Claude J. Charron
Éditeur délégué: Claude Leclerc
Directrice des éditions: Annie Tonneau
Coordonnatrice aux éditions: Katie Moquin
Directeur des opérations: Réal Paiement
Directeur artistique: Éric Béland
Superviseure de la production: Lisette Brodeur
Assistants-contremaîtres: Valérie Gariépy, Steve Paquette
Infographistes: Dominic Bellemare, Éric Lavigne, Marie-Josée
Lessard, Michel Malouin, Joanie Pellerin
Réviseure en chef: Françoise Le Grand
Réviseurs-correcteurs: Jean-François Bourdon,
Denis Desjardins, Corinne de Vailly, Roger Magini
Scanneristes: Patrick Forgues, Bruno Henry, Éric Lépine

Photo de la page couverture: Heidi Hollinger
Crédits photographiques: Archives de la société Radio-Canada,
Archives de TVA, collection personnelle de Dominique Michel,
Studio Allard, Daniel Auclair, Jean-Yves Bruel, Camille
Casavant, Louis Claes, Pierre Dionne, Pierre Dury, Gaby,
Photo Gérard, Photo Gontran, Jac-Guy, Jean-Pierre Karsenty,
Karsh, Raymond Latour, André Laurence, André Lecoz,
Studio Orssagh, Michel Pilon, Daniel Poulin, Rolland
de Québec, Edward Rémy, François Rivard

© Charron Éditeur Inc. 2006
Dépôt légal: quatrième trimestre 2006
Bibliothèque nationale du Québec
Bibliothèque nationale du Canada
ISBN: 2-923501-10-1

*Soyez rassurés, c'est ma*
*dernière biographie... peut-être!*

*Merci à vous tous qui*
*avez fait partie de ma vie!*

*Je n'ai pas de regrets. Je n'ai*
*que de bons souvenirs; les mauvais,*
*vous en rirez avec moi.*

*Dominique*

# REMERCIEMENTS

Merci à mon éditeur et maintenant ami, Claude J. Charron, qui m'a donné toute liberté, m'a fait confiance et encouragée tout au long de l'écriture de cette biographie. Merci, Claude, pour tes conseils et ta patience. Un an et demi, c'est long!

À Claude Leclerc, éditeur délégué qui a lu, «rererelu», corrigé, «rererecorrigé» avec moi et sans moi toutes ces pages et avec qui j'ai partagé tant de fous rires, tellement nous étions «à bout».

À Denise Dion, qui a retranscrit à l'ordinateur les 20 cahiers de 100 pages avec toutes mes corrections et flèches, moi qui écris comme un médecin qui fait une ordonnance que seuls les pharmaciens peuvent déchiffrer. Merci, Denise, d'avoir été ma pharmacienne des mots.

À Denise Bissonnette, que j'ai connue au couvent de Lachine, avec qui j'entretiens une amitié depuis 60 ans, qui m'a aidée en me disant: «Mets telle phrase du paragraphe plus loin, la page 120 à la 300, la 425 à la 119», pendant qu'exaspérée et épuisée je me couchais la tête sur mon bras, sur la table de la salle à manger où nous travaillions.

À Jean Bissonnette, à qui je dois tant et qui a passé sa convalescence à lire et à relire ma bio, lui si pointilleux: «Non pas le 28 à 2 heures, mais le 24 à 3 heures.» «Ouf! T'es sûr?» «Positif!»

À Jean-Claude Lespérance, mon ami, mon conseiller. Nous travaillons ensemble sans contrat depuis 1977. Notre parole suffit. Sans lui, rien de ce que j'ai fait depuis ce temps n'aurait eu lieu.

À Marie-Claude Dufour, recherchiste
Denis Dulude, graphiste
Heidi Hollinger, photographe
Julie Bentaouet, maquilleuse
Manon Côté, coiffeuse
Karine Lamontagne, styliste
Éric Béland, jeune directeur artistique
Henri Heusdens, pour sa mémoire prodigieuse
Mes cousines Andrée et Jeannine Martin
«Pelo», Jean Péloquin, réalisateur de *Toast et café*

Mon amie Nicki Papachristidis, qui m'a souvent nourrie pendant que je travaillais.

À tous les hommes que j'ai connus et dont je n'ai pas parlé. Remerciez-moi, vous n'aurez pas de comptes à rendre à votre femme!

Distribution: Messageries de Presse Benjamin
101, rue Henry-Bessemer
Bois-des-Fillions (Québec) J6Z 4S9

# INTRODUCTION

Pourquoi écrire ma biographie? Parce qu'il y avait plusieurs éditeurs qui se penchaient sur mon «cas». Comme personne ne connaissait les détails de mon enfance, je me suis dit: «On va écrire n'importe quoi et je vais passer des années à dire non, c'est pas comme ça que ça s'est passé; c'est pas le bon endroit, etc.»

J'avais d'abord demandé à mon ami Stéphane Laporte de l'écrire, puis je me suis ravisée. Je lui ai dit: «Je vais essayer d'écrire ma bio. Si c'est mauvais, on jettera tout ça et tu l'écriras.»

Après une centaine de pages écrites à la main, je l'ai fait lire à Jean-Claude Lespérance, à Denise Dion ainsi qu'à Claude Leclerc, qui m'ont dit: «C'est vivant, tu racontes comme si tu nous parlais et on te reconnaît.»

Je n'ai pas le style d'Alain Decaux, que j'admire, mais ce que vous lirez, c'est la vie de la p'tite Sylvestre, née à 8 heures du soir le 24 septembre 1932, rue Augusta, à Sorel.

# LA P'TITE SYLVESTRE

«Maman, les souris ont encore marché dans la tarte au sucre à la crème.» J'ai quatre ans, et je viens d'ouvrir la porte de la «dépense», dehors sur la galerie, où ma mère gardait les tartes au frais l'hiver. On voyait très clairement les poils des souris qui restaient collés sur le sucre à la crème. Le bord de la croûte était brisé, c'était sûrement là que les souris s'étaient accrochées avec leurs petites pattes pour se sortir du pétrin. Ma mère m'a dit: «Chut! Pas si fort, les voisins vont t'entendre.» Ce n'était pas tant la crainte que les voisins entendent que la réaction des chambreurs qui l'inquiétait. En effet, elle «gardait» quatre pensionnaires (seulement des hommes) pour se faire un peu d'argent de surplus. Cinq dollars par semaine, logés, nourris, une aubaine!

On habitait une petite maison de bois de deux étages et de cinq chambres à coucher. Je dormais dans le salon pour laisser une chambre de plus aux pensionnaires. Je crois que j'ai couché dans le salon jusqu'à 16 ans. C'est peut-être de là que m'est venu le goût de posséder des maisons. Depuis l'enfance, mon rêve était d'avoir une chambre à coucher bien à moi.

Je suis née à Sorel, le 24 septembre 1932, et j'habitais rue Augusta. Mon père travaillait au chantier naval de Sorel pour la famille Simard. Il veillait à l'entretien des bouées qui délimitaient le chenal pour les gros bateaux qui naviguaient sur le Saint-Laurent. À l'époque (1935-1937), on appelait les Sorelois, les «tire-bouchons» de Sorel, et les filles les «pétards» de Sorel, parce que le port était en pleine effervescence. Il était fréquenté par des marins étrangers, notamment des Polonais, qui prenaient un coup assez fort merci et qui flirtaient avec les filles qui, paraît-il, ne donnaient pas leur place. On disait qu'elles avaient la cuisse hospitalière.

Maman «tirait» aux cartes par correspondance, sous le nom de Rose Dubé. Sa clientèle: les amis des amis des amis qui payaient 50 cents la consultation. Elle leur expliquait comment sortir les cartes et, selon les figures ou les chiffres, elle leur prédisait l'avenir. Croyez-le ou non, encore aujourd'hui, je me tire les cartes comme le faisait ma mère, et, à l'occasion, je le fais pour mes amis. Elle-même s'était fait lire l'avenir dans le thé et la «tireuse» lui avait prédit: «Vous n'aurez qu'une fille, un seul enfant qui deviendra une artiste populaire.»

Elle ne l'avait pas crue. Maman venait d'une famille très, très pauvre, élevée dans un rang de Maskinongé, à la campagne. Elle marchait deux milles pour se rendre à l'école hiver comme été. Pendant la saison froide, elle attachait du papier journal à ses bottes de caoutchouc avec des élastiques pour se protéger du froid. J'avais 32 ans, quand elle m'a raconté ça, et je me suis juré de lui donner un peu de luxe pour adoucir sa vie.

Ma grand-mère a élevé seule sur une terre quatre filles et un garçon, car son mari, Olivier Dupuis, est mort à 31 ans. Il est tombé de sa charge de bois en revenant du chantier, et les patins du traîneau à lames lui ont tranché la gorge. Le cheval est rentré seul à la maison. Ma grand-mère a eu un pressentiment. Ils sont partis à sa recherche et l'ont trouvé au petit jour, gelé sur la *trail* dans le bois, la tête d'un côté et le corps de l'autre.

Mon père aussi a été élevé dans une ferme, à Saint-Barthélémy. Il était le septième enfant d'une famille de neuf garçons et trois filles. Papa, comme il était le septième garçon, avait un don. Il arrêtait le sang. Je l'ai toujours cru et je le crois encore aujourd'hui. Petite, je saignais régulièrement du nez. Il le prenait entre ses doigts et me disait: «Pense à moi», et le sang s'arrêtait. Quand il n'était pas là, je pouvais saigner du nez pendant des heures. L'entourage disait souvent: «A' pas d'santé, c't'enfant-là, est toujours malade. C'est normal, elle pesait quatre livres et demie à sa naissance.»

Mon père était très beau. Toutes les femmes étaient amoureuses de lui. Il le savait, et je crois qu'il en a beaucoup profité. Il avait énormément d'humour, il était très souriant. Il aimait aussi la bonne chère. À 10 ans, il me faisait manger du saumon fumé, du caviar, du homard... Il occupait alors un emploi de chauffeur pour le juge Forest, qui lui donnait toutes ces bonnes choses. Il avait une philosophie de la vie toute simple: «Aujourd'hui on est là; hier, c'est fini; demain on verra.»

Lorsque nous avons déménagé de Sorel à Saint-Barthélémy, petit village non loin de Berthier, on allait, papa et moi, tout près de Québec pour ramasser des «cossins». Aujourd'hui, on dirait des antiquités! On s'absentait de 5 à 10 jours, couchant et mangeant chez l'habitant. On frappait aux portes. Papa disait, avec son beau sourire:

«Bonjour, ma belle madame (et il me poussait en avant), je m'appelle Jean-Noël Sylvestre, je vous présente ma petite fille Aimée (j'étais très petite pour mon âge). Avez-vous des vieilles affaires dans le grenier à vendre ou à donner? Vous savez, des berceaux, des pots à eau, des cadres, des barattes à beurre, des lampes à l'huile? J'ramasse ça pour ma petite fille, elle aime ben ça, hein Aimée?» Je faisais signe que oui. Imaginez, cinq ans! Des vieilles affaires! «J'vais vous débarrasser, si vous voulez.»

Les gens lui donnaient de vieux attelages, des services de vaisselle. J'ai gardé longtemps le service du curé de l'île Dupas. Je l'ai donné à mes amis Gilbert, Lucie et Luce Rozon. Les assiettes sont en plomb recouvert de porcelaine; l'avantage est de pouvoir les mettre au four et qu'elles gardent la chaleur, mais impossible de lever six assiettes à la fois. C'était trop lourd pour moi!

On chargeait tout ça à l'arrière d'un petit camion recouvert d'une bâche. C'est peut-être difficile à croire, mais déjà à cinq ans je reconnaissais une armoire à pointes de diamant, les pentures à queue-de-rat, les assemblages à queue d'aronde, et je lui indiquais discrètement les belles pièces. Papa disait: «A' du verrat en elle, est ben smatte.» Ç'a été mon école d'antiquaire! Quand il n'aimait pas certains objets, il disait: «Ah! vous devriez donner ça aux pauvres. Vous savez, y a toujours quelqu'un dans le besoin.»

On voyageait l'été, pas l'hiver. Papa disait: «On n'est pas pour aller se mettre dans le trouble.» En arrivant dans une maison, il demandait parfois: «Vous auriez pas un petit verre d'eau, s'il vous plaît?» La plupart du temps, c'était les femmes qui restaient à la maison, car les hommes étaient aux champs.

«Prendriez-vous un verre de lait avec un morceau de tarte à la place?» proposait la dame. «Non merci, on n'a pas encore dîné», répondait mon père. «Ben, dans ce cas-là, mangeriez-vous un peu de bouilli? c'est ce qu'on a à midi.» «On veut pas déranger.» «Ben non, ben non, ça me fait plaisir.»

On s'installait à la table, papa me regardait avec un sourire moqueur et me faisait un clin d'œil. Je lui en faisais un moi aussi. Chose bizarre, je n'ai fait des clins d'œil qu'à mon père... et à Denise Filiatrault, avec qui j'ai toujours eu une grande connivence. On n'avait qu'à se regarder, on se comprenait.

On dormait dans le camion ou chez des gens, dans des granges, dans le foin. On ne pouvait pas téléphoner. Il n'y avait pas de téléphone dans les rangs, seulement dans les villages où plusieurs abonnés utilisaient la même ligne, de sorte que les commères du village passaient leurs journées à écouter les conversations et à «mémérer» les nouvelles à tout le monde.

De retour à la maison, ma mère piquait une crise à mon père, car elle était morte d'inquiétude. «T'es inconscient, partir avec une enfant pendant des jours.» Des fois, elle était un peu «chaudasse», car elle prenait un petit verre «pour se désennuyer», disait-elle.

De temps en temps, maman me faisait garder par un vieux monsieur à barbe blanche, qu'on appelait pépère

Dumontier. Un jour où j'étais chez lui, il m'a fait coucher dans son lit, m'a caressée avec sa langue et m'a donné une boîte de sucre à la crème pour que je me taise. La première chose que j'ai faite a été de tout raconter à ma mère qui m'a toujours dit: «Tu dis tout à maman.»

C'était une femme admirable, avec un esprit très ouvert, qui ne faisait pas de drame et qui ne lâchait pas les hauts cris pour rien. J'avais une très grande confiance en elle. Toute ma vie, il en a été ainsi; elle était au courant de mes plus profonds secrets. Cet incident ne m'a pas du tout marquée, peut-être à cause de son calme. À l'époque, les prédateurs sexuels existaient aussi, mais n'étaient pas dénoncés ouvertement comme ils le sont aujourd'hui. Elle m'a écoutée raconter mon histoire sans bouger et m'a dit: «Attends-moi ici, maman va revenir tout de suite.»

Pépère Dumontier a dû passer un mauvais quart d'heure. Elle était petite, mais mauvaise comme tout. Comme moi, elle n'avait peur de rien ni de personne. Plus tard, elle m'a raconté qu'elle avait tout cassé dans la maison et qu'elle lui avait dit qu'elle raconterait à tout le village ce qu'il avait fait; menace qu'elle n'a pas mise à exécution pour ne pas me traumatiser. Pépère Dumontier ne m'a plus jamais gardée et on a déménagé dans le quartier Rosemont à Montréal, chez ma tante Ida.

Ida était veuve et avait une grande maison neuve. C'était notre «matante» riche, car elle recevait la pension de son mari pompier mort dans l'incendie du Laurier Palace où 78 enfants étaient décédés, empilés devant des portes qui s'ouvraient vers l'intérieur. Par la suite, la Ville de Montréal a adopté une loi obligeant les propriétaires de salles de cinéma à installer des portes s'ouvrant vers l'extérieur.

Comme à cinq ou six ans j'étais souvent malade (maux d'oreilles, de ventre et de gorge terribles, saignements du nez, vomissements à répétition), il a fallu m'opérer des amygdales. L'hôpital étant trop cher, maman m'a donc emmenée chez le docteur Messier (je me souviens encore du nom) qui opérait chez lui, pour cinq dollars. Son bureau était situé rue Masson, dans un logement à l'étage, et il opérait dans le salon. L'endroit était très sombre, tout en bois foncé. La table d'opération, très étroite, était placée près de la bibliothèque éclairée par une torchère tout au bout. J'ai été endormie au chloroforme. Je me suis réveillée opérée, les amygdales enlevées et j'ai commencé à vomir du sang.

Le docteur nous a dit: «Partez maintenant, faut pas qu'elle vomisse sur mon plancher.» Je tenais à peine sur mes jambes et je devais descendre l'escalier. Je posais mes deux petits pieds sur chaque marche, en vomissant sans arrêt dans une grande serviette qu'il nous avait donnée. Arrivée dans la rue, je me suis couchée près de la porte, sur une petite marche en ciment, et j'ai refusé d'en bouger. Nous étions à 17 coins de rue de chez ma tante Ida, et maman ne pouvait pas nous payer le tramway, c'était trop cher (mon père gagnait cinq dollars par semaine comme chauffeur pour le juge Forest). Maman m'a suppliée: «Aimée, fais un effort, maman ne peut pas te porter, t'es trop pesante.» Je pleurais: «Maman, j'sus trop malade, j'sus pas capable, laisse-moi là.» J'ai vomi de nouveau plein de sang: les effets du chloroforme.

J'ai parcouru un coin de rue et je me suis couchée encore par terre sur le trottoir, contre une vitrine de magasin. Ma mère était désespérée; elle pleurait elle aussi. Elle a attendu un petit moment pour me laisser reposer. Finalement, un monsieur qui passait par là, voyant le désarroi de ma mère, m'a prise dans ses bras et m'a transportée jusqu'à la 5ᵉ Avenue. Il m'a déposée par terre; je titubais et vomissais toujours. Il fallait encore descendre la 5ᵉ Avenue, un long, très long coin de rue. Je me suis effondrée sur une petite bande de pelouse, près d'une clôture de fer qui délimitait un parterre fleuri et là, j'ai refusé de bouger, collée sur la clôture, la tête sur le gazon frais. Ça me faisait du bien. Finalement, maman a reconnu un petit garçon qui jouait dans la rue, elle lui a donné l'adresse de ma tante Ida pour qu'il aille prévenir mon père de venir me chercher. Il est arrivé en courant, m'a prise dans ses bras doucement en m'embrassant sur les joues pour me réconforter: «Ça va aller mieux maintenant, papa est là, ça va aller mieux.» Je sentais ses larmes couler de ses joues sur les miennes. Il m'a couchée, il n'est pas retourné travailler ce jour-là. Il m'a veillée le reste de la journée et toute la nuit; il était assis, prostré, les yeux humides, les avant-bras sur ses genoux, les mains croisées, la tête basse, désespéré par son impuissance.

Pendant ce temps-là, maman prenait un petit verre de gin pour se remettre. Elle-même avait des problèmes de santé; elle faisait des hémorragies et a subi une hystérectomie par voie transvaginale peu de temps après.

Je pense que cette ablation des amygdales fut le moment le plus difficile de ma jeune vie, car je m'en souviens encore très clairement. Mes cauchemars d'aujourd'hui me ramènent rue Masson, à mon retour de cette opération: j'ai de la difficulté à marcher; je suis faible; je vais m'évanouir; je me traîne; je n'y arrive pas; je n'ai pas d'argent, personne ne peut m'aider... J'essaie d'appeler à l'aide, mais je suis incapable de crier. Je n'ai pas de souffle.

Alors, je me réveille, et quel bonheur! Je suis dans mon confortable lit. Je respire! Non, je ne suis pas rue Masson. Ce cauchemar coïncide avec mes petites crises de tachycardie.

Mon père disait souvent: «Maudite vie, maudite pauvreté.» Bizarrement, je n'ai jamais ressenti de la gêne ou de la honte à être pauvre. Rosemont, dans ces années-là, était un quartier défavorisé. Nous étions tous des enfants d'ouvriers, de petits salariés. Nos récompenses se résumaient à un petit casseau de frites à l'occasion, quand la voiture à patates passait dans notre rue. Elle était souvent tirée par un cheval, ou alors il s'agissait d'un petit camion, un genre de petit comptoir ambulant où l'on pouvait aussi acheter des «hot-dogs relish moutarde» à cinq cents. J'économisais en faisant des commissions pour les voisins qui me donnaient un sou de récompense. Je pouvais aussi m'acheter des lunes de miel (tire de forme ovale recouverte de chocolat), des petits outils (petits bonbons en forme de marteau, scie, hache au goût de chocolat), des petits poissons rouges au goût de cannelle, le bonheur!

L'été, on allait à la maison de campagne de ma tante Ida à

Saint-Hilaire-sur-Richelieu. Derrière sa grosse maison, il y en avait une plus petite pour les domestiques, où mes cousins Jean-Louis, Mario et Jeannine, les enfants de ma tante Eva (sœur de ma tante Ida et de ma mère), et moi, allions passer nos vacances, sous la garde de grand-maman Dupuis, la mère de maman qui habitait avec nous et qui m'a élevée pendant que mes parents travaillaient.

Quelquefois on se chicanait avec nos petits voisins. On se criait des noms pour se défouler: «Ti-Guy le fou! Mario plein de poux! Jeannine la pas fine!»

Rien de bien grave. Mais si l'un de nous s'aventurait à dire: «Maudit pissou», il recevait une «claque» de grand-maman: «Je vous défends de sacrer.» Dire «maudit», pour elle, c'était sacrer. Comme tout a changé!

J'adorais les animaux. J'avais une souris, une couleuvre et un petit chat abandonné que j'avais adopté. Je ne le lâchais pas d'une semelle. La souris était dans une boîte de carton, avec des trous pour respirer, recouverte d'une moustiquaire pour l'empêcher de se sauver. Ma couleuvre était dans une boîte ouverte, mais assez haute. Par contre, mon petit chat, lui, se sauvait souvent et grimpait dans les arbres du terrain de ma tante. Une fois en haut, il ne pouvait plus redescendre. Je montais à mon tour dans l'arbre pour aller le chercher, mais pour redescendre avec le chat dans les bras, c'était une autre histoire. Il s'agrippait à moi en rentrant ses griffes dans mon cou, je le glissais alors dans ma robe pour avoir les mains libres; j'étais assez souple, mais ça ne marchait pas toujours.

Ma grand-mère criait: «Laisse le chat là, demain on va aller le chercher.» Je disais: «Non, non, non, j'te crois pas!»

Souvent, je passais des heures dans l'arbre avec mon chat. Alors, on appelait les pompiers qui venaient nous secourir et ça, au moins cinq ou six fois par mois. Finalement, les pompiers ont dit à ma grand-mère: «On ne viendra plus, ça dérange tout le monde. Si jamais on a un vrai feu, on peut perdre nos jobs.» Ça devenait aussi une attraction: aussitôt que les gens entendaient la sirène des pompiers, tous les voisins se rassemblaient au pied de l'arbre. L'un deux me descendait dans ses bras, je devrais dire du bras gauche, car avec le droit, il s'agrippait à l'échelle et moi je tenais mon chat dans les miens. Une fois en bas, tout le monde nous applaudissait; j'étais fière de moi. C'était comme si j'avais sauvé mon chat. Chaque fois, je me prenais pour une héroïne!

Ma souris, elle, fatiguée d'être dans la boîte, avait agrandi un des petits trous et s'était sauvée. J'avais accusé mes cousins de l'avoir tuée.

Mes cousins et moi avions parfois des jeux stupides. On se couchait sur la voie ferrée et le dernier qui s'enlevait à l'arrivée du train gagnait. Il gagnait quoi? Rien, il n'y avait rien à gagner. Mais c'était le plus téméraire. Des années plus tard, j'ai su qu'un technicien de Radio-Canada a vu son fils périr de cette façon. Ses amis et lui s'attachaient à la voie ferrée et celui qui se détachait à la dernière seconde était le gagnant. Lorsque le tour du fils de mon ami est arrivé, en tentant de se détacher, les cordes se sont nouées: il est resté coincé et a été broyé par le train. Quelle mort atroce et quel chagrin pour les parents! Les enfants ont de drôles de jeux!

Un jour que mes cousins et moi étions en chaloupe à 200 pieds du bord sur la rivière Richelieu, fanfaronne, je leur ai lancé un défi:

– Je peux me rendre au bord à la nage.

– Tu sais pas nager.

– Ça fait rien, j'suis capable.

– OK, on va voir si t'es si bonne que ça.

Ils m'ont jetée dans la rivière. Je gardais la tête hors de l'eau en barbotant comme un chien. Je n'avais pas peur; je n'avais qu'une idée, me rendre au bord, ce que j'ai fait avec l'énergie du désespoir. J'étais hors d'haleine en atteignant la berge, mon cœur battait à tout rompre. En même temps, j'étais très fâchée contre moi d'avoir lancé ce défi ridicule; j'étais enragée. Au lieu de continuer à m'en vouloir, j'ai dirigé ma colère contre mes cousins.

Je suis devenue hystérique et je leur ai crié des injures comme une folle. Ils riaient de moi! De rage, je leur ai lancé des roches pour les empêcher d'aborder, et des sangsues aussi, car les berges du Richelieu en étaient pleines. C'était au tour de mes cousins de crier comme des fous. Ils avaient peur des sangsues qui collaient à la peau et ça, je le savais. Quand une d'entre elles s'agrippait à moi, je lui jetais du sel... elle se recroquevillait et lâchait prise.

Quand on criait, pour nous punir de nos niaiseries et de nos chicanes, ma grand-mère nous envoyait chercher un fouet qu'on devait choisir nous-mêmes, une petite branche d'arbre qu'on allait arracher aux peupliers sur le terrain. Il ne fallait pas la choisir trop petite ni trop grosse. Quand elle était trop petite, grand-maman nous envoyait en prendre une autre. Elle ne nous frappait pas trop fort. Sur les fesses, ça allait, car on avait nos vêtements, mais sur les jambes, ça laissait des marques rouges et ça cinglait. Je lui disais: «Je vais le dire à papa», pas à ma mère, car elle se serait rangée de son côté.

Elle disait: «Moi aussi, je vais lui dire comment t'as été grippette aujourd'hui.» Alors, c'était motus et bouche cousue de part et d'autre.

# Chapitre 2

# «A' PAS D'SANTÉ, C'T'ENFANT-LÀ»

De Rosemont, nous avons emménagé rue Rivard, près de la rue Laurier, dans un petit logement d'un deuxième étage. J'avais six ans. Maman a acheté des meubles usagés chez Woodhouse, rue Sainte-Catherine Ouest, pas très loin de la rue Jeanne-Mance où se trouve aujourd'hui la Place des Arts. Il n'y avait qu'une chambre, je couchais dans le salon, sur une sorte de divan à tiroir où nous rangions couvertures et oreillers. Je devais faire mon lit tous les soirs avant de me coucher.

Le premier matin, je me suis levée, le corps couvert de petits points rouges. Maman a pensé à la rougeole, mais on s'est très vite aperçu que le divan était infesté de punaises. Je me grattais au sang; mon corps était une plaie vivante.

À l'époque, il n'y avait pas d'exterminateur, on achetait des petites boîtes de métal contenant un genre de lampion qu'on allumait. La fumée assez dense qu'il dégageait exterminait les punaises, et nous aussi en même temps. Au bord de la suffocation, nous devions sortir de la maison pendant trois heures pour laisser le temps au produit de faire effet et de tuer toutes les punaises; et ce, une fois par semaine pendant un mois. L'été, ça allait, mais l'hiver, moi qui détestais le froid, c'était assez pénible!

Maman était assistante coiffeuse chez monsieur Gadoury, un salon de la rue Sainte-Catherine Est, près de la rue Papineau. Matin et soir, elle faisait le trajet à pied de la rue Rivard (près de

Laurier) pour économiser l'argent du tramway. À la fin de sa journée de travail, elle allait faire des ménages jusqu'à 23 heures aux appartements Le Château, situés rue Sherbrooke à l'angle de la rue de la Montagne; puis c'était le retour à pied rue Rivard. Courageuse femme! Pour se remettre de sa journée, elle prenait deux, trois verres de gin en arrivant et le matin, avant de partir, un autre pour l'aider à passer la journée. Papa lui adressait très souvent des reproches, mais puisqu'elle travaillait fort, il passait rapidement l'éponge. Pour maman, tous les prétextes étaient bons pour prendre son gin: se donner du courage, se consoler d'une peine, se récompenser ou faire la fête avec ses amis.

* * *

Le dimanche à cinq heures du matin, j'ai cinq ou six ans.
– Papa, qu'est-ce qu'on fait?
– Va te coucher, y est trop de bonne heure.
Cinq minutes plus tard:
– Papa, qu'est-ce qu'on fait?
– Laisse dormir papa. Papa va y penser.
J'étais une enfant hyperactive. Pour passer le temps, je jouais avec mes poupées en papier, découpées dans un livre, je les habillais, je les faisais parler, je faisais des séances. Je donnais aussi des shows pour mes petits voisins. Un drap sur une corde à linge me servait de rideau de scène, je me cachais derrière, j'étais en coulisse, je demandais deux épingles à linge comme prix d'entrée. Puis je passais devant le drap et je récitais des fables de La Fontaine que mes professeurs m'avaient apprises, par exemple *Le chat, la belette et le petit lapin*; j'imitais les animaux comme je les imaginais. Je ronronnais et miaulais pour le chat; je prenais une voix aiguë de femme acariâtre pour la belette; je faisais le gentil lapin avec une voix enfantine. J'avais du succès et je ramassais des épingles à linge pour ma grand-mère. Presque toutes les semaines, je répétais le même spectacle: les enfants adorent revoir les mêmes films des centaines de fois. J'en rajoutais toujours un peu, au grand plaisir de mes amis. Mais ce qui les faisait le plus rire était mes imitations du chien. À quatre

pattes, je levais ma jambe gauche, comme si le chien pissait, et je murmurais «pssssssss».

Je suis une grande actrice de rôles de composition!

J'allais à l'école publique au coin des rues Laurier et Saint-Hubert. Le jour de ma première communion arriva. Mes parents s'étaient saignés à blanc pour m'acheter ma robe de première communion chez L.M. Messier, avenue du Mont-Royal, LE magasin à rayons chic de l'époque: un voile blanc brodé, une couronne en petites fleurs de cire montée sur une tige de métal, des bas blancs et des souliers... noirs! Des souliers noirs pour ma première communion: la honte! Alors que toutes les autres petites filles avaient des souliers blancs. Le désespoir! Maman m'a dit: «Des souliers noirs, c'est mieux, tu vas pouvoir les mettre tout le temps après; des souliers blancs, c'est pas pratique, tu ne peux pas les porter l'hiver.»

J'ai donc fait ma première communion à l'église Saint-Denis avec mes souliers noirs. Mes parents n'ont pas assisté à la cérémonie: ils travaillaient tous les deux. Et bien sûr, je n'ai pas eu de party de première communion.

Cependant, je savais que ma grand-mère Dupuis m'attendait à la maison avec un gâteau à l'érable, mon préféré, elle le faisait divinement bien, et aussi avec une orange. J'étais très heureuse. J'ai toujours adoré les oranges. À l'époque, en cadeau pour le jour de l'An, je recevais une orange et des «peanuts en écailles». Aujourd'hui encore, je considère comme un grand luxe de me faire des jus d'orange frais et de manger des oranges autant que j'en veux. Et quand je veux!

En revenant de ma première communion, j'ai croisé mon petit voisin qui était extrêmement déplaisant et batailleur; il m'agaçait toujours et me cherchait, comme disait ma grand-mère: «Il passe son temps à la faire damner.»

Il m'a dit:

– T'es donc ben laide, pis ben p'tite avec ta robe de première communion blanche et tes souliers noirs.

– Ah ben!

Il m'a poussée et je suis tombée les fesses sur le trottoir. Ma robe et mes bas blancs étaient tout sales. C'était le printemps; les trottoirs étaient loin d'être propres. Je me suis relevée furieuse, je lui ai sauté dessus, en le prenant à la gorge. Comme j'étais petite, je ne touchais pas «à terre». Mais je ne le lâchais pas! Il est parvenu à se défaire de moi, il s'est sauvé; puis il a monté l'escalier extérieur.

J'ai aperçu une pelle appuyée sur une rampe en fer forgé; je l'ai prise et l'ai poursuivi en lui en donnant des coups sur la tête. Je frappais, je frappais, je ne pouvais plus m'arrêter. J'étais enragée. Arrivés sur la galerie, on a continué à se battre. Je le frappais toujours avec ma pelle, j'aurais pu le tuer.

Finalement, sa mère est sortie de la maison et m'a lancé:
– Va-t'en chez vous, p'tite maudite folle.

Je suis rentrée chez moi en pleurs, ma robe de première communion déchirée à la taille; elle pendait devant, et je la retenais. J'essayais de la rentrer dans ma culotte pour que ma grand-mère n'ait pas un trop gros choc en me voyant. Le voile, on n'en parle pas, ni de la couronne parsemée de petites fleurs en cire: il ne restait que deux cotons de broches.

La crise de ma grand-mère quand elle m'a vue! J'ai pleuré tout le temps que j'ai mangé mon gâteau à l'érable. Elle n'arrêtait pas de me dire: «Attends que je raconte ça à ta mère, tu vas en manger une.» Mes pleurs redoublaient.

J'avais peur de ma mère; quand elle était saoule, elle s'emportait et me donnait des bonnes «claques». Comme ça lui arrivait assez souvent, je la surveillais pour voir dans quel état elle était quand elle montait les escaliers. Elle s'arrêtait parce qu'elle perdait l'équilibre. Quand elle rentrait, je me faisais toute petite, pas un mot, j'essayais de disparaître et quand elle était trop «fatiguée», elle allait se coucher tout de suite. Ouf! Mon père lui disait: «Pourquoi tu bois Émérentienne, tu t'abîmes la santé.» Il adorait sa femme. Des fois, je les entendais faire l'amour. Je savais qu'ils s'endormaient très vite après. J'en profitais pour regarder les images dans un grand livre de catéchisme illustré et lire des *Bécassine,* une bande dessinée qu'une tante de mon père, religieuse, lui avait donnée. Sœur Marie-Stéphane enseignait le piano au couvent d'Outremont, chez les sœurs Jésus-Marie. Je parlerai d'elle plus loin.

\* \* \*

Je faisais toujours des commissions pour les voisins qui me récompensaient. Je ramassais mon argent, pour en faire quoi, pensez-vous? Pour m'acheter des bonbons et de la gomme Chicklet jaune. Parce que ma mère me défendait d'en mâcher, je mettais toute la boîte dans ma bouche; pas assez intelligente pour en prendre quelques-unes et garder les autres en réserve. Je savais que si elle l'avait trouvée, elle l'aurait jetée. Elle me défendait aussi de boire du Coke. Je crois que j'en ai bu pour la première fois à 20 ans. On buvait plutôt de la petite bière d'épinette, de l'Orange Crush ou du Cream Soda.

Un jour, je vais faire une commission pour ma mère à la pharmacie. J'aperçois un monsieur dans une cabine téléphonique vitrée. La lumière est allumée. Et là, tenez-vous bien, j'ai vu cet homme en train de se masturber! Je suis restée figée raide devant cet exhibitionniste. Puis je me suis éloignée doucement, sans le quitter des yeux. Je suis allée vers le pharmacien et je lui ai dit tout bas: «Y'a un monsieur dans la cabine téléphonique qui brasse une grosse affaire rouge gluante.» Je suis partie en courant. Arrivée à la maison, j'ai raconté à ma mère ce que je venais de voir en lui décrivant la «grosse affaire rouge gluante», grande comme ça, en écartant mes deux bras.

Maman m'a dit:

– Grande comme ça, exagère pas.

J'ai dit:

– Oui, grande comme ça, si c'est pas plus!

Je m'en souviens encore, j'étais impressionnée; j'avais trouvé ça énorme. C'est drôle comme à l'époque on se souciait peu de ce que pouvait raconter un enfant. Ma mère m'a dit:

– Tu ne parles pas à des messieurs comme ça; tu ne les suis pas non plus, même s'ils veulent te donner des cadeaux ou un petit chat, t'as compris?

– Oui!

Elle savait que j'adorais les animaux...

* * *

Le dîner de Noël se faisait toujours chez notre «matante» riche, Ida. Avant de partir, maman avalait deux cuillerées d'huile d'olive pour se faire un petit fond, parce que ça lui permettait de boire un peu plus. Elle savait qu'elle allait prendre un petit verre, enfin, plusieurs petits verres. Ça mangeait, ça jouait aux cartes, et ma mère commençait à chanter des chansons à répondre, en fait, des chansons cochonnes: «M. le Pineau, curé de chez nous. Pin aucu ré de chez nous. Pin aucu papa, Pin aucu maman, Pin aucu ré de chez nous!» J'avais honte.

Papa disait: «Bon! A chante des chansons cochonnes, a commence à être pas mal "chaude"».

C'était l'heure de coucher les enfants sur les manteaux dans la chambre de ma tante Ida.

Au moment de partir, papa venait me réveiller, m'habillait et on allait attendre le tramway pour rentrer chez nous. On attendait parfois de 15 à 20 minutes. C'est long quand c'est l'hiver et qu'on a froid!

J'avais un petit manteau de drap très mince et je gelais, je gelais. Aussitôt montée dans le tramway, ma mère commençait à être malade. On devait alors descendre, car le conducteur ne voulait pas qu'elle vomisse dans le «p'tit char». Et là, il fallait laisser passer deux ou trois tramways avant qu'elle se «replace» comme disait mon père. J'étais gelée, gelée. J'ai toujours détesté le froid. Encore maintenant: «J'haï-ï-ïs l'hiver...»

Plus tard, j'ai eu des manteaux de fourrure, mais j'avais encore froid. Enfin, le manteau Kanuk est entré dans ma vie, avec la botte en loup marin. Merci Louis Grenier.

Papa voulait que maman se rapproche de son travail. Elle était toujours coiffeuse dans le bas de la ville, rue Sainte-

Catherine. Elle avait maintenant beaucoup d'expérience. Elle me coupait les cheveux, les frisait comme Shirley Temple. J'avais les cheveux raides comme des clous, elle me faisait une permanente. Elle me mettait des rouleaux qu'elle coinçait avec des pinces branchées par des fils électriques à une machine à friser! Je ne pouvais pas bouger pendant 20 minutes. S'il y avait eu une urgence, j'étais faite! Pour les trois mois suivants, j'avais les cheveux «grichous».

Nous avons déménagé de la rue Rivard à la rue Wolfe, près de la rue de Montigny (aujourd'hui, le boulevard de Maisonneuve.) Quand nous sommes arrivés au logement, la famille qui le quittait était encore dans la maison; le camion de leurs amis ne pouvait pas venir avant le lendemain matin.

Nous avons dû dormir dans le salon avec nos meubles, nos boîtes et eux dans la chambre avec leurs affaires. Le lendemain, mes parents se sont rendu compte que la maison était infestée de coquerelles. Notre appartement de la rue Rivard, c'était Versailles en comparaison de celui-ci. J'ai toujours détesté cet endroit qui était sombre et froid. Ma mère a sorti son gin... Elle a tellement bu, qu'elle est tombée par terre. «Est-tu morte, tu penses? Est-tu morte?» Papa disait: «Non, non, on va la coucher puis elle va aller mieux.» Ils ont fait le ménage pendant un mois, peinture, tapisserie, etc. Je les aidais à peinturer les chaises de cuisine. J'adorais ça, d'ailleurs j'aime encore ça. Bien sûr, les petits lampions à punaises sont restés allumés longtemps!

Comme tous les enfants de la rue avaient une bicyclette, j'ai demandé à mon père de m'en acheter une. Il a refusé net. Premièrement, parce qu'on n'avait pas d'argent et, deuxièmement, il disait: «Tu vas te tuer avec ça.» On était en plein centre-ville. Résultat, je me suis désintéressée de la bicyclette et je n'en ai jamais eu de toute ma vie. Je ne sais même pas m'en servir. Aujourd'hui encore, j'aimerais apprendre, mais mon copain me dit: «Oublie ça, y est trop tard.» Par contre, j'ai eu un trois roues avec un panier en arrière comme les vieilles «madames» de Floride. Je me trouvais ridicule. J'ai oublié ça!

J'avais sept ans quand la guerre a été déclarée. Qu'est-ce que la guerre à cet âge? Des méchants qui s'entretuent! Le 1er septembre 1939, les Allemands envahissaient la Pologne. Le 3 septembre, l'Angleterre et la France déclaraient la guerre aux Allemands.

On savait qu'il y avait un homme méchant, en Allemagne, qui s'appelait «Hicleur» (on le prononçait de cette façon, avec un «c» et à l'anglaise) et qui faisait la guerre en Europe. Pour nous, c'était bien loin, irréel. On n'avait pas CNN sur place pour nous faire voir la guerre en direct, même pas la radio et les ondes courtes pour nous donner des nouvelles.

Pendant la guerre, les coupons de rationnement nous permettaient d'obtenir le beurre, la viande et le sucre. C'est drôle, on développe souvent le goût des choses dont on est privé. Je n'aimais pas le beurre, mais maintenant, je l'ado-o-ore!

Quand Jean-Louis Roux, étudiant à l'Université, a arboré la croix gammée sur sa blouse de laboratoire, je crois qu'il ne se doutait pas de l'existence de tous ces camps de concentration où l'on exécutait les gens. Je ne pense pas qu'il ait porté cet insigne par fierté, mais plutôt par provocation. Ça lui a malheureusement coûté son poste de lieutenant-gouverneur des années plus tard.

# Chapitre 3

# MES PLUS BELLES ANNÉES

Mon père et ma mère travaillaient tous les deux et j'allais à l'école publique Sainte-Catherine, rue Robin près d'Amherst, dans un quartier défavorisé; ma mère était inquiète. En revenant de l'école, je jouais avec mes amis à «branch & branch», au carré, à la cachette; je traînais jusqu'à la noirceur au lieu de faire mes devoirs. J'avais la clé de la porte d'entrée, mais j'aimais mieux rester dans la ruelle à jouer au ballon avec les plus grands, des garçons. Ils me prenaient dans leur équipe parce que j'étais la plus souple pour grimper les clôtures et aller récupérer les ballons tombés dans la cour des voisins.

Je commençais à être un peu délinquante et à mal parler. On vidait les fonds de bouteilles de bière qu'on trouvait dans les caisses qui traînaient dans la ruelle, derrière la taverne de l'hôtel Lafayette. Je sacrais comme mes camarades. Alors ma mère a décidé de m'envoyer en pension. Sœur Marie-Stéphane, la tante religieuse de mon père, était aussi directrice de l'École supérieure de musique. Elle voulait que j'aille à Outremont, chez les sœurs des Saints-Noms-de-Jésus-et-de-Marie, mais c'était trop cher. Alors ils m'ont envoyée chez les sœurs de Sainte-Anne, au couvent de Lachine.

Un beau couvent, tout en pierre, situé sur le bord du canal de Lachine. De l'autre côté de la rue, il y avait un immense parc avec des allées pour se dégourdir pendant les récréations. On jouait au baseball et au volley-ball. L'hiver, une longue glissoire de bois et une patinoire occupaient nos loisirs. J'ai été pensionnaire pendant 10 ans: mes plus belles années, puisque j'avais des amies avec qui jouer. En plus des cours, les religieuses nous enseignaient le piano, le solfège, la diction, nous emmenaient aux matinées de l'Orchestre symphonique de Montréal, dirigé par Wilfrid Pelletier et Jean Vallerand. C'est là que j'ai découvert des grandes vedettes comme Rose Bampton, chanteuse d'opéra, et Alexander Broth, violoniste vedette des matinées. On allait aussi au théâtre du Collège Saint-Laurent et visiter des musées. On montait des pièces de théâtre dans lesquelles j'ai joué des tas de personnages. On donnait des concerts de piano et de violon.

C'est là aussi que j'ai connu mon amie Céline Gratton, qui étudiait le violon, et Denise Leroux, qui est devenue plus tard la femme de Jean Bissonnette. Céline a épousé Jean-Marc Chaput; il étudiait au Collège Jean-de-Brébeuf. Le soir après le collège, il vidait des sacs de courrier au bureau de poste pour se faire un peu d'argent pour payer ses études. Ce qu'il raconte dans ses conférences est vrai, il a travaillé comme un fou, il s'est fait tout seul. Il n'a pas changé, aussi drôle qu'à l'époque: un raconteur-né.

Céline était orpheline, c'était la sœur de Fernand Gratton, fondateur de l'Orchestre symphonique des jeunes. Fernand avait épousé Marcelle Martin, Grand Prix d'Europe d'orgue et sœur de Gilberte Martin, Grand Prix d'Europe de piano. Cette dernière a été mon professeur de piano au Conservatoire de musique de la province, situé rue Saint-Denis, entre les rues Ontario et Emery; je prenais aussi des leçons privées chez elle, rue Fabre.

Denise Leroux était dans une autre classe. Elle avait trois ans de moins que moi, mais me suivait de près; une fille studieuse, première de classe, brillante, elle étudiait aussi le piano avec une religieuse que nous adorions, sœur Marie-Jocelyne, et plus tard avec sœur Marie-Cécile-de-Milan. J'adorais sœur Marie-Cécile. Elle était très jeune, souriante, brillante. Elle nous tutoyait, ce qui ne se faisait pas à l'époque. Elle m'aimait bien parce que je la faisais rire. Je venais me confier à elle quand je me faisais disputer ou mettre en pénitence. Il est vrai que j'aimais faire rire mes compagnes. J'étais un peu dissipée, comme on disait.

On me confiait une multitude de tâches, parce que j'étais fiable... par exemple, mettre de l'eau dans le bénitier. Quelquefois je mettais de l'eau de Javel dans ceux de la classe ou de la chapelle, pour faire une blague. Nous faisions le signe de la croix en entrant et en sortant de la classe et de la chapelle. Alors, quand les doigts passaient devant le nez, tout le monde faisait une grimace. J'étais petite... et la première devant. Je me gardais bien de toucher à l'eau. Je faisais semblant d'en prendre. Déjà actrice! Je m'installais au premier banc de la chapelle et mon plaisir était de voir toutes les élèves sentir leurs doigts en faisant le signe de la croix. Je faisais semblant de lire mon missel, mais intérieurement, je riais. La directrice me faisait venir à son bureau:

– Mademoiselle Sylvestre, pourquoi mettre de l'eau de Javel dans les bénitiers?

– Ma sœur, je me suis peut-être trompée de bouteille.

– La vérité s'il vous plaît?

Je n'étais pas menteuse.

– Ma sœur, j'ai fait ça pour faire une blague, pour faire rire les autres filles.

– Que ce soit la dernière fois. Vous êtes en retenue dimanche prochain.

Nous sortions tous les dimanches de 10 heures à 16 heures. Ce n'était pas long. Les parents plus fortunés venaient chercher leur fille en auto. Moi, je prenais le tramway 91 jusqu'à la place d'Armes, je changeais pour celui de la rue Amherst, et ensuite celui de Papineau. Je dînais avec mes parents; ma mère lavait mes vêtements et je repartais avec ma petite valise en carton et mon linge propre pour la semaine. Maman me donnait 50 sous pour mes dépenses: m'acheter des crayons, des «effaces», des crayons de couleur...

Nous apprenions aussi la broderie, la couture, l'art culinaire et la biologie. C'est moi qui faisais les biopsies, opérais les grenouilles, les couleuvres. J'avais une main sûre. Je n'avais aucun dédain, j'aimais ça. Je rêvais secrètement de devenir chirurgien: un rêve évanoui!

Quand, plus tard, j'ai rencontré le D\u02b3 Henri Atlas, un excellent chirurgien, j'étais en admiration devant lui et fière d'être à ses côtés. Je ne sais pas s'il le savait. Maintenant il le sait!

À la distribution des prix de fin d'année, pour la chanson finale, nous portions sur la tête des couronnes de fleurs: blanches, pour «l'excellence» de la conduite; bleues pour la «très bonne» conduite et roses pour la «bonne» conduite. Un jour, sœur Georges-Hector m'a fait déposer les couronnes sur les chaises de chacune des élèves selon la liste fournie. Malheureusement, je n'étais pas sur la liste. Alors après avoir accroché les couronnes au dossier des chaises, j'en ai gardé une blanche pour moi, que j'ai mise dans ma «poche de sœur». Le moment de la distribution des prix arrive; j'ai presque toujours eu le prix de musique, Denise Leroux, presque tous les autres. J'étais zéro en arithmétique; heureusement que ça s'est arrangé plus tard, sinon je serais dans la dèche.

La chanson commence: «Prends ma couronne, je te la donne; au ciel, n'est-ce pas, tu me la rendras.» Du coin de l'œil, je regarde sœur Georges-Hector; la surprise, toi, de me voir les bras tendus vers le ciel et une couronne «blanche» dans les mains! Mes parents étaient très fiers. S'ils avaient su. Sœur Georges-Hector ne m'a jamais disputée, je pense qu'au fond, ça l'amusait de me voir aussi coquine.

Elle m'aimait bien, quoiqu'elle fût sévère. C'est elle qui m'a appris à jouer au bridge. Elle me choisissait toujours comme partenaire. Je n'ai jamais eu autant de plaisir qu'avec elle. Sortie du couvent, je n'ai plus jamais joué au bridge, j'avais perdu ma partenaire! Elle avait, comme ma grand-mère, une dévotion pour le petit Jésus de Prague qui avait sauvé la ville de la peste. Elle m'a donné l'image: un petit Jésus debout avec une couronne or et une robe longue rouge et or, une mappemonde bleue dans la main gauche, surmontée d'une croix; il bénit de la main droite. J'ai encore l'image dans mon porte-monnaie, je ne m'en suis jamais séparée, comme de la photo de mon père à 20 ans et celle de Henri Heusdens que je garde toujours dans mon portefeuille de voyage.

Mon amie Céline suivait des cours de violon. Arthur Leblanc, son professeur, venait une fois par semaine, le samedi, donner des cours supplémentaires. J'y assistais, il nous impressionnait. C'était un virtuose qui jouait avec une fougue et un talent hors du commun. Un jour, il n'est pas venu donner son cours. On chuchotait qu'il était fou et qu'on l'avait interné. Il fut remplacé par Lionel Renaud, un violoniste qui a travaillé à la radio de Radio-Canada aux *Joyeux Troubadours*, une émission diffusée de 11 heures à midi, et qui débutait par: «Toc, toc, toc, qui est là? Les Joyeux Troubadours! Mais entrez voyons, entrez.» La chanson commençait ainsi: «Durant toute la semaine / les Joyeux Troubadours / ont confiance en leur veine / et rigolent toujours. / Ce sont des philosophes, au lieu de s'affoler / devant une catastrophe / ils se mettent à chanter: Ne jamais croire / toutes ces histoires, / c'est comme ça qu'on est heureux! / Faire un sourire / quand tout chavire, / c'est comme ça qu'on est heureux! / Aimer la vie et ses folies, / c'est comme ça qu'on est heureux! / Et trouver le ciel bleu / quand il tonne et quand il pleut, / c'est comme ça qu'on est heureux!»

Pour le piano, nous avions des cours spéciaux d'Auguste Descarries. Je jouais assez bien, mais quand venait le temps de m'exécuter devant lui, j'étais paralysée. Pour m'aider à me détendre et à m'habituer au public, sœur Marie-Georges-Hector me faisait jouer quand les élèves revenaient en rang de la récréation pour se rendre en classe. J'ai tellement aimé mes années passées au couvent des sœurs de Sainte-Anne que c'est toujours avec une grande joie que j'y suis retournée par la suite, année après année.

\* \* \*

J'ai aussi passé une partie de mes étés à la ferme de mon grand-père Sylvestre, dans le rang du Grand-Saint-Jacques à Saint-Barthélémy. Je jouais avec les cochons dans la soue. J'en sortais pleine de boue, je sentais mauvais à un mille à la ronde. Ma grand-mère Sylvestre me lavait en me jetant des seaux d'eau sur la tête!

Ma mère m'envoyait en train toute seule à Saint-Barthélémy. Mon nom et mon adresse étaient écrits sur un bout de papier, mais sans numéro de téléphone puisque nous n'en avions pas. J'avais sept ans. Papa me donnait 25 sous pour acheter un sandwich et une liqueur. Des Noirs vendaient les sandwiches et les «liqueurs douces» (Coke, orangeade). J'étais très gênée, je n'osais pas les regarder et j'en avais aussi un peu peur. Je trouvais bizarre qu'ils aient la peau noire et l'intérieur des mains blanches. Ça m'intriguait. Ils me parlaient très gentiment et m'offraient une boisson gazeuse. Je gardais les yeux baissés, impressionnée. Aussitôt qu'ils partaient, je me penchais dans le couloir du train pour les regarder à mon goût. Je me disais: «Ils ont dû faire quelque chose de pas correct pour être noirs de même.»

Dans le potager de mes grands-parents, il y avait de tout. Entre les allées, de grands rectangles surélevés avaient l'air de tombes, fraîchement recouvertes. Je me cachais souvent sous les plants de rhubarbe.

Les fraises étaient grosses comme des petits pains. J'adorais les fraises, j'en mangeais jusqu'à me rendre malade. J'aimais aussi les cueillir dans les champs. On partait avec nos «chaudières pour le miel» et on allait dans les vallons en face de la maison. Un jour, ma grand-mère a trouvé une belle «talle» de fraises un peu plus loin tandis que moi je continuais à cueillir, assise par terre. Et qu'est-ce que je vois? Un bébé ours, tout petit, couché près du boisé. J'ai couru le prendre dans mes bras, il s'est laissé faire. Je me suis levée en criant:

– Grand-maman, regarde le beau petit ours.

Aussitôt, elle m'a crié, la voix affolée:

– Lâche-le tout de suite, mets-le par terre, vite, vite, vite!

Elle venait d'apercevoir la mère ourse debout sur ses pattes arrière, qui s'approchait de moi pour récupérer son petit. Je l'ai lâché et j'ai couru, couru, couru. J'ai dévalé la petite côte, jusqu'à la clôture de perches, j'ai sauté par-dessus comme un cabri. Je me suis précipitée à la maison et j'ai dit à mon oncle Gérard, le plus jeune frère de mon père:

– Y'a une grosse ourse qui court après moi parce que j'ai pris son bébé.

Mon oncle Gérard m'a répondu:

– Pis grand-maman Sylvestre, elle est où?

Ah ben oui, grand-maman elle est où? Je l'avais oubliée. Dix minutes plus tard, je l'ai vue arriver, tout aussi essoufflée que moi. Elle avait échappé à l'ourse qui, somme toute, ne s'occupait plus d'elle puisqu'elle avait récupéré son petit. Grand-maman s'était couchée dans le foin pour se cacher de l'ourse et de son bébé qui étaient passés près d'elle sans s'en préoccuper. Elle avait eu la peur de sa vie. Moi aussi.

Il m'est arrivé bien souvent d'apprivoiser des chats sauvages (des ratons laveurs qui ne sont pas si sauvages que ça finalement) et des renards roux. Je les nourrissais avec des restes de table.

Parce que j'allais en vacances chez elle, je voyais plus souvent ma grand-mère Sylvestre qui, toutefois, commençait à être malade. Elle avait de la difficulté à manger sa soupe, à mettre sa cuillère dans sa bouche, elle était trop faible. Je la voyais avec le regard d'une enfant qui ne comprend pas très bien la maladie et le vieillissement. J'avais envie de lui dire que je l'aimais, mais ça me gênait. Mes yeux croisaient les siens, elle me regardait tendrement, me souriait un peu et des larmes tombaient de ses joues. Je mettais ma main sur sa main qui tremblait pour lui dire mon affection.

Elle est morte le 18 juillet 1944. On a toujours dit que j'avais le physique de ma grand-mère Sylvestre, née Marie-Louise Barrette.

Je me souviens encore de l'époque où elle jouait du piano alors que je dormais à ses pieds, sous l'instrument. Il faisait froid parce qu'on ne chauffait pas le salon. Les portes restaient fermées hiver comme été. J'entends encore le son de ce piano désaccordé et les musiques de Debussy et de Chopin.

* * *

Après ma rencontre avec les Noirs dans le train, j'ai fait celle de nos voisins de Saint-Hilaire, des petits Anglais. Ma grand-mère Dupuis nous disait: «Je vous défends de leur parler, c'est des Anglais, pis des protestants.» Pour nous, c'était des pestiférés qu'il fallait haïr. Quand ils passaient près de notre terrain, mes cousins et moi leur lancions des cailloux en leur criant: «Maudits *blokes*, maudites têtes carrées.» Fallait-il être assez niaiseux, être élevés à détester les Anglais.

Ma mère avait une ouverture d'esprit plus grande que sa mère et me disait: «Si tu les appelles encore maudits *blokes* et si tu garroches encore des roches, tu vas avoir affaire à moi.» Ce que j'ai encore fait, bien sûr.

Ma mère, m'ayant entendue crier après eux, est sortie du chalet, m'a prise par le cou d'une main ferme et m'a emmenée jusqu'à la maison des Anglais; elle a dit à la mère des enfants:

– La petite vient s'excuser auprès de vos enfants de leur avoir lancé des roches, allez les chercher. Là, tu vas leur dire: «*I am sorry.*» As-tu compris?

J'ai répété : «*I am sorry.*»

J'étais gênée, les petits Anglais autant que moi. Je n'avais pas un grand repentir, mais je n'ai jamais recommencé. Maman a dit à grand-maman: «Arrêtez de lui mettre des idées de même dans la tête, ces gens-là sont très gentils, c'est du bon monde.» C'est là que j'ai commencé à jouer avec les petits Anglais et à apprendre leur langue sur le tas. Y'a rien comme l'immersion!

Ma cousine Lise Adam, en fait ma «petite» cousine, était inscrite elle aussi au couvent de Lachine. Elle était dans ma classe. Son père, René Adam, était pharmacien, et sa mère, une belle femme, petite cousine de ma mère, restait à la maison. Elle s'appelait Georgiana, mais on l'appelait Nana! Parfois, mon oncle René venait nous chercher au couvent, Lise et moi, pour nos sorties du dimanche. Il avait une grosse Chrysler. J'étais fière de voyager avec eux, traînant ma petite valise de linge sale. Le frère aîné de Lise, Jean Adam, qui a été curé pendant de nombreuses années à Saint-Sauveur-des-Monts dans les Laurentides, et qui était adoré de ses paroissiens, nous emmenait partout avec Jeannine, sa sœur. Nous allions à l'opéra au stade Molson l'été, ou au concert entendre les plus grands pianistes et violonistes: Rudolph Serkin, Vladimir Horowitz, Jascha Heifetz.

Jeannine, Lise et moi adorions le cinéma. L'année de mes 16 ans, nous passions nos fins de semaine au cinéma. Nous voyions de quatre à six films les samedis et dimanches. Nos acteurs préférés: Danny Kaye, Jean Marais et Madeleine Sologne dans *L'éternel retour*. Nous ne savions pas que Jean Marais était homosexuel, nous étions toutes amoureuses de lui. De toute façon, ça n'aurait pas changé grand-chose, on ne savait même pas que l'homosexualité existait.

Jean Adam étudiait au Grand Séminaire de Montréal pour devenir prêtre. L'été, il travaillait aux Grèves à Contrecœur, qui accueillaient les enfants défavorisés de Montréal et d'ailleurs. Les enfants avaient droit à deux semaines de plaisir et d'air pur.

Jean était toujours de bonne humeur, il avait souvent une bonne blague à nous raconter. Ses sœurs et moi adorions être en sa compagnie. J'ai toujours eu avec lui une relation agréable. Ce sont de beaux moments privilégiés de ma jeunesse. Il avait choisi la prêtrise, mais je l'aurais bien vu marié avec plein d'enfants. D'ailleurs, il ne vivait pas la vie d'un curé comme on l'imagine. Il sortait, allait chez les gens, aidant l'un, donnant de l'argent à l'autre. Il ne jugeait pas, il écoutait, il voulait tout simplement faciliter la vie des gens malheureux, défavorisés. Et sur ce point, il me rappelle le père Emmett Johns qui vient en aide aux jeunes délinquants avec son association Le bon Dieu dans la rue, et que j'ai connu un peu plus tard quand j'ai été nommée Grande Montréalaise en même temps que lui. Je pourrais dire que j'ai rencontré deux saints dans ma vie, deux saints joyeux et dévoués.

# Chapitre 4

# AU SANATORIUM DE SAINTE-AGATHE

Mes études se déroulaient assez bien. Sans être une première de classe, je m'en tirais bien. Toutefois, je commençais à être fatiguée: j'étais obligée de m'arrêter souvent, j'aurais bien aimé pouvoir faire des petites siestes. Je me sentais un peu faible. Je me fatiguais au moindre effort. Je perdais du poids. Moi, toujours si pleine d'énergie, je traînais de la patte. J'étais fiévreuse. Comme grand-maman l'a souvent dit: «Si y a un pou dans le couvent, elle l'a sur la tête, tellement elle est portée à faire de la fièvre.» Et quand il y en avait, on enduisait nos cheveux d'huile à lampe et on utilisait un peigne fin, au-dessus d'un plat d'eau... on voyait nager les poux.

Je toussais un peu, je n'avais plus d'intérêt aux études, moi qui adorais la géographie et l'histoire sainte, je faiblissais à vue d'œil. Finalement, on m'a envoyée à l'infirmerie, car je toussais de plus en plus et l'infirmière a recommandé à mes parents de voir un spécialiste des poumons. Une radiographie et le mot a été lâché: «Elle est "consomption", tuberculeuse.» Mon père était dévasté, ma mère aussi.

Ma grand-mère redisait: «Elle a jamais eu de santé, c't'en-fant-là.» J'ai entendu ça toute ma jeunesse. Mon père a demandé au médecin: «Est-ce que ça peut se guérir?» À ce moment-là, le mot «tuberculose» voulait dire «danger de mort», comme aujour-d'hui les mots «cancer» et «sida.»

Mon père m'a prise dans ses bras, je me suis blottie contre lui, je voyais ses larmes couler. «Y'a une chose à faire, il faut l'envoyer dans un sanatorium à Sainte-Agathe-des-Monts, au Mont-Sinaï où l'air est très pur.» Mais où prendre l'argent?

Le juge Forest, qui a toujours aimé mon père, devenu alors propriétaire d'un taxi, a offert de payer le sanatorium, l'assurance maladie n'existant pas. On a fait ma valise et je suis partie. Mes parents ne pouvaient pas venir me voir, car la tuberculose, c'est contagieux. Mon père m'a dit:

– J'aimerais que tu continues tes études pendant ta maladie.

– Oui, mais comment passer mes examens? Il faut que je sois au couvent de Lachine.

– Le juge Forest va s'en occuper.

Il a demandé une dispense à l'Université de Montréal. Je pourrais passer mes examens dans un local de l'université après mon séjour au sanatorium.

Ma «graduation», j'en rêvais! La toge blanche et le mortier, dont on fait passer le gland du côté droit au côté gauche en recevant notre diplôme; la grande photo de toutes les élèves de la classe... encadrée! Rien de tout ça!

J'étais malheureuse, je pleurais. Mon père m'a dit:

– Demande-moi n'importe quoi. Si tu passes tes examens et si tu guéris, tu vas l'avoir.

Ma mère était d'accord, même si elle était toujours entre deux vins pour noyer son chagrin.

J'ai répondu :

– Je veux aller à Paris papa, à Paris en France!

– Hein! à Paris? En France?

Il ne l'attendait pas celle-là.

– Oui, Paris.

J'avais tellement lu sur Paris que je connaissais tout de la Ville lumière. J'aimais déjà les Français, leur accent, le béret, le pain français sous le bras, les cerises de France, les pâtisseries françaises, les parfums français, les grands couturiers français, Jacques Fath, Givenchy, Christian Dior, tout! Papa a dit oui.

Alors a commencé mon calvaire au sanatorium. J'ai partagé ma minuscule chambre avec une petite Anglaise. D'autres étaient seuls à cause de la très haute contagion. Ça toussait, ça crachait, ça se plaignait, ça pleurait, c'était la déprime. Mais j'avais décidé que j'allais m'en sortir. On était au mois de novembre.

Voici le programme d'une journée type:

| | |
|---|---|
| 7 h: | Réveil et marche à l'extérieur |
| 8 h: | Petit-déjeuner |
| 9 h: | Marche |
| 10 h: | Sieste |
| 11 h 30: | Marche durant une demi-heure |
| 12 h: | Dîner |
| 13 h: | Marche |
| 14 h: | Sieste |
| 16 h: | Marche |
| 18 h: | Souper |
| 19 h: | Marche |
| 20 h: | Coucher |

Ç'a été mon horaire durant six mois.

J'étudiais aussi mes matières. Les religieuses m'envoyaient le programme que je devais suivre et j'ai toujours eu un petit mot d'encouragement de mes professeurs. Ce qui me peinait le plus, c'était de ne pas pouvoir jouer du piano.

Je pensais à mon voyage à Paris, ça me tenait en vie. Bizarrement, je m'accommodais assez bien de ma situation. Je parlais à tout le monde. Moi qui suis fille unique, je me faisais des copains, des copines, j'aimais la compagnie des autres.

Ma petite copine de langue anglaise s'appelait Chris. Je n'ai jamais su son nom de famille, du moins je ne m'en souviens pas. Je lui apprenais le français et elle m'enseignait l'anglais. Nous étions toujours ensemble. Elle était plus atteinte que moi. Je l'encourageais, pour ne pas dire je la poussais, à marcher, à manger, à s'activer.

Un matin comme d'habitude, je me lève tandis que Chris reste couchée. Elle ne bouge pas. Je suis inquiète. Je lui dis: «Chris lève-toi! Chris! Chriiis!» Elle ne bougeait pas. Je l'ai regardée, je me suis penchée au-dessus d'elle, elle était inerte, cireuse. Elle avait les yeux ouverts. Pas de souffle, elle ne respirait pas. Je n'ai pas bougé moi non plus, je l'ai regardée longuement, en me disant qu'elle allait se réveiller. J'ai attendu, rien. J'ai pensé: «Elle est morte. Non, elle ne peut pas être morte.» Personne ne venait. Finalement, les infirmières de service sont arrivées. Je me suis recouchée. J'ai regardé les gens s'activer dans la chambre, lui fermer les yeux. On l'a emportée. Quel vide! Je n'ai pas bougé de mon lit, je me sentais si seule. Si je bougeais, j'avais l'impression que j'allais mourir moi aussi.

Pour la première fois de ma vie, j'ai eu peur de mourir, comme si la mort avait été une personne et qu'elle soit entrée dans la pièce pendant que nous dormions et qu'elle ait fait un choix: «Laquelle des deux je vais prendre: Aimée ou Chris?»

Le destin... pourquoi elle? On se sent coupable... bizarre... J'ai longtemps eu l'impression que la mort rôdait, qu'elle était sous mon lit, qu'elle allait me saisir par les chevilles. Si je ne bougeais pas, elle allait peut-être s'en aller, m'oublier. Les yeux ouverts, j'ai repensé à Chris! «Quand on meurt, on n'a pas les yeux ouverts, on a les yeux fermés.» Je n'ai pas pleuré, j'avais peur...

Les jours suivants, seule dans ma chambre, je ne me suis jamais assise sur le bord de mon lit de peur que la mort m'attrape par les pieds. Je sautais directement dans mon lit. J'ai été des années à agir ainsi. Aujourd'hui encore, il m'arrive d'y penser.

Tous les mois, nous devions passer une radiographie pour évaluer notre état de santé. À la fin du septième mois, mon diagnostic tomba: le poumon était cicatrisé, plus aucune tache, rien. J'étais guérie. J'étais guérie!

* * *

Je passai donc mes examens à l'Université de Montréal, comme prévu, pas avec «très grande distinction», mais avec «distinction». Ce n'était pas si mal pour une petite fille qui aurait dû mourir.

Le piano me manquait. Je n'avais pas joué depuis sept mois. J'étudiai donc un an à l'École supérieure de musique de Lachine. Toute la journée, je m'exerçais au piano. Puis, j'ai été invitée à jouer à CKAC, dans une émission de radio diffusée en direct qui s'intitulait *Les concerts Willis*, commanditée par le fabricant des pianos Willis.

Cette émission était diffusée le dimanche midi. Ce jour-là, j'avais choisi une berceuse de Fauré que je connaissais très bien, mais j'ai pris le mouvement si lentement que j'ai dû endormir la province au grand complet. À la profonde honte de mes professeurs. Toute l'école de musique était à l'écoute, et je pensais triompher. J'étais devenue la honte de l'école.

Parallèlement, je suivais des cours chez madame Audet, rue Saint-Hubert. J'y ai rencontré Monique Miller, et nous sommes devenues amies, et Germaine Dugas qui y étudiait déjà. Madame Audet nous interpellait ainsi: «Mon petit, venez mon petit. Faites ceci mon petit, faites cela mon petit. Ne parlez pas si fort mon petit, bougez un peu. Mon petit, vous avez une petite voix, mais on va faire avec.» Elle nous vouvoyait. Elle nous aimait.

Son maquillage me fascinait: fond de teint très pâle, presque blanc; les yeux super maquillés, charbonnés; du rouge brique sur les joues; les sourcils dessinés avec une ligne de crayon brun-roux; même couleur pour les lèvres, ce qui lui faisait des petites lèvres minces, minces, et les cheveux teints quelquefois brun-roux ou roux. Elle était mince, on disait maigre, élégante avec de longs colliers et des bracelets qui cliquetaient chaque fois qu'elle bougeait les bras.

Nous, ses élèves, aimions cette femme. Presque tous les comédiens qui sont actuellement âgés de 60 à 72 ans sont passés chez elle ou chez Sita Riddez. Madame Audet avait deux fils. L'aîné, qu'on appelait monsieur André, écrivait *Madeleine et Pierre*, une émission de radio, et Marco, qui est devenu technicien, a ouvert le célèbre Studio Marco où j'ai travaillé très souvent.

À l'époque, j'habitais toujours rue Wolfe et je m'étais liée d'amitié avec Jeannine Lévesque, qui demeurait près de chez moi; elle chantait des chansons tyroliennes. Elle avait beaucoup de succès, surtout avec le «yodle» qu'elle faisait très bien.

Un jour, elle m'a demandé de l'accompagner pour une audition au Café Montmartre, où les grandes vedettes françaises venaient se produire. Le propriétaire en était monsieur Marius Martin. Elle a donc passé l'audition, chanté des «yodles», et monsieur Martin l'a engagée. J'étais fière d'elle.

Ce jour-là, monsieur Martin m'a regardée et m'a demandé:
– Et vous, vous chantez aussi?

Je n'avais aucun complexe, aussi ai-je répondu: Moi? Bien sûr! Chanter pour moi, c'est comme marcher, boire ou manger. Quand j'étais au couvent, je chantais dans la chorale; j'ai une bonne oreille et je lis la musique.

– Que chantez-vous?

– *Oh! Oh! Oh! Oh! Marguerite*, une chanson de Tohama, chanteuse française qui a remporté un grand succès en France, et *Si tu viens danser dans mon village*, une chanson créée par Lucienne Delisle, autre chanteuse française.

Il m'a écoutée et m'a demandé :
– En avez-vous une autre?

– Non!

– Apprenez une autre chanson et je vous engage.

J'étais folle de joie. Monsieur Martin me donnait 75 dollars par semaine, pour deux shows par soir.

Par la suite, j'ai appris *Bergerette*, créée par Georges Guétary, chanteur d'opérette français.

Je suis donc arrivée à la maison énervée et j'ai annoncé la bonne nouvelle à ma mère en ajoutant: «Qu'est-ce que papa va dire de ça?»

Mon père trouvait que ce n'était pas un métier de chanter, de jouer la comédie. Il voulait que je sois secrétaire. Quelque temps auparavant, j'avais participé à un concours d'amateur à la radio de CKVL et j'avais changé mon nom pour que mon père ne me reconnaisse pas: d'Aimée Sylvestre, je suis devenue Dominique Michel. Dominique est l'un de mes prénoms de baptême, et Michel vient de Michel Auclair, comédien français que j'aimais tant au cinéma. Faut-il être innocente! Ma mère m'a répondu: «On ne le lui dira pas.»

Je me maquillai donc en secret dans notre petite salle de bains et enfilai ma robe longue *strapless*, que maman m'avait fait confectionner pour accompagner un copain à son bal de fin d'année. Mais, manque de chance, mon père qui ne rentrait jamais avant 23 heures, car il faisait du taxi, est arrivé plus tôt. Il m'a vue outrageusement maquillée et en robe du soir.

– Où tu t'en vas barbouillée comme ça?

– Au cabaret Club Montmartre.

Là, mon père a explosé:

– Elle ne peut pas chanter dans les clubs, c'est plein de bandits, de «guidounes». Il y a aussi de la boisson.

Il craignait que je me mette à boire. Mais j'ai toujours eu horreur de l'alcool, de la bière, même si j'avais déjà vidé les fonds de bouteilles du Lafayette.

Maman lui a dit:

– Laisse-la faire, elle a l'air d'aimer ça, je vais aller avec elle.

– Y'en est pas question. (Il avait peur qu'elle aussi boive trop.) C'est un club. Tu vas rester ici.

– Papa, j'peux pas, j'ai un contrat, je suis annoncée.

– Y'en est pas question.

J'ai pleuré, pendant que papa et maman se chicanaient.

Finalement, papa s'est ravisé:

– OK, tu vas y aller, mais j'vais avec toi.

Je n'avais pas dit mon âge à monsieur Martin. Je n'étais pas majeure.

À notre arrivée au cabaret, mon père s'est adressé à monsieur Martin:

– Elle va chanter, mais entre les shows, elle ne reste pas dans la salle.

Monsieur Martin a proposé que j'attende dans son bureau. Le premier spectacle était à 22 heures, le suivant à une heure du matin. J'ai fait ma semaine. J'ai gagné mes soixante-quinze dollars. Je n'avais pas eu un gros succès, mais ça allait. Je n'étais pas trop sexy, pas trop «pitoune», simplement passable!

Mon père m'a demandé :

– Pourquoi tu ne chantes pas sous ton vrai nom?

J'ai répondu: Bien non, je suis bien trop connue maintenant!

* * *

Nous avons déménagé de la rue Wolfe à la rue Papineau, au deuxième étage; le super luxe. Je donnais tout mon argent à mes parents. Ma mère a pu acheter un salon de coiffure à l'angle des rues de la Visitation et Sainte-Catherine, avec une amie, coiffeuse comme elle, Angéline. Elles l'ont payé 1500 cents ou 2000 dollars. Elles l'ont baptisé le Salon Kiki. Toutefois, tous les soirs après sa journée de travail, ma mère sortait, elle était toujours sur le party.

De mon côté, j'ai quitté l'École supérieure de musique de Lachine pour entrer au Conservatoire de musique de la province. L'examen d'entrée consistait à jouer un concerto, un prélude et une sonate d'un compositeur au choix, et une fugue de Bach. Comme je jouais très bien Mozart, j'ai appris une sonate de Wolfgang Amadeus. Pour le concerto, j'avais opté pour du Rachmaninov, mais j'ai de petites mains et peu de force. J'ai répété, j'ai répété encore, pour finalement abandonner Rachmaninov et préparer un concerto de Mozart. À l'examen, on m'a fait jouer une partie du concerto, puis on m'a demandé de jouer un peu du prélude et de la fugue de Bach.

On m'a interrompue: «Ça va, vous êtes admise.» J'ai demandé quand même à jouer ma sonate, on m'a dit que ça n'était pas nécessaire. J'ai insisté, car je savais exceller dans l'interprétation de cette pièce.

On m'en a finalement laissé faire un petit bout pour me dire:

– Ça suffit, vous excellez dans Mozart. De toute façon, vous êtes reçue.

Quelle déception! Je voulais jouer encore et encore, j'avais tellement travaillé!

J'ai donc suivi le cours de Gilberte Martin. Elle était plus exigeante que les religieuses de Lachine. C'était difficile et je devais travailler fort là aussi, je répétais huit heures de piano par jour. En même temps, je passais des auditions un peu partout, pour devenir comédienne et chanteuse, c'est pourquoi j'ai voulu suivre des cours de chant avec madame Louise Darios.

Lorsque je me suis présentée avec mes petites chansonnettes, elle m'a lancé: «Vous n'avez aucun talent, je vous conseille d'abandonner la chanson et de vous consacrer à autre chose.»

Je lui ai répondu qu'elle n'y connaissait rien. Je ne voulais pas être chanteuse d'opéra, mais diseuse (c'est comme ça qu'on appelait les chanteuses populaires à l'époque), et que ma voix n'était pas moins bonne que celles des Rollande Désormeaux et Lise Roy, vedettes de l'heure. Je n'avais pas une grande voix, mais je chantais juste.

Entre-temps, j'ai demandé à mon père de me payer un voyage en France, comme il me l'avait promis. Il m'a répondu que j'étais encore trop jeune, que ça l'inquiétait de me voir partir. J'ai donc ramassé mon argent. Je faisais des petites «jobines» ici et là. Je gardais des enfants, je donnais des cours de piano, et j'ai passé mon baccalauréat.

# Chapitre 5

# MA RENCONTRE AVEC DENISE F.

J'ai appris que le *Journal Est-Central*, dont le propriétaire était Paul Désormiers, un bel homme toujours souriant et de bonne humeur, lançait un concours Miss Est-Central. Je me suis inscrite. On pouvait gagner un ensemble de valises, un trophée, des certificats-cadeaux de grands magasins, etc. Au cours d'une grande soirée, nous présentions nos performances: il y avait des filles qui chantaient, d'autres qui dansaient, ou qui faisaient des acrobaties, certaines étaient tout simplement «belles», mais «très» belles, et moi je jouais du piano. Une petite fille du «Faubourg à m'lasse» qui joue de la musique classique, du Chopin; j'étais l'extraterrestre du quartier. Malgré tout, j'ai gagné le concours! J'étais jeune, un peu laide... mais probablement talentueuse.

\* \* \*

Le quadrilatère formé des rues Saint-Hubert, Papineau, La Gauchetière et Ontario, était appelé le «Faubourg à m'lasse», un quartier pauvre, très pauvre même; les résidants étaient des défavorisés. D'ailleurs, à la radio, une émission écrite par Pierre Dagenais s'intitulait: *Hey les gars, la gang du Faubourg à m'lasse!* J'adorais cette émission que j'écoutais tous les soirs.

Pierre Dagenais était le Michel Tremblay de l'époque. À ce moment-là, il était l'époux de Janine Sutto, qui a ensuite épousé Henri Deyglun, le père de ses deux filles.

Une autre de mes émissions de radio préférées était *La fiancée du commando*, une émission sur la guerre.

À propos de guerre, je me souviens d'une anecdote qu'un ami de mon futur mari, Camille Henry, a racontée des années plus tard. À Québec, du 17 au 24 août 1943, une rencontre secrète a eu lieu entre Winston Churchill, Franklin D. Roosevelt et William Lyon Mackenzie King, au Château Frontenac, pour préparer l'Opération Overlord, nom de code du débarquement allié en Normandie.

Émile Couture, l'ami de Camille, faisait partie du personnel du Château. En nettoyant la salle après le passage des trois Grands, il a trouvé une serviette pleine de documents. Sans l'ouvrir, il l'a remise aux hautes instances de l'armée qui lui ont dit: «Ne quittez pas, attendez-nous ici s'il vous plaît!»

Pendant des jours, Émile a été soumis à un interrogatoire très serré. Il a été emprisonné jusqu'à la fin de la guerre, de peur qu'il ne révèle ce qui se trouvait dans le porte-documents: les plans du débarquement de Normandie. Celui qui les avait oubliés, a-t-il été puni? L'histoire ne le dit pas!

Quand j'ai connu Émile, il était distributeur de bière Molson à Thetford Mines. Camille le connaissait en tant que joueur de hockey; représentant en bière, il se promenait en province pour faire la promotion des produits durant l'été.

\* \* \*

Dans les années 1940 à 1950, les deux crooners à la mode étaient Jean Lalonde, le père de Pierre, et Fernand Robidoux. Ce dernier était le Michel Louvain de l'époque. Il a fait pâmer toutes les femmes avec son grand succès romantique: «Je croyais à tout ce que tu disais, tu savais si bien les mots, je t'écoutais.» C'était un beau brun aux yeux noirs comme du charbon, à la voix chaude et au sourire... il avait du charme à revendre.

Sa femme, Jeanne Couet, personnifiait à la radio une petite fille espiègle du nom de Zézette. Elle avait 35 ou 38 ans, mais parlait comme une petite fille de 6 ans. Elle avait un succès énorme. Ses textes étaient écrits par Ovila Légaré. Je les ai rencontrés, elle et son mari, dans différents concours d'amateurs où ils officiaient à titre de juges. Madame Couet s'est intéressée à moi et j'en étais très flattée.

Un soir, elle m'a demandé de garder ses enfants. Je me suis rendue à leur résidence de la rue Barclay, dans le quartier Côte-des-Neiges. Madame Couet était sortie, ce fut donc Fernand Robidoux qui m'a ouvert. Je me suis installée dans le salon et j'ai commencé à parcourir des magazines. Monsieur Robidoux venait me parler de temps en temps, puis retournait à ses affaires. Les enfants étaient couchés et dormaient déjà. Il travaillait dans son bureau, et moi je restais dans le salon.

Je me demandais pourquoi ils m'avaient fait venir si monsieur Robidoux restait à la maison. Peut-être avait-il un rendez-vous plus tard en soirée. J'ai donc continué à lire au salon quand, tout à coup, je l'ai senti s'avancer vers moi doucement et se poster dans mon dos. Sans trop bouger la tête, faisant semblant de lire, je l'ai observé de côté. Il s'approcha encore, et m'embrassa dans le cou. Je n'ai pas bougé, j'ai fait comme si rien ne s'était passé.

J'étais toujours vierge. J'avais eu des amours de jeunesse, des béguins: Fernand Trudel, un chanteur fantaisiste, Claude Lalonde, un caméraman de Radio-Canada, Édouard Montpetit, petit-fils du recteur de l'Université de Montréal dans les années 1950, beau comme un dieu, cheveux noirs, yeux noirs. J'ai toujours aimé les garçons aux yeux et cheveux foncés. Mais avec ces amoureux, il n'y avait que des baisers volés, quelques caresses sans conséquences, c'était très important à l'époque! Si l'on perdait sa virginité, on avait l'impression que tout le monde le savait, que c'était écrit sur notre front. Plus vierge... hon, hon, hon!

Je n'ai pas bougé, mais j'étais flattée qu'une si grande vedette s'intéresse à moi. Je me suis même laissé un peu faire, mais j'étais intimidée. J'ai bien vu où il voulait en venir. Vierge, mais pas niaiseuse. Il m'a fait pivoter vers lui et m'a embrassée sur la bouche très délicatement (c'était un homme d'expérience), puis il m'a demandé de coucher avec lui. Je lui ai répondu: «Non, je ne peux pas, je suis vierge.» Ça tombé comme une tonne de briques. Il m'a plus ou moins crue, parce que j'avais l'air assez délurée et je semblais avoir plus d'expérience que je n'en avais vraiment. Il a continué à m'embrasser, à me caresser. J'aimais ça, mais je lui ai répété que ça ne pouvait aller plus loin. Il n'a pas insisté et m'a dit que je lui plaisais beaucoup. C'est à partir de ce moment que s'est installée une certaine connivence entre lui et moi; ce fut un flirt très important pour moi. Il m'a ensuite recommandée partout dans des émissions de radio, dans des programmes d'amateurs où je devais chanter, jouer du piano. Il m'a donné un boulot dans le journal où il travaillait, un magazine de vedettes. J'y classais des photos.

Ma mère, qui était bien plus maligne que moi, a bien vu qu'il se passait quelque chose. Elle m'a interrogée. Je lui ai tout raconté... «Mais, je ne couche toujours pas!» ai-je précisé. Elle m'a expliqué que je n'avais aucun avenir avec cet homme marié. Je perdais mon temps, même s'il disait m'aimer.

Je voulais toujours aller à Paris, c'était mon rêve. Je l'ai confié à Fernand Robidoux, qui connaissait déjà la Ville lumière; il m'a promis qu'un jour il m'y emmènerait. À cette époque, une de ses connaissances, un Français, avait décidé de monter une tournée d'artistes canadiens dans les provinces françaises pour faire connaître le Québec (à ce moment-là, Aglaé faisait un malheur en France, de même que Félix Leclerc). Le producteur français avait déjà reçu une subvention du gouvernement du Québec pour faire connaître la culture canadienne aux Français.

Comme on le voit, dans les années 50, les commandites existaient déjà. Bien sûr, Fernand Robidoux a suggéré mon nom, en plus de celui de Raymond Lévesque, qui était déjà à Paris et devait se joindre à nous pour la tournée française. J'en ai donc parlé à mes parents qui m'ont répondu qu'il n'en était pas question. Mais dans ma petite tête de pioche, j'avais décidé d'y aller quand même.

Le Français en question – un peu escroc sur les bords, je l'ai su plus tard – avait organisé, de connivence avec un propriétaire de garage, le tirage d'une voiture. Les profits devaient couvrir les coûts du voyage et les dépenses des artistes en Europe, mais le garagiste s'était arrangé avec une connaissance pour lui faire remporter la voiture que ce dernier paierait au prix coûtant.

La jeune chanteuse désignée pour tirer au sort le billet «gagnant» le tenait déjà dans sa main. (Ça aussi, je l'ai su beaucoup plus tard!) Elle s'est approchée de l'immense boîte, elle a brassé, brassé, brassé les billets. Tout à coup, elle s'est arrêtée et j'ai vu son visage se décomposer. Elle a regardé le propriétaire du garage, l'air paniqué tout en continuant de remuer les billets. Il se passait quelque chose, mais je ne savais pas quoi. Elle avait «échappé» le billet «gagnant» dans l'immense boîte. Elle devait sortir un billet, elle ne pouvait pas brasser éternellement. Elle en a donc sorti un. LA GAGNANTE: Madame Untel de la rue...? La dame est montée sur scène, folle de joie. J'ai remarqué les visages dépités du garagiste et du Français qui étaient sur scène. On a félicité la dame, sans plus, puis on lui a remis les clés de la voiture.

La dame pleurait de joie, sa famille est venue la rejoindre sur scène. On a pris des photos. Elle voulait partir tout de suite au volant de sa voiture. Mais on lui a plutôt dit que cela se ferait le lendemain, car il y avait des documents à remplir. Elle est redescendue de scène, toujours en pleurant et en envoyant des baisers à la foule. Quel bonheur, c'était le plus beau jour de sa vie!

Quelques semaines plus tard, on a appris par les journaux que la dame n'avait pas eu sa voiture; personne ne comprenait, il y a eu des poursuites en justice, les avocats... Le Français a aussitôt été soupçonné. La tournée commençait bien! On a saisi l'argent des billets. Après bien des poursuites, la dame a finalement reçu sa voiture et, curieusement, personne n'a été accusé dans cette affaire.

De nombreuses années plus tard, Fernand Robidoux m'a raconté ce qui s'était passé. J'étais outrée. S'il y a une chose que mes parents m'ont inculquée, c'est bien l'honnêteté. On ne pique pas dans les magasins, on ne vole pas. Des jeunes de ma rue le faisaient assez souvent, ma mère me disait: «Si je te vois voler quelque chose, tu vas avoir affaire à moi.» Elle était intraitable sur la question, et je ne voulais pas la contrarier et «avoir affaire à elle». Oh non! Je la craignais.

En attendant de partir pour l'Europe pour faire la promotion du Québec et des artistes canadiens-français, j'essayais de travailler. J'ai contacté Roy Cooper, du Roy Cooper Agency, l'agent le plus prestigieux qui «bookait» les clubs de Montréal et de la province. J'ai donc été engagée dans tous les clubs et les «trous» de la province.

Je faisais deux shows par soir en semaine, trois le vendredi, trois le samedi et deux le dimanche: le premier à 15 heures et l'autre à 19 heures, car les clubs où l'on servait de la boisson fermaient à 20 ou 21 heures le dimanche. Pour vendre de l'alcool le dimanche, il fallait le servir en accompagnement d'un repas. Chaque dimanche, de vieux sandwiches passaient d'un client à l'autre et servaient d'alibis, sans jamais être mangés!

L'hôtel Moderne, au coin des rues Papineau et Notre-Dame, était fréquenté par des gens qui travaillaient au port, surtout des débardeurs qui se soûlaient et parlaient fort pendant le spectacle. Fallait bien vivre! J'avais une très jolie robe rose que ma mère m'avait fait faire, une robe *strapless* en plissé permanent dont la jupe commençait sous la poitrine pour s'élargir vers le bas.

La scène en forme de U était cernée de clients. Des fois, il y en avait qui se couchaient sur le dos pour voir sous ma robe et ils criaient, sifflaient pendant que je chantais mes trois chansons, dont la dernière qui allait comme suit: «Si tu viens danser dans mon village, je ferai chanter tous les oiseaux»; les gars chantaient en gang: «Si tu viens danser dans mon visage, je vais te montrer mon p'tit oiseau...» Oh! Oh! Subtil!

Je travaillais également au Café de l'Est, rue Notre-Dame près d'Iberville, ainsi qu'au Flamant Rose, complètement dans l'est, où Gilles Talbot (futur producteur de disques) était *bouncer* (videur) et *doorman* (portier). Il était tellement gentil, beau et charmant; il aimait les artistes et ne laissait pas les gars «chauds» nous insulter. Je passais aussi au Blue Sky, rue Sainte-Catherine, au deuxième étage; aux Folies Bergère au deuxième étage lui aussi, boulevard Saint-Laurent, près de Sainte-Catherine; au Copacabana, rue Sainte-Catherine au deuxième étage, à l'angle sud-ouest de McGill College, enfin, dans tous les hôtels Royal et Central de la province, de l'Abitibi à la Gaspésie. Tout cela pour un salaire de 110 à 125 dollars par semaine, et à Montréal de 60 à 85 dollars selon les hôtels. Quelquefois, j'étais logée.

À cette époque, Denise Filiatrault travaillait aussi dans des clubs. Notre première rencontre ne fut pas un grand succès. Je ne la trouvais pas sympathique et elle me trouvait snob et prétentieuse. Elle m'a lancé:

– Je chante *Minouche*.

J'ai répondu:

– Moi aussi!

À toutes les chansons qu'elle énumérait, je répondais: «Moi aussi!»

C'était normal! Toutes les chanteuses, ou plutôt «diseuses» comme on nous appelait, chantaient les mêmes chansons françaises qui étaient des hits: *Domino*, interprétée par André Claveau; et celle d'Odette Laure: *Moi j'tricote dans mon coin*: «J'suis idiote, j'suis idiote, moi j'tricote dans mon coin, j'suis idiote et j'me sens bien» et une autre d'Odette Laure: *La biaiseuse*: «J'suis biaiseuse chez Paquin», qui laissait entendre: «Je suis baiseuse»; les chansons de Luis Mariano, celles de Charles Trenet, de Patrice et Mario, ou celles de l'oncle de Sacha Distel, Ray Ventura, et ses collégiens, ainsi que quelques succès américains traduits en français ou qu'on chantait en anglais. Par contre, je chantais *Une petite Canadienne*, de Raymond Lévesque... pas Denise!

Un soir que Denise avait un engagement dans un club qui lui offrait plus, elle m'a demandé de la remplacer au Copacabana. Le spectacle commençait vers 17 heures; les gars, surtout des gars, venaient y prendre un verre après le bureau.

Pour Denise, ce genre d'endroit ça allait, elle était assez «pitoune», elle avait de beaux seins, une belle taille, c'était une belle brune aux yeux verts. Elle «pognait» fort. Mais moi, pas trop grande, pas trop sexy! Voilà que j'arrive avec mes tresses, et que je chante: «Bergerette, Bergerette, méfie-toi du loup.» C'était moins sexy que *Besame Mucho*... quoique!

Le lendemain, le patron a dit à Denise: «Est ben *cute* ton amie, mais elle attire pas un maudit client icitte. Arrange-toi pour pus me l'envoyer.» Ce fut mon premier et dernier remplacement. On disait à l'époque: «Je suis son sub.» J'ai «subé» Denise une fois.

* * *

Un jour, un Français qui organisait des spectacles à Saint-Georges-de-Beauce nous a contactées, Denise et moi, pour donner trois spectacles le même soir dans trois endroits différents. Pour que les gens se rendent dans les trois bars, il ne disait pas d'avance dans lequel nous allions débuter. On s'en foutait un peu; il nous donnait, si je m'en souviens bien, 1200 dollars. Une fortune!

Nous avons donc fait nos trois spectacles. Dans le dernier bar, il nous a interrompues pendant l'un de nos numéros pour offrir des fleurs à la mairesse dont c'était l'anniversaire. On a attendu qu'il ait fini. Nous avons ensuite repris notre numéro où nous en étions. Un arrêt qui a un peu tué la magie. Le spectacle terminé, nous avons attendu R.C. dans le lobby de l'hôtel pour nous faire payer. Il nous a annoncé qu'il n'avait pas d'argent comptant sur lui. Nous ne faisions confiance à personne et demandions toujours à être payées comptant: nous avions bien raison.

Alors, les discussions ont commencé. Le Français nous a dit qu'il allait nous l'envoyer. Denise et moi avons refusé. Rediscussions... Finalement, il a accepté de faire un chèque au nom de Denise. Arrivée à Montréal, Denise a couru déposer le chèque à la banque. Après quelques jours, le chèque semblait être passé et Denise m'en a fait un de la moitié du montant. Tout baignait dans l'huile.

J'ai donc décidé d'aller magasiner et j'ai flambé les 600 dollars. Le lendemain, Denise m'a téléphoné, paniquée. Le chèque avait rebondi. Elle était dans le rouge à la banque et moi j'avais tout dépensé. Malheur! Denise s'est jetée sur le téléphone et a retrouvé R. C., le Français. Elle savait déjà «brasser» à ce moment-là et elle a récupéré l'argent.

Des histoires comme ça, je pourrais vous en raconter 100. Des gars qui partaient avec la caisse et des soirées qui n'ont pas toutes bien fini, comme celle-ci. Je n'oublie pas les tournées en Abitibi, au Lac-Saint-Jean, à Sept-Îles, l'hiver, en pleine tempête de neige.

Chaque fois qu'on se remémore nos souvenirs de tournées, on répète toujours: «On a-tu travaillé pour gagner notre vie!»

Ce ne sont pas les plus beaux souvenirs de notre métier, mais nous étions deux jeunes filles de l'est de Montréal, courageuses, qui essayions de survivre! Je ne conserve pas un souvenir impérissable de ce temps-là, au contraire, j'ai même détesté ça. Denise aussi!

\* \* \*

Quand je chantais en province, je m'ennuyais de mes parents. J'étais seule tous les jours. Je ne téléphonais jamais parce que ça coûtait cher, surtout si l'on considère le peu d'argent que je gagnais.

Denise Filiatrault a fait la même tournée que moi. Armande Cyr, la mère de Pier Béland, Claire Deval et Lucille Lauzon ont aussi fait le circuit. À l'affiche, il y avait toujours une vedette, celles de l'époque étaient: Johnny Russell (chanteur), Les Tune Up Boys (des instrumentistes fantaisistes qui jouaient du marteau, du tournevis, de la scie musicale, du bâton de base-ball, etc.), Jeanne D'Arc Charlebois (artiste de variétés et chanteuse québécoise), Conrad Bouchard (chanteur d'opéra), Jen Roger (chanteur), Roméo Pérusse (maître de cérémonie), et des artistes de variétés. Il y avait aussi des musiciens, des magiciens, mais également une «marcheuse» (une danseuse qui marche...), un artiste de couleur (imaginez dire ça aujourd'hui, on serait poursuivi pour discrimination!).

Mais le club le plus chic, le plus grand et le mieux situé en ville, coin Ontario et Bleury, était le Casino Bellevue. Toutes les grosses vedettes américaines et françaises, dont Édith Piaf, s'y produisaient. Quant à la «ligne» de filles en ouverture, comme au Radio City Music Hall, dont la meneuse, une grande blonde plantureuse, s'appelait Lola, elle connaissait un succès fou. Le Will Mastin Trio (composé de Sammy Davis Jr, de son oncle et de son père), Tony Bennett et Louis Armstrong y tenaient aussi la vedette.

Nous aspirions tous à passer au Casino Bellevue. La seule qui ait réussi fut Guylaine Guy. Guylaine avait beaucoup de talent. Charles Trenet l'avait remarquée et l'avait invitée en France en lui disant qu'il s'occuperait de sa carrière. Il l'avait parrainée, lui avait composé des chansons dont : *Où sont-ils donc?* (tous ces pays dont on nous parle dans les chansons...) Il l'avait présentée à l'Olympia, dans des galas, partout. Malgré cela, elle ne roulait pas sur l'or. Elle était très éprise de Michel Leroy, son amoureux français qui était aussi son imprésario. Pour payer leurs dépenses, Michel avait fait des chèques sans provision. En France, c'est très grave. On-ne-fait-pas-ça-car-on-risque-la-prison. Comme il avait imité la signature de Guylaine sur les chèques, elle fut arrêtée, mais très vite libérée, défendue par un avocat qu'elle a épousé ensuite. Elle est revenue en visite au Canada, après avoir mis un terme à sa carrière de chanteuse, pour présenter une exposition de ses peintures. J'en ai acheté une: trois petites jeunes filles qui nous représentent, Denise Filiatrault, Guylaine et moi.

Colette Bonheur, sa sœur, a connu également des heures de grands succès à la télévision avec Jacques Normand, le lundi soir à l'émission *Portes ouvertes*. Elle était amoureuse d'un musicien, un saxophoniste, Gerry Robinson. Elle a émigré avec lui aux Bermudes, où elle est décédée quelques années plus tard dans des circonstances troublantes. Toutes les sœurs Chayer (c'était leur nom de famille) étaient de jolies filles, en plus d'être très talentueuses. Elles tenaient de leur mère, une très bonne musicienne.

\* \* \*

Denise et moi avons connu, à nos débuts, un certain monsieur Gauthier que le milieu surnommait le «chien à Gauthier». Je vous explique pourquoi.

Quand il était «cassé», pour arrondir ses fins de mois, il allait dans les quartiers huppés de Westmount et Outremont et volait des chiens. Les propriétaires, désespérés d'avoir perdu leurs petits compagnons, faisaient paraître des petites annonces, en français et en anglais, dans les journaux français et anglais *La Presse* et *Le Star* et offraient jusqu'à 100 dollars de récompense pour récupérer leur petite bête. Monsieur Gauthier leur rapportait les chiens et repartait avec la récompense. Il a finalement été coincé par les policiers.

Mais comme il faut bien gagner sa vie honnêtement... il a organisé une corrida au stade De Lorimier de Montréal. Une corrida à Montréal, on n'avait jamais vu ça! Les billets se sont vendus comme des petits pains chauds. Le stade était plein. La corrida a débuté avec un défilé de chevaux, avec de la musique et tout le tralala! Monsieur Gauthier avait fait venir les toreros d'Espagne, pas de grandes vedettes bien sûr, mais les gens étaient super impressionnés.

On a donc ouvert la porte du taureau et au lieu de voir entrer un animal fougueux prêt à se ruer sur le torero, on a vu entrer doucement, timidement, une bête qui s'est arrêtée à la porte, a regardé, un peu surprise, le monde qui hurlait, s'est avancée et a commencé à brouter le gazon sur le bord de la clôture du stade De Lorimier. Gauthier ne savait pas qu'il fallait un taureau entraîné pour la corrida; il pensait que l'animal, en apercevant du rouge, se précipiterait directement sur le toréador. Ce dernier a exécuté quelques passes avec sa cape pour exciter le taureau, mais rien ne s'est passé.

Ce fut un désastre! Les spectateurs étaient furieux et Gauthier s'est sauvé. Il est revenu des années plus tard pour organiser des concours d'amateurs dans les clubs. Il nous a engagées, Denise Filiatrault et moi, pour grossir la liste des candidates. Pour attirer du monde et faire une meilleure recette, il acceptait deux ou trois autres candidates; elles venaient avec leurs «fans» qui votaient pour elles et buvaient!

À la fin de nos prestations, Gauthier plaçait sa main au-dessus de nos têtes et les gens applaudissaient; celle qui était la plus applaudie gagnait. Comme nous n'avions pas de supporteurs dans la salle, Denise et moi perdions toujours!

# Chapitre 6

# JE COMMENCE MA VIE D'ARTISTE

J'ai reçu un appel de Jacques Normand me demandant de faire partie de la revue au Saint-Germain-des-Prés, un cabaret-théâtre installé au-dessus du Continental au coin des rues Sainte-Catherine et Saint-Urbain (l'actuel Complexe Desjardins). Le propriétaire était monsieur Jack Horne. On y présentait les meilleurs spectacles en ville. Ce fut avec un grand bonheur que j'ai accepté. Jacques Normand était le plus grand humoriste du Québec, avant l'arrivée d'Yvon Deschamps, dans un style différent, mais tout aussi percutant. Jacques Normand a été le premier *stand-up comic*. Il commentait l'actualité avec mordant. Politiciens et personnalités québécoises et étrangères étaient ses cibles préférées. Dans la salle, les chapeaux des femmes faisaient souvent l'objet de son humour sarcastique.

J'ai fait partie du spectacle avec Paul Berval, drôle comme un singe. Il a fait son premier monologue inspiré du *Cid* de Corneille: il récitait les vers de Corneille et «switchait» en québécois, pour nous faire mieux comprendre le scénario. «Nous nous promenions sur le chemin de Trezenne.» Paul: «On avait pris ce chemin-là parce qu'on avait peur de se parde!» Tout le monde riait à gorge «d'employé», comme il disait. Dans un autre numéro, il traduisait en anglais ce qu'il venait de dire en français: «La noirceur descend: *The black sister is coming down.*»

Tous les soirs je le regardais travailler, moi-même je riais à gorge «déployée», cette fois. Gilles Pellerin faisait aussi crouler la salle de rire avec ses monologues de «La mère à Rolland». Gilles est décédé le même jour qu'Elvis Presley. Sa mort est passée inaperçue, comme celle de Jean Cocteau, décédé le même jour qu'Édith Piaf.

Normand Hudon, de son côté, à partir d'un trait dessiné par un spectateur, exécutait la caricature d'une personnalité, tout en chantant un air connu, avec des paroles inventées pour les rendre plus cinglantes et adaptées à son dessin. Quel talent! Comme Chapleau, il avait un coup de crayon à tuer, pour nous faire rire.

Frenchie Jarraud, tout juste arrivé au Canada, venait souvent nous rendre visite dans les loges, tout comme Doris Lussier. Ce dernier nous avait connus à Québec lorsqu'il était professeur à l'Université Laval. Il nous parlait à la manière du père Gédéon pour nous faire rire. Il a créé son personnage devant nous, bien avant de le faire à la télévision. En 1956, il a été nommé «découverte de l'année».

Un soir, Roger Lemelin, l'auteur des *Plouffe* (qui venait aussi régulièrement nous voir dans nos loges), a rencontré Doris Lussier qui nous faisait encore une fois son père Gédéon. Monsieur Lemelin a accroché au personnage et a décidé de s'en servir; un nouveau souffle était donné au téléroman *Les Plouffe*. Le père Gédéon venait de la Beauce et avait un gros accent de ce coin de pays. Il prononçait les J en H comme «hamais» au lieu de «jamais» et monologuait avec son gros bon sens et une belle joie de vivre. Vieux libidineux, il adorait les «créatures»; son personnage débordait dans la vie. Doris faisait la cour à toutes les femmes: il était charmant et disait: «Tu as des yeux à faire damner tous les saints de la terre.» C'était un amoureux de la langue française. Il savait dire les choses avec élégance et humour. Je l'adorais. Il avait écrit, à propos des femmes: «Je les aime inconditionnellement, d'abord parce qu'elles le méritent bien et ensuite parce que sans elles, nous ne serions même pas là. N'oublions jamais que notre destin passe par leur ventre et notre âme par leur cœur. Et puis, c'est le seul autre sexe que nous ayons ou presque... Elles sont la moitié la plus élégante de notre espèce. Elles sont la grâce de l'humanité, elles sont la joie et la tendresse de ce monde, elles sont la beauté, elles sont l'amour.» Ah Doris, comme je m'ennuie de toi!

* * *

Jacques Normand, Paul Berval et Normand Hudon m'entouraient et me protégeaient. Très jeune, Jacques s'était blessé en effectuant un plongeon et il souffrait énormément du dos. Quand il buvait un peu trop, ses jambes ne le tenaient plus et il s'affaissait. Si des journalistes venaient le rencontrer, nous le couchions sous une table très haute recouverte de longues nappes pour ne pas qu'on le voie dans cet état.

Je me souviens aussi d'une tournée au Lac-Saint-Jean avec les gars au début des années 1950. Nous faisions un hit partout. Normand Hudon, qui avait un long pénis dont il était très fier, mettait le «service trois pièces» sur un plateau, qu'il couvrait de chocolats, de bonbons, de menthes ou de noix et, pour nous faire rire dans la loge, il disait: «Voulez-vous un petit chocolat, une menthe, une petite noix ou deux grosses?» Il faisait la même chose quand il était très saoul et aussi quand nous étions reçus par les notables de la place: le maire, la mairesse, les dames distinguées qui se montraient offusquées et riaient nerveusement. On pardonnait tout aux artistes. Il n'était pas agressif. Sa tournée faite avec le plat de bonbons, il rangeait tout et continuait à prendre un verre, comme si de rien n'était. Il «levait» quand même les filles qu'il désirait!

Moi j'étais tellement habituée à cette démonstration que je n'y faisais plus attention. Cela dit, à jeun, Normand était drôle, charmant, spirituel, attentif. Il avait un succès extraordinaire avec les femmes, pas seulement à cause de son pénis, mais je présume que ça ne lui nuisait pas quand il les avait entraînées dans son lit, au-dessus duquel il avait inscrit: «Avis, je n'épouse pas!» Signature de caricaturiste. J'ai été sa voisine, boulevard de Maisonneuve près du poste de police numéro 10, au coin de la rue Saint-Mathieu. Jamais il ne m'a fait d'avances. Je l'aimais beaucoup. C'était un peintre renommé et, encore aujourd'hui, ses œuvres se vendent partout. Il m'en a donné plusieurs. Je dois avouer qu'il me manque. Je m'ennuie terriblement de lui.

Jacques Lorain, alors le mari de Denise Filiatrault, m'avait vue au Saint-Germain-des-Prés et a eu l'idée de monter une revue à l'hôtel Montrealer, situé rue Peel près de la rue Saint-Jacques: une revue humoristique mettant en vedette Denise et moi, Pierre Chouinard, Denis Drouin et lui-même.

On est devenues très amies, Denise et moi, mais on se trouvait un peu ridicules dans nos sketches. On se demandait vraiment si le monde allait rire. Nous ne savions pas, à ce moment-là, que nous étions si comiques en duo.

On travaillait dans le sous-sol infesté de coquerelles de l'hôtel Montrealer. Aussitôt qu'on allumait la lumière, des centaines de bestioles se mettaient à courir sur les murs.

Je me souviens d'un soir où une personne importante est venue nous voir et tout à coup, Denis Drouin a vu courir sur le mur cinq ou six coquerelles. Il a poursuivi la conversation en les écrasant discrètement avec ses mains. La loge, si on peut appeler ça une loge, était un cagibi où l'on rangeait les caisses de bière. De gros tuyaux ouverts arrivaient dans la pièce. Il n'y avait pas de toilettes et nous faisions pipi dans le gros tuyau. Un soir, alors que j'étais en petite culotte et soutien-gorge et que je commençais à faire pipi, un gros rat, presque de la taille d'un chat, sort du tuyau. J'ai détalé comme une folle et me suis précipitée sur la scène (il n'y avait qu'un rideau de velours rouge qui séparait la loge de la scène) et j'ai crié à Denis Drouin, qui était en train de faire son numéro: «Denis, y'a un gros rat dans la loge, faut le tuer!»

En me voyant, il s'est exclamé: «Mon 'tit chien, regarde-toi là, y a du monde dans la salle.»

Je me suis rendu compte que j'étais presque nue. Je me suis entortillée dans le rideau, mais je voyais que le rat était toujours dans la loge. Il avait l'air de m'attendre. Il ne bougeait pas.

J'ai tenté de lui faire peur en faisant du bruit avec ma bouche: «Chu, chu» et en tapant du pied. Rien. Il ne bougeait pas. J'ai lâché le rideau, j'avais presque les fesses à l'air. J'ai encore tapé du pied et le rat s'est mis à siffler. «Oupelaye!», ça voulait dire qu'il allait attaquer. Je me suis emparée d'une «moppe» et j'ai essayé de le coincer pour le forcer à sortir. Denise, qui veut mourir de peur quand elle voit un rat, est arrivée sur ces entrefaites dans la loge; elle est ressortie aussi vite par la scène. Denis Drouin a pris la «moppe» et a couru après le rat qui finalement s'est réfugié dans la salle. Tout ce qu'on entendait c'était des «Oh! Ah! Oh!»; le rat devait certainement frôler les jambes des spectateurs.

On a continué quand même à donner le spectacle, plutôt inquiètes, mais sans créer de panique.

\* \* \*

Jacques Lorain nous a beaucoup appris à Denise et à moi et, surtout, il nous a initiées à la cuisine française. Il était arrivé à Montréal avec une revue de France dont il faisait partie. Il faisait une excellente imitation de Charles Trenet.

Nous, les petites Canadiennes françaises, nous étions très impressionnées par les Français. Nous trouvions qu'ils parlaient bien; ils avaient plus de vocabulaire que nous, et ça faisait ch... les jeunes Québécois, car les Français savaient bien mieux nous faire la cour. Nous étions des proies faciles. Ils «levaient» les filles comme ils le voulaient. Je pense qu'ils nous trouvaient belles et que nous avions du chien. Nous étions naturelles, nous ne faisions pas de chichi et nous étions très sensibles à leurs compliments.

Jacques, comme je le disais, nous a montré à manger des huîtres avec une petite sauce au vinaigre de vin à l'échalote, des artichauts, à boire du vin, à le choisir. Il fréquentait tous les restaurants français de Montréal: Chez son père, Le Pied de Cochon, réputé pour servir les hamburgers à la française, les meilleurs au monde, L'Anjou, Le 400, Chez Lelarge, le fief des artistes, des avocats et des hommes d'affaires. C'est là que nous avons connu Jean Gourd, propriétaire d'une station radiophonique en Abitibi.

Hudon avait fait une caricature du corpulent monsieur Lelarge pour le menu de son établissement. En en-tête, il avait écrit: «Je mange chez moi!»

C'était un si beau restaurant, avec une immense verrière rectangulaire par où le soleil entrait, avec des banquettes arrondies de chaque côté et au milieu sur la longueur, des petites tables avec des nappes blanches. Qu'est-ce qu'on a été heureux à cet endroit! Le restaurant était fréquenté par tous les avocats de Montréal, le criminaliste Raymond Daoust y dînait. Sa sœur, Huguette, qui avait épousé Georges Lemay, avait disparu dans les Keys en Floride. Elle serait tombée, paraît-il, du bateau... A-t-elle été poussée où s'est-elle jetée elle-même à l'eau? Un mystère que Raymond n'a jamais pu élucider, et ce, à son grand désespoir.

Il y avait monsieur de Koudriatsev, imprésario qui faisait venir à Montréal les plus grandes vedettes d'opéra, les plus grands musiciens, dont Artur Rubinstein, le pianiste et compositeur, la superbe Marlene Dietrich, Maurice Chevalier, sans oublier le Metropolitan Opera et la Comédie-Française. Ils se produisaient au His Majesty, situé du côté est de la rue Guy, un théâtre extraordinaire qu'on a démoli depuis.

C'est Chez Lelarge que j'ai connu Edward Rémy, qui venait d'immigrer au Canada. Il a été le fondateur avec André Robert du journal *Échos Vedettes*. André Roche, qui fréquentait aussi ce restaurant, était marié à Ginette Letondal, une femme d'une grande beauté, comédienne avec qui j'ai joué dans *Les Fridolinades* de Gratien Gélinas; Monique Lepage, une autre beauté, y jouait aussi. Monique a fondé plus tard le Théâtre Club avec Jacques Létourneau. Ce sont les parents d'Anne Létourneau.

André Roche, pour sa part, avait une sœur célèbre en France, France Roche, speakerine à la télévision française. Après son divorce de Ginette Letondal, il est retourné vivre en France, où il a fait partie de l'organisation de *Paris Match* et a été directeur de *Télé 7 Jours*, le magazine français au plus gros tirage. Il revient à l'occasion au Québec voir ses amis, dont Gérald Tassé. Je l'ai revu avec plaisir ces dernières années. Il n'en revenait pas que Denise Filiatrault, Janette Bertrand et moi soyions encore actives à notre âge! Eh oui, à notre âge. Quant à Ginette Letondal, elle a disparu lentement du milieu artistique; on a dit qu'elle s'était retirée dans les bois, loin de toute vie active.

C'était l'époque de l'existentialisme. La chanson d'Aznavour, *La Bohème*, décrit bien cette époque: «Je vous parle d'un temps que les moins de 20 ans ne peuvent pas connaître, etc. La bohème, la bohème, on était jeunes, on était fous.»

Les jeunes existentialistes se rencontraient, entre autres, à L'Échourie, à La Paloma ou au El Cortillo. Dans ces cafés, tout était noir, les murs, les gars, les filles: cols roulés noirs, pantalons noirs, longs cheveux raides et noirs, quelquefois sales et gras; ils refaisaient le monde en fumant des cigarettes françaises, des Gitanes. Ce n'était pas tellement ma tasse de thé, je préférais les petits cafés près de Côte-des-Neiges, fréquentés par les étudiants de l'Université de Montréal. J'y allais de temps en temps avec mon amie Céline Gratton et Jean-Marc Chaput qui, comme je l'ai déjà dit, étudiait au Collège Brébeuf. Oui, oui, «le» Jean-Marc Chaput!

# Chapitre 7

# À MOI PARIS!

Je voulais toujours aller à Paris, j'en parlais encore à mon père et ma mère qui me disaient: «Oublie ça.» Ma tournée en France avec Fernand Robidoux était toutefois sur pied et nous devions partir dans quelques jours. Je me suis acheté une valise, une grosse, grosse malle de bateau, que j'ai cachée dans la garde-robe. J'y ai mis tous mes vêtements. Quand je dis «tous», c'est «tous». Il ne restait pas une épingle.

Lorsque le jour est arrivé, je suis partie pour Québec avec Fernand Robidoux, le Français de la tournée et sa maîtresse, sans laisser un mot à mes parents qui travaillaient. À notre arrivée à Québec, j'ai été surprise de constater que le Français, sa maîtresse et Fernand prenaient un vrai bateau de ligne, alors que moi j'ai dû embarquer sur un semi-cargo, qui devait mettre 14 ou 15 jours avant d'arriver au Havre. J'étais seule et déçue, mais ils devaient m'attendre au Havre.

Sur le navire, j'avais une chambrette exiguë; les marins étaient polonais: ça commençait bien. À la guerre comme à la guerre... J'allais voir la France, Paris. Ah Paris! la tour Eiffel, l'Arc de Triomphe, les croissants, le pain «français», Notre-Dame, Saint-Germain-des-Prés, le cœur de l'existentialisme, la Rose Rouge, les Caves de Saint-Germain, le Caveau de la République, les Folies Bergère, le Moulin Rouge, la place de

Clichy et tout le reste. J'allais me promener avec mon brie et ma baguette sous le bras, que j'avais hâte!

Manque de chance, j'ai vomi tout le long du voyage. En bateau, j'ai le mal de mer. J'étais dans un état second. Je maigrissais à vue d'œil. Toute ma vie, j'aurai le mal de mer et le mal de l'air dans les petits avions.

Ma mère m'a raconté que le soir de mon départ, elle était rentrée vers 21 heures, un peu éméchée, et s'était couchée. Mon père était déjà dans son lit. Il faisait du taxi et se levait très tôt le matin. Vers 23 heures, ma mère s'est réveillée en sursaut: elle ne m'avait pas entendue rentrer. Elle s'est dirigée vers le salon, le divan était vide. Mes draps et mes couvertures étaient toujours dans la garde-robe, mais il ne restait plus un vêtement. Rien. Ni robes, ni manteau, ni chaussures, ni sous-vêtements dans les tiroirs, rien. Elle a crié à mon père:

– La p'tite est partie.

– Ben voyons!

À son tour, il a fouillé. Rien. Elle n'a pas téléphoné à mes amies, car nous avions une ligne double et les gens pouvaient écouter les conversations.

Ma mère n'a pas dormi de la nuit et le lendemain, elle a eu l'intuition d'appeler chez Fernand Robidoux. Il était parti en Europe, à Paris, en tournée. Comme elle n'était pas bête, elle a fait un plus un, mais elle n'a rien dit à mon père, qui est d'habitude un homme doux et gentil, mais qui peut tuer quand il est fâché et surtout quand il s'agit de sa fille!

Un jour, je l'ai vu se battre avec trois chasseurs qui avaient tué les trois canards qu'on élevait au bord du Saint-Laurent. Il avait gagné et les chasseurs lui avaient rendu ses trois canards. On les avait fait cuire, mais on avait été incapables de les manger. C'était pour nous comme manger notre chien ou notre chat. Les canards avaient chacun leur nom, ils étaient domestiqués.

Donc, ma mère s'est dit qu'elle allait bien finir par avoir de mes nouvelles. Moi qui étais une enfant docile, comment avais-je pu faire ça? Si j'avais eu un enfant et qu'il m'avait fait une chose pareille, je crois que je serais morte d'inquiétude. Après un moment de réflexion, ma mère s'est dit que j'avais 17 ans et que je devais pouvoir me débrouiller. C'était vrai. J'étais assez débrouillarde!

Finalement, j'ai dû lui donner de mes nouvelles lorsque je me suis retrouvée sans le sou à Paris, après une mésaventure que je vous raconterai plus loin. «Je suis sans argent... Je mange peu ou pas... Je dois survivre... Quelques dollars ou plusieurs m'aideraient énormément. Baisers, je vous aime! Dominique.»

Ma mère m'a répondu, en m'envoyant de l'argent et en me demandant de lui donner de mes nouvelles régulièrement.

Mais pour le moment, revenons-en à ma traversée transatlantique. Après deux semaines et quelques livres en moins, enfin Le Havre, où avait eu lieu une partie du débarquement de Normandie. Je fus encore déçue, personne ne m'attendait dans cette petite ville. Du courage! Fernand Robidoux et les autres devaient sûrement être à la gare Saint-Lazare où le train allait arriver le lendemain.

Sur le port, j'ai aperçu un petit hôtel minable. J'y ai pris une chambre à 15 francs (trois dollars). J'étais riche, j'avais un peu plus de 500 dollars cachés précieusement, mais j'économisais quand même; je me suis acheté un sandwich jambon-fromage, un casse-croûte qui n'est pas fait avec du pain blanc Weston comme chez nous, mais avec du pain croûté, long comme mon bras et délicieux. J'en ai mangé la moitié et j'ai gardé l'autre pour le lendemain.

Le patron et la patronne me trouvaient sympathique. Ils adoraient mon accent. Les Canadiens qui ont aidé à gagner la guerre sont toujours populaires au Havre. Ils me parlaient du débarquement. Au fait, tout le temps que je vivrai en France, il ne se passera pas une journée sans qu'on ne parle de la guerre au dîner du soir. Ils m'ont emmenée visiter le cimetière: des milliers et des milliers de petites croix blanches en bois à perte de vue. Je lisais les noms (fictifs) Alain Simoneau, 19 ans, Jean-Guy Lebrun, 22 ans, Robert Germain, 19 ans, François Labonté, 21 ans, etc., des

Canadiens Français tombés pour la patrie. J'ai senti ma gorge se serrer et j'ai commencé à pleurer. À pleurer sur moi qui me sentais perdue, seule et catastrophée, un peu comme eux lors du débarquement. C'était la première fois que je ressentais la peur de la guerre, la vraie, ce massacre du débarquement, tous ces jeunes tués, de la chair à canons. Après, nous sommes allés voir la plage, la falaise. Je suis rentrée me coucher fatiguée, troublée, un peu inquiète de m'être foutue dans ce guêpier. Je regrettais. Je me suis dit: «On verra demain!» J'ai dormi à poings fermés.

Le lendemain, j'ai pris le train. Fernand Robidoux et le Français m'attendaient à la gare Saint-Lazare, sur le quai. Il y avait du monde, plein de monde bien sûr. C'était Paris. On a logé dans un petit hôtel pas cher: un hôtel de passe. La nuit, on entendait les filles monter et descendre. Il y avait de l'action!

La supposée tournée devait commencer dans les jours suivants. On n'en parlait pas trop. Je trouvais ça un peu louche. En fait, c'était des «conférences» sur le Québec, puisque J. L. était financé par le gouvernement québécois. On m'a demandé si j'avais de l'argent. J'avais 500 dollars. J'ai posé la question: «Où est le meilleur endroit pour le changer en francs?» On m'a répondu: «C'est à l'American Express de la place de l'Opéra qu'on a le meilleur taux!»

Le lendemain, je me suis rendue à l'American Express et j'ai mis l'argent dans la poche de mon manteau. En sortant, je n'avais pas les yeux assez grands pour tout voir. J'étais en face de l'Opéra, comme c'était beau! Quelqu'un m'a bousculée.

– Excusez-moi, mademoiselle.

– Pis combien as-tu eu?

– Attendez.

J'ai fouillé dans ma poche, rien. J'avais peut-être mis l'argent dans celle de gauche. Rien. Gauche, droite, gauche, droite, je cherchais nerveusement, rien. J'avais le cœur dans la gorge, je m'étais fait voler.

– Non, c'est pas vrai, non, pas à Paris!

Eh oui! Un pickpocket! Il y en a partout, surtout aux abords de l'American Express. Les touristes sont une proie facile. Bien sûr! J'avais compris. Ma poche de sœur que je mettais sous ma jupe au couvent, attachée à la taille avec un élastique, me manquait. Je n'avais plus d'argent. Fernand Robidoux et le Français étaient plus désolés que moi. J'ai dit: «Mais dans quelques jours, on a la tournée; il va y avoir un peu d'argent qui va rentrer.» Silence... Pas trop sûr... Je leur ai emprunté un peu d'argent pour manger. Même monsieur Robidoux, si gentil avec moi, se retrouvait dans une belle merde. Il s'est aperçu que lui aussi s'était fait flouer.

Nous sommes partis pour Angers. Je chantais deux chansons: *Une petite Canadienne* de Raymond Lévesque et *Le petit chien de laine* de Lionel Daunais. C'était pas fort, mais on me trouvait charmante. On parlait du Québec et surtout nous avons été invités à un dîner après le spectacle. Bravo, on allait manger!

Nous sommes cependant revenus à Paris débinés, car on nous a annoncé que la tournée était terminée après une seule ville. J'ai demandé à Fernand Robidoux: «C'est quoi ça? Ça ne peut pas continuer comme ça. Nous sommes à Paris sans un sou. On va pas crever comme ça.»

J'ai contacté Raymond Lévesque, qui était déjà à Paris avec son ami Noël Guyves, un jeune Français qui vivait à Montréal et qui était revenu dans son pays, pour lui demander de m'aider.

J'ai demandé au propriétaire de l'hôtel de me faire crédit. «Je vous jure, ayez confiance en moi, je vais vous rendre tout l'argent jusqu'au dernier centime.» Il a accepté.

Souvent, je passais devant un bar, rue du Faubourg Montmartre, où se tenaient les filles... de joie... de mon hôtel. Elles me disaient toujours bonjour. Elles m'aimaient bien. Elles connaissaient mon histoire et m'invitaient souvent à prendre un sandwich au bar.

Un jour, l'une d'elles m'a présenté un «Canadien», comme elles disaient. Elle m'a glissé à l'oreille: «C'est un curé du Québec, c'est un bon client.» «Alain (prénom fictif), tu invites la petite à dîner?»

Pendant tout le séjour du curé à Paris, j'ai mangé plusieurs soirs, grâce à la dîme des bons paroissiens. Les filles me protégeaient et me donnaient souvent quelques francs. «Merci les filles!»

Raymond Lévesque est venu à mon secours et m'a fait engager au restaurant Chez les Anges, rue de la Tour Maubourg. Le patron, monsieur Monassier, nous faisait chanter en échange d'un repas. J'étais comblée. C'est là que j'ai découvert les profiteroles au chocolat. La clientèle était élégante et nous applaudissait très gentiment. Tous les soirs, je rentrais à pied du VIIᵉ arrondissement jusqu'à mon hôtel, près de la rue du Faubourg Montmartre. Très bizarrement, je n'avais pas peur.

Par hasard, j'ai rencontré Charles Aznavour qui commençait à avoir du succès avec ses compositions à Paris. Il chantait chez Patachou, avec Jacques Brel et Marcel Amont. J'ai demandé une audition, et j'ai été acceptée. J'ai chanté: *La sauvage du nord*, et Marcel Amont a adoré la chanson. Il l'a enregistrée plus tard sur l'un de ses microsillons. J'ai dit à Fernand Robidoux que je voulais voler de mes propres ailes, m'occuper de moi, puisque personne d'autre ne le ferait de toute façon. Il m'a avoué qu'il m'aimait, qu'il allait prendre soin de moi, mais je ne le croyais plus. Je voyais bien dans quel pétrin nous étions. Ce n'était pas vrai: je n'allais pas crever à Paris sans réagir. Mais, en rencontrant Michel Leroy, l'imprésario de Guylaine Guy, je me suis rendu compte que je m'étais fait raconter des histoires. J'ai demandé à Michel de m'aider. La carrière de Guylaine démarrait très bien. Charles Trenet lui avait écrit des chansons. Elle se produisait à l'Olympia, à Bobino, aux Concerts Pacra, etc.

Chez Patachou, j'ai rencontré un jeune Français qui y travaillait: Jean-Claude Radet, qui tâtera de la chanson un peu plus tard, mais sans succès. Je suis tombée amoureuse de lui. J'ai donc déménagé pas très loin de la place Clichy, rue Geoffroy-Marie, dans un petit hôtel de famille. J'ai oublié de dire que j'avais remboursé le propriétaire de l'hôtel où je demeurais depuis mon arrivée à Paris.

Un soir, Jean-Claude est rentré avec moi à mon hôtel. Il s'est rendu compte que j'étais vierge, il m'a dit:

– Non, ce n'est pas possible, je ne peux pas, je ne peux pas, je ne peux pas.

Il est assis, nu avec moi au pied du lit. Il me dit:

– Je ne peux pas, je rentre chez moi.

– Tu ne pars pas d'ici, je ne veux plus être vierge.

– Il n'en est pas question, je pars.

– Non.

– Oui.

Il s'est rhabillé, mais la chambre était verrouillée de l'intérieur par une grosse clé en cuivre recouverte d'une plaque numérotée. Je me suis emparée de la clé, j'ai ouvert la fenêtre et je l'ai jetée dans la rue. Nous étions au 3e étage, donc il ne pouvait pas sauter par la fenêtre. Alors? Il est resté.

Le lendemain matin, c'était fait! Mais je dois dire que je n'en ai pas gardé un souvenir impérissable. MA première fois, je l'avais imaginée comme dans les films: «La femme sort de la salle de bains avec une longue robe de nuit en satin blanc. Elle s'avance vers le lit, l'homme l'attrape au passage, l'embrasse, la couche doucement sur le lit, baisse la lumière, crée l'ambiance et ils s'embrassent doucement sur le magnifique lit. *Fade out.* La femme n'est plus vierge.» C'est pas tout à fait comme ça que ça s'est passé. Ç'a été plus vite!

Pour nous faire ouvrir la porte le lendemain matin, j'ai frappé de toutes mes forces pour attirer l'attention et demander à quelqu'un d'aller chercher ma clé que je voyais de ma chambre, dans la rue. Ce fut la femme de chambre qui y est allée. Comment cette clé de chambre avait-elle pu arriver dans la rue! Pour elle, ça demeure encore un mystère!

\* \* \*

J'ai passé des auditions dans tous les cabarets de Paris, dont le Collège In et La Villa d'Este, où j'ai rencontré la future femme de Fernand Raynaud. Elle s'appelait Renée et l'on est devenues de très bonnes amies. J'ai été son témoin lors de son mariage, et comme Fernand avait oublié les alliances à la maison, je lui ai prêté une petite bague, pas très chère, que je portais depuis l'âge de 11 ans, cadeau de mes parents, en gage de leur amour. Je la lui ai laissée. Je ne pouvais vraiment pas la reprendre. On s'est malheureusement perdues de vue.

Un jour, j'arrive au bureau d'un grand imprésario: monsieur Marouani. Il était paniqué parce que trois artistes venaient d'annuler et le spectacle débutait à Bobino le lendemain. «La prochaine personne qui entre, je la prends», s'est-il dit. C'était moi. C'est comme ça que j'ai eu un engagement dans un des music-halls les plus populaires de Paris: Bobino.

Il y avait tout un programme d'humoristes, qu'on appelait des «chansonniers». Robert Rocca, qui m'appelait sa «payse», fit un monologue sur le comportement sexuel des fleurs, qui finissait par: «J'ai honte de penser que mon petit jardin, qui n'est pas très grand, montre ses renoncules à tous les passants.»

J'adorais Rocca et Pierre-Jean Vaillard. J'adorais les chansonniers. Je pense que c'est là que j'ai eu la piqûre pour l'humour. J'apprenais leurs monologues par cœur.

La critique fut bonne pour moi. *France-Soir:* «Une poulbotte de Montréal: Après Félix Leclerc et Aglaé, voici Dominique Michel, nouvelle voix canadienne. Dominique Michel vient de Montréal et ça s'entend très agréablement. Cette Maria Chapdelaine à l'accent de bûcheron (pourtant, je ne sacre pas) est piquante comme une Parisienne. Je crois qu'on en reparlera, en attendant que Paris l'adopte, ce qui ne saurait tarder.» Dans les journaux *L'Aurore, Le Parisien,* c'était aussi très positif. J'étais heureuse, ça marchait. Je chantais *Une petite Canadienne* et *Les trottoirs* de Raymond Lévesque, et *La sauvage du nord.*

J'ai gardé tous les contrats de mon séjour en Europe, dont un signé Jacques Canetti, pour un engagement en Belgique à la radio avec Jacqueline François. Le pianiste qui nous a accompagnées était un jeune inconnu talentueux: nul autre que Michel Legrand. Eh oui!

Raymond Lévesque avait écrit *Quand les hommes vivront d'amour*, *Les trottoirs* pour Eddie Constantine qui les a enregistrées chez les Disques Barclay, dont Eddy Barclay était le propriétaire. Sa femme, Nicole, travaillait avec lui. Raymond lui a parlé de moi. Il a lu les quelques bonnes critiques à mon sujet. Je l'intéressais. Il nous a invités à souper chez lui, nous qui mangions un jour sur deux. Nous étions fous de joie!

J'étais intimidée, mais monsieur Barclay était charmant et me mit à l'aise. Je n'oublierai jamais ces instants, sa gentillesse, son hospitalité, son affection pour nous. Il nous a reçus comme des seigneurs. J'ai mangé des choses que je n'avais jamais goûtées: soupe d'écrevisses (j'en ai pris deux fois), bœuf en croûte (j'en ai pris deux fois), fromages et j'ai presque fini le plateau avec du pain, au moins sept à huit morceaux; pour dessert un Paris-Brest (trois morceaux), champagne, vin blanc, vin rouge, un festin! J'étais un peu «pompette», mais je suis restée très très distinguée. Mais pas de contrôle sur la nourriture, j'ai mangé comme si c'était la dernière fois de ma vie. Monsieur Barclay a joué du piano. Émile Stern, le pianiste compositeur, est arrivé à l'improviste. Je lui ai tombé dans l'œil. Il m'a dit qu'il allait m'écrire des chansons, qu'il allait s'occuper de moi (ce qu'il a fait), que j'allais faire un disque, et que j'aurais peut-être une chanson de Francis Lemarque. Quelle soirée! Merci, monsieur et madame Barclay, de votre générosité.

Au sortir de la soirée, arrivée dans la rue, j'ai eu un peu mal au cœur, car lorsqu'on mange un bout de pain et une tomate par jour, l'estomac rapetisse.

J'ai dit à Raymond:

– Je pense que je vais vomir.

Il m'a répondu:

– Je pense que moi aussi.

Lui non plus ne mangeait pas tous les jours à sa faim.

Et là, c'est parti! Toutes ces bonnes choses ont ressorti. On s'est étendus sur un banc pour se replacer.

– Quelle belle soirée, hein Raymond?

– Ouin, c'est plate qu'on soit malades.

– Ça fait rien! Merci Raymond de m'avoir fait connaître monsieur Barclay, pis j'vas faire un disque, hein, un disque pas vrai?

Je suis entrée en studio et j'ai enregistré un super 45-tours de quatre chansons: *Une petite Canadienne*, de Raymond Lévesque, *Le rapide blanc*, d'Oscar Thiffault, avec l'accent canadien bien sûr, *La grenouille*, de Francis Lemarque, et *Simone la pâtissière*, commandée à Francis Lemarque par Eddy Barclay.

J'avais maintenant une carte de visite pour passer mes auditions. J'avais enregistré chez Barclay, donc on me prenait au sérieux. Je suis passée aux Concerts Pacra, un music-hall situé dans un quartier très populaire, où je n'étais pas la bienvenue. Dans mon dos, on disait que je prenais la place d'une jeune vedette française. Le soir de la première, j'ai trouvé dans ma loge une boîte à chaussures contenant un gros rat mort. Les techniciens me regardaient de travers quand je suis sortie de ma loge, ils s'attendaient à ce que je pousse les hauts cris, que je pleure, et que je déclare forfait. J'ai fait mes trois chansons, j'ai parlé au public et j'ai eu du succès. En sortant de scène: pas un mot. Je suis entrée dans ma loge et j'ai dissimulé le rat sur le dessus d'une armoire.

Le lendemain, même manège, j'ai trouvé une autre boîte à chaussures pleine de vieilles serviettes sanitaires souillées. Pas un mot. Je l'ai mise avec l'autre boîte.

Troisième et dernier soir enfin! Une autre boîte à chaussures avec un rat, cette fois à moitié mort. Je l'ai mise avec les autres. J'ai attendu la fin du spectacle et j'ai demandé à voir les techniciens pour les remercier. On s'est fixé un rendez-vous dans un local près de la sortie. J'ai frappé à la porte, et j'ai laissé les trois boîtes cachées à la droite de l'entrée. Je suis restée dans l'encadrement et les ai remerciés très gentiment. Ils avaient l'air un peu dépité et là, à une vitesse folle, j'ai «pitché» les trois boîtes, dont celle avec le rat toujours vivant et j'ai lancé: «Avec mon meilleur souvenir du Canada, bande d'enfoirés!» (Je commençais à parler l'argot.) Un mauvais souvenir, malheureusement!

Je suis aussi passée chez Milord l'Arsouille, un cabaret-théâtre. Francis Claude, un chansonnier, dirigeait l'endroit. J'ai fait également des émissions de radio, avec Jean-Jacques Vital, animateur très populaire à l'époque.

Puis, M. Canetti, le plus grand imprésario, celui qui a fait venir Félix Leclerc en France, m'a fait passer une audition. Parmi les jeunes chanteurs et chanteuses présents, une des chanteuses possédait un cerceau. Plantée au milieu de son cerceau, elle chantait en le tenant à deux mains. Canetti lui a demandé pourquoi un cerceau, elle a répondu: «C'est mon accessoire.» Tout pour être originale et se faire remarquer. Finalement, j'ai été engagée par M. Canetti. Dans les coulisses, j'ai rencontré Félix Leclerc, qui chantait tous les soirs aux Trois Baudets, une petite boîte de chansonniers, propriété de M. Canetti justement. Il m'a dit bonjour, a pris de mes nouvelles. Je lui ai parlé de Raymond Lévesque, qui commençait à avoir du succès avec *Les trottoirs*. Félix était content de parler avec quelqu'un du Québec. Quand on est à l'extérieur de son pays, on recherche la présence de ses compatriotes. Je l'ai remarqué aussi avec les Français qui ont immigré ici. Ils sont contents de rencontrer l'un des leurs.

Sur ce, M. Canetti est arrivé; il a invité Félix à dîner chez lui le soir même et m'a offert de me joindre à eux, j'étais la bienvenue. J'étais super énervée et heureuse.

Dès mon arrivée, on est passés à table, Félix était à ma gauche. En entrée, on nous a servi des petites crevettes, «des petites grises», comme on dit en France. C'était la première fois que j'en mangeais: il faut dégager la tête et la queue et manger le corps, mais ça je ne le savais pas. Mon voisin a pris un artichaut (je n'en ai pas choisi, parce que je ne savais pas ce que c'était, ni comment le manger). De loin, j'ai vu quelqu'un qui mangeait aussi des petites crevettes et en laissait des petits morceaux dans l'assiette. Oui, mais lesquels? J'ai présumé qu'il se gardait le meilleur pour la fin. Tout comme Félix, qui était tout aussi ignorant que moi de la chose, j'ai décidé de manger toute la crevette. Imaginez la tête du garçon quand il a desservi. Pas de têtes, pas de queues, l'assiette VIDE!

Et puis la vie a continué. J'ai revu Félix à Montréal à mon retour au Canada, pour une émission spéciale de l'Office national du film, réalisée par Claude Jutra.

À Paris, j'ai chanté au Night Club assez longtemps, en même temps que le chanteur Georges Ulmer, puis à la Villa d'Este, près des Champs-Élysées, avec l'humoriste Fernand Raynaud, et Chez Roberta où je suis passée avec Aznavour, René-Louis Laforgue, auteur-compositeur, et Repp, un humoriste.

À l'époque, Aznavour en était encore à faire le tour des boîtes de Paris; il n'était pas encore passé à l'Olympia, où du jour au lendemain il deviendra une superstar.

Chez Roberta était un charmant petit cabaret, rue Montaigne, près du Rond-Point des Champs-Élysées, fréquenté par une clientèle d'hommes d'affaires, de gens riches et d'artistes très connus qui y venaient en fin de soirée, dont Henri Vidal, beau comme un dieu, toujours souriant. Il était marié à Michèle Morgan, la plus belle femme de France, mais il avait un gros penchant pour la drogue et les putes.

Un soir où j'étais restée à parler avec René-Louis Laforgue, un bon copain et l'auteur de *Julie la rousse*: «Fais-nous danser Julie la rousse, toi dont les baisers...», Vidal s'est joint à nous; mon accent le fascinait. Il me disait toujours: «Parle-moi en canadien», ça le faisait rire. Il était très très drogué ce soir-là et très triste. Il pleurait sur lui-même. René-Louis lui a dit d'arrêter ses conneries, qu'il avait une belle femme célèbre qui l'adorait. Il nous a avoué qu'il était incapable d'arrêter de se droguer, et il a fini par s'endormir sur une des banquettes du Club. Il mourra plus tard d'une overdose. Quelle tristesse!

Puis, Jean-Louis Marquet, l'imprésario de Jacqueline François, m'a engagée pour chanter au Palais de la Mutualité à Paris, un genre de théâtre St-Denis, mais plus grand. Jacqueline François était en vedette, Jean Bretonnière, en vedette américaine (artiste qui finit la première partie du spectacle); moi, j'ouvrais le spectacle.

Jacqueline François avait une voix magnifique et était une très grosse vedette du disque en France; on l'appelait Mademoiselle de Paris, titre d'un de ses grands succès. Elle en a eu plusieurs autres dont *La Seine:* «Elle roucoule, coule, coule dès qu'elle entre dans Paris, elle s'enroule, roule, roule autour de ses quais fleuris.» La salle était pleine à craquer; on m'a annoncée, je suis entrée et j'ai aperçu cette foule immense. J'étais terrorisée, j'entendais battre mon cœur dans mes oreilles. Pas un mot n'est sorti de ma bouche, pas un son. Je suis ressorti de scène aussi vite, j'avais un trac qui me rendait muette. Jean-Louis Marquet, qui était dans les coulisses, m'a demandé:

– Que se passe-t-il?

Je lui ai répondu:

– Le trac!

– Retourne tout de suite, sinon tu ne pourras jamais faire ce métier-là!

C'est ce que j'ai fait. J'entendais toujours mon cœur battre dans mes oreilles. J'ai sûrement chanté très mal, mais j'ai repris connaissance; j'étais comme en apnée.

En sortant, je me suis juré que jamais plus jamais je ne perdrais mes moyens de cette façon et que je garderais toujours le contrôle de mes émotions.

Le trac me vient encore maintenant, mais après ma performance, quand tout est fini: mes mains tremblent, mon cœur bat très fort et il me faut au moins 15 minutes pour retrouver mes moyens; mais ce n'est plus important, tout est fini.

Malgré tous les contrats, je n'étais pas riche, je tirais le diable par la queue. Ça me rappelle une histoire que j'entendais à mes débuts: «Une jeune fille très pauvre tirait le diable par la queue. Elle se dit: "Pourquoi le diable?", et elle devint très, très, très riche.»

Et je m'ennuyais du Québec. Vous allez rire! Je m'ennuyais des sapins, très sincèrement. Je n'ai jamais particulièrement aimé ces arbres, mais c'est leur odeur qui me manquait. Allez savoir pourquoi.

Je correspondais avec mes parents qui m'envoyaient à l'occasion 100 dollars pour m'aider. Je commençais à regretter cette aventure, ce coup de tête.

Je ne fréquentais plus Jean-Claude, qui travaillait chez Patachou; j'avais un nouvel amoureux du nom de Pierre Lunel et qui demeurait en banlieue de Paris dans un beau, très beau pavillon; c'était le fils d'un industriel. Sa famille était très à l'aise et m'aimait beaucoup. Ses parents auraient aimé que leur fils m'épouse, ils en parlaient souvent.

Moi, je n'avais qu'une envie, retourner au Québec. J'en ai fait part à mes parents. J'ai demandé qu'ils ne m'envoient pas d'argent, mais mon billet de retour sur le paquebot Homéric. La classe! Avant de partir, je leur ai acheté des cadeaux, un porte-monnaie en très beau cuir pour papa et un autre pour maman. J'ai vidé mon portefeuille!

J'ai fait mes adieux à mes amis, Raymond Lévesque, Michel Leroy, Guylaine Guy et à Pierre Lunel, qui a eu beaucoup de chagrin de me voir partir. Je lui ai juré de lui écrire tous les jours. Vous connaissez le dicton: «Loin des yeux, loin du cœur.» Comme ce fut le cas lors de mon départ du Canada, j'ai emporté tous mes biens.

Sur le bateau, j'ai rencontré un compatriote, Louis Arpin, qui deviendra un ami et un excellent caméraman à Radio-Canada et, par la suite, réalisateur aux sports. C'était aussi un judoka, un grand judoka, un garçon charmant, extrêmement doux et gentil, professeur de judo de Pierre Elliott Trudeau.

J'ai chanté sur le bateau, ce qui m'a permis de monter en première classe. J'ai fait un voyage magnifique. J'ai eu un peu le mal de mer, mais je suis arrivée à le contrôler en mangeant des bretzels. Comme le personnel était italien, l'un des garçons qui faisait le service me disait: «Mangiare, mangiare, piccolina!»

Le bateau est finalement arrivé à Québec. Sur le quai, j'ai aperçu mon père et ma mère qui m'attendaient.

– Papa, maman, c'est moi, ai-je crié, en sautant et en gesticulant.

Mon coeur battait si fort, je me suis juré de ne plus les quitter. JAMAIS.

Nous sommes revenus à Montréal dans le taxi de papa. Mes parents étaient si heureux. Je leur ai parlé de Paris, du pain qui est si bon, des bidets que je croyais être des petits bains pour laver le linge, des toilettes où il n'y a pas de cuvette, mais juste des formes de semelles où l'on met les pieds, qu'on appelle des toilettes turques, des artichauts, etc.

– C'est quoi ça? a demandé mon père.

– Un légume, je ne sais pas s'il y a en a ici au Canada.

Je n'en avais jamais vu. Je leur ai raconté l'histoire des crevettes avec Félix; mes parents ont toujours eu le sens de l'humour, on a ri, ri, ri. Ils ont évité de me parler de mon départ précipité, ou de me faire des reproches. Ils ont fait comme si ça n'était jamais arrivé. Ils ne voulaient pas gâcher mon retour en me posant des questions gênantes. Ils étaient si heureux. Et moi, il n'y a pas de mots pour le dire!

Puis, il y a eu un silence et c'est moi qui ai dit:

– Je veux vous demander pardon de vous avoir fait du chagrin, je ne sais pas ce qui m'a pris. Pardon, pardon, pardon.

On a pleuré, et ri aussi!

Papa a lancé: «On va arrêter chez Brisson.»

Chez Brisson est un petit restaurant tenu par les sœurs Brisson de Lavaltrie. Quand j'étais petite et que papa m'emmenait faire un tour de «machine» le dimanche après-midi sur la route de Berthier, je commençais à lui dire dès qu'on approchait de chez Brisson: «J'ai soif papa, j'ai tellement soif.»

Je savais que si je disais j'ai soif, il arrêterait chez Brisson et me demanderait:

– Qu'est-ce que tu veux boire?

– Un hot-dog et des patates frites!

Et là, à mon retour de Paris, papa a dit:

– On va arrêter boire un hot-dog et des patates frites.

On a ri de bon cœur. Non, je ne repartirai plus jamais, jamais, jamais.

– Ça serait bien si on pouvait acheter un petit chalet sur le bord du Saint-Laurent à Berthier. Y'en a un à vendre, 1600 dollars, a repris papa.

– C'est vrai?

Mes parents demeuraient toujours dans leur deuxième étage rue Papineau au coin Logan. Je n'avais pas encore de chambre. Je couchais dans le salon. Ce n'était pas grave, j'étais heureuse. Quelques semaines plus tard, ils ont acheté le chalet de Berthier où mes cousins et moi avons fait les quatre cents coups par la suite. J'étais heureuse, je leur ai dit que j'allais travailler et les aider à le payer. «Vous allez voir, je vais réussir.» Maman gagnait un peu d'argent avec son salon de coiffure et mon père travaillait toujours dans le taxi.

Chapitre **8**

# LE BEU QUI RIT

Je n'étais pas sitôt arrivée à Montréal que j'ai reçu un appel du directeur du Beu qui rit, situé rue Sherbrooke Est à l'angle de la rue Jeanne-Mance, dans une ancienne maison de pierre comme il en reste encore, propriété de M$^e$ Jean-Marie Bériault. Au premier, il y avait un bar, le Moulin Rouge, et à l'étage, une salle, Le Beu qui rit, où l'on pouvait asseoir une centaine de personnes; certains soirs, près de 150.

Les tables minuscules étaient collées les unes sur les autres, les clients étaient assis sur des chaises droites, épaule contre épaule. Lorsque le client assis près de la scène voulait commander un verre, il était obligé de le dire à son voisin, qui passait le mot à un autre et ainsi de suite, jusqu'au garçon. Le garçon demandait: «Avec glace, sans glace?» Et ça repartait en sens inverse. Même chose quand la commande arrivait. On se passait le verre, l'argent, la monnaie qui revenait et le pourboire qui repartait. Pas de service durant le spectacle, et impossible d'aller aux toilettes sans déranger tout le monde. Les rangées de chaises se touchaient.

Le directeur artistique du Beu qui rit était André Roche, dont je vous ai déjà parlé. Sur scène, il y avait Paul Berval, Jacques Lorain, conjoint de Denise Filiatrault, Denise, Denis Drouin, Jean-Claude Deret, Odile Adam et moi. Roger Joubert était au piano.

La scène était minuscule. À gauche, une petite fenêtre s'ouvrait comme dans les cabarets-théâtres de Paris: Odile Adam y annonçait les sketches. Nous faisions deux spectacles chaque soir; trois le samedi, et c'était fermé le dimanche. Le Beu qui rit était toujours noir de monde, fréquenté par des jeunes cadres, avocats, médecins, étudiants; Denys Arcand était l'un de ceux-là. Le public ne disait pas un mot pendant les spectacles: c'était rare à l'époque, surtout pour Denise et moi qui venions des clubs de nuit, du Mocambo et du Casa Loma, où tout le monde parlait plus fort que nous. La clientèle du Beu qui rit était grandement appréciée.

Denise m'a dit: «J'attendais que tu reviennes de France. Je veux faire un sketch avec toi: la mère et sa petite fille qui vient passer une audition; alors, tu fais ceci, tu fais ça, je dis ceci, tu dis ça, on danse le *tap dance* et je te saute sur le dos, puis on sort.»

On est allé jouer le numéro devant Berval, Drouin, Lorain et Deret. Denise les fatiguait avec cette idée de numéro depuis des mois.

Alors, pour la première fois, on a improvisé toutes les deux. Ensemble, on était un duo unique, on avait le même sens du comique, on essayait de se surprendre. Les gars écoutaient, ils étaient morts de rire. Drouin en a ri aux larmes. «OK, faites-le. C'est bien bon!»

Voici comment ça se passait: nous entrions par la salle; Denise, la mère, interrompait Berval pour lui demander que sa petite, moi, passe une audition.

Elle me faisait chanter, réciter et elle me faisait danser en disant: «Elle est un peu gênée, mais j'vas la partir.» On dansait sur l'air de *Sheik of Arabia,* musique de *tap dance.*

Denise dansait très bien le *tap dance*, moi je le dansais par oreille, j'en faisais un genre de parodie. Elle sautait sur mon dos et on sortait. Le délire... toi! Ça criait, ça sifflait, des bravos. On avait gagné, on était heureuses, on a traîné, je dis bien traîné, ce numéro pendant des années jusqu'au *Bye! Bye!* de l'année des Jeux olympiques, en 1976, où Nadia Comaneci a «viré» le monde à l'envers avec sa performance de 10/10.

Nous avons alors adapté le numéro dans lequel la mère présente son enfant pour une audition à la poutre. Cette année-là, la petite Nadia Courtemanche, sa mère et l'entraîneur Benoît Marleau, notre vieux complice, ont marqué le *Bye! Bye!*

J'ai adoré jouer au Beu qui rit. Nous jouions une revue à l'automne et une autre après les fêtes. On travaillait comme des fous. Je commençais à sortir avec Roger Joubert, nous devions nous fiancer plus tard. Nous avions loué un chalet à Saint-Hippolyte, Denise et Jacques, Roger et moi, Jean-Claude Deret et sa jeune femme à l'époque.

Nous partagions le même réfrigérateur, chacun sa tablette; si l'un de nous avait le malheur de prendre du beurre ou du lait à l'autre et si l'on ne le remplaçait pas, la chicane prenait. Nous allions au village chercher notre viande où M. Debert avait ouvert une boucherie. Il a par la suite déménagé à Montréal, rue Laurier Est, sous le nom d'Anjou Québec et, par la suite, rue Laurier Ouest, à son emplacement actuel. Le commerce a été vendu après la mort du célèbre M. Maurice, mais porte toujours le nom d'Anjou Québec.

Mais revenons-en au Beu qui rit, qui était le rendez-vous des artistes européens qui venaient à Montréal. Ils venaient y finir leurs soirées avec nous après leurs spectacles: Charles Trenet, les Compagnons de la chanson, Fred Mella surtout, qui avait épousé la Canadienne Suzanne Avon, Bécaud, Aznavour, Pierre Roche.

Nous avions l'habitude de commander du «chinois». J'étais chargée de la commande. Denise et moi, nous étions très directes et surtout gourmandes: «Si vous n'en commandez pas, vous ne viendrez pas piger dans nos assiettes.» Ils n'avaient pas faim, mais quand les mets arrivaient, ils commençaient à picorer dans nos assiettes, ce qui nous mettait hors de nous.

Les gars nous taquinaient, mais nous aimaient beaucoup. Nous mangions toujours la même chose et j'étais connue du Chinois comme Mao. Je n'avais qu'à dire: «Bonsoir, c'est

Dominique», ni mon nom de famille, ni l'adresse, il savait tout ça, «...pour six personnes».

– OK, bonsoir.

Ça arrivait 20 minutes plus tard au Beu qui rit. Le Chinois ne m'avait jamais vue.

Un jour, je me suis décidée à lui rendre visite, rue Stanley près de Dorchester, René-Lévesque aujourd'hui.

– Je suis Dominique.

– Oh! Oh! Dominique!

Il a crié à la ronde, dans le restaurant: C'est Dominique, c'est Dominique! Et il a ri, ri!

Ce jour-là, j'ai mangé «sur le bras»! Je ne voulais pas, mais il a insisté. Je n'aime pas beaucoup qu'on m'offre des choses, parce que je me sens obligée par la suite. J'aime mieux payer et garder mon indépendance.

Revenons au Beu. Notre présentatrice Odile Adam a ensuite été remplacée par Monique Gaube, une jolie brune qui annonçait les numéros tout en y participant.

C'était l'époque où je me rendais compte que ma relation avec Roger Joubert, avec qui j'étais fiancée, s'effritait; il y avait de l'eau dans le gaz et j'avais la conviction qu'il me trompait. Je lui ai posé la question, il m'a juré sur tous les saints du ciel que non. Vous avez déjà vu un homme vous dire franchement: «Oui, je te trompe?»

Je lui ai demandé de me transcrire les notes d'une chanson, il m'a répondu qu'il n'avait pas le temps, mais j'ai appris qu'il avait fait toute une orchestration gratuitement pour une chanteuse d'un soir au Beu qui rit. Je l'ai mis devant le fait. Il n'a pas pu nier, il savait que je savais. J'étais dans le corridor du Beu qui rit, au deuxième étage. J'ai piqué une colère noire. J'ai lancé la bague à diamant qu'il m'avait donnée, de toutes mes forces, dans le vestiaire au fond du couloir.

– Viens la chercher ta maudite bague, je n'en veux plus.

Il a passé la soirée à la chercher, mais l'a enfin retrouvée. Quelques minutes plus tard, je suis entrée dans la loge comme si de rien n'était, mais Deret, Drouin, Berval, Lorain, Denise et Monique m'avaient entendue, parce que j'avais crié plutôt fort.

J'ai fait le spectacle comme d'habitude et j'ai dit à Denise: «Qui mange de la m.... lui pis sa maudite bague!»

Denise était au courant des incartades de Roger, mais elle avait été très discrète. Elle savait que j'avais raison. Je n'en ai pas voulu très longtemps à Roger, un amour en remplace un autre. Nous devions nous retrouver quelques années plus tard à *Moi et l'autre*. C'était Roger qui en avait écrit le thème musical avec beaucoup de talent et qui jouait M. Lavigueur avec beaucoup d'humour.

À cette époque, certains artistes levaient le coude souvent et fort. Ma mère venait voir le spectacle au Beu qui rit et restait à prendre un verre avec Denis et Paul. Après la fermeture, vers trois heures du matin, elle partait boire avec Denis ou d'autres clients dans les *blind pig*. On y servait de l'alcool après les heures permises et on jouait aux cartes pour de l'argent. Il y avait souvent des descentes de police dans ces endroits-là.

On amenait tout le monde au poste dans le bas de la ville, près du Champ-de-Mars. Je devais donner une caution de 200 dollars pour faire sortir ma mère, caution que je perdais toujours, car elle plaidait coupable. Je gardais toujours de l'argent liquide à la maison pour la faire sortir. Ça arrivait facilement une fois par mois. J'allais la chercher en pleine nuit, en cachette de mon père, qui dormait. Ça ne faisait pas des mois payants, car je gagnais seulement 85 dollars par semaine. Fallait voir dans quel état elle se trouvait; tellement saoule qu'elle avait de la difficulté à marcher. Elle ne voulait plus rentrer à la maison, elle voulait dormir au poste. Je la suppliais de venir avec moi, j'essayais de la raisonner, elle refusait. Ça me prenait des heures à la convaincre. Le pire, c'était quand elle vomissait. Il fallait que je nettoie tous les dégâts. J'étais fatiguée, j'avais honte devant tout le monde et les policiers.

Quelquefois, elle allait boire dans les clubs gais, avec son ami Louis Mantelers, et quand j'allais la chercher au poste, les policiers disaient: «On l'a ramassée dans un club de lesbiennes, c'est une vieille lesbienne!» Je ne me fâchais pas trop pour ne pas envenimer la situation. Je disais: «Non, c'est ma mère. Tout ce qu'elle veut, c'est prendre un verre.»

C'était vrai, elle s'en foutait qu'on dise qu'elle était lesbienne même si elle ne l'était pas. Ma mère n'a jamais jugé personne; tu es gai, lesbienne, divorcé, tu as une maîtresse, un amant, pas de problème. Pour elle, boire avec le monde, être sur le party, quel bonheur! Le reste on s'en fout!

Je prenais un taxi pour rentrer à la maison. Pour la sortir du taxi, c'était la même chose; il fallait argumenter pendant 15 minutes. Je n'en pouvais plus. Je me suis dit que je devrais m'acheter une voiture.

Pour ne pas réveiller mon père, je la couchais sur le divan du salon (mon lit!). Quand elle était malade, il fallait encore tout nettoyer. Je finissais par me coucher vers cinq heures du matin, par terre, à côté d'elle.

J'aimais ma mère, j'essayais de la comprendre. Le matin à huit heures, elle était toujours à son salon de coiffure. Elle prenait une bière au petit-déjeuner pour se remettre. Comment faisait-elle? Je ne le sais pas. Elle entreprenait sa journée comme si de rien n'était, et le soir, ça repartait.

Paul Berval aussi aimait prendre un verre, il arrivait que certains soirs, il ne pouvait pas faire le spectacle. Alors Denise et moi allions dans la cave chercher nos vieux costumes et on faisait notre numéro de la mère et de la petite fille. J'aimais toute l'équipe du Beu qui rit, nous étions de vrais amis.

Paul Berval était exceptionnellement drôle; il a été mon école d'humour, j'ai tellement appris avec lui! Je le regardais travailler tous les soirs. Quel comique!

Jean-Claude Deret, lui, faisait nos costumes. Il les cousait et nous les ajustait. Il avait tous les talents. On l'appelait Toto Deret.

La télévision commençait à Radio-Canada en 1952. Jean-Yves Bigras, réalisateur, m'a fait faire de la figuration. Ça ne payait pas beaucoup, peut-être 10 dollars par jour. Même gratuitement, j'y serais allée...

Quand nous n'étions pas à nos places, Jean-Yves Bigras ouvrait le *talk-back* du micro de la salle de contrôle (d'où le réalisateur peut donner ses recommandations sur le plateau), tout le monde pouvait l'entendre:

«Maudit tabarnak de câlice, vous n'êtes pas capables de vous souvenir de vos crisses de places, maudits pas d'tête que vous êtes!»

Aujourd'hui, on ne parle plus comme ça à Radio-Canada. Imaginez les protestations qu'il y aurait: agressivité, violence, etc. On écoutait, par exemple, on prenait nos places. C'était efficace quand même!

Toute la troupe du Beu qui rit passait de temps en temps à l'émission de télévision *Music Hall*, animée par Michelle Tisseyre, le dimanche soir. Nous étions invités par Noël Gauvin, le réalisateur, à faire nos sketches pour la télé. L'un de nos succès, *Beukirius*, était écrit en alexandrins, mais rempli d'expressions québécoises irrésistibles. J'interprétais une petite suivante chinoise. Je chantais sur l'air de *La Petite Tonkinoise*, un succès de Joséphine Baker: «J'suis une petite Tonkinoise, une enfant d'chi... une enfant d'chi.... enfant d'chinoise, mon père a une belle *laundry*, moi j'sais faire le chop suey. Tu verras mes mandarines et puis ma cuis... et puis ma cuis.... ma p'tite cuisine et pour le dessert en plus, t'auras ma fleur de lotus!» Je m'en souviens encore, 50 ans après.

Noël Gauvin passait ses soirées au Beu qui rit. Il nous connaissait par cœur. Il devint un grand ami. Quelques années plus tard, il mourra d'une crise cardiaque. Une fin d'après-midi, il s'est senti très mal. Il m'a téléphoné et je suis arrivée en même temps que l'ambulance. Sur la civière, il me disait: «Je ne peux plus respirer Dominique, j'ai tellement mal ici.» Il me montrait sa poitrine. Il est mort quelques heures après son arrivée à l'hôpital. J'ai gardé de lui le souvenir d'une belle, très belle amitié!

Pour gagner un peu plus d'argent, je chantais, jouais au Théâtre canadien, deux spectacles par jour, l'après-midi et le soir vers 19 heures, ce qui me laissait le temps de me rendre au Beu qui rit à 22 heures. Je me souviens encore du numéro de téléphone des réservations: Plateau 0194. Chez moi, c'était Lafontaine 2656.

Quand nous avions relâche au Beu qui rit, j'allais à Toronto faire le *Danny Vaughan Show* à la télé; je chantais en français.

Les diseuses les plus populaires à ce moment-là étaient Lucille Dumont, Rollande Désormeaux, Andrée D'Amour, Colette Bonheur, Rita Germain, Colette Merola, Estelle Caron, Jeanne D'Arc Charlebois, Denise Filiatrault, Simone Quesnel, Christiane Breton, Irène Andrian, Claudette Jarry (la Carmen Miranda québécoise), Pierrette Lachance et moi-même.

Parmi les émissions de télé populaires, il y avait *Silhouette*, commanditée par Maxwell House et Jell-O, dans laquelle Paul Dupuis faisait son annonce publicitaire de café en direct. Aussi, l'émission *Feu de joie*, réalisée par Jean Léonard, dans laquelle des *tap dancers* dansaient les chorégraphies de Jean Paul, le mari de Muriel Millard.

Dans les journaux, on comparaît ces danseuses aux June Tayler Dancers qu'on voyait au réseau américain dans le *Jackie Gleason Show* et au *Ed Sullivan Show*. Les critiques de Montréal vantaient le grand talent de nos artistes. Pour moi, les critiques n'avaient jamais vu les June Tayler Dancers: dans *Feu de Joie*, la plus grande mesurait cinq pieds et elles étaient toutes un peu «baquaises». Bref, c'était malgré tout, un bel effort.

* * *

Au mois de janvier 1956, M. Gratien Gélinas m'a demandé de faire partie de son spectacle *Les Fridolinades*. J'étais flattée, mais il fallait que je dise à la gang du Beu qui rit que je ne serais pas du spectacle de Pâques.

J'étais peinée, et en même temps j'avais envie de faire *Les Fridolinades* avec M. Gélinas. Alors, j'ai dit à Paul, Denis, Jean-Claude et Jacques que j'étais épuisée, que je devais les quitter. J'étais trop lâche pour dire la vérité. Ils se sont mis à rire, ils voyaient bien que je mentais. J'ai fini par dire que j'avais envie de faire la revue de M. Gélinas. Ils comprenaient très bien, mais en même temps ils étaient déçus, moi aussi d'ailleurs!

*Les Fridolinades* étaient annoncées dans tous les journaux pour Pâques. Je faisais partie du spectacle avec Monique Lepage qui, sur scène, me disait tout le temps ce que je devais faire: «Avance, arrête, tourne-toi, arrête», etc.

J'ai fini par lui dire de me laisser tranquille, puisque je suivais les directives de M. Gélinas. Faisaient aussi partie de la revue Ginette Letondal, toujours belle comme une déesse, Albert Millaire, Jean-Pierre Masson et Germaine Giroux.

Germaine me maternait, prenait soin de moi. Elle portait toujours un turban ou un genre de bandeau qui lui servait en même temps de lifting. Elle y insérait des collants qui lui tiraient la peau pour lui donner un aspect plus jeune. Elle aurait tant aimé avoir un lifting, mais comme elle prenait soin de sa sœur Billy, tout son argent y passait. Si j'avais été plus en moyen à cette époque, je lui aurais donné l'argent, car j'adorais cette femme. Elle avait un amant, un monsieur très bien, un peu vieux, c'est elle qui le disait; en fait, il avait à peine un an ou deux de plus qu'elle. Un soir où nous sortions du théâtre, un automobiliste n'a pas fait son arrêt au coin de la rue et a manqué de nous frapper. Ma Germaine est partie l'engueuler. «Vous n'avez pas honte, vous avez failli écraser ce pauvre vieux. Faut faire attention aux vieilles personnes, surtout si elles ont de la difficulté à marcher. Espèce de sans-cœur.» Cré Germaine! Tous ceux qui l'ont connue l'ont adorée.

J'étais très à l'aise dans cette revue à cause de l'expérience acquise au Beu qui rit.

Un soir, dans un numéro avec M. Gélinas, qui allait ainsi:
Dominique: Quand l'héritier de Jean Gascon mettra en

scène avec ivresse les belles jeunesses à Lajeunesse en s'fichant de la télévision...

Fridolin: ...et qu'leurs enfants s'y chauffant les fesses, à tous ces vrais p'tits génies-là...

Dominique: Bien sûr c'est les p'tits Gélinas!

J'ai répliqué en imitant la voix de Fridolin. Tonnerre d'applaudissements. La face de M. Gélinas, toi! D'abord surpris, puis ensuite rouge de colère. En sortant de scène, il m'a apostrophée: «Quand je te dirai de m'imiter, tu le feras, sinon, tu ne le fais pas.»

Le lendemain soir, la réplique arrive: «Bien sûr, c'est les p'tits Gélinas!» et je l'imite encore une fois.

Applaudissements spontanés, mais je ne le regarde pas. Je le vois du coin de l'œil, il est en ta...

Il m'a dit: «Fais donc ce que tu veux.»

Je savais qu'il ne pouvait pas me mettre dehors. Qui m'aurait remplacée au pied levé? Personne. Et puis, on avait un gros rire, un des rares. La revue ne fut pas un succès et la critique fût plutôt tiède: «L'œuf de Pâques de Fridolin était vide», par contre dans le *Journal des Vedettes:* «Le spectacle qui fait courir tous les Montréalais.» Wow! Mais malgré tout, je m'en suis bien sortie. J'ai eu personnellement de bonnes critiques.

Normand Hudon, devenu caricaturiste à *La Presse*, a fait de moi une caricature les bras levés en triomphe avec, dans mon ombre, par terre, et dans la même position que moi, Fridolin, M. Gélinas!

Je me mets à la place de M. Gélinas, ç'a dû être difficile à prendre. J'étais gênée, mais le soir, quand je suis entrée au théâtre, M. Gélinas m'a dit: «Si tu as d'autres bons gags comme ça, vas-y!»

Ce que j'ai fait. Il faut dire que je n'aime pas être dans une pièce, une émission ou un film qui ne marche pas, même si j'ai de bonnes critiques. J'aime mieux être dans un truc qui marche, même si ma participation est minime.

En 1956, j'ai fait un autre tournage pour l'ONF, un autre documentaire réalisé par Claude Jutra, avec qui je devins très copine. Il demeurait au Carré Saint-Louis et j'allais souvent manger chez lui «en amie».

Avant ce documentaire sur les auteurs et compositeurs québécois, quand on parlait de chanson canadienne ou québécoise, on passait pour des illuminés. Claude a fait découvrir des auteurs et leurs interprètes au public, entre autres, Félix Leclerc, Lionel Daunais, Guy Bélanger, Jacques Blanchet et Raymond Lévesque. Merci Claude!

Cette émission a été diffusée le 23 décembre à 14 heures. Belle heure, pour une diffusion du Nouvel An. On a dû toucher une centaine de téléspectateurs. Le thème de l'émission: les problèmes du métier des auteurs de chansons canadiennes. Quel sujet divertissant pour une fin d'année! Les *Bye! Bye!* ont bien changé par la suite!

* * *

L'ancêtre des *Bye! Bye!* a été, je crois, le *Noël des artistes*. Tout le monde était là: Gaétan Labrèche, Françoise Graton, Andrée Lachapelle, Jean Lajeunesse, Gil Laroche, Rollande Désormeaux, Claire Gagnier, Rolland D'Amour, Guy L'Écuyer, Juliette Béliveau, Michel Noël, Jean-Claude Deret, Robert L'Herbier, Ovila Légaré, Hélène Loiselle, Yolande Roy, Yoland Guérard, Francine Montpetit, Hubert Loiselle, Maurice Gauvin, Andrée Champagne, Suzanne Langlois, Guy Godin, Gratien Gélinas, Robert Gadouas, Mia Riddez, Janette Bertrand, Rolland Bédard, Michelle Tisseyre, Béatrice Picard, Janine Mignolet, Ginette Letondal, Guy Hoffman, Omer Duranceau, Pierre Thériault, Thérèse Arbic, Guy Mauffette, Juliette Huot, Margot Campbell. On est loin des *Bye! Bye!* à quatre.

Par contre Paul Berval, Denis Drouin et Denise Filiatrault n'y étaient pas. Où étaient-ils? Je sais que moi j'y étais, dans un sketch tiré des *Fridolinades*.

# Chapitre 9

# CAMILLE HENRY ENTRE DANS MA VIE

En 1956, j'ai participé à une revue de fin d'année réalisée par Nicolas Doclin, intitulée *Adieu 56, Salut 57*. J'y ai chanté *La famille* de Raymond Lévesque. Le public aimait la chanson du Québec, qui parlait de nous avec des mots de chez nous: «Mon oncle Albert c'est un millionnaire, il a fait son argent avec la guerre, y a eu un contrat du gouvernement, pour paver je ne sais quoi en ciment.»

Au moment où j'écris ces lignes, la Commission Gomery suit son cours. Comme vous le voyez, plus ça change, plus c'est pareil.

À l'automne 1956, le réalisateur d'*Au P'tit Café*, Francis Coleman, m'a téléphoné pour me demander de remplacer Pierrette Lachance, une grande brune, vedette de l'émission et chanteuse d'opérette qui quittait l'émission pour se marier. Le régisseur était Jean Bissonnette que je croisais aussi sur d'autres plateaux de télévision, dont celui de *Music Hall* animé par Michelle Tisseyre. Jean remaniera le concept d'*Au P'tit Café* quelques mois plus tard et en deviendra le réalisateur.

Simultanément, Raymond Lévesque rentrait de Paris, auréolé de gloire. Fin janvier 1957, pour le retour de Guylaine Guy et Raymond Lévesque, l'Amicale de la Chanson canadienne, dont les directeurs étaient Robert L'Herbier, Jean Bertrand et Jean Rafa, offrait un cocktail d'honneur au Mont-Royal BBQ, un endroit très chic. Ces directeurs ont fait beaucoup pour la chanson québécoise. L'invitée d'honneur était madame Édith Piaf, enroulée dans sa veste de laine noire. Tiens, une frileuse comme moi! Elle était charmante, et a pris de nos nouvelles. Elle connaissait Raymond Lévesque, elle adorait ses chansons et, bien sûr, elle est venue nous voir au Beu qui rit. Elle s'y est beaucoup amusée. Je me souviens du moment où je lui ai serré la main, je l'ai trouvée si petite, plus petite que la mienne; c'était comme serrer la main d'un enfant.

Quelque temps plus tard, Robert L'Herbier m'a annoncé qu'il organisait le Concours de la chanson canadienne à Radio-Canada. Les interprètes gagnants devaient se rendre à New York pour enregistrer leur chanson sur microsillon. Le premier prix a été remporté par Jacques Blanchet pour *Le ciel se marie avec la mer*, chantée par la «grande dame de la chanson» Lucille Dumont; le second fut Camille Andréa pour *En veillant su'l' perron*, que j'interprétais et en troisième place, *Gaieté printanière*, chantée par Rollande Désormeaux, une femme d'une grande beauté, l'épouse de Robert L'Herbier. Tous deux ont fait un malheur avec leur émission *Rollande et Robert*.

Pourquoi aller à New York, me direz-vous? Ici, les studios n'avaient qu'une piste, c'est-à-dire que l'artiste enregistrait en même temps que l'orchestre. Si l'un des musiciens ou l'artiste se trompait, ce qui arrivait immanquablement, on devait tout recommencer depuis le début, tandis que dans les studios new-yorkais, il était possible d'enregistrer l'orchestre et ensuite la voix; ce qui était moins risqué pour tout le monde.

Au studio de New York donc, comme mon interprétation devait être «sentie», on a décidé d'enregistrer tout en même temps. J'étais dans une boîte vitrée de cinq pieds sur cinq, avec, à la guitare, Tony Mottola, à la trompette, Quincy Jones (qui a été le producteur et compositeur de plusieurs chansons de Michael Jackson) et au saxophone, le frère de Quincy, Elvin Jones.

J'ai revu Quincy Jones en 1992, lors de sa visite à Ottawa pour remettre le prix du Gouverneur général au pianiste Oscar Peterson, que j'avais connu au El Morocco, avec le fameux trompettiste Menard Ferguson. En même temps qu'Oscar Peterson, j'ai reçu un prix pour l'ensemble de ma carrière. Quincy Jones ne m'a pas reconnue: rassurez-vous, je n'ai rien fait pour qu'il le fasse. Mais je peux dire que Quincy Jones a joué de la trompette sur un de mes disques: *En veillant su'l'perron*, mon premier succès.

J'ai vendu près de 100 000 copies de ce 45-tours. Un gros succès de vente à ce moment-là était dans les 5 000 copies. Sur la face B, j'ai enregistré *La famille*, de Raymond Lévesque. Après avoir été en tête du palmarès pendant des mois avec *En veillant su'l'perron*, nous l'avons été aussi plusieurs autres mois avec *La famille*.

Après le succès que j'ai obtenu dans les *Fridolinades*, la femme d'Yvan Daniel, agente de spectacles, m'a offert un contrat au cabaret Le Baril d'huîtres de Québec. J'étais désormais connue et populaire, grâce à mon succès sur disque qui passait au moins 50 fois par jour à la radio. On était prêt à me donner 1 200 dollars par semaine. Quoi? J'en gagnais 85 au Beu qui rit!

Je devais aller à Québec, mais je n'avais pas de pianiste. J'ai donc contacté mon ami André de Chavigny, auteur-compositeur-interprète. Il m'a lancé: «J'ai celui qu'il te faut, Paul de Margerie, il enseigne au Conservatoire de musique de Québec le jour, mais il peut très bien t'accompagner le soir.»

Je me suis donc installée à Québec, quelques jours avant pour les répétitions, au Manoir Deschênes de la Grande Allée, une résidence d'époque transformée en maison de chambres où nous descendions toujours avec la gang du Beu qui rit. C'était d'une propreté impeccable et les chambres étaient immenses.

Quand Paul s'est installé au piano, il a improvisé des intros pour mes chansons. C'était tellement bon et jazzé que je me suis exclamée:

– Tu es trop bon pour moi.

– Mais non, je suis si heureux de travailler avec toi!

Ce fut un grand bonheur d'être accompagnée par lui. Je n'étais pas une grande chanteuse, mais il m'a poussée à me surpasser, à changer mon phrasé. Je me suis tellement améliorée avec lui. Plus tard, j'ai parlé de Paul à Jean Bissonnette, le réalisateur du *P'tit Café*, qui l'a engagé dans l'émission.

*Au P'tit Café* était une émission de variétés. Pierre Thériault et moi en étions les chanteurs attitrés. Nous faisions aussi des parodies d'émissions ou de spectacles et des imitations. Normand Hudon, dessinateur hors pair, faisait des caricatures plutôt cinglantes de personnalités, surtout des politiciens, accompagnées de chansons connues dont il modifiait les paroles. Son souffre-douleur préféré était Daniel Johnson père, qu'il appelait Danny Boy, et dont il se moquait sur l'air de *Oh! Danny Boy*. Pauvre monsieur Johnson, à son grand désespoir, ça l'a suivi tout au long de sa carrière politique.

Normand faisait aussi, entre autres, des caricatures de Maurice Duplessis, premier ministre de la province, et de Jean-Marie Savignac, conseiller municipal, tous deux avec un vautour sur l'épaule.

J'ai commencé ma semaine au Baril d'huîtres avec Paul. André de Chavigny était là le soir de la première avec un ami, Camille Henry, qui jouait au hockey avec les Rangers de New York. Il venait de terminer brillamment la saison. Il avait compté 29 buts en 36 parties. C'était un petit joueur, il ne pesait que 140 livres et mesurait cinq pieds dix pouces, mais il était extrêmement dangereux autour des filets, comme on dit dans le langage sportif. À New York, on le surnommait Camille «*The Eel*» (l'anguille) Henry. C'était la mode de donner des surnoms aux joueurs de hockey: Bernard «Boom Boom» Geoffrion, à cause de son lancer frappé, Maurice «Rocket» Richard à cause de sa vitesse.

À ce moment-là, je ne connaissais pas grand-chose au hockey et comme André me soufflait que Camille était très connu, je lui ai dit: «Oh, vous devez être gardien de but?» Très modestement, il m'a répondu: «Non.» André m'a expliqué qu'il était ailier gauche et très populaire chez les Rangers de New York.

Camille m'a proposé: «On va manger en bas au restaurant; après ton deuxième spectacle si tu veux, viens nous rejoindre.» J'ai dit oui tout de suite. Il me plaisait déjà. Il m'a parlé de son avenir. Il voulait poursuivre sa carrière qui se déroulait merveilleusement bien dans le hockey. Il avait 23 ans et il ne voulait pas se marier avant 30 ans.

Camille était un très gentil garçon, un peu timide, mais charmant et doté d'un bon sens de l'humour. Tout le monde l'aimait. On s'entendait bien. Très talentueux, il a été repêché très jeune à Québec par les Rangers de New York où il a débarqué sans parler un mot d'anglais. Quelques mois plus tard, il était devenu une super vedette. Au bout d'un an, il parlait un anglais parfait. À Québec, les gens l'arrêtaient tous les cinq pas pour le féliciter. J'étais impressionnée; il n'y avait rien de plus populaire qu'une vedette du sport et j'étais flattée qu'il s'intéresse à moi. Il venait me voir tous les soirs au cabaret. J'avais un contrat de deux semaines au Baril d'huîtres et après je rentrais à Montréal.

Le dernier soir, il m'a dit qu'il voulait me revoir. Je lui ai donné mon numéro de téléphone. Je l'ai invité chez moi, à Montréal. J'avais loué un appartement en dessous de chez mes parents, rue Papineau. Lui aussi venait d'un milieu très modeste. Son père avait un gros problème d'alcool, ce que je connaissais moi aussi, et Camille prenait un soin jaloux de sa mère, qui adorait son fils. D'ailleurs, cela créera un conflit entre elle et moi; sortir avec une actrice, elle ne pouvait pas supporter ça.

Camille et moi, on se téléphonait tous les jours.

Enfin, il est arrivé à Montréal. On sortait tous les soirs; les journaux à potins parlaient de nous presque toutes les semaines. On s'aimait beaucoup. Mon père était très impressionné: un joueur de hockey qui sortait avec sa fille! Quoi de mieux, il était aux oiseaux.

J'ai fait la connaissance de ses coéquipiers, notamment Rod Gilbert qui a eu une grave blessure au dos. Il a été opéré par l'orthopédiste Yana GasaWana, un Japonais spécialiste des os, le médecin attitré des Rangers. Il a tellement bien soigné Rod que ce dernier s'est retrouvé sur pied rapidement. Si Rod Gilbert peut encore marcher aujourd'hui, c'est grâce à Yana.

Il en a été de même pour Camille, opéré à la jambe. Yana lui avait inséré une tige de métal pour tenir son os brisé. Opéré le matin, l'après-midi même il lui faisait faire des exercices: monter la jambe, descendre, monter, descendre... Le docteur a dit à Camille: «Faut tenir ta jambe en l'air.» Camille souffrait le martyre. Il tentait de descendre sa jambe et de ne plus bouger. C'est alors que Yana a mis son cigare allumé sous sa jambe en lui disant: «*Stay up!*» Camille pleurait de douleur.

À mon tour, je suis arrivée à New York avec une jambe dans le plâtre. Je m'étais fracturé le métatarse. Yana m'a fait passer des rayons X et m'a dit:

– Je vais enlever le plâtre.

Je l'ai supplié:

– Non, non, non.

Il n'en a fait qu'à sa tête.

– Maintenant marche doucement, sans boiter. Si tu boites, tu vas boiter toute ta vie. Dans quelques jours tu vas être bien.

Il avait raison, mais la douleur était intense à chaque pas. Par contre, ma cheville gauche est maintenant plus forte que la droite.

Yana était attaché à l'hôpital St. Clare de New York, et à un autre établissement dans le Bronx. Il transportait des drogues d'un hôpital à l'autre. Pourquoi? Je ne sais pas, c'était comme ça à l'époque. Les *dealers* l'ont su. Un jour qu'il montait l'escalier de service à l'intérieur de l'hôpital, il s'est fait attaquer par trois Noirs. Yana était ceinture noire de judo. Il les a mis K.O. tous les trois en quelques secondes.

Il nous a raconté en riant que les trois étaient dans un très piteux état quand il les avait laissés. Je n'en doutais pas. C'est lui qui m'a initiée aux mets japonais en 1956. Il avait toujours sa table réservée au Sukiyaki, un petit restaurant tout près du

Martha Washington Hotel à New York, et si sa table était par hasard occupée par un autre client, il repartait aussi vite. J'ai beaucoup aimé et apprécié cet homme.

Chaque année, il m'envoyait ses vœux de bonne année avec une photo de sa famille. Quand Camille et moi nous nous sommes séparés, je n'ai plus eu de ses nouvelles. Comme il adorait Camille, il ne voulait plus me voir. Ça a été un peu la même chose avec Rod Gilbert. Quelques années plus tard, mon bon ami Gene Cloutier, que j'avais connu au Casa Loma, est arrivé à Saint-Ours à l'improviste, alors que j'étais dans mon potager. Gene m'a dit: «J'ai une surprise pour toi.» C'était Rod. On s'est jetés dans les bras l'un de l'autre et l'amitié a repris.

Rod était un garçon très généreux et beau comme un dieu. Il invitait tout le monde à sa table et payait tout. Je ne parle pas des filles, elles étaient en ligne pour le rencontrer. Un jour, il a décidé d'aller en France avec son ami Gene Cloutier. Il a loué une Rolls Royce.

Ils étaient sur la plage de Saint-Tropez où il y a plein de filles «*topless*». Ils n'avaient pas les yeux assez grands pour tout voir. Des Français jouaient au volley-ball sur la plage et, comme tous les deux sont de très bons sportifs, ils ont demandé de se joindre à eux. Les Français regardaient de haut ces deux petits Québécois avec leur drôle d'accent, mais ont consenti à ce qu'ils participent à la partie. Les Français n'ont pas été capables de marquer un seul point en 20 minutes. Les Canadiens étaient devenus les héros de la plage. C'était bien parti!

Les filles maintenant. Rod s'est approché de l'une d'elles, étendue sur le dos sans soutien-gorge. Très poliment, il lui a demandé: «Excusez-moi mademoiselle, est-ce que je peux vous parler?» Pas de réponse. «J'aimerais vous inviter ce soir à "souper", pardon... à "dîner", au restaurant que vous choisirez.» Pas de réponse.

Il a attendu. «Écoutez mademoiselle, j'ai parié avec mon copain que j'irais vous parler, si vous ne me répondez pas, je vais perdre mon pari et vous allez le regretter toute votre vie.»

La fille a ouvert les yeux, a vu ce beau jeune homme, a souri et lui a dit: – Bon très bien, parce que vous êtes très sympathique. Vous êtes Canadien?

– Oui. Je vous raccompagne?»

Elle a accepté et Rod m'a raconté qu'elle était très impressionnée quand elle a vu la Rolls Royce avec chauffeur. La suite est trop personnelle pour être racontée! Souvenons-nous qu'il était un bon «scoreur»!

* * *

Camille m'a également présenté Marcel Paillé, gardien de but, et Jean-Guy Gendron, lui aussi joueur des Rangers de New York. On sortait beaucoup dans les bars de danseuses à Montréal (comme tout bon joueur de hockey), c'était hot. Ça ne me plaisait pas tellement, mais je voulais lui faire plaisir. Et ce fut dans un de ces bars, le All American, rue Dorchester entre Drummond et de la Montagne, que Camille m'a demandée en mariage. L'excitation, peut-être... J'ai dit oui.

Je l'ai présenté à la troupe du Beu qui rit. Denis Drouin, un vrai fan de hockey, était ravi. Comme il venait de Québec lui aussi, Camille et Denis s'entendaient fort bien.

Camille est parti pour le camp d'entraînement et on ne savait pas quand nous allions nous revoir. Je me rendais à New York les fins de semaine quand il jouait et je le voyais un peu quand il venait à Montréal. Mais Phil Watson, le coach des Rangers, lui avait défendu de coucher chez moi la veille d'une partie, en lui disant qu'il n'aurait plus de jambes le lendemain soir. Ce qui est vrai, paraît-il. Moi, je peux vous dire que ça ne l'a jamais empêché de compter!

À Montréal, l'équipe logeait à l'hôtel Mont-Royal, rue Peel. C'était difficile de me faufiler dans l'hôtel qui était très surveillé. Les joueurs étaient deux par chambre. Je n'ai pas réussi souvent. Je ne devais pas être très débrouillarde, car des filles plus futées que moi ont réussi à s'infiltrer dans les chambres des joueurs, comme on l'a vu dans *Lance et compte* à la télé. Réjean Tremblay savait de quoi il parlait.

On s'est fiancés à Noël et il m'a fait choisir le modèle de ma bague. J'ai fait faire par Delrue, joaillier à la mode et talentueux, une bague de saphirs, ma pierre de naissance, et de diamants, taille princesse.

L'été suivant, avant d'aller au camp d'entraînement, je lui ai conseillé de demander une augmentation de salaire. Il gagnait 12 000 dollars par an. On était loin des salaires d'aujourd'hui. La grande vedette du hockey, Maurice Richard, recevait 25 000 dollars. J'ai recommandé à Camille de demander 16 000 dollars.

– Pas 16 000, t'es folle, ils vont dire non.

– Bien s'ils disent non, tant pis, mais ils peuvent aussi dire oui.

Il venait de compter 25 buts en 52 parties et avait reçu le trophée Lady Bing. Il a fait sa demande, ils ont accepté. Youppi, on était riches!

J'animais toujours l'émission *Au P'tit Café*. Toutes les semaines, nous invitions des chanteurs: Robert Goulet de Toronto, chanteur vedette à Broadway, Charles Aznavour, Pierre Roche, le duo Noiret et Darras («le» Philippe Noiret et Jean-Pierre Darras), des comédiens qui faisaient aussi du cabaret à Paris pour arrondir leurs fins de mois. Ils avaient accepté notre invitation, car ils étaient en tournée théâtrale au pays avec la Comédie-Française.

Pierre Thériault, Normand Hudon et moi avions un plaisir fou à travailler ensemble, jamais une discussion, le bonheur! Je flirtais même avec Pierre Thériault, qui me le rendait bien.

Le 31 décembre, nous avons présenté une revue de l'année en direct, un *Bye! Bye!* avant l'heure. Je me souviens d'une parodie de Laura Secord qui vérifie ses chocolats en appuyant dessus du doigt: «Un centre dur (le chocolat ne bouge pas); un centre mou (elle l'écrase sous son doigt); un centre dur... un centre mou... (tout à coup, crunch!), tiens, aux peanuts!»

Normand Hudon me dessinait des cartes de Noël: j'étais déguisée en père Noël et portais une longue veste rouge. À l'intérieur était inscrit: «Je vous souhaite une année pleine de sucre à la crème», signé Dominique Michel. Charmant Normand!

Un jour que les gars étaient «tannants», et comme je suis un peu maîtresse d'école, il a fait un dessin pendant que je les disputais et il a écrit: «Choque-toi pas tit fille!!!!», signé Normand. Je l'ai encore.

Dans ce temps-là, à Noël, beaucoup de gens allaient chercher des petits enfants abandonnés ou oubliés dans les orphelinats. Ils ne pouvaient être adoptés parce que les mères n'avaient pas souscrit à l'adoption.

Normand Hudon, sa femme, Fernande Giroux et moi avons donc décidé d'aller chercher un enfant à la crèche. Il devait passer quelques jours avec eux et quelques jours avec moi: un genre de garde partagée.

Nous sommes donc partis tous les trois pour l'orphelinat. Nous avons signé les papiers nous rendant responsables de l'enfant. La religieuse nous connaissait grâce à la télé et nous a fait confiance.

Nous sommes revenus avec un petit garçon de cinq ans, beau comme un cœur, mais au regard si triste. Il portait un petit manteau très léger et avait son pyjama roulé au fond d'un sac en papier brun à poignées: toute sa possession. Mon père, qui faisait encore du taxi, est venu nous chercher. Dans la voiture, le petit n'a pas quitté son sac.

Arrivé chez les Hudon, il n'a pas voulu se dévêtir, il se tenait au milieu du salon sans quitter son sac de papier brun, toute sa vie était dedans. Rien n'y a fait. Je me suis alors souvenu que, petite, j'adorais les oranges, peut-être que... Je suis allée chercher une belle orange, l'ai épluchée et lui en ai donné un morceau qu'il a pris de la main gauche, car il se cramponnait toujours à son sac de l'autre main. Peut-être parce que je ne suis pas grande, il m'a fait confiance, croyant sûrement que j'étais une grande petite fille.

Il s'est collé contre moi, et il ne voulait plus me quitter. Je suis restée chez les Hudon pour le dîner, mais au début de la soirée, je devais rentrer chez moi. Au moment de partir, il s'est mis à pleurer, il s'est accroché à la porte pour m'empêcher de m'en aller. Il voulait que je reste avec lui. J'ai regardé les Hudon:

– Qu'est-ce qu'on fait? Je peux l'emmener chez moi.

Je lui ai demandé:

– Veux-tu venir avec moi?

Il a fait signe que oui. J'ai dit à Fernande et Normand:

– Je le ramène demain et on ira voir le père Noël chez Eaton, faire un tour dans le petit train.

Parfait comme ça, tout le monde était heureux.

– Je vais aller lui acheter un manteau plus chaud et des bottes d'hiver. Il pourra garder les vêtements. On est tous d'accord?

On est partis, toujours le sac à poignées dans sa main droite. Arrivés chez moi, il est encore resté debout dans le milieu de la place, tout habillé, toujours sans lâcher le sac en papier brun. On a regardé la télévision. Lui, toujours debout, il a regardé la télé, fasciné. «Tu ne veux pas te coucher?»

Je lui ai préparé un petit lit pliant bien confortable à côté du mien. Il a fait signe qu'il voulait coucher dans le grand lit. «Avec moi?» Il a fait signe que oui. J'ai alors enfilé un pyjama, mais lui ne voulait toujours pas se déshabiller. Il m'a dit qu'il voulait aller aux toilettes. Comme j'allais fermer la porte, il s'est remis à pleurer. Je l'ai laissée ouverte. Il a fait pipi sans quitter le sac brun dont il a passé les poignées autour de son poignet. Je me suis couchée, il s'est glissé à côté de moi sur la couverture avec son bonnet à oreilles qui s'attachait sur le côté avec un bouton pression, son manteau, ses bottes, les mains accrochées à son sac. Je me suis demandé quelle vie aurait cet enfant. Je voulais lui donner un peu de joie, mais lui ne connaissait pas le bonheur. Il ne connaissait que la misère, le quotidien de tous ces enfants qui criaient, qui pleuraient et se consolaient tous seuls. «Mon Dieu, inspirez-moi, faites-moi trouver les mots, les gestes qui pourraient lui apporter un peu de sécurité et de tendresse.»

Il s'est finalement endormi. Je me suis levée et je l'ai couvert, chaudement. Je n'ai presque pas dormi. Au matin, vers sept heures, il dormait encore. Il n'a pas bougé, toujours habillé.

J'ai préparé un petit-déjeuner: des œufs, des toasts, des céréales, du pain doré. J'étais prête. J'attendais. Je me suis retournée, il était dans l'encadrement de la porte du salon, encore habillé, toujours avec son sac.

– Viens, on va manger. Si tu veux, tu enlèves ton manteau, tes bottes, ton chapeau et on va mettre tout ça près de toi sur une chaise. Tous les vêtements sont à toi, personne ne va les prendre.

Il m'a fait confiance. Il s'est déshabillé, a tout mis sur la chaise, «son sac», les vêtements. Je pense qu'il avait peur qu'on les lui vole.

Il a mangé de tout.

– Après on va prendre une douche !

Une douche? Il ne savait même pas ce qu'était un bain, il devait se laver à la débarbouillette. Je l'ai laissé, il était gêné de se dévêtir devant moi. Finalement il a pris un bain, s'est rhabillé; j'ai coiffé ses cheveux, je lui ai dit qu'il était beau. Il a souri. Effectivement, il était très beau.

Il fallait que je lui achète des sous-vêtements, il ne pouvait pas mettre les mêmes pendant deux semaines, même si on les lavait tous les jours. Je lui ai proposé de sortir sans «son sac». Il a hésité.

– On va le cacher comme ça, personne ne va le trouver.

J'ai compris! Il avait peur de se le faire voler.

J'ai acheté des pantalons, une chemise, que je lui ai fait essayer. «C'est un peu grand, on va prendre plus petit.» Il ne voulait plus les enlever. Il pleurait. J'ai dit à la vendeuse: «Tant pis, ça fera pour deux ans.»

Je me suis montrée plus prudente pour le manteau. Il l'a essayé, il lui a fait, il l'a gardé, les bottes aussi. Tout. Il était heureux, il caressait ses vêtements. J'ai fait le tour des jouets, il était émerveillé.

– Tu choisis ce que tu veux, au diable la dépense!

Il n'a touché à rien, il a tout regardé ; il rêvait. J'avais tellement envie de pleurer, prête à me rouler par terre.

Qu'est-ce qu'on a fait? Le faire rêver pendant 15 jours, après, retour au purgatoire. Je me suis dit: «C'est toujours ça de pris!»

On a mangé chez les Hudon, à Noël, au jour de l'An. L'enfant s'est «dégêné» peu à peu, il nous a parlé, il était heureux.

La religieuse nous avait dit: «Vous nous le ramenez après les Rois.» «Oui ma sœur.»

Hudon et Fernande étaient occupés; papa est venu nous chercher, moi et le petit pour le ramener à l'orphelinat. Il tenait fermement son sac dans lequel il y avait son vieux linge et son pyjama, plus sept ou huit sacs de jouets que Normand et Fernande avaient achetés.

On est arrivés à l'orphelinat, la religieuse nous a accueillis et a emmené le petit et les sacs de jouets, vers la salle de récréation où étaient les autres petits orphelins. À la porte de la salle, je l'ai serré très fort, il m'a serrée aussi très fort, ses petits bras autour de mon cou. J'ai été obligée de les lui retirer, il ne voulait pas me laisser partir. La religieuse l'a entraîné, il l'a suivie, la tête tournée vers moi, les yeux tristes, le bras et la main tendus qui semblaient dire: «Emmène-moi avec toi.» Je retenais mes larmes, et il a crié: «Dominique?»

La porte s'est refermée. Je l'ai vu à travers la vitre, hébété au milieu de la salle, pendant que les autres enfants se jetaient sur ses jouets. J'ai regardé mon père, il pleurait et m'a dit: «Il ne faut plus jamais faire ça, plus jamais faire ça.» Je ne l'ai jamais refait.

# Chapitre 10

# MON PREMIER ET UNIQUE MARIAGE

Denise Filiatrault venait d'apprendre à conduire une voiture. Je me suis dit que si elle pouvait conduire, elle qui était très distraite, alors moi aussi! Pour aller chercher maman au poste de police, ça allait être utile!

J'ai acheté une Pontiac décapotable 1957 brun roux avec le toit crème et beaucoup de chromes sur les côtés. Elle était bien belle. Je l'ai achetée en cachette de mes parents, pour 5 000 dollars «cash».

Mon père m'a toujours dit: «On n'achète pas à crédit, il ne faut pas avoir de dettes.» Ce que je m'efforçais de faire.

J'ai dit au représentant: «Je vais venir chercher la voiture dans un mois. En attendant, je vais chez Lauzon, l'école de conduite, pour prendre des Lauzon de conduite.»

Denise Filiatrault était bien plus habile que moi. Elle conduisait une voiture manuelle, avec changement de vitesses. Moi pas! J'ai acheté une «automatique». J'ai passé mon examen et je suis allée chercher ma voiture. Le vendeur m'en a expliqué le fonctionnement, ça y était, j'étais prête.

Le garage où je devais prendre possession de ma voiture était sur la Rive Sud; je devais donc traverser le pont Victoria sur une étroite travée, le pont étant à double sens à cette heure-là. Je me suis engagée sur le pont à cinq milles à l'heure. Je voyais les voitures venir vers moi, j'avais peur de les frapper ou de me faire frapper. J'avais l'impression qu'elles me frôlaient à deux pouces près; j'étais énervée, tendue. Enfin je suis arrivée de l'autre côté; j'étais épuisée. Les autres automobilistes avaient klaxonné tout le long du trajet; j'allais très très très lentement.

En arrivant au coin des rues Logan et Papineau où je vivais, j'ai croisé mon père dans son taxi. Il ne m'a pas reconnue; en fait, il a trouvé que la petite brune au volant était bien jeune pour conduire une si grosse voiture.

Tout à coup, il s'est exclamé: «Quoi, c'est la p'tite!» Il a voulu freiner, mais a appuyé sur l'accélérateur et a failli avoir un accident. Puis, il s'est garé, et s'est dirigé vers moi, énervé:

– C'est quoi ça? Où est-ce que tu as pris ça?

– C'est ma voiture, je viens de l'acheter.

– Combien?

– Cinq mille dollars.

– Cinq mille dollars! Tu vas te ruiner. As-tu des assurances?

– Ah mon Dieu!, non, les assurances.

– J'appelle ma compagnie. Tu vas te tuer avec ça.

– Non papa, j'ai pris des cours, je conduis très bien. Si tu veux, on parlera de ça une autre fois parce que pour le moment, je suis épuisée. Je m'en vais me coucher.

Ce jour-là, je me suis couchée à 18 heures et ne me suis levée que le lendemain à 6 heures. J'avais fait le tour de l'horloge.

J'avais très hâte de montrer ma voiture à mes camarades du *Beu qui rit.* Ils s'extasiaient: «Ah!, elle est belle; elle est pas trop grosse pour toi?»

Ouvre le toit, ferme le toit. Ouvre le coffre, admire les sièges en cuir rouille et crème. C'est drôle comme on est fier de sa première voiture. On en parle comme d'une personne. Après huit jours, c'était fini, elle faisait partie de mon quotidien.

À ce moment-là, j'avais un contrat au Casa Loma et, un soir, je suis entrée et j'ai dit à Joe Di Maulo, le maître d'hôtel:

– Joe, les «caps de roues» de ma voiture neuve ont disparu.

– Attends-moi ici, je reviens, m'a-t-il dit.

Au bout de 15 minutes, il était de retour:

– Va voir, ils sont replacés, tout est correct.

– Merci Joe!

Joe était toujours habillé comme une carte de mode: costumes italiens d'une élégance à faire pâlir les plus grands mannequins, un prince. Il a été le premier à porter une veste en soie brute bleu nuit. Il aurait pu poser pour les plus grands magazines tellement il était élégant.

* * *

J'étais toujours en tête du palmarès avec *En veillant su'l'perron*, devant *Arrivederci Roma*, *Innamorata*, *My prayer*, *Que sera sera*. *La famille* de Raymond Lévesque était en douzième position. Je suis restée six mois au palmarès. Même le *Herald* a parlé de moi. Al Palmer a dit: «*The diminutive Dominique pulled out all the stops and come up without act that should keep show circles talking for sometime.*»

Le plus grand rassemblement artistique de cette époque était le Gala des Splendeurs, qui avait lieu au mois de mai. L'artiste québécoise la plus populaire de l'année était couronnée Miss Radio-Télévision.

En 1957, j'étais en nomination pour le titre de Découverte de l'année, en compétition serrée avec les comédiennes Michelle Rossignol et Nathalie Naubert.

C'est Monique Miller qui a été couronnée Miss Radio-Télévision. On la voyait partout dans les premières pages des journaux à potins, photographiée avec son mari, François Gascon.

Les émissions les plus populaires étaient: *Le survenant*, *Les belles histoires des pays d'en haut*, *Les Plouffe*, *Cap-aux-Sorciers*, *Music Hall* et *Au P'tit Café*.

De septembre 1956 jusqu' à la fin décembre, j'étais au *Beu qui rit* avec Denise Filiatrault, où nous présentions nos numéros, et je faisais de temps à autre des sauts comme chanteuse à la télé ou dans des émissions de variétés. J'étais régulièrement *Au P'tit Café* avec Normand Hudon et Pierre Thériault. Je jouais aussi dans une opérette à la télé, *Faut marier maman*, réalisée par Francis Coleman, qui est devenu un ami. Je travaillais, je travaillais, et je ne voyais pas beaucoup mon futur mari.

Camille et moi avions décidé de la date de notre mariage. Ce serait le lundi 26 mai 1958, en l'église du Sacré-Cœur de Montréal, rue Ontario Est.

La messe a été célébrée par mon petit cousin, l'abbé Jean Adam. Ma dame d'honneur fut Denise Filiatrault, et mes demoiselles d'honneur, mes amies Madeleine Touchette, comédienne, Solange Robert, comédienne, et Claudette Henry, la sœur de Camille.

Les garçons d'honneur furent Rosaire, le meilleur ami de Camille, son beau-frère, le mari de Claudette, Paul Berval et Denis Drouin. Tous nos amis étaient là.

Avant le mariage, Camille et moi avions acheté une maison neuve à Charlesbourg, en banlieue de Québec. La maison comptait trois chambres, un salon, une cuisine, une salle à manger et un sous-sol que nous finirions plus tard. Cette maison coûtait 15 000 dollars. Comme j'avais pas mal d'argent en banque, j'ai payé la presque totalité de la maison, bien qu'elle soit enregistrée au nom de mon mari: c'était la loi. Ainsi, si une femme entrait à l'hôpital, le mari devait signer pour elle. Les meubles, que j'avais payés et qui entraient dans notre maison, devenaient par la force des choses la propriété de Camille. Mais on s'aimait et on se mariait pour la vie. Rien ne pouvait arriver, c'était pour toujours...

\* \* \*

Depuis plusieurs mois, je traînais une aventure avec un beau et jeune comédien marié, et de plus engagé dans une relation sérieuse avec une jeune et belle comédienne. J'étais toujours amoureuse de Camille, mais chaque fois que je revoyais ce jeune homme, je devenais totalement vulnérable. Si nous nous retrouvions au restaurant, nous ne finissions jamais le repas. Vite, il fallait faire l'amour n'importe où: dans l'auto, dans un vestiaire, sur la montagne, chez moi, quand nous n'étions pas trop loin de l'appartement.

Mais aussitôt les pieds sortis du lit, je réagissais comme un gars: «Excusez-moi messieurs. Terminé, je passe à autre chose.» Mon attitude m'inquiétait et je me demandais si j'étais normale. Une femme peut-elle se comporter ainsi? OUI! C'était peut-être pour expier cette étrange passion que «l'ange vengeur du sexe» s'est abattu sur moi des années plus tard pour me faire goûter bien amèrement à l'infidélité de mes amoureux, moi qui étais devenue fidèle, en quelque sorte, convertie!

Mais revenons au jour du mariage. Ma robe avait été créée par un Belge, émigré au Canada, M. De Belder: une robe blanche en satin duchesse, brodée de fils de soie blancs et or; belle, simple, décolletée en V, et dont le col montant enveloppait le cou; des manches longues étroites; une jupe très, très ample et une traîne. Le voile qui recouvrait mon visage était diaphane et très long; il était retenu par des fleurs de soie blanches, une création Yvette Brillon, la «modiste» la plus à la mode de l'heure. Mon bouquet de roses blanches était une création de Mme L'Espérance, la fleuriste spécialiste des grands événements.

Pour que l'église soit belle, je l'avais fait décorer de milliers de fleurs; le chœur était garni de grandes urnes de fleurs, des gerbes blanches étaient attachées à un banc sur deux, le long de l'allée centrale jusqu'à l'arrière de l'église.

Je suis partie de la maison, rue Papineau coin Logan, en limousine, avec mon père; Camille était avec son père dans une autre limousine. Les filles et les garçons d'honneur suivaient avec ma mère à qui j'avais fait faire par M. De Belder, une magnifique robe vieux rose en soie et dentelle et un chapeau de même ton par Yvette Brillon.

J'étais nerveuse, j'avais un peu peur que ma mère tombe dans la «potion magique» à la réception après la cérémonie. Papa et moi en avons parlé et il m'a rassurée: «Crains pas, j'vais la surveiller.»

Les filles d'honneur portaient des robes d'un bleu très pâle, une couleur que j'affectionne; des robes louées au Salon de la mariée, une boutique très chic de la rue Saint-Hubert. Tout le monde était beau, tout le monde était heureux. Nous sommes arrivés coin Ontario et Papineau, la rue était bloquée par 15 000 personnes selon *La Presse* et les journaux anglais. Nous n'avions pas pensé que notre mariage pouvait attirer autant de monde, quelques curieux tout au plus. Nous étions naïfs. Une grande vedette du hockey et une vedette de la télévision, ça attire du monde. Il n'y avait qu'un seul policier; il était débordé; les camions et les voitures klaxonnaient, ils ne pouvaient plus avancer; les gens se pressaient contre les limousines pour nous voir. Nous étions coincés. On a entendu des sirènes de police; les gens criaient: «Dominique, Camille!» La limousine avançait à pas de tortue, le chauffeur avait peur d'écraser les gens. Moi aussi, j'avais un peu peur que la panique s'empare des gens. La limousine a bougé de gauche à droite. C'était l'hystérie collective. Mon père a ouvert la fenêtre pour dire aux gens: «Soyez raisonnables, arrêtez de pousser.»

Ce fut pire! Ça criait, des enfants pleuraient, les joues écrasées contre la voiture. Finalement, un policier à cheval est arrivé en renfort avec d'autres policiers pour ouvrir le chemin. Ça a fini avec un cortège de presque 20 policiers. Pour faire cinq coins de rue, ça nous a pris au moins une heure.

Lorsque nous sommes sortis de la voiture, des gens que je ne connaissais pas ont essayé de m'arracher des morceaux de voile, d'autres avaient apporté des escabeaux pour mieux nous voir. Ils me tiraient le bras et tentaient de prendre mon bouquet de fleurs. Enfin, j'ai réussi à monter les marches de l'église et suis arrivée à l'intérieur. Denise Filiatrault était là avec les demoiselles d'honneur, Camille et son père suivaient. J'étais contente de voir Denise, car je l'aime plus qu'une sœur. Elle m'a dit: «T'es très belle.» Ça m'a rassurée, j'ai eu très peur d'être défaite.

L'église était bondée de gens que je ne connaissais pas. Même les bancs réservés aux 300 invités avaient été pris d'assaut par des inconnus, de sorte que la majorité des invités ont dû rester à l'extérieur de l'église pendant la cérémonie.

Dans l'allée centrale, il restait trois ou quatre bouquets déchiquetés, encore accrochés aux bancs. Denise m'a dit que les gens les avaient tous arrachés. Je me suis dit: «Ben coudonc, ça aurait été tellement beau. Eh, que ça part mal!»

Malgré tout, le reste de la cérémonie s'est très bien déroulé. Jean Adam, qui officiait à la messe de mariage, s'est fait rassurant. J'étais contente qu'il soit là; j'étais très émue, j'avais les larmes aux yeux. J'ai croisé le regard de mon père, qui m'a fait un clin d'œil. Il avait l'œil humide, Camille aussi était ému.

Nous avons prononcé le «oui», les alliances étaient là, tout baignait dans l'huile. Je croyais sincèrement que je me mariais pour la vie, qu'on allait être heureux, avoir des enfants. Je n'étais pas un exemple de fidélité, Camille non plus d'ailleurs. Mais nous croyions, comme tous les nouveaux mariés, que pour nous ce serait différent.

Chaque fois que je me suis engagée avec quelqu'un, j'ai toujours pensé que ce serait pour le reste de mes jours: trop naïve, trop jeune, trop folle? Un peu des trois.

Maintenant, à mon âge, est-ce que je crois toujours à la fidélité? Je peux vous répondre «non», mais «oui» à la fidélité du cœur. Je n'ai jamais pu oublier certains hommes que j'ai aimés, malgré le temps. Je peux dire que j'en ai aimé deux avec passion, intensément. J'en parlerai plus loin. Quant à Camille, c'était le premier, tous les espoirs étaient permis.

Pendant la marche nuptiale, j'ai admiré les filles, mes demoiselles d'honneur; elles étaient belles mes amies que j'aimais. À la sortie de l'église, ce fut de nouveau l'hystérie: la foule criait, comme si on était le roi et la reine d'Angleterre. On a fini par entrer dans la limousine; Camille m'a dit qu'il était inquiet pour son père, un alcoolique. Il avait peur qu'il se saoule à la réception. Son père ne vivait plus avec sa mère parce qu'il buvait trop. Je l'ai appris, là, dans la limousine.

Monsieur Henry avait eu une permission spéciale de madame pour assister au mariage et être le témoin de son fils. C'était la première fois que je le voyais, car chaque fois que j'allais à Québec, on me disait qu'il travaillait ou qu'il était en dehors de la ville.

Un jour nous l'avions croisé dans un petit restaurant où l'on vendait des hamburgers et des frites, sans que Camille ne me le présente. J'avais cru que c'était un fan de hockey. Il lui avait dit quelques mots et j'avais entendu le monsieur lui dire: «T'es rien qu'un p'tit baveux.»

Je n'y avais pas prêté attention, croyant que j'avais mal entendu. Je pense que c'était un homme très malheureux.

La limousine avançait toujours à pas de tortue; il a fallu un temps infini avant d'arriver chez Dagwood (plutôt quétaine comme nom), un restaurant renommé, mais qui, surtout, disposait d'une grande salle de réception pouvant accueillir nos 300 invités au deuxième étage.

De mémoire, et parmi les plus célèbres: Marcel Paillé, gardien de but substitut des Rangers de New York de la Ligue nationale; Lorne Worsley, gardien de but des Rangers (lorsqu'il parlait des journalistes, il les appelait «les hommes de papier», la traduction de *Newspaper men*); Normand Hudon et la belle Fernande Giroux, qu'il épousa plus tard; Pierre Thériault et sa jolie épouse, Joan; Roger Lesourd, pianiste très populaire, la belle Marie, sa femme; M. et Mme Filiatrault, parents de Denise, qui l'ont adoptée très jeune et adorée tout au long de leur vie, et la petite Danièle qu'on appelait Doudoune, belle blonde aux yeux bleus, adorable fille de Denise et de Jacques Lorain; André De Chavigny, auteur-compositeur; François Pilon, propriétaire du Café Saint-Jacques; Jean-Guy Gendron, joueur de hockey; le père Ambroise. L'excellent guitariste Tony Romandini assurait la musique avec Noël Talaricco; tous deux faisaient partie de l'orchestre du *P'tit Café*. Enfin la parenté et les amis des deux familles.

Après la réception, où nos parents se sont bien «tenus», ce

fut le départ pour le voyage de noces. Nous partions en voiture vers Miami.

Arrivés à Plattsburg, impossible de traverser la frontière, nous n'avions aucun papier d'identité. Par téléphone, nous avons joint Jean Adam, qui avait béni le mariage, et l'avons attendu au bureau de l'immigration de Plattsburg. Il est arrivé enfin vers 19 heures. Il a conduit comme un fou et est reparti pour Montréal tout de suite, après nous avoir remis les papiers avec la grosse Chrysler de son père, mon oncle René Adam, le pharmacien.

Camille et moi voyagions dans ma Pontiac décapotable. Nous étions épuisés et nous avons décidé de louer une chambre dans un motel de Plattsburg. Tout était complet. Nous avons fini par en trouver un minable, sale, mais bon, on a fait avec. Pour manger, on est allés chez Howard Johnson, un hot chicken, fine gastronomie. On a fini par se coucher. Nous étions tellement fatigués que nous riions comme des fous de la situation. Ce n'était sûrement pas comme ça que nous avions imaginé notre nuit de noces. Malgré tout, on a dormi à poings fermés; il ne s'est rien passé, ce n'était pas grave, on avait toute la vie!

Camille et moi conduisions chacun notre tour. Arrivés à notre hôtel à Miami, on a appris que nos réservations étaient perdues, qu'il n'y avait plus de place. On a finalement trouvé un motel, un peu laid mais propre. On a décidé de passer nos vacances là. Au bout de sept jours, Camille est tombé malade. Il vomissait sans arrêt. On s'est rendus à l'hôpital. On ne savait pas ce qu'il avait: virus, empoisonnement; on découvrira plus tard qu'il avait des ulcères à l'estomac. C'était dur le hockey pour un petit gars de Québec qui ne pesait que 140 livres, même s'il était courageux. Je crois qu'il était le plus petit joueur de la Ligue nationale. Je lui ai dit: «Nous allons rentrer au Québec; je vais conduire, toi tu restes couché sur le siège arrière de la voiture.»

La première journée, j'ai conduit jusqu'en Georgie, où nous avons passé la nuit. Le lendemain, nous sommes rentrés de nuit, directement à Montréal. Je ne sais pas comment j'ai fait, moi qui aujourd'hui n'aime pas tellement conduire; mais en ce temps-là, j'adorais ça. Mes mains tremblaient tellement j'étais fatiguée. Je ressentais encore les vibrations du volant.

# Chapitre 11

# LOIN DES YEUX...

De retour à Québec, Camille a été très bien soigné. Il s'est remis tranquillement. Il a pris des vacances tout l'été, et moi aussi.

Nous avons emménagé dans notre maison de Charlesbourg. Nous avons acheté un lave-vaisselle, un vrai luxe, mon premier. J'ai mis du savon liquide et nous sommes partis faire des courses. À notre retour, en ouvrant la porte, on a trouvé toute la maison remplie de bulles de savon jusqu'au plafond: la cuisine, la salle à manger, le salon, le corridor et la première chambre étaient envahis. Nous sommes entrés en marchant dans les bulles. Ce n'était pas évident, on était découragés. Après cinq heures de travail, il ne restait plus une serviette sèche dans la maison. On en a ri. C'était l'apprentissage du métier de jeune mariée!

Avec ma belle-mère, j'ai appris à cuisiner les plats que Camille aimait. À part les cretons qu'il mangeait au petit-déjeuner, si l'on voulait vraiment lui faire plaisir, que fallait-il lui faire? Un sandwich, il adorait les sandwiches. J'en ai tellement fait que je me suis écœurée pour le reste de ma vie. Ne me demandez pas de faire un sandwich aujourd'hui, je vais vous dire que je ne sais pas faire ça.

Quant à moi, vous pouvez me servir à longueur d'année du steak, du fromage et du chocolat. J'ai horreur de la soupe, souvenir de mes années de pensionnat, ainsi que des légumes et de la salade. Le reste, ça va.

Camille a fait du sport tout l'été. Il a joué au baseball, au golf. Le sport, moi, ça ne m'intéressait pas tellement. Je l'attendais toute la journée. Un soir, il est rentré un peu «chaud». Je n'en ai pas fait trop de cas, mais je sentais bien qu'il devenait un peu agressif. Il me cherchait. Je lui ai dit:

– T'as pris un verre?

Là, ç'a commencé:

– Qu'est-ce que tu t'imagines? Tu penses que je suis saoul?

Je me suis aperçue qu'il buvait de plus en plus. Ça se répétait assez souvent. Il commençait encore des discussions à propos de tout et de rien. Je trouvais ça insupportable et je me suis dit: «C'est pas vrai, qu'après avoir enduré ma mère, j'ai marié un alcoolique...»

Un soir, je n'ai plus voulu parler ni discuter; il m'a serré un peu les bras en criant: «Écoute-moi.» Je l'ai calmé et lui ai dit d'aller se coucher. Il s'est endormi et j'en ai profité pour prendre la voiture et rentrer à Montréal chez mes parents.

Je ne pouvais pas trop me confier à ma mère et lui dire que c'était insupportable d'avoir un mari qui buvait, mais je l'ai dit à mon père, qui m'a encouragée en me disant que c'était peut-être seulement un moment de faiblesse, une petite passade. Mais je le sentais inquiet.

Camille m'a téléphoné à mon appartement à Montréal, m'a demandé de revenir. Il regrettait, il allait faire attention, il m'aimait, etc. Je suis retournée avec lui quelques jours. Mais, au bout de cinq jours, tout a recommencé. J'étais inquiète, mais comme je l'aimais et qu'il était un gentil garçon, je me suis dit que tout allait peut-être s'arranger avec le temps.

L'automne est arrivé et Camille est parti au camp d'entraînement. J'avais annoncé partout que je quittais mon métier en me mariant, tout comme j'ai dit que je prenais ma retraite à 40 ans et que je ne ferais plus le *Bye! Bye!* à 50 ans. Eh bien, je suis retournée travailler en septembre, *Au P'tit café*, à la télé avec mes vieux complices Thériault et Hudon.

Camille et moi nous nous sommes peu vus. On se téléphonait souvent. Il demeurait dans le Bronx avec ses coéquipiers Harry Howel, Jean-Guy Gendron et Eddy Shack, qui ne savait ni lire ni écrire. Quand on devait le rencontrer au restaurant, on lui écrivait l'adresse sur un bout de papier qu'il donnait au chauffeur de taxi. Il n'était jamais allé à l'école et jouait au hockey par instinct, sans jugement. Il lui arrivait de blesser des joueurs inutilement, il mesurait six pieds quatre pouces, était fort comme un bœuf et tous les joueurs le craignaient.

Camille jouait au hockey pendant le temps des fêtes et j'allais le voir à New York. C'était toujours agréable; j'allais voir des comédies musicales; j'assistais aux parties de hockey que je suivais avec attention, je commençais à connaître tous les joueurs. Il n'y avait que six équipes: les Canadiens de Montréal, les Bruins de Boston, les Maple Leafs de Toronto, les Red Wings de Detroit, les Blackhawks de Chicago et les Rangers de New York. Dans les loges pendant les parties, les femmes des joueurs parlaient entre elles et écrivaient leurs cartes de Noël. J'étais scandalisée.

À cause de nos métiers, Camille et moi, nous nous sommes vus de moins en moins, une fois par mois peut-être... Loin des yeux, loin du cœur... Et comme la chair est faible...

Quand Camille venait jouer à Montréal, il était très surveillé, comme tous les autres joueurs. Il pouvait prendre son petit-déjeuner à la maison, mais il devait retourner à l'hôtel Mont-Royal, rue Peel, pour se reposer. À 17 heures, il se rendait au Forum. Je le voyais après la partie.

Un soir, le match se passait mal pour les Rangers. Comme ils disent sur la patinoire, «le puck ne roule pas» pour eux: 1-0 pour Canadien, 1-1 égalité, 2-1 pour Canadien. Camille patinait comme un fou, un joueur l'a fait trébucher. L'arbitre a levé le bras! Lancer de punition contre le Canadien. Jacques Plante était le gardien de but. Camille était seul devant lui, à la ligne rouge. Silence de mort dans le Forum. On a donné la rondelle à Camille. J'ai placé mes mains devant mes yeux, pour ne pas voir. J'avais peur pour lui s'il fallait qu'il manque son lancer. Et là, j'entends la foule hurlant de joie, debout. Je me suis dis: «Ça y est, Jacques Plante a fait l'arrêt.»

J'ai regardé. J'ai vu Camille, le bâton de hockey en l'air. Il avait compté, et ses coéquipiers l'entouraient. J'étais debout, je hurlais, j'étais fière de lui. Les partisans du Canadien de Montréal aimaient Camille, un petit gars de chez eux, de Québec.

À cause de la distance et de nos métiers respectifs, lui à New York, moi à Montréal, même si on s'aimait bien, peu à peu on est devenus surtout de bons copains. J'avais encore beaucoup de tendresse et d'affection pour lui.

Je travaillais toujours *Au P'tit Café* où Denise Filiatrault continuait de venir de temps en temps faire des numéros avec moi. Nous ressortions, à l'occasion, nos numéros du *Beu qui rit* que le public de la télévision n'avait pas vus.

Puis, nous sommes parties en tournée. Denise était enceinte de la petite Sophie, mais elle était tellement mince qu'on ne voyait pas sa grossesse. Courageusement, elle a fait du cabaret jusqu'à la dernière minute.

Je me souviens du jour de la naissance de Sophie. L'après-midi, nous sommes allées magasiner, le soir Denise m'a téléphoné: «Dominique, je suis à l'hôpital, j'ai eu une petite fille, Sophie!» Courageuse Denise!

À la fin de l'année 1958, Denise et moi avons remporté le trophée Labatt (genre de MetroStar) des meilleures artistes «fantaisistes». On ne disait pas comiques. À ce moment-là, j'habitais dans l'ouest de la ville, rue Peel, dans un petit «bloc» d'appartements qu'on a démoli depuis pour construire le Sir Robert-Peel, un luxueux édifice de condos. Mais je rêvais toujours d'avoir une maison à Montréal.

Denise avait la sienne au coin de la rue Beauséjour et du boulevard Gouin. Ses voisins: la famille de Pierre Péladeau. Pierre était propriétaire du *Journal de Rosemont* et il travaillait comme un fou.

* * *

J'ai enregistré des disques, des 33-tours, desquels étaient extraits des 45-tours (les CD du temps, avec un gros trou au centre!). On passait notre temps à changer nos tourne-disques: des 78-tours aux 45-tours puis aux 33-tours. Les 78-tours étaient si fragiles: ils cassaient en mille morceaux quand on les faisait tomber; ce qui n'arrivait pas avec les 33-tours ou 45-tours, plus résistants. J'ai enregistré *Les Plaines d'Abraham*, d'André de Chavigny, et des succès de Brigitte Bardot. Mes disques se vendaient bien.

Je travaillais beaucoup: répétitions *Au P'tit Café*; cabaret le soir à Québec, Trois-Rivières ou Sherbrooke, spectacle qui finissait à trois heures du matin. Lorsque je devais rentrer à Montréal après ces engagements, je dormais sur le siège arrière de la voiture.

Camille jouait toujours au hockey. Je suis allée à New York, pour passer quelques jours avec lui. Mais quand je suis revenue à Montréal, c'était la grève des réalisateurs à Radio-Canada. Ils avaient débrayé le 29 décembre 1958; courageux, ils ont fait du piquet par -30 °C.

Bon, plus d'emploi! Il n'était pas question de traverser les piquets de grève, alors, je suis allée faire du cabaret avec Denise; tous les cabarets, encore les «trous». Il faisait tellement froid dans les loges de certains cinémas qui servaient de salles de spectacles que les éponges humides de maquillage gelaient. Nous jouions devant l'écran, sur des scènes d'à peine cinq pieds de profondeur.

À Saint-Georges-de-Beauce, il n'y avait pas de projecteurs, seulement des néons rouges et bleus tout le tour du plafond de la scène. C'était tellement sombre que je ne savais pas si le public nous voyait.

En banlieue de Saint-Hyacinthe, nous avons travaillé dans un genre de grand hangar à deux étages qui pouvait recevoir 1 000 personnes au maximum. Les gens étaient serrés comme des sardines.

Nous nous changions dans une cuisine et nous descendions dans la salle du bas.

Nous étions sur scène, lorsque le plafond du haut a commencé à craquer, à descendre, je dirais même à s'écrouler. Près de 500 personnes dansaient au-dessus de nous. Panique dans notre salle, personne n'écoutait. J'ai dis à Denise:

– Qu'est-ce qu'on fait, ils n'arrêtent pas de crier, ça m'inquiète?

– Ben non, c'est parce qu'ils sont contents de nous voir, a-t-elle répondu.

– Faut sortir d'ici.

– Pis le show?

– Laisse faire le show, on n'est pas pour mourir écrasées ici.

On s'est enfuies vers l'escalier pour monter à l'étage; le plancher du haut craquait toujours, il était en train de tomber. On a rencontré le propriétaire, il avait perdu le contrôle des salles. On lui a demandé de nous verser notre salaire. Sur la table de la cuisine, il a aligné des 25 cents, des piastres, des deux piastres, des cinq piastres et des dix piastres. Le cachet était, si je me souviens, entre 2 000 et 2 500 cents dollars. On a fourré l'argent au fur et à mesure dans nos poches, dans nos sacs à main et dans les poches de nos maris. Quelle vie! On en rit aujourd'hui, mais on trouvait ça moins drôle à l'époque.

Pour le travail, nous étions toujours d'accord Denise et moi, et pour le salaire, toujours moitié-moitié; il n'y avait pas de problème.

Denise jouait dans *Les belles histoires des pays d'en haut* où elle incarnait la sœur de Séraphin, la «Grand'Jaune» (*the Great Yellow*, comme se plaisait à l'appeler Donald Lautrec). Son rôle lui a valu le titre de Miss Télévision 1960 et j'étais, bien sûr, une de ses dames d'honneur.

Camille et moi sommes entrés sur scène pour rendre hommage à Miss Télévision. Nous devions la saluer et sortir aussitôt. Mais Camille, qui avait pris quelques verres, ne voulait plus sortir. Discrètement, j'essayais de le tirer mais il n'y avait rien à faire, il restait là. Un peu fâchée, j'ai fait un signe à Denise: «Il ne veut pas sortir.» Je suis sortie, et enfin il m'a suivie. Ouf! On l'avait échappé belle!

Au party qui a suivi, il a continué à boire. J'en ai eu assez et je suis partie. Je ne pouvais plus supporter de le voir boire. J'étais en robe longue, une création de Mario Dinardo, il pleuvait à boire debout. Je suis arrivée chez moi en larmes, trempée jusqu'aux os, enragée noire. Je me suis couchée. Camille est rentré vers trois heures du matin dans l'état que vous pouvez imaginer. Je n'ai pas dit pas un mot. Je n'allais pas continuer, pas comme ça. C'était sûr!

* * *

Denise et moi faisions toujours du cabaret. Tony Roman était notre pianiste et j'ai commencé à flirter avec lui. C'était un garçon charmant, toujours de bonne humeur. Tony a toujours vu gros, haut et grand. Il n'était pas du genre à commencer au bas de l'échelle. Il se voyait en Eddy Barclay, en Rolling Stones et en Spielberg, les trois ensemble. Il a décidé de monter un groupe, genre Les chaussettes noires, très populaires en France. Il n'avait pas une voix désagréable, mais il faussait un peu. Il a enregistré *Do Wha Diddy*.

– Me donnerais-tu un coup de main pour faire la mise en place de la chanson? m'a-t-il demandé.

Je lui ai enseigné quelques pas de danse que j'avais appris avec le chorégraphe Brian McDonald. Il a appris vite. Je lui ai recommandé de sauter de gauche à droite. «Si on t'imite, ce sera plus caricatural!»

Comme il a le sens de l'humour, il m'a dit: «T'as raison, tout pour se faire connaître.»

Il s'est fait confectionner un veston à la mode et des pantalons très courts, comme les Beatles. Il est passé à l'émission *Jeunesse d'aujourd'hui;* ce fut un hit. Pour faire moins yé-yé, il a enregistré une chanson de Bécaud: *Marie Marie.*

Version de Bécaud:

«J'travaille à la bibliothèque, je m'invente des romans.

J'ai pour amis tous les poètes, Baudelaire et Chateaubriand!»

Version Tony:

«J'ai pour amis tous les poètes, Boisclair et Chateaubriand!»

Oups! On revient au yé-yé!

Tony était très généreux, il me disait: «Va te choisir une robe, je vais passer payer.»

Encore dernièrement, en 2004, on s'est rencontrés par hasard à la Lunetterie New Look. Nous étions en train de choisir des montures, il a dit à la jeune serveuse:

– Mettez ça sur mon compte.

– Merci Tony, mais non! lui ai-je lancé.

– Ça me fait plaisir, je viens de produire un film, c'est un hit: *Camping sauvage*. Le film n'était pas encore sorti, mais il a eu raison.

\* \* \*

Quelque temps plus tard, Brian McDonald, chorégraphe à la télévision et aux Grands Ballets Canadiens de Montréal, m'a téléphoné et m'a demandé de jouer dans une comédie musicale en anglais, *Little Mary Sunshine*. Je devais tenir le rôle d'une soubrette amusante et je devais chanter et danser.

– Tu crois que je pourrai m'en sortir?

– Si tu travailles très fort, tu vas y arriver.

Brian aussi a eu raison. J'ai travaillé très fort, et je ne pesais plus que 85 livres pour la première à la Comédie canadienne. La critique a été excellente et je m'en suis très bien tirée, mais les Québécois boudaient encore les comédies musicales.

Les autres comédiens étaient des Torontois anglophones, à l'exception de Suzanne Lapointe, qui jouait aussi pour la première fois en anglais. Nous sommes partis pour Toronto pour jouer au théâtre Royal Victoria. Là ce fut un hit. Nous faisions tous les *front page;* j'étais une découverte pour les Torontois.

Suzanne et moi étions les chouchous et faisions un peu ombrage à Pat Galloway, la vedette qui avait le rôle-titre, la Little

Mary Sunshine. Notre tournée a été plutôt courte, car le public de la province ontarienne boudait aussi cette parodie de comédie musicale. Ça reste quand même un beau souvenir de ma carrière.

Les journaux anglais et américains parlaient du couple Camille et Dominique: «*The Henry's so far and so near.*»

Bon, il était temps d'avoir une conversation sérieuse avec Camille. Il m'a avoué ses aventures et je lui ai avoué les miennes. On pouvait essayer encore, parce qu'on s'aimait bien finalement, mais ce n'était plus la passion.

Jean Bissonnette, le cardinal de Richelieu de la télévision à Radio-Canada, après avoir réalisé *Chez Clémence, Du côté de chez Lise, Au P'tit Café* et les *Couche-tard*, a préparé une nouvelle émission, *Bonsoir chéri!*, diffusée tard le soir. Il a fait appel à Monique Leyrac, à Élaine Bédard, le mannequin numéro un à Montréal, et à moi. Le but secret de l'émission, dire à l'homme qu'il porte toujours le pantalon... même si parfois il l'oublie. Nous parlions de sport, de mode, de toutes les choses qui intéressaient les hommes: «l'infidélité» par exemple, «la séduction»!

L'émission n'a pas duré longtemps. Était-ce parce que Monique et moi jouions les femmes fatales, rôle que nous aurions dû laisser à Élaine Bédard, ou peut-être était-il trop tôt pour ce genre d'émission? En tout cas, nous avons fait la une du *Times Magazine*, section spectacles. J'y étais photographiée vêtue d'un chandail du Canadien, en talons hauts, les jambes gainées de bas noirs transparents, et Élaine Bédard a été invitée au moins trois fois chez Johnny Carson. La première Québécoise à faire partie de cette émission.

Entre-temps, Roger Lemelin m'avait téléphoné pour que je fasse partie du *P'tit monde du père Gédéon*. Je serai Thérèse, la bonne du père Gédéon et de sa femme, jouée par Juliette Pétrie que j'ai bien connue et beaucoup aimée. Pour moi, madame Pétrie a toujours eu 20 ans, elle n'a jamais vieilli. Quand je suis déménagée à Brossard, où j'avais fait construire une maison, elle venait chez moi se baigner de deux à trois fois par semaine en été; on mangeait dehors dans le jardin avec maman, qui l'adorait.

Paul Dupuis venait lui aussi passer des après-midi chez nous, de même que Marthe Houde-Handfield, la fille du maire Camillien Houde. On riait en se racontant des anecdotes, des tranches de vie. Je n'étais pas toujours présente, mais maman les recevait. Certains après-midi, j'arrivais sans m'annoncer et je les entendais rire. Paul qui avait, disait-on dans le métier, un assez mauvais caractère, était toujours d'une humeur radieuse. Chez maman, je pense qu'il a été très heureux. Je l'aimais bien. Ce n'était pas «mon» ami, mais celui de ma mère et de Marthe. J'ai des photos d'eux, ils ont l'air super relax, bronzés, souriants.

* * *

Nous devions assister, maman, Marthe et moi, à un mariage et, après le repas, aller conduire les mariés à Dorval. Marthe a décidé de prendre sa propre voiture, malgré les problèmes qu'elle lui causait, car elle devait rentrer sur la Rive-Sud aussitôt après le départ des mariés.

Après la réception, maman et moi avions dit à Marthe: «Suis-nous, on te surveille dans le rétroviseur pour être certaines que tu n'as pas de problème avec ta voiture.»

Au cours des premières minutes, tout semblait bien se dérouler. Et alors, on l'a un peu oubliée. Tout à coup, je ne l'ai plus vue. Je me suis garée sur le côté de la route (qui n'était pas l'autoroute qu'on connaît maintenant) et j'ai attendu un peu avant de sortir de la voiture. Au bout d'un moment, on a aperçu une moto conduite par un gros motard coiffé d'un casque à cornes. Qui était assise derrière? Marthe, avec sa longue robe noire remontée sur les cuisses, son manteau de vison qui volait au vent, son chapeau à voilette. Elle avait une main sur le chapeau et l'autre accrochée au motard. Elle ne nous a même pas vues. La tête des amis, toi, quand elle est arrivée à Dorval! On en a ri pendant des années.

Elle nous a dit: «J'ai voulu lui donner cinq piastres, il a refusé. Un vrai gentleman!»

J'ai adoré Marthe, qui avait été élevée très strictement, selon les règles de la bienséance, mais qui ne se formalisait de rien. Elle aimait les gens, la vie. C'était une femme toujours souriante, avec un sens de l'humour décapant, une personnalité marquante. Quand elle entrait quelque part, on la remarquait tout de suite, elle avait du charme.

J'étais très jeune quand M. Camillien Houde est devenu maire de Montréal. Marthe était la voisine de ma tante Ida, avec qui elle est devenue très amie.

Un soir que Marthe accompagnait son père à un bal de militaires, d'officiers médaillés, et qu'elle portait une très jolie robe blanche *strapless*, un officier l'a tellement serrée de près en dansant, qu'au moment où elle s'est détachée de lui, toutes les médailles de l'officier s'étaient imprégnées dans sa peau, entre l'épaule et le sein.

Marthe avait épousé un monsieur Handfield. Toute jeune mariée, elle a perdu un enfant qui n'avait pas un an, noyé dans une petite barboteuse dans la cour de sa maison. Comme la vie peut chavirer en quelques secondes.

Camillien Houde, le père de Marthe, a été relevé de son poste de maire de Montréal en 1940. Il a été interné au camp de concentration de Petawawa, en Ontario, pour avoir fait campagne contre la conscription. C'était un maire populaire et coloré. Le chef de l'opposition lui avait reproché de ne pas entretenir les rues de Montréal, en disant: «Monsieur le maire, je sais ce dont je parle, j'ai vu et je connais tous les trous de la Ville de Montréal.»

Camillien avait répondu: «Je n'en doute pas monsieur!» (sous-entendant les tripots de Montréal).

Une autre fois, le même chef de l'opposition lui a reproché de ne pas savoir administrer la Ville de Montréal (le maire avait commencé très humblement dans la vie comme caissier dans une banque).

Camillien avait répondu: «Mettez-moi devant les yeux une rangée de zéros, je sais ce que ça veut dire.»

Il a été libéré de Petawawa en 1944 et accueilli en héros à son arrivée à la gare Windsor de Montréal. Mon père y était allé avec des milliers d'autres personnes, admirateurs de Camilien. Papa était rentré à la maison sans chaussures, sans ceinture, le veston déchiré, les boutons arrachés. Qu'est-ce qu'on l'aimait le p'tit gars de Sainte-Marie!

Une légende urbaine raconte que le maire serait mort chez sa maîtresse et qu'on l'aurait transporté discrètement à la maison familiale pour éviter le scandale. Belle mort quand même, si c'est vrai!

\* \* \*

Dans l'émission de télé *Le P'tit monde du père Gédéon*, Ti-Mé (Jean Coutu), fils du père Gédéon, était amoureux de Thérèse (moi), et il m'appelait «mon p'tit écureux.» Quel plaisir j'ai eu! J'adorais Jean, beau comme un dieu. Comme il était très, très populaire, je lui ai demandé d'enregistrer un disque avec moi intitulé: *Allo mon cœur*.

Dominique: Allo mon cœur!

Jean: C'est moi, mon cœur!

Dominique: Dis, as-tu bien dormi?

Jean: Bien oui, j'ai bien dormi!

Une conversation amoureuse! Il récitait de sa belle voix chaude et envoûtante de jeune premier et moi je chantais très amoureusement. Sur la face B du disque je chantais: *Qu'on est bien dans les bras d'une personne du sexe opposé*, une chanson de Guy Béart, qui a beaucoup tourné à la radio. Ça l'avait bien amusé. J'ai toujours revu Jean avec plaisir. Il était un Survenant d'une grande crédibilité, d'un talent inoubliable! Quand il disait avec sa belle voix: «*Ah never mind!*» les filles tombaient par terre.

\* \* \*

En 1962, Radio-Canada m'a invitée à animer, avec Roger Baulu, à neuf heures du matin, une émission de radio intitulée *Au pied levé*, qui n'a pas été un grand événement dans ma carrière. Je me souviens qu'on m'a mise à la porte. J'étais allée chez Morgan, aujourd'hui La Baie, et j'avais demandé de me faire servir en français. J'adressais la parole en français aux vendeuses et elles me répondaient toujours en anglais. J'avais raconté l'incident dans mon émission de radio en disant qu'en tant que cliente francophone, on se devait de me servir en français, puisqu'on se vantait de parler les deux langues dans la publicité. Le lendemain, on m'a montré la porte. J'ai perdu un deuxième contrat pour avoir revendiqué mon droit de parler français: avec Air Canada. Vous vous souvenez de «Mon bikini, ma brosse à dents, je prends l'avion pour le beau temps?» La direction avait recommandé, presque obligé, au personnel de cabine à parler anglais, si un seul d'entre eux était anglophone. Faut quand même pas exagérer! René Lecavalier, Pierre Nadeau et moi avons appuyé la campagne des gens de l'air: «Y'a du français dans l'air.»

Le lendemain de la conférence de presse, j'ai appris que mon contrat avec Air Canada était annulé. Ce fut Jacques Bouchard, alors président fondateur de BCP, qui me l'a annoncé, très gentiment d'ailleurs; il était désolé. La décision venait de Toronto. À ce moment-là, la majorité des contrats octroyés passaient par Toronto.

Je comprends que les pilotes s'expriment toujours en anglais quand ils parlent aux tours de contrôle pour s'identifier: CFFMB Charly – Fox Trot – Fox Trot – Mike – Bravo. Mais entre hôtesses et personnel de cabine, franchement! Heureusement, cette exigence n'existe plus, les compagnies d'aviation ont beaucoup évolué.

* * *

Mai 1963. Jean Bissonnette avait imaginé une émission d'été de variétés, *Copains copains*, et prévoyait en vedette Pierre Lalonde et Robert Demontigny. Pierre était occupé, alors Jean a pensé à moi. J'ai retrouvé Paul De Margerie, chef d'orchestre et pianiste, et Robert Demontigny, un beau gars avec un charme fou qui venait d'enregistrer *Esso besso* et qui était numéro un au palmarès. Quand il passait à *Jeunesse d'aujourd'hui*, c'était le délire.

Toutes les vedettes du disque étaient les invitées de *Copains copains*. Même les journaux anglais parlaient de nous.

Eh oui! *«Fernand Gignac is a top favorite in Quebec. Dominique Michel like singer and wife of Rangers Camille Henry.»*

Il ne faut pas oublier que j'étais plus connue comme chanteuse à ce moment-là...

*«Michel Louvain send Quebec's post teen set stampeding to the records counters.»*

*«Pierre Lalonde the idol young fans go for»* et bien sûr *«Oscar Peterson a giant of the jazz industry.»* Mais là, on entre dans une autre ligue.

Les Disques Apex avaient fait un gros lancement. Michel Louvain, Donald Lautrec, Denise et moi avions enregistré *Partons tous les deux c'est le temps des vacances...*

Robert Demontigny et moi: *Un p'tit bout d'femme* et *Deux corps sur la plage*, un succès de Brigitte Bardot. Quel bonheur de travailler avec Robert, il est charmant, toujours de bonne humeur, c'est un travailleur, il a un bon sens musical et un excellent phrasé: c'est notre Frank Sinatra québécois.

Dommage qu'il n'ait pas continué dans ce métier. Je crois qu'il trouvait difficile de toujours se battre pour trouver un hit et être au palmarès. L'incertitude! Il a quitté le métier et n'est jamais revenu, pas même pour une seule émission. Donald Lautrec, toujours beau et élégant aujourd'hui, a fait comme lui. On se croise de temps en temps en Floride, on dîne ensemble. Je suis certaine que si Robert et Donald se présentaient sur scène, ne serait-ce qu'un soir, ils feraient un malheur. Eh, qu'on aimerait ça!

\* \* \*

Denise et moi avons décidé de monter une revue, *Zéro de conduite*, avec Jacques Desrosiers et Donald Lautrec. Donald, que nous avions rencontré à l'hôtel Central où il faisait son tour de chant en première partie de notre spectacle, était beau, jeune et agréable à vivre. Le courant, entre lui et Denise, passait fort. Denise et moi écrivions la revue ensemble. Denise a suivi un cours commercial et savait taper à la machine. On échangeait nos idées, elle tapait.

Je faisais une imitation d'Édith Piaf et le sketch de la robe avec la madame juive qui casse «la» français dans lequel Denise excellait; Jacques Desrosiers dansait le twist de la machine à laver et Jacques, Denise et moi, tous vêtus d'or, nous parodions les groupes de l'époque: Les Classels, qui s'habillaient en blanc, et César et ses Romains déguisés en... Romains; il fallait bien être au goût du jour. Nous nous sommes aussi jointes à Donald pour Donald et les Golden Boys.

Un soir, en sortant du restaurant Le 400, j'ai eu des douleurs insoutenables du côté droit et je me suis mise à vomir en pleine rue Sherbrooke. Je demeurais rue Peel. Je me suis rendue à l'urgence de l'Hôtel-Dieu et on a diagnostiqué une crise d'appendicite. On m'a conseillé de me faire opérer sur-le-champ. Je ne pouvais pas, car le lendemain soir notre revue commençait au restaurant La Porte St-Jean, à Québec. Je suis donc partie pour Québec. Pendant quelques jours, tout s'est très bien passé. Mais, le vendredi suivant, alors que j'étais déguisée en Édith Piaf, maquillage compris, j'ai de nouveau senti l'affreuse douleur du côté droit. Je suis sortie de scène et suis tombée dans les coulisses, incapable de me relever. J'ai dû partir pour l'hôpital. Je faisais une péritonite.

C'était le mari qui devait signer pour faire admettre sa femme à l'hôpital, mais on était incapable de joindre Camille. Un client qui était dans la salle tous les soirs et qui est devenu un ami, Rolland Rompré, coach de hockey chez les pee-wee, a dit aux autres: «Inquiétez-vous pas, je vais m'en occuper.» On est partis en ambulance, il a signé pour moi à l'hôpital.

Comme j'avais pris un bon dîner, on ne pouvait pas me faire une anesthésie générale, on ne m'a fait qu'une anesthésie locale. Sur la table d'opération, je voyais et entendais tout ce qui se passait. J'étais toujours grimée en Édith Piaf; je n'avais pas eu le temps de me démaquiller. Ça devait être un beau spectacle!

De retour dans ma chambre, Rolland m'a gentiment lavé le visage avec de l'eau et du savon. Gentil Rolland!

Le lendemain, Denise, Donald et Jacques sont venus me voir. Puisque les assurances spectacles n'existaient pas à l'époque, et que *the show must go on*! c'est Jacques qui a «assuré» mes rôles en mon absence. Ce qu'il ne faut pas faire pour gagner sa vie!

J'essayais encore de rejoindre Camille. Pas de nouvelles. Entre-temps, mes parents ont été avertis, ils sont arrivés à Québec pour me réconforter. Au bout de trois jours, Camille a réapparu, il était piteux. Il était «parti sur une baloune» et avait laissé le toit de la décapotable ouvert près de la maison. Pendant son absence, il avait plu à boire debout: la voiture était pleine d'eau, les tapis flottaient.

Je suis rentrée à la maison après quatre jours d'hôpital; j'étais très faible. Ça n'allait plus du tout entre Camille et moi. Mes parents se rendaient bien compte de ce qui se passait et sont rentrés à Montréal. Nous avions un compte commun à la banque; lorsque j'ai voulu retirer de l'argent, le compte était presque vide, il restait, je crois, 72 dollars (je me souviens du deux). Il faut dire que je ne le rendais peut-être pas très heureux non plus. Je ne rejette la faute sur personne. On croit qu'on se marie pour la vie, pourtant... J'ai en tête cette réplique tirée du film *L'horloge biologique*: «J'peux pas croire que je vais coucher avec la même femme le restant de ma vie.»

Je suis rentrée à Montréal. Je n'ai pris que mes vêtements. J'avais payé la piscine, la moitié de la maison, mais je m'en foutais. Tous les deux, nous étions malheureux ensemble. Je ne le détestais pas, je ne l'aimais plus, c'est tout!

# Chapitre 12

# LES CLUBS, LES TOURNÉES...

Pour me changer les idées, je suis allée chez mes parents au chalet d'été de Berthier, en face du club de golf. Avec mon cousin Reynald, j'ai acheté un petit bateau avec un gros moteur de 60 forces que nous avons «boosté». Nous nous baladions sur le Saint-Laurent entre les îles de Sorel. Le dimanche après-midi, on faisait la course avec les Fafard de Lanoraie, les rois de la vitesse. Les voisins, les amis, tout le monde était au bord du fleuve pour regarder la course, de vraies régates! Plus tard, d'autres propriétaires de bateau se joindront à nous. J'étais assez téméraire pour piloter, mais on n'a jamais gagné: les Fafard étaient trop forts pour nous.

Je commençais aussi une aventure avec Régis Dubost, un Marocain blond aux yeux bleus. Il était pianiste chez Clairette. Tout le monde allait chez Clairette. Elle chantait tous les soirs et engueulait les clients qui l'adoraient. La décoration était plutôt «laide», des filets de pêche et des cordages, à la mode du jour.

Régis et moi étions souvent ensemble, il m'a même présentée comme sa fiancée. Je vivais presque toujours chez lui, tout en gardant mon appartement. C'était un très beau garçon, il était très sollicité. Un après-midi, en arrivant chez lui à l'improviste, j'ai ressenti comme un malaise, et il m'a dit:

– Qu'est-ce que tu fais ici?

– Bien je viens te voir! ai-je répliqué, sur le même ton.

Sur une chaise, j'ai vu une robe de soie à fleurs sur fond noir, et un manteau de vison de grande valeur: les vêtements d'une femme de grande taille. Je n'ai pas dit un mot, j'ai ouvert la porte du balcon, au 14e étage sur la ruelle.

– Tu ne vas pas faire ça non? m'a-t-il dit.

– Regarde-moi bien!

J'ai pris la robe de soie et je l'ai jetée dans la ruelle; je la regardais descendre, elle flottait de gauche à droite. J'ai fait de même avec le manteau de vison et les chaussures. Un gros camion d'ordures s'est avancé; il est passé sur la robe et le manteau. «Yé!» J'étais fière de moi, un peu grippette. Je suis sortie en disant: «Bonne fin de journée!»

Quand j'y pense aujourd'hui, c'était un geste stupide; j'aurais dû me venger sur lui, pas sur la fille. C'est lui qui me trompait.

J'ai revu des années plus tard la jeune femme propriétaire de la robe et du manteau, l'héritière d'un pharmacien très connu de Montréal. Non, ce n'est pas Jean Coutu! Quand nous nous sommes rencontrées elle et moi, nous avons bien ri. Heureusement qu'elle avait le sens de l'humour et... qu'elle était riche. Mais les filles, on est comme ça: on hait celles qui nous volent nos chums. Voler est un grand mot; ce sont les gars qui nous trompent avec d'autres filles: il ne faut «jamais» oublier ça. «On ne vole pas l'amoureux de quelqu'un, il se donne à nous.»

Après cette aventure, j'ai souvent changé d'amoureux: un Français, un Belge, un Français, un Français, un Belge, un Français, très peu de Québécois; ça viendra plus tard.

Mon père venait souvent me conduire à Radio-Canada avec son taxi. La campagne électorale de 1960 battait son plein. «Maîtres chez nous», disait Jean Lesage.

Le jour de l'élection, mon père, un vieux duplessiste, m'a demandé pour qui j'allais voter. «Pour Jean Lesage, comme tous les jeunes nationalistes de gauche.» Première dispute avec mon père qui m'a dit:

– Tu ne changes pas d'idée, t'es sûre?

– Non!

– Ben descends icitte.

On était au coin des rues de Bleury et Dorchester. J'ai dû marcher jusqu'à Radio-Canada, angle Bishop et Dorchester. J'ai voté Jean Lesage et le soir des élections, je triomphais discrètement en regardant papa. À un moment, il s'est retourné vers moi avec un sourire en coin. Il n'a pas dit un mot, mais il m'a fait un clin d'œil. J'étais pardonnée.

* * *

Camille me téléphonait souvent et me demandait de revenir. Je lui disais qu'il n'en était pas question, qu'il avait un problème d'alcool et que je ne pouvais plus supporter ça. Après ma mère, je ne me sentais pas la force de vivre avec quelqu'un qui buvait.

Nous jouions la revue *Zéro de conduite* au Casa Loma. Nous aimions nous produire à cet endroit. M. Cobetto, le propriétaire, était un homme charmant qui aimait bien les artistes, et sa femme, Andrée Cobetto, était une cliente du salon de coiffure de ma mère.

Nous avions beaucoup de succès au Casa Loma où nous restions plusieurs semaines. Jean Nadeau et François Cousineau, qui étudiaient le droit pour devenir avocats, venaient nous voir très souvent et apportaient leurs «devoirs». Ils les faisaient dans notre loge, entre les deux shows. Nous avions des visiteurs émérites. J'ai retrouvé une photo où Charles Trenet me tient dans ses bras. Si je n'avais pas vu la photo, j'aurais oublié son passage.

Après le Casa Loma, nous sommes allées jusqu'au Lac-Saint-Jean, à Alma, présenter la revue. Nous sommes allées rendre visite à Guy Cloutier, propriétaire d'un petit magasin de disques où il organisait des séances de signatures avec les artistes de passage. Il aimait le milieu artistique et moussait la vente de nos disques. Il «était d'affaires», très drôle, nous l'aimions beaucoup. On lui a dit de venir à Montréal, qu'il réussirait. C'est ce qu'il a fait, et il est devenu le producteur de disques qu'on connaît.

En même temps, je faisais une émission de radio à CKVL avec Jean-Pierre Coallier: *Ça tourne rond*. Combien de temps cela a-t-il duré? À vrai dire, je ne m'en souviens plus, je n'ai pas dû passer beaucoup de temps à tourner en rond.

* * *

Le 21 septembre 1963, on a enfin inauguré la Place des Arts. On parlait depuis des années de cette «Mecque», réservée à la musique classique, à l'opéra, à la musique de chambre.

Jacques Lorain, Claude Deschamps et Raymond Lelarge fils ont décidé de présenter deux spectacles de variétés avec les artistes populaires de l'heure dans cette magnifique Place des Arts. SCANDALE. *La Presse* titrait: «Hérésie ou hystérie, Beethoven, Mozart, ôtez-vous nous voilà!»

Les 11 et 12 janvier 1964, lors des premières représentations, les vedettes étaient, par ordre alphabétique: Denise Brousseau, Robert Demontigny, Joël Denis, Jacques Desrosiers, Denise Filiatrault, Fernand Gignac, Serge Laprade, Donald Lautrec, Margot Lefebvre, Tony Massarelli, Dominique Michel, Ginette Reno, Michèle Richard, Jenny Rock; le chef d'orchestre: Roger Joubert.

Pour ouvrir le spectacle, il fallait un numéro très fort. On a pensé à Jenny Rock qui chantait *Douliou douliou douliou Saint-Tropez* et aussi *What I say*. Elle ne voulait pas, elle avait peur. Elle a pleuré et elle s'est parlé toute seule en anglais: *«You go, you fool. You go, poor little Jenny, you go, you stupid, you go and open the show.»*

C'était triste et drôle en même temps, gentille petite Jenny! Elle a finalement ouvert et fait un malheur. Je dois dire que ce n'était pas facile de passer après elle.

Au deuxième spectacle, les 1$^{er}$ et 2 février, d'autres artistes étaient invités: Les Baronets, Paul Desmarteaux, Olivier Guimond, Michel Louvain, Pierre Lalonde, Aimé Major, Paolo Noël, Iris Robin, Jen Roger, Ginette Sage, Rosita Salvador, Claude Valade. Comme vous le voyez, la deuxième cuvée n'était pas mauvaise non plus. Les billets se vendaient comme des petits pains chauds, de un dollar cinquante à trois dollars cinquante; les loges, de trois à quatre dollars. Les temps changent!

La salle Wilfrid-Pelletier était pleine à craquer, on ne pouvait même pas y mettre un œuf. C'était le délire. Ces premiers spectacles de music-hall ont ouvert la voie aux chanteurs, danseurs et humoristes qui, encore aujourd'hui, remplissent la Place des Arts et assurent sa rentabilité.

Les critiques: Jean O'Neil, de *La Presse:* «Ce qui me laisse abasourdi, c'est l'excellente qualité de la présentation de Jenny Rock qui ouvrait la marche, jusqu'à Denise Filiatrault qui fermait le rideau. Tous se sont comportés avec un savoir-faire qu'il ne faut plus envier aux étrangers. Une présentation impeccable, un spectacle bien fait.»

Jean Basile, du *Devoir,* entre dans le swing. On sentait qu'au fond ça ne lui avait pas plu du tout, mais il a convenu que «tout le monde s'est fort bien tenu».

Herbert Aronoff, du *Montreal Star:* «*The All-Star-Show at Place des Arts performed on Saturday and Sunday afternoons was a pleasantly entertaining affair that positively demonstrated the wealth of talent French Canada is now producing.*» Il termine en disant: «*In all le premier Music Hall Canadien was a complete success.*»

Harold Whitehead, de *The Gazette* a considéré «que le programme était mal équilibré, tout en admettant qu'il y avait beaucoup de talent» (la critique était en français).

Rudel-Tessier, un autre critique: «La Place des Arts appartient en somme à ceux qui l'ont payée de leurs impôts, c'est-à-dire à tout le monde.» Rudel avait compris.

À ce moment-là (j'avais 32 ans!), j'ai donné une entrevue dans laquelle je disais: «Je place mon argent, je travaille en ce moment 18 heures par jour, je n'ai pas envie de faire le métier jusqu'à 70 ans. À 41 ans, j'espère me retirer!» Ah! Ah! Ah!

\* \* \*

J'ai décidé d'acheter un duplex à Ville Saint-Laurent. Donald Lautrec était mon voisin. J'ai laissé 2 000 dollars en acompte sur une valeur de 20 000 dollars. Je n'avais pas de meubles, mais ce n'était pas grave. Je n'avais qu'un lit. Je mangeais dans ma chambre sur mon lit, mais je n'étais pas inquiète. Je savais que j'allais gagner de l'argent, car je travaillais beaucoup.

Je faisais des gâteaux au chocolat, «écœurants» paraît-il; mon meilleur client: Donald. Je lui en faisais au moins un par semaine.

Quand je ne travaillais pas, je passais souvent mes fins de semaine avec ma mère chez ma tante Ida, qui avait une maison sur le bord de la rivière Maskinongé où elle accueillait des amis, des chasseurs, des hommes d'affaires. Une fin de semaine, j'y ai rencontré Marc Donolo, de Donolo Construction, un Italien charmant qui ressemblait à l'acteur allemand Curt Jurgens. Il m'a fait la cour. Je savais qu'il était marié à une très jolie brune aux yeux bleus qui souffrait de schizophrénie. Beaucoup plus tard, on l'a retrouvée morte dans sa maison en Floride dont elle avait barricadé portes et fenêtres.

Je ne voulais pas trop m'engager. Il m'a emmenée manger dans les plus grands restaurants, m'a comblée de cadeaux. C'est lui qui m'a initiée à l'immobilier. Il était plus âgé que moi, mais je ne sentais pas la différence. Pas désagréable de sortir avec un homme d'expérience. Il s'exprimait avec un petit accent italien, teinté de français et d'anglais. Un soir, sachant que Marc donnait une fête chez lui, dans sa grande maison de Ville Mont-Royal, j'ai demandé à Denise Émond (Ti-Mousse), l'épouse de Roger Joubert, qui demeurait dans la même rue que moi, de m'accompagner pour passer devant la maison de Marc voir s'il y avait beaucoup de monde au party. Nous étions toutes les deux en jaquettes dans sa grosse Cadillac, la tête tournée vers la maison. Et puis, bang! Denise a frappé une voiture stationnée qui devait sûrement appartenir à l'un des invités. Je lui ai dit: «Laisse ton numéro de téléphone, je paierai s'il y a des frais.» Deux ou trois jours plus tard, Marc m'a dit: «C'est drôle, il y a quelqu'un qui est entré dans la voiture de mon frère et la dame a laissé son adresse et son numéro de téléphone et ça se trouve ici, tout près de ta maison.» Il m'a montré le papier. Hypocrite, j'ai répondu: «C'est drôle, c'est ma voisine! Qu'est-ce qu'elle pouvait bien faire là dans ta rue? Elle était peut-être allée voir des amis?» Des vraies filles!

Nous nous sommes finalement quittés; je trouvais qu'il n'était pas assez souvent avec moi. J'étais très possessive. Sortir avec un homme marié, ce n'est pas évident. Je ne m'étendrai pas sur le sujet, on connaît tous les «pour» et surtout les «contre».

Quelques mois plus tard, j'ai appris que sa fille Claudia était décédée dans un accident de voiture. Il lui avait acheté une petite décapotable pour fêter la fin de ses études. Un moment de distraction, elle est entrée sous un camion et a été décapitée. Quelle mort atroce et quelle douleur pour les parents!

Marc est mort des années plus tard et c'est l'un de ses fils, rencontré par hasard, qui me l'a annoncé, en me disant gentiment qu'il était au courant de la liaison de son père. J'entends encore la voix de Marc qui m'appelait «ma pétitt!»

\* \* \*

Denise Filiatrault était propriétaire d'une maison avec piscine tout près de chez moi, boulevard Gouin, où nous sommes tous allés nous baigner. Denise faisait souvent des partys: nous nous retrouvions avec beaucoup de plaisir. Danièle, sa fille, avait un serin, Plumeau, qui chantait si fort qu'on avait de la difficulté à se parler. Un jour, je suis arrivée dans la cuisine: silence.

– Où as-tu mis Plumeau? ai-je demandé à Denise.

– Il est dans sa cage.

Je n'ai vu que quelques plumes ici et là, mais pas de Plumeau. Tout à coup, j'ai vu passer un gros matou qui entrait souvent par une fenêtre basse qu'elle laissait entrouverte. Je lui ai montré le chat.

– Ah, non, c'est pas vrai!

On a cherché le corps de Plumeau. Rien.

– Oublie ça, un gros chat comme ça, il l'a tout mangé, ai-je dit à Denise.

Il fallait annoncer la nouvelle à Doudoune; Danièle en a eu un gros chagrin.

Denise travaillait très fort pour donner à ses filles une bonne éducation. Heureusement, elle avait aussi une excellente gouvernante, Mamie, une Française, une personne fiable et importante pour ses filles. Les petites la trouvaient sévère, je crois, mais comme nous étions très souvent en tournée, Denise pouvait partir en toute confiance, les yeux fermés. C'était rassurant.

Ma mère était toujours propriétaire du salon Kiki. Un jour que je l'avais rejointe dans son salon, vers 16 heures, deux gars sont entrés avec des revolvers. C'était un hold-up. On nous a enfermées, ma mère, l'autre coiffeuse et moi, dans la cave qui était en terre, et où il y avait des souris. Je n'avais pas peur de ces rongeurs, j'ai donc rassuré ma mère. Les voleurs ont empilé des caisses sur la trappe qui descendait dans la cave pour nous empêcher de sortir. On les entendait marcher au-dessus de nos têtes, puis plus rien. On a crié, on a frappé, rien. Heureusement, mon père venait toujours faire un tour, en fin d'après-midi vers 17 heures. Il a trouvé bizarre que ma mère et son assistante ne soient pas dans le salon. Il est venu à l'arrière et a entendu nos cris. Plus un sou dans la caisse; ma mère a pleuré et pris un petit cognac pour se remettre. On était toutes un peu secouées et j'ai dit à ma mère: «Là c'est assez. Maman, tu as 50 ans, tu vas arrêter de travailler, je vais vous faire vivre papa et toi.»

J'ai acheté une maison neuve à Brossard et j'ai dit à mes parents: «Ce sera votre maison.»

Il y avait trois chambres. Comme ça n'allait pas trop bien avec ma mère, mon père m'a dit: «Prends soin de ta mère, moi j'aime mieux rester seul.»

C'était mieux pour elle de rester en banlieue; ainsi, elle ne pourrait plus sortir le soir jusqu'à trois heures du matin. À l'époque, j'allais encore la chercher souvent au poste de police du centre-ville, car elle fréquentait des bars ouverts après les

# «Mon enfance...»

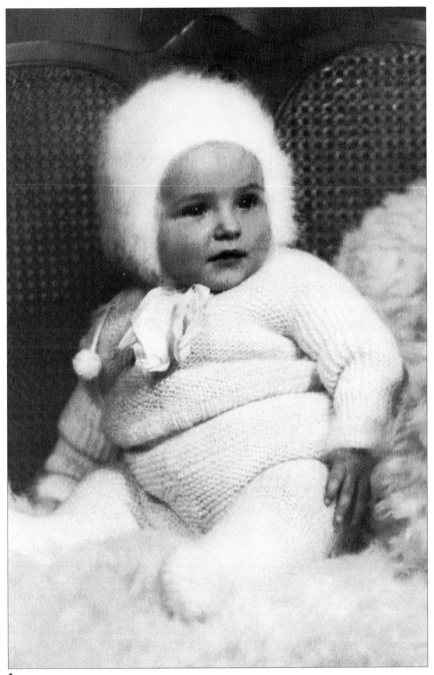

Moi à neuf mois. Même si je ne pesais que 4 livres et demie à ma naissance, ça ne paraît pas trop, car je suis bien emmitoufflée dans les vêtements tricotés par maman.

Dans la cour arrière de notre maison à Sorel, ville où je suis née.

À 4 ans, sur la galerie arrière de notre maison, avec *mes petits par-dessus de velours,* qu'on mettait sur nos chaussures l'hiver.

Chez mes grands-parents Sylvestre, je suis propre, propre, propre, après avoir été lavée et changée à la suite d'une aventure dans la soue à cochons... je boude un peu!

À 5 ans, une vraie petite
Shirley Temple, avec sa coiffure
bouclée si caractéristique

À 5 ans

À 6 ans

À 8 ans

À 9 ans

À 12 ans

À 13 ans, l'âge ingrat!

SPA: Pensionnat des Sœurs
de Sainte-Anne, à Lachine

À 7 ans, lors de ma première communion, j'adorais
ma belle robe blanche, mais je détestais mes souliers
noirs... j'étais la seule avec des souliers noirs!

À 6 ans, avec papa, enlacés
comme des amoureux

Une photo prise en compagnie
de ma mère, en 1945,
à Sainte-Agathe

À 12 ans, toujours à Sainte-Agathe, en compagnie de papa, j'avais des jambes d'allumettes et j'étais très maigre après avoir été victime de tuberculose.

À 9 ans, on me dit
de prendre une pose
naturelle! On ne peut
pas dire que c'est
très réussi!

Moi à 13 ans ▸

◂Papa à 20 ans.
Fallait faire chic!
Il n'avait pas enlevé
ses «claques» d'hiver.

Maman à 17 ans▸

Papa à 35 ans et maman à 41 ans,
un beau couple qui faisait tourner bien des têtes.

Une photo de mes parents prise au début de leurs fréquentations

◄ Maman pose devant
la vitrine de son salon
de coiffure, qui portait
le nom de Salon Kiki.

Papa était un grand sportif ►
dans sa jeunesse.
On le voit ici alors qu'il
vient de gagner la coupe
de la course en raquettes
de 5 milles, à Sorel.

La très belle et très grande maison de grand-papa Urgel Sylvestre, située dans le rang du Grand-Saint-Jacques. Petite, j'y allais de temps en temps pendant la saison estivale. À remarquer, les trottoirs de bois qu'on ne voit plus aujourd'hui.

◄ Les frères et les sœurs de mon père, qui est à l'arrière, à l'extrême droite. Une photo de la famille Sylvestre prise en 1939. Toujours devant la porte «d'en arrière».

◄ Une photo de ma grand-mère,
Marie-Louise Barrette,
qui est morte à l'âge que
j'ai aujourd'hui, 73 ans.

Grand-maman Dupuis ►
habitait chez nous
et s'occupait de moi
pendant que mes parents
travaillaient.

Jeanne, qui ne voulait pas être mannequin pour ne pas passer pour une femme de mauvaise vie. Photo du célèbre photographe Karsh.

À gauche, maman à 18 ans avec sa sœur Jeanne, qui a 17 ans.

# «Mes débuts...»

◄ Dans les années 1950, à mon premier bal, à l'hôtel Mont-Royal. J'étais accompagnée de Pierre Rochon, étudiant à Brébeuf.

À la fin de mon règne de Miss Est-Central, j'ai dû remettre la couronne à l'élue de l'année suivante. Émile Genest et Roger Gill étaient respectivement animateur et organisateur de la soirée. L'heureuse élue a eu droit à un manteau de fourrure alors que moi, l'année précédente, j'ai dû me contenter d'une valise... j'étais un peu jalouse.

En 1951, j'ai chanté au café Montmartre, sur le boulevard Saint-Laurent. Fernand Robidoux était maître de cérémonie.

Mes débuts à la télévision n'ont pas nécessairement été faciles. Je me souviens du réalisateur Jean-Yves Bigras, qui nous engueulait vertement lorsqu'on ne prenait pas nos places. On me voit ici avec Aimé Major et Lucille Cousineau dans l'émission *Les jeunes années*.

À Radio-Canada, dans la même émission

Je me souviens (sans méchanceté) que dans *Les Fridolinades*, il fallait éviter de voler la vedette à M. Gratien Gélinas. J'ai tout de même obtenu un certain succès dans ce numéro de petit soldat.

Dans les années 1950, j'ai travaillé régulièrement au chic Casa Loma. Sur cette photo, Rémi et Kelly, danseurs, le chanteur Jen Roger, le chef d'orchestre Marcel Doré, Denise Filiatrault, moi et la danseuse Lolita De Carlo.

Dans une imitation de la célèbre Édith Piaf, la veille de mon opération pour une appendicectomie.

Toujours dans *Les Fridolinades*, dans un numéro avec la belle Ginette Letondal et Monique Lepage

En 1955, à la belle époque du *Beu ▸ qui rit*, aux côtés de Paul Berval.

En 1957, au gala de la chanson canadienne,
j'ai interprété la chanson *En veillant sur l'perron*,
qui allait devenir un très gros succès.

◀ La chanson *En veillant sur l'perron* a
gagné en 1957 le 2ᵉ prix du concours
de la chanson canadienne.

À Québec, au *Baril d'huîtres*, il n'était pas rare que le public attende le début du spectacle en formant une longue ligne à l'extérieur.

La gang du *Beu qui rit*, avec nos chaussures d'hiver pleines de calcium.
De gauche à droite: Jean-Claude Deret, Paul Berval, Roger Joubert, Denise Filiatrault, Jacques Lorain, moi et Odile Adam.

Ma photo officielle qui servait ▸
à faire la promotion des disques
Barclay à Paris, en 1955. Je l'avais
envoyée à maman pour lui donner
de mes nouvelles.

◂ Je garde un beau souvenir
de Félix Leclerc, avec
qui j'ai tourné en 1956
un documentaire réalisé
par Claude Jutra sur
les chansonniers canadiens.
On les appelait comme ça
à l'époque.

▴
Au restaurant Astor, on reconnaît à l'avant, sur cette photo: Michel Noël, Michel Leroy,
imprésario, Patachou et le chanteur Fernand Robidoux.

Pierre Thériault et Normand Hudon
coanimaient l'émission *Au p'tit café*
avec moi.

À mes débuts, j'ai joué et chanté dans
plusieurs émissions de variétés. On me
voit ici en compagnie de Guy Hoffman.

Dans l'émission *Feu de joie*, avec Roger Lebel, un figurant qui ira loin.

# Miss Télévision 66

«Monsieur et Miss Télévision 66: Olivier Guimond
et moi.» Les découvertes cette année-là étaient
Claire Lepage et Daniel Guérard, récemment décédé.

J'étais vraiment émue lorsqu'on m'a ▸
remis le trophée. J'étais maquillée comme
Dolorès dans *Les Bougon*.

◂ J'avais invité mes parents
au party qui a suivi.

Le gala Miss Télévision était l'événement de l'année à l'époque. Certaines vedettes, comme moi, n'hésitaient pas à faire preuve d'audace vestimentaire pour l'occasion. Sur cette photo, je fais le dernier essayage, avec le couturier Yvon Duhaime, du kit complet vert menthe que je portais ce soir-là. À noter, les fleurs, jolies fleurs, en tissu et, surtout, la «capine» assortie.

# «Mon mariage...»

M. et Mme Camille Henry, à la sortie de l'église, au son de la marche nuptiale

Le couturier belge M. de Belder effectue
les ajustements de dernière minute sur
ma robe de mariée.

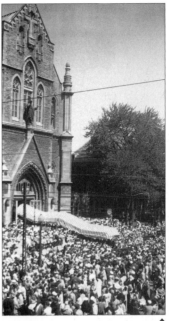

C'était noir de monde! *La Presse* a rapporté que plus
de 15 000 personnes s'étaient déplacées pour nous voir à l'église
de la paroisse du Sacré-Cœur, située à Montréal, rue Ontario Est.

À mon arrivée à l'église, c'est la cohue totale. Il y a tellement de monde
que j'ai de la difficulté à me frayer un chemin.

Un autre moment important de la cérémonie du mariage: l'échange des anneaux

«Oui, je le veux!»

Camille et moi, ▸
très sérieux au
moment de la
signature du livre
des registres

La première danse des mariés à la salle de réception du chic Dagwood's, au son de la chanson *Oh How We Dance in the Night*....

Un beau gâteau de mariage de trois étages de chez Pegroids. Il était spectaculaire, mais surtout délicieux. Croyez-le ou non, tout se mangeait, de la base au sommet.

En compagnie de mes amis Paul Berval, Denise Filiatrault et Denis Drouin. Aussi sur cette photo, Rosaire, un ami de Camille. Tout le monde sourit, la pression est tombée!

◄ Un beau bec de mon grand ami,
le caricaturiste Normand Hudon

De gauche à droite:
Denis Drouin, mon cousin le
prêtre Jean Adam, qui
m'a mariée, le célèbre père
Ambroise, Paul Berval et,
à l'avant, Danièle Lorain,
la fille de Denise. ►

◄ En compagnie de papa,
qui était visiblement fier
de sa fille ce jour-là.
À droite, la mère
de Camille et mon amie
Solange Robert.

La petite épouse modèle part en voyage de noces avec son étole de vison et... son époux.

La supériorité d'une fleur sur un bouquet...
Sacha Guitry

Dominique Michel
Camille Henry

"C'est la mère Michel qui a trouvé son chat"
(air connu)

Caricature de Normand Hudon. À remarquer: les petits patins sous la traîne.

Dans ma première voiture, une Pontiac 1957, en compagnie de Camille Henry et du compositeur André de Chavigny. C'était la mode à l'époque de se faire photographier dans son «char»!

En voyage de noces ▸ en Floride

heures normales d'ouverture, ceux où il y avait «toujours» des descentes policières.

Elle est donc déménagée à Brossard, et je lui donnais 300 dollars par semaine pour sa nourriture, ses petites dépenses, afin qu'elle n'ait pas à m'en demander. Je trouvais ça humiliant pour elle, qui avait toujours été autonome et qui avait travaillé très fort toute sa vie, de quémander de l'argent. Elle semblait très heureuse.

* * *

J'ai reçu un appel de Robert L'Herbier, alors directeur des programmes au Canal 10 (Télé-Métropole). Il me proposait une émission du matin à la télévision, *Toast et Café*, réalisée par Pélo (Jean Péloquin), avec Fernand Gignac et Frenchie Jarraud, le Claude Poirier de cette époque. Une émission sur l'actualité, le matin à neuf heures, en direct à la télé. Fernand allait chanter et Frenchie et moi, nous commenterions, moi les événements artistiques, Frenchie la politique et les affaires judiciaires.

Le hall d'entrée du Canal 10 nous servait de studio et était ouvert sur la rue Alexandre-de-Sève. Le matin du premier jour, au bout de 10 minutes, nous avions fait nos commentaires, Fernand avait chanté, et là, la panne, plus rien. Tout ce que nous avions à dire était dit, nous étions à court de sujets. Nous n'avions pas pensé à avoir des invités. «Qu'est-ce qu'on fait?»

Pélo s'est retourné sur un 10 cents et a dit: «Aussitôt qu'il y a un artiste qui arrive, vous lui demandez de vous parler de lui, de ce qu'il fait, vous allez l'interviewer.» Ce fut Doris Lussier qui arriva le premier. Il s'est assis. Il nous a parlé de ses occupations. Un livreur, on l'interviewe! Le gars qui fait le ménage, on l'interviewe! L'heure est passée, on avait eu chaud. La leçon était apprise, le lendemain nous aurions plusieurs invités.

Pélo a engagé Jean Morin, le fondateur d'*Allo Police*, en tant que recherchiste; il était au courant de tout ce qui se passait. Jean, c'était comme les «pages jaunes», une source extraordinaire de nouvelles pour Frenchie, Fernand et moi.

Tout le monde venait à l'émission: je me souviens de Marie Laforêt qui arrivait directement de France; la première chose qu'elle nous a demandé: une bière, à huit heures du matin!; de Jeanne Moreau, chaleureuse, amusante (je l'ai souvent vue pendant son séjour à Montréal); de Gilbert Bécaud qui me faisait la cour et qui m'envoyait sans arrêt des roses rouges, longues comme moi, tellement longues que je disais à Pélo: «Quand je les ai reçues ce matin, je leur ai donné la main et un baiser.»

Rod Tremblay était au piano, quel bon gars gentil, toujours de bonne humeur! Il bégayait, mais n'en avait aucun complexe, il en riait. Rod était drôle. Un jour qu'il parlait d'une chanteuse qui n'avait pas de rythme, il a dit: «A chante comme un chauffeur de taxi de campagne, a pas de *meter*.»

Nous avons aussi reçu M. Alfred Heineken, le propriétaire hollandais de la brasserie du même nom. Il m'a couverte de cadeaux et de fleurs, de bagues, de bracelets, etc. Paolo Noël en a déjà parlé, je crois, dans sa biographie. Les gars me taquinaient, et me disaient:

– Est-ce que ta chair est faible?

– Pas encore!

– Propriétaire d'une brasserie! on va pouvoir boire sur ton bras.

– C'est beau la Hollande, tu vas être *cute* avec tes petits sabots quand tu vas te promener dans la rue!

Si j'avais dit oui, il m'aurait épousée je crois; il voulait tout au moins m'attirer au Ritz où il résidait durant son séjour. Ma chair n'a pas faibli! Il est retourné dans son pays, et n'a pas cessé de me téléphoner et de m'envoyer des billets d'avion pour que j'aille lui rendre visite. C'était un très gentil monsieur, mais je n'étais pas amoureuse de lui. Il s'est fait kidnapper quelques années plus tard et les ravisseurs ont demandé une grosse rançon, qui leur fut versée. Il est mort le 3 janvier 2002. Pélo m'a envoyé un gentil mot avec la photo annonçant le décès: «Tu es presque veuve!» Ah, l'humour de Pélo!

* * *

Denise et moi continuions notre spectacle *Zéro de conduite*, en tournée. Nous sommes allées à Toronto faire *A Show of Two Cities*, pour promouvoir le biculturalisme. Parallèlement, je continuais *Toast et Café*, et je faisais partie de la revue de fin d'année *Ça va éclater!* avec Denise Filiatrault, Donald Lautrec et Jacques Desrosiers.

Denise est partie au Mexique immédiatement après l'émission et je suis allée la rejoindre avec ma mère à Acapulco. Nous avons fait un arrêt à Mexico où nous couchions, parce qu'il n'y avait pas d'avion pour Acapulco avant le lendemain matin. Nous ne sommes pas descendues dans un hôtel de luxe, mais dans un établissement qui nous semblait correct.

En se levant le matin, on n'a pas arrêté de se gratter... où pensez-vous? Des morpions! On devait prendre notre avion très tôt. On a décidé de régler ça à Acapulco. Ça piquait pas à peu près! En arrivant à destination, vite une pharmacie. Oui, mais comment dit-on ça en espagnol? «Morpiones»? On ne veut pas passer non plus pour des cochonnes! Finalement, des amis québécois de maman sont venus nous rejoindre à notre hôtel. On avait un peu honte, mais on leur a raconté notre mésaventure. Ils parlaient espagnol. Ils ont pu nous aider.

Ils ont bien ri de notre histoire et deux jours plus tard, tout était rentré dans l'ordre. Ce fut ma première et ma dernière expérience avec ces dégoûtants intrus. À l'hôtel, j'avais trouvé que les draps étaient sales, j'en avais fait la remarque à maman. Depuis, quand j'arrive dans une chambre d'hôtel, où que je sois, j'ouvre le lit à la grandeur. Je n'ai plus jamais attrapé de ces petits crabes. Par contre, j'ai attrapé des puces une fois, à Paris, dans un hôtel très bien, près de l'Opéra. Je m'en suis plainte au concierge qui m'a demandé :

– À quel étage êtes-vous?
– Au troisième.
– Ah oui, au troisième, il y en a.
– C'est tout?

– C'est tout!

C'est l'fun!

À Acapulco, ma mère a retrouvé ses amis, dont René Caron, sur la plage. Il a fait un temps magnifique et on a passé des vacances super agréables avec Edward Rémy, qui y vivait près de trois mois par année avec son jeune fils Érick.

Au cours de notre séjour, Edward m'a demandé de faire un reportage avec Claude Blanchard, sa femme et Muriel Millard. Nous devions rencontrer Alain Delon qui séjournait au Pierre Marquès avec sa femme, Nathalie. Il était en voyage de noces. Nous avons pris des photos avec lui, nous avons joué dans l'eau, nous nous sommes poussés dans la piscine, Alain Delon, Claude et moi; Muriel était plus sage, elle ne voulait pas défaire ses cheveux qui tenaient au «spray net».

J'ai demandé à Edward pourquoi Denise n'était pas là; il ne l'avait pas trouvée. L'après-midi est passé, finalement je suis rentrée à mon hôtel sur La Condessa. J'ai rejoint Denise et lui ai raconté mon après-midi avec... Alain Delon! «Pas vrai!» «On a joué dans l'eau, on s'est poussés en bas de la glissoire, rentrés la tête dans l'eau, etc.» Elle n'en revenait pas, moi non plus d'ailleurs. Alain Delon et sa femme ont été super gentils. Ils nous trouvaient sympathiques. Quand on se rencontrait, Claude Blanchard et moi, on en parlait encore.

J'ai fait de nombreux voyages au Mexique avec Denise Filiatrault. Un jour, nous avons mangé dans un magnifique restaurant sur la plage La Condessa à Acapulco, du *huachinango* (rouget) et d'autres spécialités mexicaines. J'y ai rencontré un beau et charmant Mexicain de 24 ou 25 ans (j'en avais 30), au sourire enjôleur et au corps à faire damner les femmes les plus vertueuses. Il était d'une gentillesse et d'une grande générosité. Il m'a couverte de petits cadeaux. Il était plagiste et donnait des cours de ski nautique, et il excellait. Il faisait aussi visiter la baie d'Acapulco aux touristes en bateau à moteur. Il me faisait toujours embarquer avec lui lors de ces randonnées, de sorte que j'ai passé des vacances «plein air» sans payer un sou.

Je vivais, comme on dit, «sur le bras de la compagnie», ou devrais-je dire «dans les bras»?

J'étais descendue au Hilton, mais on ne laissait pas entrer les jeunes Mexicains dans l'hôtel. Nous avons donc trouvé un autre endroit très bien où le gérant, un de ses amis, nous a fait un prix. J'ai passé mes journées et mes nuits avec lui, tout en gardant ma chambre au Hilton.

Comme tous les jeunes Mexicains élevés pauvrement, il avait tout un tas de trucs pour se faire de petits suppléments. Comme il connaissait tous les propriétaires de bars et de restaurants, il y emmenait les touristes. En retour, il obtenait des ristournes dont il me faisait bénéficier. Entre chacun de mes voyages au Mexique, nous nous écrivions des lettres enflammées, lui les faisait écrire en français par des Québécois en vacances, de sorte que beaucoup de mes compatriotes furent au courant de ma liaison et de nos lettres d'amour. Certains d'entre eux serviront aussi de «go between».

À la fin de mes vacances, nous avons discuté de la possibilité pour lui de venir vivre au Canada. Le jour de mon départ, à l'aéroport, il m'a offert un petit bouquet de fleurs que j'ai gardé sur mon cœur tout au long de mon voyage de retour. À mon arrivée à Montréal, le matin très tôt, mon amie Denise Bissonnette m'attendait à la sortie de l'aéroport. Je lui ai confié que j'étais très amoureuse. Je voulais aussi parler à son mari, Jean, car j'avais besoin de ses conseils.

Lorsque nous sommes arrivées chez elle, Jean était encore couché. Je me suis assise sur le bord du lit, mon petit bouquet de fleurs fanées dans les mains (je ne l'ai pas lâché d'un pouce), et je lui ai raconté ma passion pour ce jeune homme, et mon intention de le faire venir vivre à Montréal. Les larmes coulaient sur mes joues, je l'aimais.

Jean m'a écoutée attentivement, puis m'a ramenée à la raison en me disant que ce serait difficile pour lui de gagner sa vie ici. J'ai trouvé de nombreuses objections à son discours, mais, au fond de moi, je savais que Jean avait raison. Ah, les amours de vacances! Sur la plage, il était auréolé de soleil et de mer: il avait un métier où il gagnait bien sa vie, mais à Montréal les plages sont assez rares l'hiver et je ne l'aurais pas vu non plus l'été aller cueillir des fraises en compagnie de ses compatriotes dans les champs de Saint-Grégoire.

Il y a des amours de vacances qui nous marquent plus que d'autres. Il est resté là-bas au Mexique et moi ici. Par la suite, lors d'autres voyages, j'ai eu de ses nouvelles et puis, plus rien. Ainsi va la vie. Nous étions jeunes, nous étions beaux et insouciants. «Il fait partie de ces moments si merveilleux qu'on voudrait que le temps s'arrête...»

# Chapitre 13

# D'AMOUR ET D'AMITIÉ

Après *Zéro de conduite*, Denise et moi avons monté une autre revue, *Dans le vent*. Nous étions envahis par la nouvelle vague du «yé-yé» et le titre de la revue a été inspiré par une chanson de Pierre Lalonde: «Nous on est dans le vent, nous on est dans le vent, à chacun son temps.» Il fallait bien gagner notre vie.

Nous sommes repartis en tournée. Robert Demontigny a remplacé Donald Lautrec. Ça nous a encore menés jusqu'à Sept-Îles, l'Abitibi, le Lac-Saint-Jean. Le reste du temps, on «bookait» des spectacles dans des villes plus proches de Montréal: Québec, Shawinigan, Sherbrooke, pour que je puisse rentrer faire mes émissions de *Toast et Café* tous les matins. Je dormais dans un sac de couchage à l'arrière de la voiture. Quelle vie! J'étais épuisée, mais en bon petit soldat, je continuais. Il en était de même pour Denise. On transportait dans nos coffres de voitures les instruments des musiciens, les systèmes de sonarisation, hiver comme été. Certains hivers, je nous ai vus suivre les camions de déneigement dans les tempêtes de neige afin de ne pas «prendre» le fossé.

Puis, on a préparé une autre revue. En fait, on en montait trois différentes par année; la dernière avec Benoît Marleau et André Fontaine, le plus jeune frère de Jacques Desrosiers. C'est lui qui nous disait: «Hein! Hein! C'est fini. Hein! Hein!», expression que nous utiliserons plus tard dans *Moi et l'autre*.

«Ma noire», ça venait de la cousine de Denise qui disait à son mari: «Tu t'en vas te baigner, noir, fais attention, noir, tu pourrais te noyer, noir», sur un ton un peu plaintif. Plus tard dans *Moi et l'autre*, c'est devenu «Hein, ma noire!»

Comme nous faisions beaucoup de tournées, Yvan Dufresne nous a demandé de faire passer en première partie de notre revue, un nouveau chanteur, Claude Sorel, qui venait d'enregistrer *Guantanamera*, un disque qui aura un gros succès. On était d'accord. Nous étions à Châteauguay. Claude a fait la première partie et a chanté, chanté, chanté. J'ai lancé à Denise: «Me semble qu'il est un peu long ce soir.»

En disant cela, j'ai vu arriver le propriétaire de l'hôtel qui nous dit: «Coudonc, y va la chanter combien de fois sa câlice de chanson, ça fait trois fois, qui'a chante, pis là, y commence sa quatrième fois.» J'sais pas ce que Claude avait fumé ce soir-là, mais on a été obligés de le sortir de scène. Il tripait sur sa chanson.

Nous riions beaucoup avec Benoît Marleau, qui venait du théâtre et qui s'amusait énormément à faire du cabaret. C'était un ami de Denise qui faisait un trip de club et il adorait cela. Il chantait assez joliment des chansons de Bécaud qui n'intéressaient pas beaucoup le monde, mais ça ne faisait rien, il a continué bravement comme si de rien n'était.

On a ensuite écrit une autre revue, *Les 4 D*, pour Dominique, Denise, Daniel Guérard et le chanteur Dominique. Notre gentil ami Yvon Duhaime faisait toujours nos costumes. Il fut assistant-designer à Radio-Canada pour devenir ensuite designer. J'adorais Yvon qui nous le rendait très bien. Un petit gars de l'Est qui s'est fait tout seul. Il avait alors comme assistant Michel Robidas, devenu le grand designer que l'on connaît et qui m'a fait des robes merveilleuses, mais qui a surtout créé des trésors époustouflants pour Diane Dufresne. Il vient d'ailleurs d'imaginer les costumes du dernier spectacle du Cirque du Soleil (janvier 2006).

Yvon était un ami très intime, j'étais toujours avec lui. J'allais en vacances avec lui, manger au restaurant, voir des spectacles, etc. C'est lui qui faisait presque toutes les créations que nous portions dans *Moi et l'autre*, à la télévision. On en parle encore.

Yvon se déguisait en femme le samedi soir, la tête seulement: maquillage, perruque noire, faux cils et rouge à lèvres ROUGE! Il allait chanter au Down Beat, rue Peel, en s'accompagnant au piano. Je m'inquiétais pour lui, je lui téléphonais. Quand il n'était pas rentré, j'allais le chercher au club et quand il n'y était pas, je remontais la rue Sainte-Catherine du club jusqu'à chez lui. Je le trouvais assis par terre sur le bord du trottoir, pas mal ivre. Il restait là sans bouger. En l'apercevant, je lui disais: «Yvon, viens, monte, je vais aller te reconduire chez toi, t'as trop bu.»

Comme il n'aimait pas que je le voie dans cet état, il me répondait: «Mange de la m... maudite vache d'écœurante.»

Je n'en étais pas offusquée, et le lendemain on riait de l'incident. Je lui disais: «Ma tante Yvonne a sorti tard hier soir!»... Mais tous les samedis soir ça recommençait. Déguisé, il ressemblait à une grosse tenancière de bordel. C'était un garçon très drôle et qui avait le sens de la dérision.

Que j'ai aimé mon ami Yvon! Il avait une peur bleue de l'avion. Un jour, nous étions dans un appareil d'Air France au départ pour Venise; le commandant nous dit qu'il y aurait un léger retard dû à une petite panne électrique.

L'angoisse s'est emparée d'Yvon. Il s'est mis à pleurer à gros sanglots. Un enfant assis dans la rangée voisine le regardait, découragé.

– Écoute Yvon, fais un homme de toi, y'a un enfant qui te regarde. Fais attention, prends sur toi, lui ai-je dit.

Il s'est arrêté d'un coup sec et a répondu:

– Qui mange de la m... l'enfant!

J'en ris encore.

Finalement, ce voyage à Venise a été un grand bonheur. Nous logions à l'hôtel Danieli, sur le Grand Canal. Il y avait une salle à manger sur le toit. Le garçon qui nous servait était d'une grande beauté et charmant. Yvon m'a dit: «Y'est-tu assez beau, quand il va venir me servir, j'ai envie d'y embrasser les mains.»

Comme moi, Yvon était un amateur de musique classique. Je me souviens de ce pur moment d'extase quand nous étions assis tous les deux, place Saint-Marc, à écouter un orchestre symphonique de 60 musiciens qui jouait le *Requiem* de Jean Gilles. Je le vois encore sur la même place, des pigeons sur la tête, sur les bras et les épaules, pour que je le photographie. Mon vieux Yvon, je m'ennuie de toi!

J'ai encore un petit cendrier en opaline qu'il m'a acheté à Venise; même si je ne fume pas, je l'ai toujours conservé, ainsi qu'un bracelet en diamants et émeraudes acheté chez un antiquaire. Il m'aimait je crois, presque d'amour, et moi je le lui rendais bien.

* * *

Je crois que tous ceux qui avaient sept ans et plus se souviennent de l'endroit où ils étaient le 22 novembre 1963, jour de l'assassinat du président Kennedy. Quel choc! J'étais en train de discuter avec Laurier Hébert, alors directeur des variétés à Radio-Canada.

Son bureau était situé dans un vieil édifice, au coin des rues Guy et de Maisonneuve. Nos salles de répétitions aussi étaient là, et les studios de Radio-Canada se trouvaient dans l'ancien hôtel Ford, boulevard Dorchester, entre Bishop et Mackay. Laurier Hébert était charmant, on pouvait entrer dans son bureau quand on voulait, il nous accueillait toujours très gentiment; il en était de même pour les réalisateurs.

Laurier était paraplégique et ne se déplaçait qu'en fauteuil roulant. Quand il le voyait, Jacques Normand disait: «Laurier y'a pas un peu de paresse?» Très souvent, quand nous étions en party, ses amis Roger Fournier, Gérard Chapdelaine, Gérald Tassé, Jean Bissonnette et d'autres, le portaient pour monter les escaliers des édifices sans ascenseur. Après le party, c'était autre chose; tout le monde était un peu «guerlot», et Laurier aussi, mais il avait un bon sens de l'humour et disait :

– Échappez-moi pas, vous pourriez me blesser!

– Ben oui, on va faire attention, tu pourrais te faire mal.

Les fous rires avec Éloi de Grandmont, Jean, Gérard et Gérald!

Donc, ce jour-là, j'étais dans son bureau, et tous ceux qui passaient dans le corridor avaient l'air abattu. Jean Bissonnette m'a appris que le président Kennedy venait d'être assassiné. «Non, non, non.»

Le monde entier en a été retourné. Qui ne se souvient de la courageuse Jackie Kennedy, de sa fille Caroline et du petit John-John faisant le salut militaire lors du passage de la dépouille de son père... À arracher le cœur.

\* \* \*

En 1965, à ma grande surprise, j'ai reçu le Méritas de *Télé-Radiomonde*, et tenez-vous bien, pour «la plus grande fantaisiste comique de l'année», des mains de Pierre Lalonde, un ami.

On a fait un spectacle au Forum avec les vedettes de l'heure: Donald Lautrec, Denise Filiatrault et plein d'autres. L'invité de la soirée était Sacha Distel lui-même, en prestation à la Place des Arts.

On a pris des photos et je me suis aperçue que Sacha se glissait toujours près de moi. Malheureusement, ce n'était pas pour moi, c'était pour être plus près de Denise Filiatrault, qui était assez *cute*, merci!

*Toast et Café*, notre émission, fonctionnait toujours très bien, mais on m'a soudainement appris que Paolo Noël allait remplacer Gignac. Fernand faisait des petites crises, et même des grosses. Il aura fait sa dernière. Comme dit Jean Péloquin, qu'on appelle Pélo: «Pas de fling flang! Sur un plateau, on chicane pas; sur un plateau, on travaille.» Paolo, lui, était toujours de bonne humeur.

Un jour, nous avons reçu un éminent cardiologue et j'ai posé cette question: «Qu'est-ce qui peut engendrer ou déclencher des troubles cardi... (Je cherche, est-ce qu'on dit cardiaques ou cardiaux? J'opte pour le «...aux»). En le disant, je me dis quelle conne, quelle faute de français! Je me reprends et je dis «aque». Le docteur sourit gentiment et glisse «cardiaque» dans sa réponse; je veux rentrer dans le plancher. À l'avenir, je vais bien me documenter. Améliorer mon français, ça ne serait pas mal non plus!

Denise Filiatrault et moi avons monté une autre revue toujours dans la vague yé-yé: *Rolali, Rolalo*. On tournait encore partout en province. On se produisait toujours au Casa Loma pour monsieur Cobetto, qui nous aimait bien, qui nous accueillait toujours avec joie et aussi bien sûr, parce qu'on attirait la clientèle.

Le concours pour élire un Monsieur et une Miss Télévision, organisé par *Télé-Radiomonde*, propriété de Pierre Péladeau, était toujours une attraction. Les Miss Télévision depuis 1957 ont été: Monique Miller (1957), Béatrice Picard (1958), Michelle Tisseyre (1959), Denise Filiatrault (1960), Andrée Champagne (1961), Monique Lepage (1962), Huguette Proulx (1963), Janette Bertrand (1964), Margot Lefebvre (1965), et, en 1966, je suis la reine d'un soir, élue avec 31 248 votes.

Mes plus proches concurrentes étaient Monique Leyrac (26 792 voix), Monique Gaube (20 377), Michèle Richard (20 108) et Ginette Ravel (19 651).

Pour l'occasion, j'ai commandé une création à Yvon Duhaime. Il m'a dessiné une très jolie robe vert menthe, très pâle, en voile de soie avec un genre de gros capuchon. Il fallait être excentrique. Mon ami Angelo m'a fait une coiffure du tonnerre, il a ajouté un long postiche qui descendait jusqu'au milieu du dos, piqué de fleurs de la couleur de ma robe. Il a gardé mon toupet; j'étais brune, c'est ma couleur naturelle.

Je suis arrivée au gala au bras de Donald Lautrec, car j'étais dans le creux de la vague côté gars, et Donald est un ami. Olivier Guimond a été élu Monsieur Télévision, il avait un succès énorme au Canal 10 avec *Cré Basile*.

J'étais si heureuse pour Olivier, qui a été boudé pendant des années par les snobs du métier. Le talent finit toujours par triompher. L'humour n'était pas considéré à l'époque. On disait que nous épousions la facilité. S'ils savaient! Malheureusement, ça n'a pas beaucoup changé. Je pense aux critiques de Denise Bombardier qui, encore aujourd'hui, vont dans le même sens. Pourtant, elle s'y est essayée et devrait savoir à quel point faire rire est exigeant!

Les révélations de l'année furent Claire Lepage, belle comme le jour avec ses petites lulus, et Daniel Guérard, jeune chanteur populaire. Tous les deux ont eu du succès sur disque.

Les Méritas du Gala: Jean Béliveau, l'athlète de l'année; CJMS, pour sa contribution au nouvel essor de l'opérette à Montréal; Jen Roger, chanteur, animateur et disc-jockey; César et les Romains, groupe le plus spectaculaire de l'année; Georges Bouvier, pour avoir consacré toute sa vie au théâtre; *Nous les amoureux*, meilleure émission musicale populaire; Jean Coutu, pour son retour triomphal au théâtre; *Cré Basile*, l'émission la plus populaire de l'année; Claude Léveillée, chansonnier de l'année (on ne disait pas auteur-compositeur); *Les Cailloux*, pour leur travail! (le folkloriste Yves Lapierre, ce musicien extraordinaire, faisait partie du groupe); *Les Couchetard*, meilleure émission humoristique.

Puis, ce fut mon tour. Mon cœur battait très fort. Les gens criaient bravo! Je saluais encore et encore, interdiction de parler! J'étais heureuse! J'avais invité mon père et ma mère à la soirée. Ma mère avait mis la robe rose que je lui avais fait faire pour mon mariage, et mon père son complet bleu marine. Quand il portait cet habit-là, on l'appelait le sénateur Sylvestre.

Tous mes amis étaient dans la salle, mon cher Jean Péloquin et sa femme, Gigi, Paolo et la belle Diane, Frenchie et sa charmante épouse et Rod Tremblay. Le lendemain matin à *Toast et Café*, les membres de l'équipe m'ont donné un très joli bracelet en jade, gravé de l'initiale de chacun sous chaque pierre. Je l'ai toujours gardé, un très beau souvenir.

Le trophée m'a été remis par Miss Télévision 1965, Margot Lefebvre. L'après-gala s'est déroulé au Reine Élizabeth.

J'ai une magnifique photo avec Olivier Guimond que j'admirais tant, «la photo d'une vie, l'image du bonheur!», et une autre avec Pierre Péladeau et sa femme, la très belle et spectaculaire Raymonde, mère d'Isabelle, Pierre Karl, Éric et Anne-Marie. C'est Pierre Karl qui ressemble le plus à sa mère.

Les coiffeurs-vedettes de l'époque étaient là: Constant Natale, qui m'a coiffée pendant des années; Bernard, le coiffeur d'Huguette Proulx, de Muriel Millard et de bien d'autres grandes vedettes. Lise Watier accompagnait Robert L'Herbier, qui avait perdu sa femme, Rollande Desormeaux, décédée d'un cancer du sein.

J'ai beaucoup aimé M. L'Herbier, il a été un grand homme de notre télévision; c'est lui qui a donné sa première chance en télé à Olivier Guimond, devenu une vedette au Canal 10. Il n'y avait pas de meilleur animateur que Réal Giguère, découvert aussi par Robert L'Herbier, tout comme Michel Noël et Gilles Latulippe dans le *Capitaine Bonhomme*, Jean Lajeunesse et Janette Bertrand et leur émission-quiz *Adam ou Ève*, ainsi que Paolo Noël, qui sera le Monsieur Télévision 1968 en même temps que Ginette Reno, qui, elle sera, Miss Télévision 1968.

Pour en revenir au Gala, Claude Léveillée était accompagné de son épouse d'alors, Monique Miller; Tony Roman, de Nanette; ils s'étaient rencontrés dans une boîte où elle était danseuse à gogo, près de Cape May non loin de Philadelphie. Quelle soirée!

Le lendemain, j'ai donné une super fête dans le jardin de ma maison de Brossard, mes amis y étaient dont Denise Filiatrault et Donald Lautrec; il a fait beau, on s'est baignés dans la piscine et ma mère était heureuse et sobre. Il y avait aussi Mimi et Gigi, nos caniches. Mimi mourra de vieillesse quelques semaines plus tard.

*** 

À l'époque, Denise Filiatrault, son mari, Jacques Lorain, l'équipe du *Beu qui rit* et moi fréquentions La Chaumine, une charmante petite auberge tenue par Pépé et Mémé, sur le bord d'un lac à Saint-Hippolyte. Les pilotes et l'équipage d'Air France s'y retrouvaient chaque semaine. Mémé faisait la cuisine divinement et Pépé et sa fille Micheline tenaient le bar. Ces Français étaient tout à fait charmants. L'atmosphère y était très conviviale. On rigolait, on se baignait, on jouait aux cartes; on se croyait en France, entourés de Français. Qu'on aimait donc ça être avec des Français!

Un soir, j'y ai rencontré Jean-Claude Vélez, coiffeur au Ritz, Français lui aussi, un très beau garçon, cheveux un peu longs, bouclés, yeux bleus, très élégant, un peu dandy avec un petit côté un peu snob, mais pas déplaisant. Il nous avait vues Denise et moi au Casa Loma. Il m'a fait la cour; il me plaisait... et me voilà partie pour une nouvelle aventure amoureuse.

Nous nous sommes revus à Montréal; lui habitait un petit appartement rue Lorne Crescent, et moi je demeurais toujours à Brossard, avec ma mère. Ce n'était pas vraiment sa tasse de thé. J'ai décidé de louer un très bel appartement au Cartier, au coin des rues Peel et Sherbrooke. Je l'ai décoré de draperies de velours bordeaux, de rideaux plein jour blancs, de tapis et de meubles antiques, de lampes Tiffany, de divans en duvet, c'était chic. Je lui demandais toujours son approbation; il avait du goût. C'était beau, mais ça coûtait cher!

C'était un excellent coiffeur; il m'a créé une coupe de cheveux très courte qui deviendra mon trade mark et qui m'allait très bien. Il était ami avec le couturier John Warden, donc il a aussi changé ma garde-robe. Nous étions au printemps et nous passions de merveilleux moments ensemble. C'était un homme qui plaisait aux femmes, il était excentrique et son personnage séduisait. Il m'a raconté qu'il m'avait remarquée au salon du Ritz où je me faisais coiffer par Angelo, et qu'il attendait le moment propice pour m'aborder.

À Noël, il m'a offert une magnifique gourmette en or et plein d'autres cadeaux. Nous sommes partis pour Acapulco, 15 jours au soleil du Mexique. Nous y avons retrouvé, entre autres, Denise Filiatrault et Claude Landré. Comme Edward Rémy y habitait toujours, il en a profité pour faire un reportage sur nous pour les magazines à potins.

Puis nous sommes revenus à Montréal, tout baignait dans l'huile; mais je me suis finalement aperçue que Jean-Claude trouvait souvent des raisons pour sortir et rentrer tard. Je sentais que j'avais de petites cornes qui commençaient à pousser. Un dimanche, il a fait venir ses copains à la maison à sept heures du matin pour me prouver qu'ils allaient passer la journée ensemble, «entre gars», dans le Nord. Comme on m'avait déjà dit qu'on l'avait vu avec une très jolie jeune fille à l'hôtel Sun Valley de Val-Morin, je le soupçonnais d'y retourner encore ce dimanche-là. Je n'ai pas dit un mot, j'ai fait semblant de croire qu'ils allaient tous passer la journée ensemble. Au fond de moi, je trouvais les gars bien généreux de couvrir ainsi leur ami, un dimanche matin à sept heures. Par contre, je les sentais un peu mal à l'aise. «On se retrouve à Val-Morin, Jean-Claude? À tout à l'heure!»

Jean-Claude s'est préparé. De la façon dont il était habillé, il n'avait pas l'air d'un gars qui allait faire du sport dans le nord. Il se dirigea vers la salle de bains. Comme je savais qu'il mettait toujours les clés de sa Jaguar dans la poche de son veston, je les ai prises, j'ai ouvert la porte d'entrée doucement, et j'ai jeté les clés dans l'incinérateur. Nous n'avions qu'un trousseau de clés par voiture, il fallait aller chez le concessionnaire pour en obtenir un autre. Quelle imprudence!

Hypocritement, j'ai repris ma place à table. J'ai siroté mon café. Il s'est mis à chercher ses clés, il était nerveux. Il a fouillé dans une poche, dans l'autre, sur le bureau, dans la chambre, sur la table d'entrée.

– Tu n'aurais pas vu mes clés de voiture par hasard? m'a-t-il demandé.

– Mais non.

– Je ne les trouve plus.

– Tu les as peut-être laissées dans ta voiture.

– Ah oui, peut-être!

Nous habitions le Cartier, il y avait un service de valet. Il est descendu au garage, puis est remonté aussitôt.

– Je ne les trouve pas, c'est moi qui ai garé ma voiture hier soir.

– Ah, comme c'est dommage! (J'avais l'air tellement sincère!) Veux-tu que je cherche avec toi?

On a cherché, cherché, cherché.

Gentille: Veux-tu que j'aille te conduire? Tu reviendras avec un des gars. (Pas mal celle-là!)

– Non, non, non!

Bien sûr, il devait aller chercher la fille à Montréal pour aller dans le nord ensuite. Elle a téléphoné.

J'ai répondu: Jean-Claude, c'est pour toi.

– Je ne trouve pas mes clés, lui a-t-il dit.

Je triomphais! Mais en même temps, j'étais enragée. Vos jours sont comptés mon ami! Je ne lui ai jamais avoué mon délit. S'il achète ce livre, il l'apprendra en même temps que vous.

La fin d'une autre belle aventure!

# Chapitre 14

# MOI ET L'AUTRE

Denise et moi travaillions souvent avec Jean Bissonnette. Nous étions dans son bureau, lorsque la porte s'est ouverte sur un tout jeune homme blond aux yeux bleus, qui bégayait:

– Je suis content de vououous voir, je suis en train d'ééééécrire quelelelque chose pour vous autres, je vais vousouous monontrer ça prochainement. Ça va être bien bon.

On l'a trouvé drôle et sympathique.

Jean nous a dit:

– Il écrit pour Jacques Normand et Roger Baulu pour les *Couche-tard*. Il est excellent; plus jeune il faisait partie, en tant que scripteur, de la revue universitaire Bleu et Or. C'est Gilles Richer.

Quelques semaines plus tard, il est arrivé avec un texte qui était pas mal, mais qui ne correspondait pas tout à fait à nos personnages.

Denise et moi sommes allées dîner au restaurant Chez son Père, rue Notre-Dame, un endroit tenu par monsieur et madame Bouyeux, où se retrouvaient tous les artistes avant ou après les spectacles. Mousseau, le peintre, y a fait une fresque magnifique.

Attablées au restaurant, Denise et moi discutions en nous disant qu'il faudrait que le personnage de Denise, la plus allumée des deux, «embarque» la petite qui était plus naïve; en fait, nous voulions reprendre nos personnages de cabaret.

Le lendemain matin, nous avons revu Jean Bissonnette et Gilles Richer en leur expliquant notre point de vue. On a suggéré des intrigues tirées de nos vraies vies. Gilles a tout de suite compris. Il a conçu le premier épisode, celui dans lequel Denise a un béguin pour un très bel Espagnol. Pour lui montrer combien elle appréciait sa culture, elle demandait à sa bonne, moi, en l'occurrence, de chanter et de danser pour lui faire plaisir. Je devais inventer un jargon qui sonnait espagnol et que seule Denise comprenait. Je me démenais comme un beau diable, dans une sorte de flamenco.

Chaque fois que ça sonnait à la porte, je me mettais à danser, mais ce n'était jamais la personne attendue qui entrait: c'était tantôt Gustave, le concierge (Réal Béland), ou monsieur Lavigueur, le gérant du building (Roger Joubert), ou encore le facteur. Finalement, le bel Espagnol arrivait. J'avais tellement dansé que j'étais épuisée (je l'étais pour de vrai!). J'avais toutes les difficultés à m'exécuter.

L'émission était diffusée en direct le soir, après les répétitions pour les caméras, le «run through», la générale. Toute la journée, j'y avais mis tant d'énergie et j'étais si fatiguée que j'avais de la difficulté à chanter et à danser, tellement j'étais essoufflée. Denise s'en est bien rendu compte et a eu un fou rire qu'elle avait bien du mal à retenir. Ça nous arrivait souvent. *Moi et l'autre* a été la première émission diffusée en couleurs à Radio-Canada. C'était tout un événement!

Nous puisions, comme je le disais, plein d'idées dans notre vie quotidienne. *Moi et l'autre* racontait les aventures de deux filles célibataires qui habitaient ensemble et qui swinguaient pas mal. Madeleine Quévillon nous habillait, elle était la propriétaire de la boutique *Elle*; elle nous organisait des «kits», les bottes, la jupe, la blouse, la robe, le manteau. Nous suivions la mode du magazine *Elle* français. Nous étions critiquées par certaines madames parce que nous portions des mini jupes et que nous étions «trop vieilles pour nous afficher ainsi». Radio-Canada recevait ce genre de commentaires, ça faisait jaser! On avait 30 ans... Allo, vieilles...!

Nous étions de vraies cartes de mode. Il fallait voir nos tenues lors des galas. Denise portait des robes signées Paco Rabanne ou Pierre Cardin. Yvon Duhaime était à l'avant-garde de la mode comme nous et il nous faisait des créations aussi excentriques les unes que les autres. Nous portions des faux cils qui coûtaient cinq à six dollars la paire. Je me souviens que mon chien Attila, un fox-terrier, les avait reniflés avec son gros nez. Les faux cils avaient collé à son museau et, d'un coup de langue, il les avait avalés. À cinq dollars la paire, je ne les laissais plus traîner. Une fois, Denise, qui trouvait ses faux cils trop longs, les avait coupés en même temps que ses vrais cils qui étaient épais et très beaux. Le drame!

Nous avons lancé à Montréal la mode des petits points noirs sous les yeux, ainsi que des faux cils dessinés sous l'œil, influencées par le mannequin Twiggy, une Anglaise maigre comme un cure-dent, qui avait lancé cette mode en Angleterre.

*Moi et l'autre* était le concurrent direct de *Cré Basile*. Mais au bout d'un an, nos cotes d'écoute ont dépassé les siennes. Comme je l'ai déjà dit, la comédie n'était pas très bien vue dans le grand monde! Très souvent, quand nous allions dans une soirée, des gens snobs nous demandaient:

– Que faites-vous à la télévision?

Nous répondions: *Moi et l'autre!*

– Ah! je ne connais pas.

Et à la fin de la soirée, après trois ou quatre verres, les dames chics disaient pourtant «Hein, ma noire!», faisaient le petit geste sec: «Fini, hein, hein!» et disaient «quétaine», un mot que nous avions emprunté à madame Pétrie et à Denise Émond. L'expression vient de Saint-Hyacinthe, où vivait la famille Keating, des gens très pauvres qui portaient de vieux vêtements. On disait «habillé comme un Keating» que le bouche à oreille a transformé en «quétaine.» «T'as l'air d'un quétaine.»

Du jour au lendemain, nous sommes devenues très populaires. Nous étions très sollicitées, autant par la gent masculine que par les gens d'affaires. On nous demandait de faire la publicité de *TV Hebdo*, de Vichy Célestin, des caméras Kodak. On était très heureuses et comblées; comme on disait: «Le gravy entrait.»

L'émission *Moi et l'autre*, diffusée à Radio-Canada, a vite gagné en popularité. Mais moi, je travaillais toujours pour le Canal 10, à *Toast et Café*. Télé-Métropole a fait un blitz de publicité et, bien sûr, on a mis ma photo en première page du magazine *Châtelaine* avec Olivier Guimond, et le couple de l'heure Jean Lajeunesse et Janette Bertrand. Le titre: «Tout le monde regarde le 10.» Ça n'a pas beaucoup plus à Radio-Canada, mais que pouvais-je y faire?

Et pour meubler notre temps libre... Denise et moi continuions à enregistrer des disques et à faire du cabaret. Dès qu'on nous annonçait dans un cabaret, la salle se remplissait. Un soir, au Casa Loma, le sénateur Giguère est venu voir notre spectacle. Nous étions flattées. Il s'est assis au «ring side», près de la scène. Une place privilégiée. Quand le maître d'hôtel vous place au «ring side», il attend quelques secondes derrière votre chaise pour vous faire comprendre qu'un pourboire serait apprécié. Donc, le sénateur s'est assis près de la scène, le spectacle a commencé, toutefois, il y avait des gars au fond la salle qui n'écoutaient pas du tout; ils fêtaient un de leurs camarades qui venait de sortir de prison.

Le sénateur s'est discrètement retourné et a fait signe aux gars derrière de se taire en mettant ses doigts en croix sur sa bouche. Au bout de dix secondes, un grand et gros gars a posé la main sur l'épaule du sénateur et lui a dit: «C'est-tu toé qui nous as fait signe de se taire?»

Le sénateur a fait signe que oui. En moins de deux, bang! Le coup est parti, le sénateur est tombé de sa chaise et la bataille a éclaté dans le club. Les chaises, les tables volaient.

Jacques Desrosiers, qui avait peur de tout, nous a dit: «On va sortir d'ici les filles, sinon on va se faire tuer.» Il y a eu une de ces bagarres!

Un autre soir de bagarre, nous avons été obligées de sortir par le petit soupirail du tapis roulant (tout en rouleaux) utilisé pour la livraison des caisses de bière. La bataille avait été tellement grave qu'on avait parlé de nous aux nouvelles de Radio-Canada, en disant qu'il y avait eu des blessés et un mort, et que nous avions dû nous enfuir par une fenêtre de la cave.

Un autre soir, j'étais sur scène en train de faire un numéro, et un gars m'écœurait. Il avait mis son dentier sur le bord de la scène et le faisait claquer sur le plancher. Je suis allée vers lui, je l'ai regardé droit dans les yeux et j'ai écrasé ses dents avec mon pied, sans le quitter du regard. Très souvent, en saluant, je faisais la grimace à ceux qui m'avaient embêtée tellement j'étais à bout.

Denise me disait: «Franchement, est rendue qu'a fait des grimaces au monde, un vrai bébé!»

À ce moment-là, c'est moi qui étais la plus grippette et la plus baveuse des deux. Plus tard, Denise a repris le flambeau et moi je me suis calmée, mais je dois avouer que je sais encore bien me défendre quand il le faut. Avis aux intéressés, il ne faut pas trop m'acculer au pied du mur!

À preuve, un jour, en voiture avec Denise, nous allions chercher Donald Lautrec qui enregistrait au studio RCA, rue Guy, près de la rue Sainte-Catherine. Des gars nous suivaient dans une petite Volkswagen et nous criaient des insanités, en collant d'un peu trop près ma voiture. On a fait deux ou trois fois le tour d'un carré: Sainte-Catherine, Mackay, Dorchester, Guy. Les gars n'arrêtaient pas et devenaient de plus en plus vulgaires. Enfin un feu rouge! Je me suis arrêtée, je suis sortie de la voiture, j'ai ouvert la porte de la Volkswagen du côté du chauffeur, et le bras sur la porte, l'autre sur le toit, je lui ai martelé les côtes et le ventre avec mes talons aiguilles. Il était coincé dans sa voiture et ne pouvait pas sortir. Comme il était en chemise, les petits talons aiguilles ont fait leur travail. Sa chemise était marquée de petits ronds de sang. La circulation s'est arrêtée, un policier est arrivé:

– Voyons, voyons, qu'est-ce qui se passe ici?

J'ai lâché la porte, et le gars de six pieds trois pouces est sorti.

– Elle m'a battu, a-t-il dit au policier.

– Wow, wow, wow! Un instant, un peu de sérieux là! a répliqué le policier.

Je mesure cinq pieds, haute comme trois pommes, et je pesais 90 livres; lui, 200.

– Qu'est-ce qui est arrivé là, vous vous êtes battus? a fait le policier.

– Non, c'est elle!

– Voyons, voyons!

– Oui, oui c'est moi! ai-je lancé.

– Bon s.v.p., tout le monde rentre dans sa voiture, y s'est rien passé, OK?, a repris le policier.

– Toi, mon gros hos... (je sacre de temps en temps), ça t'apprendra une chose, j'ai pas peur de toi, O.K.? Gros plein de m...

Et c'est vrai, je n'ai jamais eu peur de personne. Je me suis souvent dit: «J'vais finir par manger une maudite volée!»

# Chapitre 15

# MON COUP DE FOUDRE
# POUR HENRI H.

En revenant d'un voyage au Mexique avec Denise Filiatrault, je lis dans le magazine *Châtelaine* un article sur le mari québécois idéal, et je vois une magnifique photo d'un très beau garçon debout, un poing sur la hanche, très relax. De l'autre main, il tenait, entre le pouce et l'index, une femme. Il était vêtu d'un complet bleu foncé, il portait une cravate; il était très élégant. C'était vraiment l'homme idéal pour une femme... Beau, beau, beau.

Je l'ai montré à Denise:

– Je le connais, c'est Henri Heusdens, il est barman au Barbe Bleue, une discothèque sur la rue de la Montagne. Si tu veux, je peux te le présenter, m'a-t-elle dit.

Denise était une souris de discothèque. Elle savait qui fréquentait les endroits branchés et à quelle heure; où trouver la meilleure musique; elle connaissait tous les barmen, tous les propriétaires; rien ne lui échappait. Comme Woody Allen qui disait: «Je suis un rat des villes, je sais tout ce qui se passe dans New York.» Ce génie a écrit, réalisé, produit des films avant-gardistes, traitant de médecine douce, d'acupuncture, d'écologie, de relations de couple, etc., avec un humour très personnel.

Denise savait que mon aventure avec Jean-Claude V. était terminée. Un soir, après *Moi et l'autre*, elle m'a proposé: «On va aller faire un tour au Barbe Bleue.»

Nous nous sommes donc installées au bar.

– C'est lui là-bas au bout du bar, m'a dit Denise.

Je le voyais de dos. Il était grand, six pieds deux ou trois pouces. Il s'est retourné, nous a aperçues et est venu vers nous avec un sourire et un charme à vous arracher le cœur. Beau, la beauté du diable! La foudre venait de s'abattre sur moi. Moi qui aime les hommes aux yeux noirs et cheveux foncés, «il les avait». D'habitude, je suis très à l'aise, là je ne savais pas trop comment agir. J'essayais d'avoir l'air détendue, je me trouvais gauche, mon cœur battait.

Il «nous» a dit en «me» regardant droit dans les yeux:

– Qu'est-ce que je peux vous offrir?

J'avais envie de dire tout! Franchement, je ne me souviens pas de ce que j'ai bu ou même si j'ai bu, car je bois très peu. J'ai dû dire, je crois, parce que j'étais dans un état second:

– Comme Denise.

– Pis? a ensuite demandé Denise.

– Écoute, j'sais pas quoi dire, j'suis faite.

– Bon, viens avec moi aux toilettes.

Tout le monde sait que lorsque deux filles vont aux toilettes ensemble, c'est pour placoter. Je lui ai dit:

– Écoute, il est super. Est-ce qu'il a une blonde?

– Je ne sais pas, me semble que j'ai entendu dire qu'il est marié, mais c'est pas sûr!

– Oui, mais je ne suis pas prête à m'embarquer dans le trouble, sortir avec un gars marié franchement, ça m'intéresse pas!

– Ben non, prends ça comme ça vient. On ne sait pas si c'est vrai, c'est pas grave, ça fait plusieurs fois qu'il me demande de t'amener ici.

– O.K.

On est retournées au bar comme si de rien n'était.

Lui, qui était futé et qui en avait vu d'autres, même s'il n'avait que 25 ans, nous a dit:

– Qu'est-ce que vous êtes allées comploter là toutes les deux?

– Ah! rien, rien..., avons-nous répliqué en chœur.

Il est venu nous parler plusieurs fois au cours de la soirée. Toujours en me regardant dans les yeux, il m'a dit:

– Tu m'attends, je finis à deux heures et demie du matin.

Moi qui n'ai pas l'habitude de me coucher tard, je suis restée au bar, clouée sur mon tabouret. Je ne m'endormais plus du tout; j'étais réveillée «net».

Quand il me parlait, c'était comme si j'étais la seule femme au monde, la plus belle, la plus intelligente, «la plus toute». Il en était de même avec toutes les femmes qu'il servait, mais je ne le voyais pas. C'était sa grande qualité, la qualité première d'un barman. La femme à qui il s'adressait était unique au monde! Quelles que soient les personnes qui entraient dans la discothèque, elles étaient toutes plus importantes les unes que les autres. Il les saluait par leur prénom, les hommes aussi; il avait une mémoire d'éléphant, se souvenant de tous.

Il était arrivé au Québec, à Montréal, à 20 ans, en pleine nuit, sans le sou, faut le faire! Lui qui avait été élevé dans la zone, comme on appelait autrefois les quartiers défavorisés de Paris, il savait très bien se débrouiller: un vrai titi!

Il adorait sa mère qui le lui rendait bien. Elle portait toujours une petite breloque au cou dans lequel il y avait, vous l'aurez deviné, la photo de son fils. Il était le seul garçon de la famille, élevé avec quatre filles. Dans son établissement, il savait tout, voyait tout, il avait des yeux tout le tour de la tête. C'était aussi un sportif, il s'entraînait tous les jours: boxe, course à pied, cardio, bicyclette. Dans un bar, on doit être prêt à ramener le calme dans la place s'il y a des têtes chaudes qui perturbent les clients; il faut être en forme.

Il était super diplomate et contrôlait bien la situation. Avec lui, je me sentais en sécurité. On me demandait souvent en entrevues: «Croyez-vous au coup de foudre?» Je répondais: «Non, je pense qu'il faut apprendre à connaître l'autre pendant quelques mois, après on l'apprivoise et ensuite, je crois, on l'aime.» Pauvre épaisse! Il m'aurait demandé de marcher sur de la vitre cassée, je l'aurais fait!

J'étais folle de lui; j'étais déjà dans son lit. Nous étions dans la même bulle. Est-ce que j'avais déjà aimé avant? Non.

Je ne marchais pas, je volais ou plutôt je flottais un pied au-dessus du plancher. Je n'avais jamais connu une sensation comme celle-là. «Mon Dieu, faites que je me réveille! Non, c'est trop bon. Je ne veux pas que ça arrête. Calme-toi Dominique, ça n'est même pas commencé!»

Nous sommes partis ensemble après son travail pour prendre un verre à la jazz-thèque d'Yvon Robert, rue Guy. On a parlé, parlé, parlé. Je sentais qu'il avait un coup de cœur pour moi, lui aussi.

Comme Jean-Claude avait laissé quelques affaires à l'appartement, j'ai loué une petite suite au Ritz pour quelques jours, en attendant qu'il libère la place. Le lendemain, Henri a tout quitté et s'est installé avec moi. Nous étions éperdument amoureux. Moi, je n'étais pas encore divorcée, séparée oui, mais pas divorcée. J'avais juré de ne plus jamais m'engager, mais avec lui... «c'était pas pareil»!

*Moi et l'autre* connaissait un succès phénoménal. Nous talonnions toujours *Cré Basile*, même s'ils avaient une saison d'avance. Denise aussi était amoureuse. Elle avait rencontré, pendant nos vacances au Mexique, Benito Guitian, un jeune Mexicain d'une excellente famille, très beau, très bien, qui gérait un grand restaurant à Acapulco, avec son ami Guillermo Andrade (Guillermo deviendra plus tard le mari de Lise Watier et un excellent homme d'affaires).

Comme Henri vivait avec moi au Cartier, toutes les nuits je me levais vers trois heures du matin pour lui préparer quelque chose à manger lorsqu'il arrivait du travail. J'aimais sa présence, je l'adorais. Je me levais tous les matins à six heures et me rendais sur le plateau de *Toast et Café* et aux répétitions, aux meetings et aux enregistrements de *Moi et l'autre*. Je travaillais très fort avec Richer, Bissonnette et Denise.

Avec le printemps, est revenu le fameux concours Miss Télévision. Michèle Richard fut couronnée en cette année 1967, et au gala, elle était accompagnée de son amoureux Guy Cloutier. *Moi et l'autre* a remporté le Méritas de la meilleure émission à succès, et *Cré Basile* celui du succès soutenu (sic) d'une émission de télévision. Eh oui, c'était la formulation de présentation du trophée!

Les découvertes de l'année ont été: Nanette et le chanteur Éric, de son vrai nom Éric Saint-Pierre, qui devait plus tard mettre sur pied la Fondation Mira. Le 21 octobre 1981, pour la première fois, la Fondation offrira à deux personnes aveugles, deux chiens dressés au Québec. Bravo Éric!

Pour le soir du gala, Yvon Duhaime avait dessiné plusieurs tenues extravagantes: pour Michèle Richard, un *jump-suit* rose, avec un grand manteau de boa rose; pour moi, un costume de dentelle blanche, très petit page, et pour Marthe Fleurant, jeune interprète des succès de la Bolduc, un décolleté plongeant inoubliable. Denise portait une création audacieuse de Paco Rabanne, une minirobe de plastique et de métal.

Je suis allée au gala avec Henri H., qui n'aimait pas beaucoup les mondanités. Il n'a jamais aimé ça. Qui est «ce bel inconnu» qui accompagne Dominique Michel? Inconnu, il ne l'est pas resté longtemps. Michel Girouard, le potineur numéro un, s'en est chargé et moi je n'ai rien fait pour l'en empêcher. J'aimais Henri H. et je voulais le dire à la terre entière.

1967, l'année de l'Expo. J'ai eu un coup de téléphone de Wayne & Shuster, le plus grand duo de comiques canadiens-anglais de l'époque, qui était souvent invité au célèbre *Ed Sullivan Show*. Il montait un spectacle au Pavillon du Canada, une revue bilingue, *Katimavik*. Du côté francophone, il y aurait Denise Filiatrault, Paul Berval, Jean-Guy Moreau et moi.

Nous avons reçu les meilleures critiques. Normal, on était chez nous: «Dodo et Denise font un malheur dans *Katimavik*.» L'un des sketches, qui a bien fait rire, parodiait des gens qui attendent en ligne pour entrer dans un restaurant. J'étais une cliente qui attendait tellement longtemps qu'elle finissait par mourir d'inanition. Après des heures et des heures d'attente, on la sortait sur une civière.

Je participais encore à *Toast et Café* le matin, ensuite à *Moi et l'autre*, et à 16 heures la revue *Katimavik*. Je ne chômais pas.

Juste avant nous, à 15 heures, sur la même scène, se produisaient les Feux Follets, un groupe de danseurs folkloriques.

Comme j'arrivais toujours un peu en avance, je connaissais par cœur les pas de leur dernier numéro. Un soir, j'ai dit à Denise: «J'embarque dans le numéro!» Ce qui fut dit, fut fait!

J'ai attrapé la main du dernier danseur et je suis entrée sur scène en dansant comme eux, dans la farandole; sans costume, telle quelle, au grand plaisir des spectateurs qui m'ont reconnue.

On s'est bien amusés pendant l'Expo. Tous les soirs, Denise et moi allions manger dans un restaurant différent. La cuisine de tous les pays, ou presque, était représentée. Notre préféré: la Tunisie. Les dirigeants du resto sont restés ici après l'Expo et ont ouvert le Kerkennah, rue Fleury dans l'est, qui existe toujours, mais je ne sais pas si ce sont toujours les mêmes proprios.

Nous aimions aussi le pavillon mexicain où des mariachis chantaient tous les soirs. C'était le party. Denise et moi connaissions bien le Mexique et on était folles de l'ambiance; nous dégustions leur fameux poulet au chocolat. Le pavillon belge figurait parmi nos préférés: Dieu sait qu'on mange bien en Belgique! Le pavillon de l'Italie aussi était très fréquenté, tout comme le pavillon français. Nous étions connues partout comme le loup blanc et nous coupions facilement les files d'attente.

J'avais un ami, Raymond... cha... cha... cha Brisson, consul de Panama, dont le métier était de vendre de la fourrure. J'achetais mes manteaux chez lui. Il avait loué un pavillon et y vendait du poulet BBQ. Il y avait tellement de monde qu'il avait de la difficulté à servir la clientèle. Un jour, il m'a dit: «Les gens se plaignent que mon poulet n'est pas frais. C'est pas possible, j'ai même pas le temps de le faire cuire.» C'était vrai.

Après l'Expo, Denise et moi avons fait le frontispice de *Châtelaine*, un magazine féminin sérieux, un peu intellectuel, qui ne s'intéressait pas beaucoup à la comédie. Nous les «comiques» étions toujours considérés comme le bas de gamme de la colonie artistique. Mais Hélène Pilote, la journaliste, a pressenti l'immense succès que deviendrait *Moi et l'autre*.

Nous influencions beaucoup la mode à Montréal avec nos minijupes. Deux filles libérées bien avant les autres. Elle nous a fait un beau papier de huit pages.

Notre langage surprenait aussi la critique, car «on jouait comme on parlait». Certains nous le reprochaient; dans les téléromans de l'époque, on parlait «un tit brin pointu». Dans *Moi et l'autre*, nous utilisions le langage du quotidien; les expressions les plus connues; les termes français les plus exacts et l'argot parisien quand c'était nécessaire. Nous cherchions constamment de nouvelles expressions pour faire rire. Le public se retrouvait en nous. Mais comme l'avait remarqué Hélène Pilote: «Elles parlent aussi avec leurs yeux, leurs sourires et leurs gestes. Bref, elles sont uniques.» C'était aussi grâce à Jean Bissonnette, qui nous dirigeait si bien et qui était toujours de bon conseil.

Jean a été très, très important dans la carrière de plusieurs artistes. Je lui dois beaucoup, tout comme Gilles Vigneault, Jean Lapointe, Ding & Dong, le Festival Juste pour rire. Je souhaite à tous les artistes d'avoir un Jean Bissonnette dans leur vie, quelqu'un qui vous aime assez pour vous dire avec affection que vous êtes «à côté de la plaque». Jean-Claude Lespérance était aussi franc et intègre que Jean.

Sur le plan personnel, Henri H. et moi filions toujours le parfait amour. On parlait beaucoup de nous dans les journaux. Nous étions amoureux fous. Je peux dire que j'ai connu le parfait bonheur avec lui. Amoureuse, quel état de grâce!

Pour Noël, nous avions décidé de passer les vacances à Rio de Janeiro. Nous sommes donc arrivés à Rio dans un hôtel bien, mais que nous n'aimions pas trop. Nous avons ensuite déménagé au Copacabana Palace sur la plage.

À Rio, tous les hôtels qui font face à la mer sont de l'autre côté de la rue; du côté plage, de larges trottoirs en mosaïque servent de promenade. Pendant mon séjour, j'ai acheté une pierre fabuleuse, une améthyste que j'ai toujours, une vraie «bague de cardinal». À l'époque, ça ne coûtait pas très cher. La monture est ciselée à la main, un travail de plusieurs mois. Chaque fois que j'ai voulu transformer cette bague, tous les bijoutiers m'ont dit: «C'est un crime de la changer.»

Au Brésil, en ce temps-là, je crois qu'un ouvrier gagnait 30 dollars par mois, peut-être moins. Les gens étaient très pauvres, mais il n'y avait heureusement pas les fréquentes agressions des dernières années. Aujourd'hui, on rapporte dans les journaux des histoires horribles de gens kidnappés pour prélever leurs organes et en faire un trafic international. Rio est devenu une importante plaque tournante du trafic d'organes.

En 1967, il y avait des terrasses magnifiques le long des trottoirs de Rio; des fleurs à profusion dans d'immenses jardinières; des chaises confortables; des tables invitantes. Aujourd'hui, on vous arrache vos lunettes de soleil du visage, ça m'est arrivé. Il faut être très *low profile*, pas trop bien habillé, ne porter aucun bijou, même pas de montre. Rien!

Je me souviens que lors d'un de mes voyages à Rio, j'ai été intriguée par un attroupement: un gars battait une femme près d'un car de touristes. Les touristes essayaient de calmer l'agresseur. Tout le monde s'est énervé pendant 10 minutes, puis on a appelé les policiers.

Tout à coup, on s'est aperçu que le couple n'était plus là. Tout était rentré dans l'ordre! Mais les touristes, eux, n'avaient plus de caméra, plus d'argent, plus de sac à main, plus de ceinture autour de la taille, plus de passeport, plus rien que leurs yeux pour pleurer... En quelques minutes, tout avait disparu. Heureusement, moi, j'avais caché mon argent dans mon soutien-gorge, comme mes «matantes». Je n'avais rien dans les poches, j'étais la seule à qui il était resté du pognon.

Quel dommage! Rio est une si belle ville. Mais il y a trois millions d'enfants abandonnés au Brésil; il faut bien qu'ils mangent, alors ils se débrouillent comme ils peuvent. On voit de jeunes enfants se promener dans les rues avec un badge accroché à leur chemise, sur lequel c'est écrit: «Official». Quand on veut garer sa voiture et la retrouver intacte, on leur donne deux ou trois dollars pour le gardiennage, autrement à notre retour, la voiture n'a plus de pneus, plus de volant; trois dollars, c'est pas trop cher!

Quand, quelques années plus tard, nous avons tourné *Les grandes vacances* au Brésil, toute l'équipe est allée manger dans un restaurant où l'on sert un churrasco, différentes viandes grillées «dans» la braise. Le bœuf et la bosse de bison sont exceptionnels là-bas. On a commandé des hors-d'œuvres, un churrasco, du dessert, du vin à volonté, pour une quinzaine de personnes. Un ami à la retraite, René Forté, et sa femme, Marie-Olive, se sont joints à l'équipe, et René s'est occupé de partager l'addition et de déterminer la part de chacun. Il nous a demandé 15 dollars: «Par personne? Non, non, non, par couple!»

À ce moment-là, j'étais avec Henri Atlas.

– Mais voyons, c'est impossible, seulement 15 dollars pour tout ce que nous avons mangé?

– Eh oui, sept dollars cinquante par personne!

– Ça n'a aucun sens, laissons un gros pourboire, m'a dit Henri A. Il a laissé 25 dollars. Le garçon lui embrassait les mains en disant: «*Obrigado, obrigado* (merci).»

* * *

Mais revenons à ce magnifique voyage avec Henri H. Nous sommes allés à Bahía, la ville du cigare, les meilleurs du monde avec ceux de Cuba. À Bahía, on trouve la haute ville et la basse ville, comme à Québec, et entre les deux un ascenseur. Au départ de l'ascenseur, il y avait un panier, on payait son passage et on reprenait sa monnaie soi-même. À l'époque, personne ne volait. Aujourd'hui, essayez de faire ça!

Ce qui m'avait frappée à Rio, c'était de voir les femmes prendre l'autobus en mini bikini: un string qui laissait voir les fesses et un soutien-gorge qui ne cachait que le mamelon, les deux occasions de péché!

À l'hôtel, nous avons rencontré une Belge, Mme Andeles, qui est devenue une amie le temps de notre séjour. Nous n'avons jamais su son prénom, jamais eu de ses nouvelles ensuite, mais nous avons passé avec elle de merveilleuses vacances. J'en garde un très bon souvenir, le hasard des rencontres!

En revenant de notre voyage à Rio, j'ai voulu divorcer. J'avais appris que la conjointe de Camille venait d'avoir un bébé. Je lui ai téléphoné et lui ai parlé de divorce. Il m'a demandé de prendre tous les torts à ma charge, de renoncer à mon contrat de mariage qui stipulait séparation moitié-moitié des «biens meubles». La maison était à son nom et, en partant, je n'avais emporté que mes vêtements. En plus, il me demandait 15 000 dollars. J'ai refusé. Je prenais tous les torts, le reste lui appartenait, c'était suffisant. Je lui ai demandé de réfléchir quelques jours avant de me donner une réponse: finalement il a accepté. Une convention ridicule m'obligeait à donner un dollar significatif pour le règlement. J'ai pris un avocat, M$^e$ Cohen et j'ai attendu qu'on entame les procédures.

Entre-temps Henri H. est allé 10 jours en France pour voir sa famille. Lui aussi, je l'attendais! J'avais un petit chien, Attila, un fox-terrier, comme Milou, qui faisait ma joie et celle d'Henri qui adorait les animaux; Attila me tenait compagnie pendant l'absence d'Henri.

Je pourrais écrire un livre sur ce chien fougueux, je devrais dire «fugueur», qui se sauvait chaque fois qu'il le pouvait. Un jour, il a réussi à se défaire de son collier même s'il était en laisse et est parti en courant. Je vivais au coin Sherbrooke Ouest et Peel, j'avais peur qu'il se fasse frapper, il courait comme un fou. Je l'ai appelé; rien n'y a fait. Le temps qu'il descende la rue Peel, j'ai tenté de le rejoindre par la rue

Stanley, mais à de Maisonneuve je l'ai perdu. On était en hiver, je lui avais acheté un genre de pull à col roulé. J'ai appelé au poste de police n° 10 pour savoir s'ils avaient trouvé un petit fox-terrier. On m'a répondu: «Pas pour le moment!» J'ai laissé mon numéro au cas où. Finalement, un policier m'a rappelée:

– On a retrouvé un petit chien, comment est-il habillé?

– Il porte un col roulé turquoise avec des barres marine.

– Ah, c'est bien lui, venez le chercher!

Une autre fois, alors que je le promenais sur la montagne, près du lac des Castors, il a vu les canards dans l'eau et s'est jeté à leur poursuite. J'avais beau l'appeler, il ne m'écoutait pas. C'est têtu un fox-terrier! Il nageait comme un fou après ces pauvres bêtes. Après une bonne demi-heure, il est revenu au bord. «Viens, Attila, viens!» Il ne bougeait pas. J'ai sauté à l'eau. On était en automne et je l'ai attrapé par la laisse qu'il avait toujours au cou. On était mouillés tous les deux, gelés, trempés jusqu'aux os, au grand plaisir des badauds. Je ne l'ai pas frappé, mais au ton de ma voix, il a compris que je n'étais pas contente.

À son retour de France, Henri s'est associé à Maurice Oussay pour préparer l'ouverture d'une discothèque qu'il a appelée Chez Zouzou, le surnom qu'il me donnait. Cette petite discothèque était située rue Mackay près de Sherbrooke. Décorée par Roger Haeck, elle avait des banquettes en velours rayé, un panaché de rouge, chacune décorée d'un tanagra. Les murs étaient tendus de velours rouge et les cadres au mur me représentaient tous, vêtue de différentes robes d'époque. Chez Zouzou était un bar charmant, très, très élégant, une bonbonnière super chaleureuse, une boîte intime à la clientèle exceptionnelle. Bien sûr, j'en ai fait la promotion; c'était facile, tous les journalistes nous couraient après, Denise et moi, parce que nous avions un gros succès avec *Moi et l'autre*, l'émission préférée des Québécois. Nous avons même fait la couverture de l'*Almanach du peuple*. Charles Aznavour, que nous avions connu lorsqu'il vivait à Montréal et chantait avec Pierre Roche, est même venu faire notre émission, et ce fut un hit.

L'émission était toujours liée à notre quotidien. Laissez-moi vous raconter un scénario.

«Le feu est pris dans le building, l'ascenseur s'ouvre et les pompiers au lieu d'arroser le feu se retournent brusquement et arrosent les deux filles qui sortent de l'ascenseur.»

Avant l'émission, Denise, qui avait une sortie le soir même, a demandé à Claude Michaud, qui personnifiait un des pompiers, de ne pas arroser son visage et ses cheveux. Moi, je n'avais rien à craindre car je portais les cheveux très courts. Pas de problème! On a tourné.

Donc, comme prévu, la porte de l'ascenseur s'ouvre, mais Claude arrose Denise de la tête aux pieds. La coiffure et le maquillage sont complètement ruinés, l'eau dégoutte de ses cheveux.

Elle n'était pas fâchée à peu près la grande, et avec raison. Denise n'a pas parlé à Claude pendant des années. Tiens, tiens, je n'ai pas été la seule!

Au mois de mars 1968, *Moi et l'autre* a soufflé la première place à *Cré Basile*. Ouf, ça n'a pas été facile! À Montréal, *Moi et l'autre* a atteint des cotes d'écoute de 446 400 et *Cré Basile*, de 423 800. Si on y ajoutait l'écoute de la province, on arrivait pour *Moi et l'autre* seulement à un total de 1 500 000 téléspectateurs. C'était énorme!

* * *

Entre-temps, j'avais reçu une convocation pour mon divorce. Henri H. et moi avions décidé de divorcer de nos conjoints respectifs en même temps et le même jour. Nous devions, à ce moment-là, comparaître à Ottawa.

Nous sommes arrivés sur place, il y avait des photographes. Le juge m'a réprimandée en disant: «Ce n'est pas un cirque ici, ce n'est pas un spectacle.» Ça commençait bien. J'ai eu beau lui expliquer qui j'étais et que je n'avais, personnellement, convoqué aucun photographe, il ne voulait rien savoir. Il ne me connaissait pas. Je dis toujours: «Passé la rue Saint-Laurent vers l'ouest, on n'est pas très connu des anglophones»; imaginez à Ottawa! La comparution a duré trois minutes, trois questions, ce fut tout. La semaine suivante, nous avons reçu nos papiers de divorce.

À cause des photos prises, l'huissier avait essayé de saisir l'appareil de Jean-Pierre Karsenty. Bien sûr, il avait refusé de le lui remettre et avait été expulsé du Victoria House. La même semaine, nous faisions la «une» des journaux avec la photo de Jean-Pierre. Henri était beau comme un mannequin de *Vogue Magazine*.

* * *

Mars 1968. On fêtait les 10 ans de la Comédie canadienne et Denise ouvrait son restaurant La Seigneurie, rue Notre-Dame dans le quartier des affaires, avec Benito, son amoureux mexicain, qui avait fait l'École d'hôtellerie à Lausanne, en Suisse. Grande ouverture, grand cocktail, le restaurant et le bar furent décorés par Philippe Dagenais, notre ami, un beau garçon gentil comme tout. Tellement gentil que quand on lui a demandé de nous aider à aménager nos appartements, il l'a fait avec plaisir, sans demander à être payé. Il ne nous est même pas venu à l'idée de le rémunérer, parce que le métier de décorateur d'intérieur en était encore à ses balbutiements. Pour nous, c'était normal qu'il nous donne gratuitement des conseils. Il sortait de l'École des beaux-arts et acquérait de l'expérience! Nous étions naïfs.

Philippe a aussi décoré un appartement magnifique pour Renée Claude et un autre pour Benoît Marleau. Son style est très contemporain. On dit que c'est froid. Pas du tout, c'est nouveau, c'est sobre, épuré. Pour moi, il décorera un appartement à Habitat 67, une maison à Ville Mont-Royal, un immense appartement au Sanctuaire du mont Royal, un autre à Tropiques Nord. Il m'a aussi conseillée pour un condo en Floride. J'aime son imagination et les lignes pures de ses créations. J'ai beaucoup appris avec lui, quelquefois j'osais certains arrangements, il me corrigeait gentiment. Il m'a donné le goût du dépouillement. Au fond, de quoi avons-nous besoin dans un salon: un divan, deux fauteuils, une table à café, des lampes et une ou deux tables d'appoint. Il a horreur des meubles alignés le long du mur qui font le contour d'une pièce. Moi j'adore le marbre. Je crois que j'ai éveillé un peu en lui le goût de cette pierre. Quelle belle matière, pas de cocktail pour le nettoyer, c'est un Italien qui me l'a dit, de l'eau! Un point c'est tout! Et un bon polissage.

* * *

Mon ami, le pianiste et chef d'orchestre Paul de Margerie, que je fréquentais régulièrement, m'avait invitée à manger chez lui dans sa maison à Saint-Hilaire durant la fin de semaine de Pâques. Il avait acheté un vieux moulin à farine, converti en manoir. La maison était faite de vieilles pierres et de bois; dans le salon, on voyait encore la roue du moulin. À l'extérieur, il avait une roseraie magnifique, sa fierté. Il m'avait déjà confié que souvent il avait des maux de tête énormes, comme si sa tête allait éclater: «C'est insupportable.»

Il était amoureux d'une superbe fille, grande, brune; il l'adorait. Lors d'une conversation, il m'a dit qu'elle songeait à le quitter et il en avait un énorme chagrin. Il ne pouvait pas vivre sans elle, c'était l'amour de sa vie. J'essayais de le consoler comme je le pouvais. Il se sentait seul, et avait besoin de réconfort.

Il devait me téléphoner pour me dire quoi apporter pour le dîner. J'ai attendu et attendu. Puis, j'ai fini par téléphoner chez lui, pas de réponse. Je suis montée dans ma voiture et me suis rendue à Saint-Hilaire. Personne. Tout était verrouillé. Je suis revenue chez moi. Une amie commune m'a téléphoné pour m'apprendre que Paul était mort tragiquement.

– Quoi, comment, où, un accident?

À la dernière minute, Paul avait décidé de se rendre à Ottawa pour voir son amoureuse et la convaincre de continuer à vivre avec lui. Il s'est arrêté dans un motel pour lui téléphoner et lui parler.

Il lui aurait dit: «Si tu ne veux plus me revoir, je te le jure, je me tue maintenant.» Elle aurait répondu: «C'est fini Paul, c'est terminé, je te quitte pour toujours.» Dans la seconde qui a suivi, elle aurait entendu une détonation.

Quel choc! Paul avait 39 ans. J'ai eu un énorme chagrin. Le mal d'amour est l'un des plus terribles, je crois. J'y serai confrontée moi aussi quelques années plus tard.

\* \* \*

Le 14 mai 1968, c'était l'ouverture officielle de Chez Zouzou. Super cocktail. Le tout-Montréal était là, de Jacques Normand à Mᵉ Raymond Daoust; Denise Filiatrault avec Benito; Yvon Duhaime, qui m'avait confectionné pour l'occasion une belle robe blanche en organza; Claude Landré, l'humoriste numéro un de l'époque. Claude travaillait à l'américaine avec beaucoup d'intelligence et de classe. Il était unique; son style n'a pas été imité depuis; c'était d'une certaine façon un disciple de Jacques Normand. Il y avait des artistes, des avocats, des hommes d'affaires, de superbes filles, de beaux garçons aussi. Le champagne coulait, le monde adorait la boîte. Elle deviendra le rendez-vous d'une clientèle sélect puisqu'on devait sonner pour entrer.

Fin mai, j'ai ouvert La Chemiserie avec un associé, un ami d'Yvon Duhaime. Pourquoi ouvrir ce magasin? Par insécurité. Je le regretterai amèrement un an plus tard en y perdant énormément d'argent. On y vendait uniquement des chemises, de tous les styles et de toutes les couleurs. Ç'aurait dû marcher très fort, j'aurais dû écouter Henri H. qui me conseillait: «Ne délègue jamais, occupe-toi de tes propres affaires.»

Lors d'un de mes voyages au Mexique, à Acapulco, j'ai vu sur la plage un jeune Mexicain qui vendait «mes» chemises avec l'étiquette de La Chemiserie. Qui les avait apportées là, qui les lui avait vendues? Je n'ai jamais vu un sou de cette vente. J'ai donc décidé, avant de toucher le fond du baril, de fermer les portes de La Chemiserie, terriblement déçue par ceux en qui j'avais mis ma confiance.

# Chapitre 16

# «VOUS FINIREZ PAR M'AIMER»
## — Burt

Le Gala des Artistes 1968. Miss Télévision: Ginette Reno, qui a épousé Bob Watier, vient de mettre au monde la petite Natacha. Monsieur Télévision, cette année-là: notre beau Paolo Noël qui arrive avec son épouse, la divine Diane. Quel beau couple! J'étais heureuse pour Paolo avec qui je travaillais dans *Toast et Café*. Il le méritait bien. J'ai encore aujourd'hui une relation très amicale avec lui. C'est un garçon très sincère, tout d'une pièce.

Révélation féminine: Renée Martel; masculine: le chanteur Stéphane. Yvon Duhaime m'avait créé, pour l'occasion, une robe de petite fille modèle. Je traînais une poupée habillée comme moi. Où avais-je pris cette idée? Ce n'était pas l'idée du siècle. Après le gala, tout le monde est allé fêter Chez Zouzou: Jenny Rock avec Mᵉ Claude Archambault; Michèle Richard avec Tony Roman. Danielle Ouimet, belle comme le jour, était présente avec Michel Page, son amoureux. Denise Filiatrault n'était pas au gala, car elle avait été opérée d'urgence pour une appendicectomie. Elle était tous les jours dans son restaurant, en plus de faire *Moi et l'autre*, et d'élever ses deux filles. Elle était épuisée.

Je filais toujours le parfait amour avec Henri H. Je l'aimais, même si je commençais à douter de sa fidélité. Il travaillait très tard et dirigeait la boîte Chez Zouzou avec succès. Nous avions beaucoup travaillé tous les deux et nous sommes partis en vacances à Porto Rico.

Au mois de septembre, pendant que j'étais au studio d'enregistrement de *Moi et l'autre*, je me suis fait voler, chez moi, une grande partie de mes bijoux, des cadeaux qu'Henri m'avait faits ou que je lui avais donnés. J'étais peinée d'avoir perdu ces beaux souvenirs. Chanceuse dans mon malheur, les voleurs n'avaient pas trouvé la clé d'un secrétaire ancien dans lequel j'avais caché d'autres bijoux. Ils ont forcé le tiroir sans résultat (les vieux meubles sont solides), et pourtant la clé se trouvait sous un chandelier juste au-dessus du tiroir.

Le détective m'a dit, après quelques jours d'enquête: «Avez-vous trouvé quelque chose qui ne vous appartient pas dans la chambre?»

J'ai dis «non».

Mais un peu plus tard, en retournant le matelas, j'ai trouvé un revolver entre le sommier et le matelas. J'ai averti l'enquêteur qui est venu chercher l'arme, «cette chose qui ne m'appartenait pas». On n'a jamais retrouvé les bijoux...

Au cours des mois suivants, de temps à autre, j'ai reçu des coups de fil anonymes disant: «Henri était chez une telle hier après-midi» ou «Ils s'embrassaient dans une voiture».

Je savais qu'il était très sollicité, c'était un beau garçon, mais je ne donnais pas suite à ces bavardages. Tout le monde sait que la chair est faible et la sienne peut-être plus que les autres. Normal, il avait vingt-huit ans.

Pendant ce temps, l'ex-gérant et ex-amoureux de Guylaine Guy, Michel Leroy, un ami, a fait un saut à Montréal. Comme je travaillais beaucoup, je n'ai pas eu le temps de le voir. Je lui ai parlé souvent au téléphone, on a ri, on se rappelait nos vieux souvenirs. Il m'a dit qu'il était venu voir tous ses anciens amis du Québec, qu'il avait fait le tour, qu'il était très heureux de son séjour et aussi de voir à quel point ça marchait pour Denise et moi. Il m'a écrit «Les vieux ne sont pas morts "câlice" et c'est pas fini! Moi j'ai trente-six ans!»

Il est rentré en France et il m'a envoyé une lettre chaleureuse dans laquelle il me disait qu'il serait heureux de me voir en décembre à Paris, où je devais me rendre avec Henri H. pour rencontrer la famille de ce dernier. J'ai reçu sa lettre le 28 octobre 1968, et le jour même, j'ai appris qu'il s'était tué en voiture sur une autoroute de France. Prémonition. Il avait revu sa femme et sa fille restées à Montréal et tous ses vieux amis, sauf moi qui l'aimais beaucoup. J'avais malheureusement manqué le dernier rendez-vous.

Finalement, je suis partie à Paris avec Henri H. pour les vacances de Noël. Il y a fait froid et humide, il a même neigé. Nous demeurions chez les parents d'Henri, dans un modeste appartement. C'était des gens très chaleureux. Nous sortions tous les jours; nous allions dîner au restaurant, des repas copieux tous les soirs et comme j'étais très fatiguée, je me suis tapé une crise de foie pas ordinaire. Au dîner de Noël, avec toute la famille, j'étais incapable de manger un morceau: pourtant c'était un dîner fabuleux préparé avec amour par la mère d'Henri.

Après quelques jours, Henri et moi avons décidé de nous installer au chic hôtel Le Crillon; oui, Le Crillon, place de la Concorde, tout simplement. Je me suis remise doucement de ma maladie, et le soir du Jour de l'An, nous avons réveillonné tous les deux en amoureux dans une des suites de l'hôtel.

On nous a apporté des hors-d'œuvre délicieux; mais à peine avions-nous terminé que le plat principal est arrivé, puis le fromage. «Est-ce qu'il y a des caméras cachées qui nous surveillent ou des cobayes aux cuisines qui mangent la même chose que nous et à la même vitesse?» ai-je dit à Henri.

Ah, le service des grands hôtels, je ne connaissais pas ça! Au dessert, une petite bûche pour deux personnes, belle et savoureuse, nous a comblés de bonheur. Quel beau souvenir du Crillon à Paris! On était jeunes et on commençait à découvrir les gâteries que l'argent nous permettait.

Toutefois, il continuait de faire froid. L'humidité et le froid à Paris étaient presque insupportables. Je pense que c'est l'endroit au monde où j'ai eu le plus froid dans ma vie. Les Français nous disaient: «Voyons, les Canadiens, vous êtes habitués au froid.» Oui, mais au Canada, nos maisons sont chauffées. En France, peu de chauffage et les fenêtres restent ouvertes; les gens portent plusieurs épaisseurs de vêtements à l'intérieur: un t-shirt, une chemise, un pull, une veste... et une écharpe, pourquoi pas!

Nous avons aussi visité le Mont-Saint-Michel, mais c'était encore trop froid; nous avons donc décidé d'aller en Guadeloupe, au soleil. Yvon Duhaime, Roger Joubert et sa femme Christine Charbonneau s'y trouvaient déjà. Nous n'avions que des vêtements d'hiver? Qu'à cela ne tienne, on a acheté un maillot de bain, c'était tout ce qu'il nous fallait. Des vacances au soleil, au chaud, le bonheur!

* * *

Retour à Montréal. Gilles Richer a décidé d'écrire une revue qu'il a intitulée *Moi et l'autre*; nous avons commencé à la Comédie canadienne à partir du 7 mars 1969. Denise, Réal Béland, Roger Joubert, Gilbert Chénier, Françoise Lemieux, Guy Boucher, Yvonne Laflamme et moi, mise en scène de Jean Bissonnette, chorégraphie d'Alain Lund, décor de Jean-Marc Hébert, notre décorateur à la télé. Les costumes étaient de notre inséparable Yvon Duhaime.

Le soir de la première, j'ai invité ma mère et ma marraine Jeanne, la sœur de maman, la plus jeune, qui était d'une grande beauté. En fait, c'était la plus belle de la famille. Je leur avais réservé deux places au balcon. Depuis leur séparation, mon père évitait de sortir avec ma mère.

Toutefois, j'avais oublié que les théâtres avaient des permis pour vendre de l'alcool. Les bars dans les halls d'entrée étaient tout nouveau en 1967-1968. Donc, toutes les deux n'ont pas donné leur place en s'y installant. «Ah mon Dieu! Pourvu qu'elles ne boivent pas trop!» me suis-je dit. Comme de fait, elles ont pris plusieurs consommations.

J'étais dans les coulisses en train de me préparer quand M. Lacroix, directeur de la Comédie canadienne, est venu me chercher. «Il est arrivé un malheur», m'a-t-il annoncé. Jeanne avait déboulé du balcon et s'était cassé un bras. Ma mère aussi était tombée et était incapable de se relever. On a craint qu'elle ait le bassin fracturé. Il a fallu les envoyer à l'hôpital, et que quelqu'un signe pour elles (mon père n'était pas là et le mari de Jeanne était décédé). Je suis partie en ambulance avec elles pour l'hôpital Notre-Dame; nous étions à une demi-heure de la première.

J'ai procédé aux inscriptions et je suis repartie en taxi pour le théâtre. J'ai sauté dans mon costume, vite, vite; j'étais en retard et le public s'impatientait. Je me disais: «J'ai-tu besoin de ça dans ma vie?» Je n'avais même pas le trac; j'étais épuisée avant de commencer le spectacle.

J'avais deux heures de spectacle. À la fin, je devais faire un long saut et atterrir dans les bras de mes camarades. Malheureusement, j'ai mal calculé mon élan, j'ai atterri tout croche et je me suis blessée au ventre. Denise était énervée, elle criait: «La petite est blessée.» Je me tordais de douleur, maudit que ça allait mal! Je me suis néanmoins relevée et suis allée saluer le public. Heureusement, les autres soirs se sont mieux déroulés.

Après le spectacle, je suis repartie à l'hôpital pour voir comment allaient ma mère et ma tante. Elles n'étaient plus là. Elles étaient rentrées à la maison. Dans quel état? Je suis arrivée chez Jeanne, la porte n'était pas verrouillée, elle n'était pas dans son lit, mais dans la baignoire, endormie; le plâtre flottait dans l'eau, détrempé. Pensez-vous que c'est facile de sortir du bain une personne molle qui ne s'aide pas, avec un bras cassé et le plâtre qui dégouline?

Je l'ai hissée de peine et de misère et l'ai couchée sur son lit, en me disant que je reviendrais le lendemain et que j'appellerais ses filles, Andrée ou Agathe. Pour l'instant, je devais m'occuper de ma mère. J'avais les clés. Elle était dans sa maison, couchée. Elle n'avait rien de cassé, mais elle avait des bleus partout, comme si quelqu'un l'avait battue. Pour elle aussi, on verrait demain. J'ai aperçu une longue cigarette qui avait brûlé sur le tapis à côté de son lit. Elle allait finir par mettre le feu. C'était ma plus grande crainte et c'est ce qui arriva...

* * *

La critique de la revue *Moi et l'autre* dans les journaux fut plutôt tiède. Par contre, on aimait le sketch des deux commères de quartier qui placotaient en étendant leur linge d'un bord à l'autre du théâtre. C'était un numéro amusant; les deux femmes s'appelaient Mme Tremblay et Mme Brassard, en l'honneur de Michel Tremblay et d'André Brassard.

J'avais de la difficulté à récupérer après m'être blessée le soir de la première. Je travaillais en même temps le matin à Télé-Métropole dans *Toast et Café*. La demande n'était pas très forte en province, alors on a annulé la tournée de *Moi et l'autre* sur scène et, du même coup, j'ai décidé de quitter mes amis de *Toast et Café* à la fin du mois de mai. C'était un déchirement, car j'aimais Paolo, Frenchie, Rod, qui me le rendaient bien, et Pélo, mon cher Pélo, avec qui j'avais une si grande complicité. Encore aujourd'hui, lui et moi, nous nous téléphonons régulièrement.

M. L'Herbier, directeur des émissions du Canal 10, a été si gentil avec moi, il a bien compris ma fatigue.

J'ai passé des examens médicaux, on pensait que j'avais des pierres aux reins. Tout ce que je savais, c'était que je ne me sentais pas bien. Normal, j'étais épuisée.

J'ai pris dix jours de repos, seule dans un chalet de l'hôtel Chanteclerc à Sainte-Adèle. Et j'ai retrouvé ma forme. C'était tout simplement du surmenage.

* * *

Partout dans les journaux, on annonçait mon mariage avec Henri Heusdens. J'y pensais, mais nous n'en parlions pas entre nous. Je l'aimais comme au premier jour.

Pour le premier anniversaire de Chez Zouzou, Henri m'a acheté, chez le bijoutier Lucas, une magnifique bague, un diamant en forme de poire, que j'ai toujours gardée précieusement. Un jour, dans un restaurant, j'ai perdu le diamant qui n'était retenu que par trois petites griffes. Je suis restée à quatre pattes par terre une demi-heure à le chercher et j'ai fini par le trouver. Je l'ai fait solidement enchâsser dans une monture en or. C'est Alex de chez Moug qui m'a fait une création de toute beauté.

* * *

Beau printemps et concours Miss Télévision 1969! Les couronnés: Juliette Huot et Gilles Latulippe, les deux vedettes de la future populaire série *Symphorien*. Pour ma part, j'ai reçu le prix de la comédienne de l'année. J'avais une coiffure à la Mireille Mathieu qui ne m'allait pas du tout. Je vois Mireille chaque fois qu'elle vient à Montréal. Je suis sa petite cousine du Canada. Nous nous entendons bien, nous allons au hockey ensemble.

Cette année-là, la révélation féminine a été Chantal Pary, que la convergence ne préoccupait pas beaucoup à ce moment-là, et la révélation masculine, Bruce Huard, le chanteur vedette du groupe Les Sultans, un très beau garçon.

Une nouvelle est venue jeter la consternation dans la colonie artistique: Robert Gadouas, qui vivait avec Danielle Oddera, était tombé d'un immeuble et s'était tué. Robert Gadouas, ex-conjoint de Marjolaine Hébert, et plus tard d'Andrée Lachapelle, était un grand comédien. Il était aussi le père de Daniel, Nathalie et Catherine Gadouas.

Un jour qu'il récitait des poèmes dans la pièce *Polichinelle*, de Lomer-Gouin, au théâtre du Gésù, il avait écrasé les doigts de Nana de Varennes qui était, comme elle le disait, «souffleuse dans le trou du Gésù». Pendant une envolée, on a entendu une grosse voix rauque dire: «Aïoye verrat.» Bonjour l'ambiance!

* * *

Je recevais de nouveau des appels anonymes. Henri avait des aventures et on me citait les noms des filles, quand ce n'étaient pas elles qui me téléphonaient. Je lui en ai parlé, il a nié. Les journaux ont commencé à dire qu'il était souvent vu en agréable compagnie. J'aimais Henri et je lui ai demandé de réfléchir pendant mon voyage en France. Je partais tourner des épisodes de *Moi et l'autre*, dans lesquels Jean-Paul Dugas devenait mon mari et me défendait contre les intrigues de Denise: de très bonnes émissions en perspective.

Je suis partie le cœur gros, mais mon bon ami Yvon Duhaime était du voyage. Denise avait retrouvé sa bonne humeur; finalement on a fait un beau séjour en France. Elle avait emmené sa fille Sophie, très timide à l'époque, et qui allait devenir une très grande actrice, tout comme l'aînée, Danièle.

Moi, je ne pensais qu'à Henri, mais je n'osais pas téléphoner à Montréal. Quand on est amoureux, on croit que la peine d'amour va s'estomper avec l'éloignement, mais pas du tout, la douleur est dans le cœur et y reste. La pensée est toujours avec celui qu'on aime où que nous soyons.

Comme je partais un mois et demi, j'ai fini par me dire: «Amuse-toi, tu verras en revenant, inutile de t'en faire.» Sera-t-il là à mon retour? «Quand le chat n'est pas là, les souris dansent.»

Nous tournions à Paris au Jardin du Luxembourg, sur le bateau-mouche, à Montmartre, place du Carrousel, place des Vosges, sur la terrasse du restaurant Chez Francis avec la tour Eiffel «dans la face». Quel bonheur! J'aime la France. Le dimanche nous avions congé. Gérald Tassé, qui nous accompagnait et qui était notre GO favori, avait organisé une visite des châteaux de la Loire.

Après une ou deux visites, dont Chenonceau, nous sommes arrivés sur le coup des 16 heures au château de Chambord. Nous sommes descendues de l'autobus que nous avions loué et avons couru, Denise et moi, comme des folles vers le château qui fermait quelques minutes plus tard. Nous avons frappé, le guide est arrivé. Nous étions à bout de souffle, il nous a demandé:

– Mais d'où arrivez-vous comme ça?

– Du Canada! ai-je répondu.

Il a trouvé ma réponse amusante, et nous a laissées entrer et visiter. On a fait la visite à toute vitesse, «en patins à roulettes».

Le lendemain, nous sommes partis pour Chamonix où Maurice Herzog, le célèbre alpiniste et explorateur français devenu maire, nous a accueillis très chaleureusement. Il nous a fait l'honneur d'une courte apparition dans un des épisodes de *Moi et l'autre*. Nous sommes montés en téléphérique à l'Aiguille du Midi, sur le mont Blanc. Denise et moi, qui ne supportons pas très bien l'altitude, nous étions étourdies et avions envie de vomir toutes les deux minutes. Sur la plate-forme du mont Blanc, deux ou trois touristes. De quelle nationalité étaient-ils? Des Canadiens, des Québécois qui nous ont vu mal en point et nous ont envoyé des «Hein! Hein! Hein, ma noire!».

Le tournage s'est terminé dans les délais prévus, même s'il a beaucoup plu. Denise devait prendre son avion à Genève avec sa fille. De peur qu'on ne reprenne certaines séquences, la dernière scène terminée, elle était partie sans se démaquiller, sans se changer.

Yvon Duhaime et moi sommes partis pour Venise où nous sommes descendus à l'hôtel Danieli, sur le bord du Grand Canal, voyage dont je vous ai déjà parlé.

Par contre, ce que je ne vous ai pas dit, c'est que le prix de la chambre était de 35 $ canadiens, et que, aujourd'hui, mon guide de voyage affiche 205 euros pour une chambre standard, soit près de 350 $ canadiens. On a bien fait d'y aller en 1969!

Nous sommes allés à Florence visiter la Galerie des Offices, un musée splendide.

Après la visite, Yvon m'a dit:

– Je dois aller aux toilettes.

– Très bien, je t'attends dehors!

J'ai attendu, attendu, attendu, en me disant: «Il s'est peut-être trompé de porte pour sortir.»

J'ai regardé tout autour, pas d'Yvon. Les rues aux alentours du musée commençaient à se vider. Pas d'Yvon. Tout à coup, j'ai entendu frapper à grands coups dans la porte, quelqu'un criait:

– Ouvrez la porte!

– Yvon?

– Oui, je suis embarré!

Il était 16 heures 15.

– Crie fort dans le musée, ai-je lancé, quelqu'un va t'entendre et venir ouvrir. Il y a sûrement un concierge.

– Ça fait 15 minutes que je crie, y'a pas un chat qui vient!

– As-tu ton livre *L'italien facile*?

– Non!

– Ben, crie au secours!

– Oui, mais comment ça se dit en italien?

– Attends-moi, il y a un café tout près, peut-être qu'ils vont pouvoir téléphoner au musée, il doit bien y avoir un gardien de nuit!

Yvon criait:

«Laisse-moi pas!

– Je reviens tout de suite, je te le jure!

C'est ce que j'ai fait, car je baragouine quelques mots d'italien. Finalement, après 45 minutes, soit le temps de donner plusieurs coups de téléphone et de laisser un bon pourboire, j'ai vu les portes du musée s'ouvrir et Yvon sortir. J'avais l'impression de venir chercher quelqu'un qui avait fait de la prison pendant cinq ans. On s'est serrés très fort, on a ri.

– Ça nous fera quelque chose à raconter au retour!

– Allons nous reposer à Amalfi, ai-je alors proposé.

Nous avons logé dans un petit établissement sur la falaise, l'hôtel Miramar. Je crois que chaque village en Italie a un hôtel Miramar, comme nous ici au Québec nous avons un hôtel Central ou un hôtel Royal dans chaque petite ville. Nous avions une vue imprenable sur la mer. Pour se rendre à la plage, il fallait descendre 209 marches, je les ai comptées; on avait intérêt à ne rien oublier en haut.

Nous étions à Positano. Yvon y a rencontré des amis et est resté dans sa chambre toute la journée à jouer aux cartes et à boire de la bière.

– C'est pas vrai qu'on est venus ici en Italie et que tu vas t'enfermer dans ta chambre, ai-je protesté.

Première friction du voyage, il ne m'en voulait pas, mais il savait que j'avais l'alcool en horreur. Il a fini par sortir de sa chambre et nous sommes allés visiter Capri.

Finalement, nous sommes revenus en France, à Cannes, sur la Côte d'Azur. Nous demeurions au Martinez. Puis Yvon en a eu assez, il a voulu rentrer à Montréal... en bateau, parce qu'il avait une peur bleue de l'avion. Je suis restée. Il devrait voyager seul. Nous avons échangé son billet d'avion contre un aller simple sur un paquebot. Je lui ai fourni un peu d'argent, car je ne voulais pas qu'il en manque au cours du voyage. Je l'ai embrassé et il est parti.

Je restais donc seule au Martinez. Réal Béland, sa femme et Denise Émond savaient que j'étais à Cannes et sont venus me rejoindre à mon hôtel.

Un matin, l'ascenseur est tombé en panne; j'ai dû descendre par une volée de marches jusqu'au grand escalier qui donnait directement dans l'entrée du Martinez, noire de monde. Le concierge était débordé. Un monsieur très, très élégant, 60 ans, très beau, complet italien bien coupé, très classe, cheveux blancs, teint basané, qui sentait l'argent comme on dit, est alors venu vers moi, s'est placé de façon à m'empêcher de passer et m'a dit:

– Mon nom est Albert Valenhopen, mais je me fais appeler Burt Vallée, c'est moins compliqué. Est-ce que je peux vous dire que vous êtes très jolie?

– Merci!

– ... et que je vais vous épouser?

– Ah oui, on verra!

– Vous allez à la plage?

– Oui !

– Je vous y rejoins dans 15 minutes.

J'ai oublié la rencontre et je me suis installée sur le ponton du Martinez avec Réal, sa femme Suzanne, la mère du jeune humoriste Réal Béland, une rousse d'une grande beauté, et Denise Émond. Quinze minutes plus tard, M. Vallée est arrivé.

– Ce midi, j'ai réservé au restaurant de la plage. You have lunch with me.

– On verra! ai-je répliqué.

– Non, non, non, on déjeune ensemble, a-t-il insisté avec fermeté.

Il était assez autoritaire, et quand il disait: «On va se baigner!», tout le monde se baignait. Ça me déplaisait un peu, quoique j'ai trouvé ça amusant. L'heure du lunch est arrivée. Il est venu me chercher et il a commandé le déjeuner. Je devais manger ce qu'il avait commandé. Tout était très bon pour la santé, comme il disait, en ajoutant: «Ce soir je vous invite à un dîner dans une superbe villa de Cannes en haut sur la colline. Je vais rencontrer un ami, Lawrence Turman, qui est le producteur de *The Graduate*, dans lequel joue Dustin Hoffman. Il sera là lui aussi avec d'autres vedettes.»

Je ne l'ai pas cru, mais comme j'étais curieuse, j'y suis allée. Le chauffeur de la limousine nous a laissés devant une magnifique villa. Son ami était là... et Dustin Hoffman aussi.

Nous étions à la table de Dustin Hoffman, j'en étais très honorée. L'une des invitées, couverte de bijoux — elle avait sorti toute sa «quincaillerie» —, m'a lancé:

– *You are French?*

– Non.

– *You speak french.*

– *Yes, I am Canadian.*

– *You have such a ugly accent, it is difficult to understand you. Everybody say so!*

– Ah! oui? Vous, vous parlez français? ai-je répliqué.

– *Oh no!*

Burt est intervenu:

– *OK, that's enough. You're always a pain in the ass.*

(Il avait son franc-parler si l'on peut dire!) Ça suffit, tu as réussi à être déplaisante, tu n'as pas perdu de temps comme d'habitude, (il avait l'air de bien la connaître), une autre remarque désobligeante comme ça et je m'en vais.

J'avais 38 ans, mais je faisais plus jeune, elle lui a lancé:

– *You flirt with young girls to look younger?*

– Viens Dominique, on s'en va.

Après nous être excusés auprès de M. Turman, nous sommes partis. Fin du party.

Nous sommes allés finir le dîner dans un restaurant renommé sur la Croisette, Chez Félix. Il m'a ensuite reconduite à ma chambre et n'a pas insisté pour entrer. De toute façon, je n'avais pas envie d'avoir une relation avec lui, en tout cas pas pour le moment. Je pensais toujours à Henri. Je l'aimais toujours. Je savais qu'il me trompait. Allais-je oublier ou pardonner? J'avais le cœur brisé, mais je voulais essayer d'oublier.

Burt m'avait dit: «Demain, à la terrasse de l'hôtel à sept heures, pour le petit-déjeuner.»

J'ai oublié. À sept heures, je dormais encore. Ç'a frappé à ma porte:

– C'est Burt, *it's 7 o'clock!*

Tout était programmé avec lui, mais au fond, je trouvais ça drôle.

C'était un citoyen du monde, il connaissait des tas de gens, il m'a dit: «Après-demain je t'emmène en Grèce, je dois voir Onassis, je fais des affaires avec lui.»

J'étais un peu sceptique. Onassis! Nous sommes effectivement partis en avion privé, nous avons été reçus comme des rois. M. Onassis était un homme charmant, très chaleureux. Jackie était là, mais invisible. Burt et Aristote se sont retirés pour discuter dans une autre pièce. Je l'ai attendu, allongée sur une terrasse. On m'a apporté à boire, à manger. Burt est revenu et on est repartis comme on était venus, avion privé, chauffeur, etc.

Il m'a dit :

– Je te trouve vraiment à mon goût, je cherche depuis des années une femme comme toi, bien élevée, discrète, qui sait bien manger, avec le sens de l'humour: je vais t'épouser.

– Tu ne sais même pas qui je suis! lui ai-je répondu.

Il avait obtenu le numéro de mon passeport et avait fait sa petite enquête.

– Tu es divorcée d'un joueur de hockey, tu fais de la télévision à Montréal, tu n'as pas de casier judiciaire.

Comment avait-il su tout cela, je l'ignore encore. Il a ajouté:

– Je vais être tellement gentil et me rendre tellement indispensable, tu vas voir, tu vas finir par m'aimer, je vais te jeter un sort!

Il était drôle, il m'impressionnait et m'amusait. J'avais l'impression d'être dans un film.

– Tu sais, j'ai un amoureux à Montréal que j'aime toujours, mais il y a de l'eau dans le gaz!

– Tu vas l'oublier, il te trompe, je le sais, il est barman. Il s'appelle Henri Heusdens.

J'ai demandé plus tard à Denise Émond et Réal si c'étaient eux qui lui avaient raconté tout cela.

Réal m'a répondu: «Non, il nous a juste demandé si tu aimais beaucoup Henri.»

Réal, gentiment, lui avait répondu: «On peut pas vraiment savoir.»

Un jour, en fin d'après-midi, Burt m'a lancé: «Viens avec moi, je veux t'offrir quelque chose.»

On est arrivés chez Cartier, le magasin était fermé. Il a fait téléphoner un garçon du restaurant Chez Félix. Il a parlé à une vendeuse qui était encore sur les lieux et lui a demandé d'ouvrir, car il devait acheter un cadeau de toute urgence. La jeune dame nous a reçus très gentiment.

– Que désirez-vous?

– Rien! ai-je affirmé.

– Oui, oui, oui, apportez les plateaux!

Les bijoux, bagues, montres, bracelets, colliers étaient déposés sur des grands plateaux de velours noir.

– Très sincèrement, je ne veux rien, ai-je continué.

La vendeuse s'impatientait: «Mais mademoiselle, monsieur vous offre un cadeau, choisissez, voyons.»

Il y en avait tellement que je ne savais pas quoi choisir. La fille était un peu énervée, elle avait hâte de faire sa vente et de fermer le magasin.

Elle m'a redit, en me regardant droit dans les yeux, en martelant chaque mot: «MONSIEUR VOUS OFFRE UN CADEAU.»

J'étais gênée, je me sentais comme une pute, je n'avais besoin de rien!

Finalement, Burt a pris trois anneaux, un en diamant, un en saphir et l'autre en rubis. Il me les a passés au doigt: bleu, blanc, rouge.

– A souvenir from France, Dominique.

– Merci!

Je me suis levée pour partir.

– Non, choisis autre chose.

– Non, non, non.

Long soupir de la jeune femme: «Voici un collier de perles, un très beau collier de perles avec fermoir en saphirs et diamants.»

– Merci!

Il a payé et on est sortis, à la grande joie de la vendeuse.

– Tu sais Burt, je n'ai besoin de rien. C'est très gentil, mais je ne veux pas me sentir obligée envers toi.

– Pas de problème. Si jamais un jour on se quitte, tu auras un souvenir de moi, de ton séjour sur la Côte d'Azur.

J'ai toujours les bijoux, je les porte encore de temps en temps.

Il est parti pour Londres en me disant: «Tu viens me rejoindre au Havre sur le *Queen Elizabeth II* dans quatre jours.»

Mais je n'avais pas de billet.

– Qu'est-ce qui va m'arriver si tu ne te présentes pas?

– Pas de problème, je serai là.

Je me sentais une âme d'aventurière.

Le jour dit, j'ai pris le train pour Le Havre. Je suis arrivée au quai où était amarré le *Queen Elizabeth II*. Je me suis présentée, l'officier m'a dit que je ne pouvais pas embarquer, car je n'avais pas de billet. J'ai répondu que M. Vallée m'attendait et lui ai demandé de l'avertir que j'étais en bas de la passerelle.

«Ah je regrette, je ne peux pas quitter mon poste.»

J'étais un peu désespérée, je n'aurais pas dû m'embarquer dans cette histoire.

À mes yeux, le *Queen Elizabeth II* avait presque la hauteur d'un building de 30 étages. Tout à coup, j'ai entendu mon nom: «Dominique!» C'était Burt, que ses amis appelaient Whity, parce qu'il avait les cheveux tout blancs. Il m'a fait signe qu'il descendait. Ouf! J'étais rassurée. Il est arrivé au pied de la passerelle, a montré un papier à l'officier qui a pris mes valises pour les porter dans la suite. C'était presque un condo: deux grands lits king size, deux salles de bains, salon, vivoir. C'était splendide!

Burt avait des amis sur le bateau; ils nous attendaient pour le cocktail et le dîner. Lui était toujours super élégant; pour ma part, je portais des petites robes courtes, très simples, mais élégantes. Lorsque nous sommes arrivés au cocktail, ouille! Les femmes étaient en robes longues, «crêtées», elles portaient tout leur coffre à bijoux sur elle. Moi, j'avais mon collier de perles et mes trois anneaux. Burt était très fier de moi: «Tu es la plus belle.» J'étais un peu mal à l'aise, car je savais qu'en rentrant à Montréal, je reverrais Henri; je n'avais pas réussi à l'oublier.

Au dîner, je lui en ai parlé et il m'a répondu:

– Fais un bon voyage, je suis si heureux d'être avec toi. Je ne vais pas te forcer à faire l'amour avec moi, j'ai tout mon temps.

La traversée commençait très bien. Au bout de deux jours, la mer s'est déchaînée et c'était la tempête. Moi qui n'ai pas le pied marin, j'avais le mal de mer. J'étais dans un «état voisin du

Wisconsin» (ce que nous disons mes amis et moi, quand nous sommes malades).

Enfin, nous sommes arrivés à New York, dans son appartement sur la 5e Avenue. L'appartement était vide, seules la chambre à coucher et la cuisine étaient meublées. Il avait aussi un appartement à Helsinki, à Londres et à Paris, et encore là seules la cuisine et la chambre à coucher de ses appartements étaient meublées. C'était tout un numéro!

De New York, j'ai appelé à mon appartement de Montréal pour parler à Henri, il n'était pas là. Ensuite, j'ai contacté Yvon Duhaime pour lui demander s'il avait des nouvelles d'Henri. Non, il n'en avait pas.

Je suis revenue à Montréal en avion. Burt m'a conduite à l'aéroport et m'a offert une valise remplie de bouteilles de parfum et de produits de beauté, de foulards Hermès, de sacs à main, etc. À la douane, on m'a demandé si j'avais quelque chose à déclarer.

– Ces choses dans la valise, des produits de beauté, parfums, etc.

– Des bijoux... peut-être achetés en Italie?

La question m'a surprise. Effectivement, j'avais acheté des bijoux sur le ponte Vecchio, des cadeaux pour Yvon et mon amie Lorraine que j'adore et qui habitais à Paris, et d'autres petites babioles que j'ai données à des amis français. Le douanier a fouillé, fouillé, il a tout sorti de ma valise, a refouillé les petits compartiments, ma pochette de maquillage, tout.

Tout à coup, j'ai constaté que mon père m'attendait. On m'a autorisé, à aller le rassurer, car depuis presque une heure qu'on me fouillait, mon père devait s'inquiéter.

– On me fouille parce qu'on croit que j'ai des bijoux achetés en Italie, je ne les ai pas, je les ai donnés à des amies à Paris! ai-je murmuré pour mon père.

Papa, inquiet, m'a lancé devant l'officier: «T'as pas de drogue toujours?

– Ben voyons papa, je fume même pas.

– On ne sait jamais avec les enfants.

L'officier a souri.

– Fouillez encore si vous voulez, je vous jure, je n'ai rien.

Finalement, après une heure et demie, je suis sortie de là. Plus tard, on m'a dit que les gens qui achètent des bijoux ou des vêtements en Italie ou ailleurs, avec des cartes de crédit, étaient souvent dénoncés par les marchands à la douane de leur pays, contre une ristourne. Au moment où j'écris ces lignes, je pense à Corneille qui s'est fait prendre avec des vêtements achetés à l'étranger. Le ouï-dire est peut-être vrai!

Enfin, je suis arrivée à mon appartement du Cartier. Henri n'était pas là. Je lui ai téléphoné au bar: «Tu n'es pas venu me chercher à l'aéroport?» Il m'a dit qu'il y était allé, mais qu'il ne m'avait pas trouvée. Quelques jours plus tard, nous avons eu une bonne discussion.

– Henri, je sais que tu as des aventures, j'ai des gens qui me téléphonent pour me le dire, quand ce ne sont pas les filles elles-mêmes. Est-ce que tu as l'intention de continuer?

– Voyons Zouzou, c'est sans importance.

– Pour moi ça en a. Encore une fois, as-tu l'intention de continuer comme ça?

– Je ne fais que «consommer» des filles.

– As-tu l'intention de continuer, oui ou non?

– ...

– Bon j'ai compris, prends tes affaires et pars. Je t'aime, personne ne t'aime plus que moi, mais je ne peux plus endurer que tu me trompes, c'est insupportable. De toute façon, des gars comme toi, y en a plein la ville de Montréal.

Pas gentille, Dominique!

Il est parti, je voulais mourir de chagrin. Le mal d'amour, c'est terrible. Si on pouvait, comme avec un commutateur, le mettre sur OFF. Je ne l'ai jamais oublié.

Burt m'a téléphoné et je lui ai annoncé ma séparation. Il m'a confirmé qu'il venait me voir, de ne pas m'inquiéter, il avait mon adresse!

Au moment où *Moi et l'autre* est en tête des cotes d'écoute, voilà que l'auteur Gilles Richer annonce son départ. Nous étions catastrophés. Il n'en avait parlé à personne. Je savais que le torchon brûlait entre lui et Denise, mais il disait être vidé; il ne pouvait continuer, même avec l'aide de ses collaborateurs à la scénarisation depuis le début: Gilles Gougeon, Gil Courtemanche, Gérald Tassé, Jean Bissonnette, Denise et moi. Il écrivait aussi les dialogues; qui allait le faire à sa place? Jean a choisi Roger Garand et André Dubois.

*Moi et l'autre* était encore en ondes, mais l'atmosphère se dégradait. Denise en avait assez, elle voulait faire autre chose. Elle a aussi pris ses distances avec moi, j'ai présumé qu'elle avait peut-être des problèmes avec son restaurant. Ce n'est pas facile de faire le métier d'actrice et d'être restauratrice.

Denise et moi avons continué *Moi et l'autre* tout en commençant une autre émission à Radio-Canada, où l'on potinait sur le milieu artistique, on faisait des entrevues: *Les 2D*. On n'était pas extraordinaires, mais on se débrouillait pas trop mal. Je ne crois pas qu'on ait marqué la télévision avec cette émission. Denise et moi travaillions beaucoup trop «ailleurs» pour nous donner entièrement.

* * *

Au mois d'octobre 1969, je fus invitée avec mon mari de télévision, Jean-Paul Dugas, un ami très agréable, avec un bon sens de l'humour, au Bal de l'Accord. Je devais ouvrir le bal avec le premier ministre du Québec, l'Honorable Jean-Jacques Bertrand. J'avais une très jolie robe en crêpe noire avec des bretelles en strass, une création d'Yvon Duhaime: un mince boa noir entourait mon cou et traînait négligemment par terre. Le premier ministre est venu me chercher pour ouvrir le bal. J'ai enlevé le boa et là, j'ai vu les yeux de Jean-Paul s'écarquiller: j'avais le cou noir, les épaules et les bras aussi, «crassés». Jean-Paul m'a fait signe: le cou...

J'ai dit au premier ministre: «Écoutez, mon boa a déteint, je suis désolée.» La honte.

– Ce n'est pas grave, nous allons ouvrir le bal et après vous irez nettoyer tout ça, m'a-t-il répondu.

Tous les photographes étaient autour de nous et le lendemain j'ai fait la «une» des journaux avec le premier ministre. Heureusement que j'ai la peau mate, ça ne se voyait pas trop.

Dans les toilettes, j'ai frotté avec du savon et des essuie-mains. Je suis sortie de là le cou, les bras, les épaules rouges. La teinture, c'est pas facile à partir. J'avais changé le noir pour le rouge, un clin d'œil à Stendhal.

On m'a aussi invitée au Bal des petits souliers, au mois de novembre. J'ai demandé à Burt de m'accompagner; il était très occupé, mais il m'a dit qu'il allait s'arranger pour venir.

Je répétais *Moi et l'autre*, on m'a fait demander d'urgence dans le bureau de M. Jacques Landry, l'un des directeurs de Radio-Canada. Je suis montée au bureau, Burt était là assis avec lui:

– Monsieur est ici depuis une demi-heure et veut racheter votre contrat de *Moi et l'autre*.

– Hein? Quoi? (J'étais sidérée.) Que fais-tu ici?

– Je ne veux plus que tu travailles, je rachète le contrat, je paie et on te remplace, c'est tout. C'est comme ça les affaires.

– Mais tu ne peux pas faire ça, je ne veux pas. J'aime ça faire *Moi et l'autre*, travailler à la télé, c'est mon métier.

– T'es sûre?

– Oui.

– Bon très bien, a-t-il dit à M. Landry, excusez-moi de vous avoir dérangé. (Et nous sommes sortis.)

– Je veux que tu vives avec moi, je t'aime comme un fou, tu comprends? J'ai de l'argent, mais je suis malheureux sans toi.

– Je n'ai pas besoin de ton argent. Demain, tu m'accompagnes au Bal?

– Oui, mais en fin de semaine, tu prends l'avion pour venir avec moi à New York. J'ai tous les billets pour les prochaines fins de semaine: New York-Hyannis Port, New York-Porto Rico, Saint-Thomas-New York, San Francisco, Paris, etc. etc.

Nous sommes donc allés au Bal des petits souliers et tout à coup, un photographe lui demande:

– Voulez-vous faire semblant de servir un verre à Dominique?

– Mon ami, savez-vous à qui vous parlez? Je ne sers personne et je ne fais semblant de rien, vous m'entendez? Dégagez.

J'ai voyagé partout à travers le monde avec lui, heureusement que j'étais jeune et en bonne santé. Je ne sais pas comment j'aurais fait pour tenir le coup.

Cependant, après sept mois de voyages, je ne pouvais plus continuer comme ça. J'étais épuisée. Il m'a proposé de déposer cent mille dollars dans mon compte de banque, et de vivre avec lui quelque temps. J'ai refusé. Il m'a offert un million, j'ai refusé.

– Alors, si je ne peux pas t'acheter, là il n'y a rien à faire. Je n'ai jamais vu quelqu'un d'aussi têtu.

Il m'a donné des milliers de dollars pour que j'aille magasiner quand j'étais quelques jours avec lui dans les grandes villes européennes. Je lui ai toujours remis son argent, car j'étais mal à l'aise de le dépenser. Chaque fois, ça le surprenait.

Une fin de semaine où je devais me rendre à Porto Rico, j'ai annulé. Je l'aimais bien, je m'amusais, mais je ne l'aimais pas d'amour. Ce n'était pas facile de mettre un terme à une relation comme celle-là: les voyages en avion privé ou en première classe, les grands restaurants, les grands hôtels, etc. Ça faisait partie de la *game*, mais étais-je heureuse? Non! Souvent, je pensais à Henri, était-ce mieux avec lui? Je ne croyais pas. Il me brisait le cœur, et je ne voulais pas souffrir! Allais-je pouvoir aimer encore? Y avait-il un amour qui m'attendait quelque part?

\* \* \*

Comme nous aimions beaucoup le Mexique, Denise Filiatrault et moi, nous avons profité de nos vacances de Noël pour aller à Acapulco. Philippe Dagenais était du voyage. Denise était avec Benito, qui allait retrouver sa famille. Pendant que j'attendais mes valises, près du carrousel, deux bras m'ont enlacée.

205

Quelqu'un dans mon dos m'a glissé à l'oreille: «Je suis moi aussi au Hilton, un étage au-dessus de toi. Ce n'est pas toi qui vas marcher sur ma tête, mais moi sur la tienne. *I miss you so much...*»

Je me suis retournée, c'était Burt. Comment avait-il su que j'étais au Mexique. Il savait tout ce que je faisais à la minute près.

Au cours de mon séjour, une connaissance, Yolande Bergeron, a fait un reportage sur Denise, Lise Watier et moi-même. Elle y annonçait que Lise avait rencontré l'amour avec Guillermo Andrade. Elle racontait aussi qu'un toréador m'avait lancé son chapeau pour me dédier sa corrida: j'ai été tellement surprise quand il l'a lancé que, de peur de l'échapper, je m'étais levée et j'avais salué la foule avec le chapeau à bout de bras. Le torero était un très beau garçon; je l'ai vu après la corrida. Non, il ne s'est rien passé, pas plus qu'avec Burt, qui était resté seulement quelques jours à Acapulco. Notre histoire était vraiment terminée.

J'ai passé de formidables vacances. Denise a donné de somptueuses réceptions, nous étions reçues partout; des vacances de rêve, vraiment l'insouciance, les mariachis, le soleil, la mer, la plage La Condessa. Quel bonheur!

Henri était rentré d'un voyage de trois semaines à Paris, il m'a téléphoné à Acapulco. Il s'ennuyait et voulait qu'on se revoie. Ah mon Dieu! Était-ce possible? «Je verrai au retour.»

Nous avons eu plusieurs intermèdes «reprises». On s'aimait énormément, mais nous ne pouvions vivre ensemble. Au fond, nous n'étions pas prêts à nous pardonner nos écarts respectifs. Une petite rancune sommeillait en nous.

* * *

Un matin, Yolande Bergeron nous a appris que Donald Lautrec avait fait une tentative de suicide. Pas Donald, si fort, si beau, à qui la vie avait tout donné, le charme, le talent, le succès! Donald l'insouciant, toujours souriant. Il pouvait avoir toutes les filles qu'il désirait, elles étaient toutes pendues à son cou. Mais voilà, une seule le faisait chavirer. Sa petite amie du moment, Chantal Renaud, qui venait de le quitter pour Jacques Riberolles, un comédien français avec qui elle avait tourné *L'initiation*. Que faire contre le mal d'amour? J'en sais quelque chose! Le mystère de la passion peut nous rattraper à n'importe quel âge.

Denise et moi étions bouleversées. Denise, qui l'a beaucoup aimé, était dévastée. Nous en avons parlé avec Yvan Dufresne, son gérant, qui nous a rassuré; Donald allait bien; pas mieux, mais bien.

Denise et moi avons devancé notre retour à Montréal de trois jours. Je savais que Donald adorait les gâteaux au chocolat que je faisais. Comme il était mon voisin, je lui en ai apporté un. Je l'ai laissé à sa porte avec un petit mot. Il ne voulait voir ni parler à personne, je le comprends. Je lui ai fait un gâteau par semaine pour le consoler. Bien petite douceur pour atténuer une grande peine.

# Chapitre 17

# ANDRÉ LAURENCE:
## *THIBAUD OU LES CROISADES*

Après nos vacances au Mexique, Denise et moi avons repris le boulot, *Moi et l'autre* et *Les 2D*.

Gilles Richer était encore là, mais l'ambiance n'était plus la même. Nous avions de nouveaux auteurs et l'émission avait perdu un peu de sa drôlerie. Nous cherchions toujours de beaux garçons pour jouer dans *Moi et l'autre*, ils étaient rares! (Hum..., pas tant que ça!) Denise a rencontré André Laurence dans une discothèque et l'a recommandé au réalisateur Roger Fournier. André n'avait pas besoin de se forcer, il était LE plus beau garçon de l'Union des Artistes.

Denise avait toujours son restaurant et j'allais y manger assez souvent. Elle m'en a parlé.

– Peut-être qu'il veut sortir avec toi? ai-je dit.

– Mais non, je suis avec Benito.

*Moi et l'autre* était vraiment le reflet de nos vies: deux filles allumées qui manigançaient pour rencontrer des beaux gars. Tant qu'à être trompées, autant que ce soit par un beau qu'un «laite».

Comme j'avais donné son «quatre pour cent» à Henri H., j'étais prête pour une autre aventure. André est arrivé à la répétition. Wow! Il revenait d'Italie, dont il parlait la langue couramment; il avait joué dans un film avec Gina Lollobrigida. Il aurait eu une aventure avec elle qui se serait terminée subitement quand un journaliste italien lui avait demandé: «Quelle est la plus grande actrice italienne?» Sa réponse: «Sophia Loren.» Le lendemain matin ses valises étaient dans la rue.

Il avait aussi fait partie, en France, d'une superbe série, *Thibaud ou les croisades*, diffusée dans plusieurs pays, dont le Canada, dans laquelle il jouait un chevalier du désert, un prince éblouissant vêtu d'une longue tunique blanche. Comment ne pas succomber! Il avait également tourné avec Ann-Margret, aux États-Unis, le rôle d'un beau jeune Italien dont elle tombait amoureuse. André aurait pu faire une brillante carrière internationale, mais il n'était pas assez ambitieux.

Le soir, après l'émission, on l'a invité au restaurant de Denise, La Seigneurie. Il a refusé.

– On va dire que c'est ta fête! m'a-t-elle lancé.

– André, c'est la fête de Dodo, tu ne peux pas ne pas venir, écoute.

On était en janvier 1970, mon anniversaire est le 24 septembre. Il est venu à La Seigneurie. Au dessert, on a chanté: «Bonne fête Dodo! Bonne fête Dodo!»

Pierre Girard, qui était notre régisseur, est tombé des nues.

– Coudonc, ta fête, c'est pas à l'automne?

Denise et moi l'avons regardé avec un air... les yeux au ciel.

– C'est ce soir sa fête.

– C'est ce soir ma fête, O.K., là!

Comme André s'amusait, il est resté toute la soirée. Il a bien fallu, quelques mois plus tard, que je lui avoue le subterfuge pour le séduire. Ça l'a flatté. C'était un garçon très raffiné. Ses présentations culinaires étaient dignes de la «nouvelle» cuisine: je n'ai jamais vu des barquettes d'ananas aussi bien disposées.

Beaucoup de mauvaises langues disaient que Henri H. et André sortaient avec moi parce que j'étais connue et indépendante financièrement. Ah, bon! Quand j'étais plus jeune, dans la famille, on disait: «Andrée est belle et Dominique intelligente», en sous-entendu: «Andrée est conne et Dominique est laide.» C'était rassurant pour de jeunes adolescentes!

Ma cousine Andrée a toujours été très belle et moi j'ai survécu. Jamais Henri et André ne m'ont demandé un sou. Bien au contraire, tous deux m'ont fait des cadeaux somptueux.

André ne travaillait pas beaucoup à Montréal, on ne lui proposait que des troisièmes rôles qui ne faisaient pas trop son affaire. Il se sentait diminué vis-à-vis de moi, car j'étais très en demande. Il est donc parti au Mexique retrouver Robert Enrico, un réalisateur français.

André était arrivé chez moi avec un jean, un pantalon, quelques pulls et un complet marine, c'est tout. Il a toujours porté les mêmes vêtements. Il les portait avec une telle élégance, qu'on avait l'impression qu'il en changeait souvent. De là les «on-dit» que je le faisais vivre et l'habillais. Il ne roulait pas sur l'or, c'est vrai, et souvent il devait accepter de petits rôles en France, en Italie ou aux États-Unis.

Il parlait les trois langues sans aucun accent. Il était surtout très beau, une qualité essentielle pour un acteur. Moi, je peux vous parler de sa générosité. Un jour, il était arrivé avec un manteau de vison noir coupé à ma taille. Il avait retrouvé M. Miner, le fourreur qui m'avait déjà fait des manteaux, et lui avait commandé un vison pour m'en faire cadeau.

La saison d'hiver se terminait pour *Les 2D* et *Moi et l'autre*. André tournait au Québec dans un film en anglais et en français *Viens mon amour* ou *Love in 4 Letter Word*. Dans ces années-là, on tournait beaucoup de films où l'on déshabillait les vedettes féminines québécoises. Le film est sorti à la fin de l'été. André portait la barbe, il était encore plus beau, je crois. La critique était unanime: «Pour ceux qui aiment le nu!» C'est tout. Pas fort dans un CV. André a fait un autre film, cette fois avec Danielle Ouimet.

André adorait faire de la photo et m'a demandé de poser pour lui dans les foins. Nous sommes allés dans une île inhabitée, en face du village d'antiquités de mon père. Il m'a photographiée vêtue de longues robes noires et blanches. C'était magnifique! Comme nous étions seuls, nous marchions tous les deux nus et il a pris d'autres photos de moi. Je ne m'en formalisais pas; nous avions la mainmise sur les négatifs. J'avais 38 ans; cela dit, les photos, cadrées à la taille, étaient très belles. Je regretterai amèrement cette séance de photos quelques mois plus tard.

* * *

Chez Zouzou fêtait son deuxième anniversaire. Henri et moi étions photographiés avec deux doigts en V, indiquant «deux ans». Pas de sourire. Pourtant nous nous étions tant aimés; désormais, quand on se voyait, nous avions de la difficulté à être détendus. Une certaine rancœur l'un envers l'autre persistait au fond de nous, en tout cas au fond de moi, oui.

Denise, pour aider au bon fonctionnement de son restaurant La Seigneurie, a ouvert une discothèque au sous-sol: la Cucaracha. Encore aujourd'hui, je me demande pourquoi nous avons ouvert discothèques, restaurants, chemiserie. Je crois qu'à ce moment-là, c'était pour aider nos chums, ce qui était très louable; mais peut-être avions-nous un peu peur que nos carrières marchent moins bien à un moment donné et qu'il était important de nous sécuriser financièrement. Je comprends mal cette inquiétude à l'aube de nos 40 ans. Trente ans plus tard, Denise et moi sommes encore actives.

Chez Zouzou, je n'ai pas perdu d'argent. Henri H. était un excellent administrateur, il connaissait très bien le métier. Mais à La Chemiserie, ce fut autre chose. J'en ai déjà parlé, j'ai failli manger ma chemise, sans jeu de mots.

Denise et moi avions traversé l'époque yé-yé, et nous nous en étions très bien sorties, malgré notre style pas très dans le ton. Nous étions des comédiennes et des «comiques», comme on disait avec un peu de mépris. Donald Lautrec m'avait écrit une chanson, La minijupe, qui avait fait un petit succès sur disque. Denise et moi avions commis quelques «longs jeux» ensemble et séparément. Très bizarrement, moi qui n'étais pas chanteuse, j'ai fait onze «longs jeux» avec douze chansons sur chaque face.

* * *

Le *Bye! Bye! 70* a été écrit par Gilles Richer. Olivier Guimond et Denis Drouin en étaient les vedettes. Dans un des sketches, Olivier jouait un soldat qui habitait Saint-Henri et qui surveillait la maison d'un anglophone à Westmount, lors de l'application de la Loi sur les mesures de guerre. Les dialogues entre les «deux solitudes» étaient percutants.

Tout le monde se souvient de la réplique finale du petit soldat québécois: «Si je tombe, vous tombez avec moi.» Olivier et Denis, deux grands comédiens, ont joué le sketch de Gilles d'une façon magistrale. En une seule prise, Jean Bissonnette a capté l'essentiel du comique d'Olivier, lui laissant toute la liberté d'improviser à son rythme. C'est rare qu'un réalisateur travaille sans filet. En passant, ce fut Jean Bissonnette qui avait trouvé ce si juste titre d'émission de fin d'année, *Bye! Bye!*...

Quand nous travaillions dans une émission, nous donnions nos idées pour l'améliorer et en faire un succès. Combien d'idées Jean Bissonnette a-t-il données généreusement, sans aucun crédit, autant à la télévision que lorsqu'il montait des spectacles?

En 1971, est arrivée la fin de *Moi et l'autre*. Nous avions été en ondes cinq ans, 39 semaines par an, 195 émissions. Ce fut difficile de se séparer des gens avec qui on avait travaillé: assistantes, techniciens, régisseurs, décorateurs, accessoiristes, mon gros Yvon d'amour, qui nous avait dessiné de si jolies choses, en plus de mes robes de galas, Roger Joubert, M. Lavigueur, qui avait écrit le thème musical de l'émission, Normand Hudon, qui avait imaginé l'ouverture en dessins animés, Roger Fournier, qui en fut l'un des importants réalisateurs, Gilles Richer, à qui nous devions la formule, les intrigues et les dialogues; ses coauteurs: Gil Courtemanche, Gilles Gougeon, Roger Garand, Gérald Tassé et, bien sûr, Jean Bissonnette, sans qui je n'aurais pas fait ce métier, ni eu la carrière que j'ai eue. Je parlerai souvent de lui dans ces pages. Normal, il fait partie intégrante de ma carrière et de ma vie.

Je me souviens de la dernière scène de *Moi et l'autre*. Nous disions que nous avions été heureuses dans cet appartement. La caméra, en gros plan sur Denise et moi, reculait et découvrait l'envers du décor, les éclairages au plafond, les caméras, tout le studio. Dos à la caméra, on regardait le décor; on se retournait l'une vers l'autre, on s'enlaçait, joue contre joue, face à la caméra: l'image gelait! J'avais le cœur serré; même si l'on se dit qu'on va se revoir, si le destin le permet, on sait bien que c'est «peut-être». J'ai toujours fréquenté Jean Bissonnette, sa femme, Denise, une compagne de couvent, et Denise Filiatrault... par intermittence.

Gilles Richer avait des projets; il était en train d'écrire un film, *Tiens-toi bien après les oreilles à papa*, et m'a demandé d'en être la vedette avec Yvon Deschamps. Le réalisateur, bien sûr, était Jean Bissonnette. À titre de producteur, Michael Costom, propriétaire du Théâtre Canadien dans l'est de Montréal, et comme producteur délégué, Richard Hellman, un gentil et très beau garçon, amusant; il ressemblait à Tony Curtis dans sa jeunesse: cheveux noirs et yeux bleus.

Yvon était excellent. La meilleure scène du film? Celle où Yvon a dû dire le Je crois en Dieu, mêlé au Je confesse à Dieu, dans un salon mortuaire et qui deviendra à peu près ceci: «Je crois en Dieu le père tout-puissant qui est descendu aux enfers, est monté au ciel, créateur du ciel, de la terre, qui est descendu aux enfers et en Jésus-Christ son fils unique qui est descendu aux enfers...» Tout le monde connaissait ces prières dans ce temps-là et on a bien rigolé. C'était une scène désopilante. Je regardais Yvon du coin de l'œil, semblant lui dire: «Vas-tu être capable de passer au travers?»

À l'époque, on engageait rarement des cascadeurs, faute de budget. Je fis donc mes propres cascades. Yvon et moi assistions à un enterrement dans un cimetière. Nous nous disputions et en reculant, je tombais de dos dans la fosse creusée pour le cercueil. Le fond de la fosse était rempli de boîtes de cartons pour amortir ma chute; je recommençai deux fois sans problème, mais la troisième fois, les boîtes étaient assez «écrapouties». Jean avait le don de nous faire faire ce qu'il voulait. Il m'a dit: «Juste une dernière petite fois.» Je l'ai fait, mais cette fois, j'ai trouvé que le fond de la fosse était très loin. «Coupez, c'est très bon Dominique.» Le lendemain, j'avais l'arrière des bras et des fesses marine, mauve, vert et jaune. Ç'a été vite oublié; nous avons eu un tel plaisir sur cette production!

Pour la fin du film, Gilles a écrit une merveilleuse chanson dont Marc Gélinas a composé la musique et que j'ai enregistrée sur disque avec Marc. Elle fut reprise plus tard par Pauline Julien, qui en a fait un grand succès: «*Mommy, daddy, I love you dearly. Please tell me how in French my friends used to call me.*»

Nous avons tourné le film en été, un pur bonheur. Vers le 5 août, un froid terrible nous est tombé dessus pendant quatre jours. Je devais continuer à tourner avec mes petites robes légères, moi qui suis frileuse. J'étais gelée jusqu'au cœur.

Pendant que je faisais ce film, Denise participait, à la Ronde, à la création de la comédie musicale de Michel Tremblay: *Demain matin Montréal m'attend.*

\* \* \*

Par hasard, j'apprends qu'André Laurence, mon amoureux du moment, est le père de deux enfants qui vivent en Europe. Un jour, il m'a montré des photos publiées dans un magazine français: «Mon fils, ma fille!» La fille, une jolie petite blonde, ressemblait à Brigitte Fossey dans *Jeux interdits,* et le garçon était à son image, son clone, les mêmes traits, beau comme lui. Ils habitaient en France avec leur mère qu'il avait épousée, une femme charmante, issue de la noblesse française. Des années plus tard, je l'ai rencontrée à Montréal. Nous avons sympathisé. La vie ne nous a pas permis de nous revoir, je le regrette.

Revenons à André. Je lui ai demandé pourquoi il me l'avait caché. Ce n'était pas un drame d'avoir des enfants, bien au contraire. Toujours très mystérieux, il s'était tu; je n'étais pas au bout de mes surprises.

*** *** ***

Toujours en 1971, Jacques Bouchard (1930-2006), président et fondateur avec Paul Champagne et Pierre Pelletier de l'agence BCP, une agence de publicité québécoise qui avait beaucoup de succès, m'a téléphoné pour m'offrir d'être la porte-parole d'Air Canada pour les voyages dans le sud. La campagne s'intitulait «Les 14 soleils», puisqu'elle englobait 14 destinations, dont la Floride et des îles des Caraïbes. Pierre Nadeau était le porte-parole pour les destinations vers l'Europe, René Lecavalier pour le Canada. Mon thème à moi: «Mon bikini, ma brosse à dents, je prends l'avion pour le beau temps», une composition de Jacques Bouchard et de Marcel Lefebvre, qui a écrit la majorité des chansons de Jean Lapointe. Ce fut un hit en partant. Je regarde les tarifs de l'époque: Montréal-La Barbade de 120 à 159 dollars pour une semaine, soit sept jours, six nuits, tout compris, une aubaine!

Avant que BCP n'existe, nous allions toujours à Toronto pour enregistrer nos annonces publicitaires destinées au Québec. Les gens de Toronto choisissaient au hasard les porte-parole des pubs pour le Québec, sans les connaître. Jacques, avec son agence, a ouvert le marché québécois en proposant des idées originales et des artistes que les Québécois connaissaient et aimaient. On lui doit, entre autres, la fameuse publicité d'Olivier Guimond pour la Brasserie Labatt: «Lui, y connaît ça!» Jacques était toujours accessible, on pouvait lui parler quand on voulait, tout comme à Robert L'Herbier, lorsqu'il était directeur des programmes à Télé-Métropole. M. Vincent Gabriele nous écoutait lui aussi très attentivement. Ils ne restaient pas dans leurs tours d'ivoire, ils étaient très près des gens et des artistes.

J'ai fait la campagne des «14 soleils» avec grand plaisir, pendant plusieurs années. Nous allions tourner partout: la Barbade, la Jamaïque, Porto Rico, la Guadeloupe, la Floride. J'ai fait des photos avec Gaby, le plus grand photographe du Canada, dont une a servi pour la publicité du service touristique de la Martinique.

Notre première destination pour l'enregistrement de la publicité fut la Barbade, avec ses plages magnifiques. Nous tournions à Crane Beach et Paradise Beach, et nous étions descendus à l'hôtel du même nom. L'un des représentants d'Air Canada faisait de la course à pied sur la plage, des exercices, de la plongée, de façon intensive et insensée depuis trois jours. Résultat: infarctus! Pas facile de se faire soigner là-bas, dans un hôpital rébarbatif, en ciment gris même pas blanc, couché dans un lit de fer; ils ont fait ce qu'ils pouvaient, mais ils manquaient d'équipement pour soigner notre ami et... il n'était pas transportable. Ce ne fut qu'après plusieurs semaines qu'il a pu quitter la Barbade pour se faire soigner en Floride, moins loin que Montréal. Il paraît que la facture a été salée. À partir de ce moment-là, nous avons tous été assurés.

Je suis tombée amoureuse de la Barbade, de Paradise Beach. En me promenant sur la plage pas très loin de l'hôtel, j'ai aperçu une très jolie petite maison en pierre de corail, blanche, avec un grand jardin; une petite clôture peinte en blanc la séparait de la plage. Des bougainvilliers grimpaient partout; il y avait des bananiers sur le côté et une rangée de poinsettias remontant de la mer jusque sur le devant de la maison; une immense terrasse ouvrait sur le jardin et la mer, et une autre terrasse donnait sur une petite rue. Je vois «FOR SALE».

La maison appartenait au gérant du Hilton et avait été construite avec les matériaux restant lors de l'édification de l'hôtel. Elle était jolie, confortable et solide. On en demandait, si j'ai bonne mémoire, 45 000 dollars. J'ai pris rendez-vous. Cependant, il y avait un hic: tout l'argent qui entre à la Barbade doit être déclaré au gouvernement du pays, sinon impossible de ressortir un sou; je l'ai fait. Le marché a été conclu en une heure. Le bureau du notaire, je devrais dire de l'avocat – il n'y a pas de notaire là-bas –, était une petite case de neuf pieds sur neuf pieds, avec des tablettes en bois non peinturées; les dossiers empilés les uns sur les autres. J'ai voulu conserver l'original du contrat, mais il a refusé. Bon, faut bien faire confiance un moment donné. Je ne pouvais pas prendre possession de la maison avant un an, le temps de vérifier ma solvabilité.

Au bout d'un an, j'ai pu enfin aller chez moi! Sur le vol Montréal-La Barbade (un seul vol par semaine), j'ai rencontré Suzanne et Guy Valiquette, qui étaient propriétaires, avec leur beau-frère Gerald Bull, d'un très beau domaine sur le bord de la mer: une grande maison en pierre de corail bâtie sur un terrain immense et plusieurs petits bungalows. M. Bull a été assassiné des années plus tard mystérieusement en Suisse, une sombre histoire de canons conçus pour Saddam Hussein et de services secrets, semble-t-il.

Sur l'île, il était impossible de trouver de la viande de bœuf de bonne qualité; j'apportais donc des steaks surgelés. Le whisky aussi était rare. Un jour que nous passions les douanes à notre arrivée à la Barbade, j'ai vu Guy Valiquette en train d'argumenter avec le douanier, qui voulait saisir ses deux 40 onces de whisky. Nous n'avions droit qu'à une bouteille par personne. Je présume que le douanier voulait saisir les bouteilles et les garder pour lui, nous étions dans le temps des fêtes. Tout à coup, j'ai vu Guy ouvrir les bouteilles et les vider par terre, en disant: «Je ne les boirai peut-être pas, lui non plus l'enfant de ch...» J'ai bien ri. «Je te donnerai les miennes.» Guy et Suzanne étaient extrêmement généreux et nous recevaient somptueusement chaque année dans leur magnifique villa.

Lors d'une soirée chez Guy et Suzanne, une dame m'a raconté cette belle histoire d'amour.

«Elle était toute jeune fille et devait se marier avec un jeune homme très bien. Son futur mari lui dit: "Mon meilleur ami vient de finir sa médecine et a ouvert un cabinet, j'aimerais te le présenter maintenant, car il sera à notre mariage en fin de semaine." Arrivés chez l'ami: "Je te présente ma future femme." À l'instant où les yeux de la fiancée et ceux du jeune médecin se sont croisés, ils sont tombés instantanément amoureux l'un de l'autre, un coup de foudre! Dans la même journée, elle est retournée seule chez le jeune médecin qui lui a dit: "Je vous aime d'amour, je veux vous épouser." Elle a répondu: "Moi aussi."

Vous imaginez les problèmes, la noce annulée, les cadeaux à retourner, la perte d'une amitié de longue date. Ils se sont épousés et vécurent très, très, très heureux de longues années. Elle disait: "Je n'ai jamais embrassé un autre homme sur la bouche." À la mort de son mari, le choc fut tellement terrible qu'elle a eu une attaque de paralysie.»

Quelle histoire! On a peine à croire à de si belles histoires d'amour; heureuse femme qui a connu ces moments d'extase.

Je fus très heureuse à la Barbade. Ti-Paulo Vincent, un bon copain qui deviendra le gérant de Roch Voisine, y venait souvent tout comme mes amis Jean et Denise Bissonnette, Danielle Ouimet, Gilles Talbot et Nicole. J'ai une photo de Gilles et Nicole, enlacés amoureusement devant la mer. Elle me rappelle ce jour où en regardant la télévision, nous avions vu, lors d'un accident d'avion (celui du Potomac à Washington), une naufragée isolée sur un morceau de glace qui agitait les bras dans l'air comme une nageuse qui tente de gagner la rive. Une image angoissante! Gilles m'avait dit: «Je ne voudrais pas mourir noyé.» Nous verrons plus loin qu'on n'est pas maître de son destin!

\* \* \*

Nous étions en vacances, Jacques-Charles Gilliot (dont je vous reparlerai) et moi, avec deux couples de nos amis, Nicole et Gilles Talbot, Lorraine Barrette et son mari Bernard St-Clivier. C'était la nuit, tout le monde dormait. Soudain, j'ai entendu du bruit à une fenêtre (toutes les fenêtres avaient des grilles en fer forgé). J'ai aperçu une longue canne à pêche, avec un clou au bout en guise d'hameçon, en train d'accrocher le pantalon de Jacques-Charles posé sur un fauteuil. C'était le bruit de la monnaie tombant sur la tuile qui m'avait réveillée. J'ai rampé et me suis glissée sous la fenêtre pour essayer de saisir le bras du Noir entré jusqu'au coude à l'intérieur de la chambre. D'un bond, je me suis levée, j'ai agrippé le bras, il était enduit de graisse et m'a glissé entre les mains comme une anguille. J'ai crié: «Au voleur!» à pleins poumons.

Tout le monde s'est levé. On s'est rué sur la porte de sortie; on a ouvert la grille du jardin et on a couru tous comme des fous après le voleur sans l'attraper. Au bout de quelques minutes, on s'est rendu compte qu'on était tous nus comme des vers dans la rue. On est vite revenus en courant vers la maison, en riant comme des malades de la situation ridicule. Le même scénario était déjà arrivé à Gilles, à l'hôtel Doral de Miami. Il avait couru flambant nu après un voleur qui lui avait fauché son porte-monnaie dans sa chambre d'hôtel. Il l'avait poursuivi dans les escaliers de service jusque dans le hall, sans se rendre compte qu'il n'avait rien sur le dos. Les détectives de l'hôtel l'avaient arrêté croyant que c'était lui le voleur.

Gilles avait très peur, je devrais dire, se méfiait du feu, un élément qui, très bizarrement, l'a poursuivi toute sa vie. L'édifice où il travaillait dans sa jeunesse avait brûlé de fond en comble. Son bureau et son appartement étaient situés rue Sherbrooke Est, en face du parc Fullum, un immeuble qui fut acheté plus tard par Guy Cloutier. La cuisine était magnifique, comme celles qu'on voit dans les grands restaurants; avec une grande plaque où on pouvait griller des steaks ou des hamburgers, sans oublier une friteuse pour l'accompagnement; c'était le bonheur de manger chez lui, un endroit très convivial. Il vérifiait toujours que les appareils électriques soient bien éteints. Un jour que nous dînions chez lui, on a entendu les sirènes des pompiers dans la rue: sa Mercedes décapotable avait pris feu. Comment? Dieu seul le sait!

\* \* \*

J'avais acheté une petite maison à Saint-Ours où Gilles Talbot venait très souvent. Il avait trouvé, dans un rang pas très loin de chez moi, une maison de bois qu'il avait rénovée de A à Z. Les rénovations étaient à peine terminées quand Gilles et Nicole ont décidé de faire une promenade à bicyclette jusque chez moi. Nous devions dîner chez eux, Jacques-Charles et moi, et ils allaient revenir en voiture avec nous. Au détour de la route, nous avons aperçu de loin une fumée noire. C'était peut-être un feu de cheminée près de chez eux. Ah, mon Dieu! non, c'était la maison de Gilles qui flambait comme une boîte d'allumettes. Une heure plus tard, il ne restait plus qu'un gros tas de cendres et de braises. Il venait d'acheter des antiquités magnifiques à mon père. Tout était parti en fumée; il n'est plus jamais revenu à Saint-Ours.

* * *

Danielle Ouimet est souvent venue à la Barbade. J'avais fait agrandir une magnifique photo d'elle prise près de la mer sur un rocher, et je l'avais accrochée au mur. Quand j'ai vendu la maison, l'acheteur a exigé avant de conclure la vente, que je laisse la photo de Danielle, qui était d'une grande beauté; ce que j'ai fait. J'ai vendu la maison car, les dernières années, nous nous faisions voler tous les jours: une serviette, un maillot de bain, une chaise longue, un coussin...

Un jour, dans la maison, je suis arrivée face à face avec un Barbadien qui avait une longue machette à la main. Je l'ai laissé partir, je n'avais pas le choix: nous n'étions pas à armes égales. J'allais à la Barbade pour me reposer, pas pour stresser.

En 1971, les enregistrements de disques avec mon producteur Tony Cattichio ont repris. J'ai enregistré *Pauvre playboy* et au verso *Grand-Mère*, avec Nana de Varennes, et *Un homme*. Tony faisait enregistrer les pistes de nos chansons en Italie et sur le disque de *Un homme*, on entend très bien l'accent des chœurs qui chantent à l'italienne un «homméé».

Au cinéma, les coproductions avec la France commençaient à être populaires. J'ai reçu un appel de la productrice de Roger Hanin, Christine Gouze-Reynal, pour jouer dans un de ses films en coproduction avec le Canada. Je me suis rendue à Paris pour les rencontrer. M. Hanin est très grand de taille, et il faisait des films de série B; il me trouvait trop petite et peut-être aussi pas assez «pitoune». Je suis revenue à Montréal un peu déçue, pas trop quand même.

Comme je faisais toujours vie commune avec André Laurence, Henri Heusdens a racheté mes parts de la discothèque Chez Zouzou. Ça me soulageait, car même si je vivais avec André Laurence, j'avais toujours un petit pincement au cœur chaque fois que je voyais Henri H. Il continuait sa vie de célibataire et fréquentait barmaids, clientes jeunes ou moins jeunes... Finalement, je ne regrettais rien... légère déception seulement.

\* \* \*

Radio-Canada lance sa programmation et nous commande, à Denise et moi, quatre spéciaux de comédie d'une heure réalisés par Jean Bissonnette. Nous avons travaillé dans la joie et les émissions ont eu du succès.

Au chapitre des potins, Guy Cloutier, après sa rupture avec Michèle Richard, a épousé une très très jolie femme qui deviendra la mère de Véronique et Stéphanie.

André Laurence m'a présenté un ami, agent de recouvrement pour American Express, Michel Forget. Tout de suite, Michel est devenu mon grand ami. Il était aussi drôle dans la vie qu'à l'écran: je suis tombée sous le charme. André et Michel faisaient un duo terrible: André, très beau, faisait tomber les filles; Michel les ramassait. Soyons honnête, André en gardait quelques-unes pour lui de temps en temps...

Michel était barman à La Licorne; je l'ai revu quelques semaines plus tard. Il nous a fait part, à Denise Filiatrault et à moi, des allées et venues de chacun: qui était passé à la discothèque? Avec qui? Combien de temps? Y avait-il du monde intéressant au bar? On savait tout: *Moi et l'autre* dans la vraie vie. On n'a rien inventé.

Quelques mois plus tard, j'ai retrouvé Michel, il ne travaillait plus, il était écœuré. Il habitait à Berthier avec mon père et s'occupait d'antiquités avec lui. Quelquefois, il couchait dans ma maison de Brossard. Je l'aimais comme un frère, plus qu'un frère.

Michel c'est mon ami, mon copain, mon confident, rien ne le surprend. Je suis des mois sans le voir et aussitôt qu'on se retrouve, on reprend la conversation comme si on venait de se quitter. Michel peut toujours compter sur moi et moi sur lui, je le sais.

Mon père me disait dans son langage imagé: «Y'a l'yable dans le corps. Y'est drôle en verrat. Il serait bon à la télévision.» Il avait vu juste! Michel est devenu régisseur à Télé-Métropole, mais n'était pas encore à sa vraie place. Il aura sa première grosse chance avec André Dubois quand il jouera dans *Du tac au tac* le personnage de Mario Duquette, un comptable très coloré qu'il a sûrement rencontré dans la vie. C'est un fin observateur. Il deviendra du jour au lendemain une vedette. Il l'est toujours, aussi bon en dramatique qu'en comédie, un grand!

* * *

Je fais partie du *Bye! Bye! 71*, et j'enregistre en même temps un spécial de chansons avec Claude Léveillée. Les grandes chanteuses comme Ginette Reno et Céline Dion n'étaient pas encore des vedettes, n'avaient pas pris toute la place... quoique Ginette commençait à se faire connaître.

Elle avait chanté pour les 25 ans de la station de radio CKVL quand M. Jack Tietolman a donné un gros party au Forum. On y avait vu défiler du beau monde, en plus de Ginette: Aznavour, Yvon Deschamps, Anne Renée, Marthe Fleurant, Shirley Théroux, Danielle Jourdan, Mimi Hétu, Claude Blanchard, Léo Rivest, Frenchie Jarraud, Claude Séguin, Jacques Normand, Jacques Desbaillets, le Père Gédéon, Donald Lautrec, Donald Pilon, Diane Dufresne et moi; toute la colonie était là, «sur le bras» en plus. On ne refusait pas à CKVL de faire partie du spectacle, c'était fort CKVL; la station passait nos disques. Le seul qui a été payé: Aznavour. Je n'en suis même pas certaine, je présume. Enfin, ça n'a pas beaucoup changé même 30 ans plus tard.

En 2005, *Moi et l'autre* a été diffusée en reprise à ARTV et on a reçu un si minime cachet que je suis gênée d'en parler. Le contrat a été signé en 1966 et appartient à la Société Radio-Canada. Que peut-on y faire? À l'époque, nous ne pouvions pas prévoir qu'il y aurait des reprises indéfiniment ou de nouveaux canaux spécialisés. Que peut faire l'Union des Artistes? On attend! «Dépêchez-vous, il ne me reste plus beaucoup de temps, j'ai 73 ans, je "dérape" sur mon "poffé" de cercueil!»

*Tiens-toi bien après les oreilles à papa*, un film pour toute la famille, a occupé le grand écran à Noël 1971. Pour la sortie, Michel Costom voulait faire un gros coup de publicité et m'offrir une Rolls Royce. Wow! La Rolls Royce valait 55 000 dollars, mais je devais payer l'impôt sur le prix coûtant; ce n'était pas un vrai cadeau. J'ai refusé, Michel était désolé, mais moi, qui suis sage, je ne voulais pas m'endetter pour un coup de publicité. Le film a été lancé partout avec grand succès. Yvon Deschamps y était excellent et a reçu de très bonnes critiques. On nous a cependant reproché les coûts du film: 400 000 dollars pour une comédie... en couleurs... un plateau de 80 personnes et le directeur-photo vedette, René Verzier, était-ce vraiment trop cher! On a crié au scandale, les journalistes ne nous lâchaient pas. On en parlait tous les jours. Pire que le scandale des commandites! Où était passé l'argent? Quel producteur aujourd'hui ne rêverait pas de faire un film avec tout ce beau monde pour si peu?

\* \* \*

Côté cœur, André Laurence m'avoue son amour et le crie dans les journaux. Il a dit: «J'ai pensé mettre le cap sur le Brésil. Je me rappelle une région vierge au nord de Rio où Bardot s'était installée un moment après son mariage avec Gunther Sachs. J'ai toujours voulu m'isoler là avec la femme de ma vie. À l'époque, j'avais l'endroit mais pas la femme. Aujourd'hui, j'ai les deux. C'est là que nous irons probablement au printemps. Je voudrais y faire un nid d'amour pour Do et moi à l'abri de la civilisation, de la pollution, de l'ambition et de l'argent...»

Je flottais! Étais-je prête à m'installer dans une région vierge au nord de Rio! Pas sûre! Pas sûre! On était en novembre 1971, mais la vie, l'ambition et l'argent nous réservaient des surprises; je ne perdais rien pour attendre.

Le 27 novembre 1971, sept heures. Ce matin-là, le Québec se levait en deuil: Olivier Guimond n'était plus. On perdait plus qu'un ami. On ne trouvait pas les mots pour dire notre chagrin. Celui qui nous rendait la vie plus douce en nous faisant rire nous avait quittés. On se disait: «Comme je l'ai aimé, j'aurais dû lui dire!» C'est vrai, quand on perd quelqu'un qu'on aime et qu'on admire, on se reproche de ne pas le lui avoir dit plus souvent qu'on l'aimait.

On s'est rappelé du sketch du *Bye! Bye! 70*, du petit soldat devant la maison de Westmount, de sa complicité avec Denis Drouin, qui l'adorait, le respectait, ou avec Paul Desmarteaux, quand il disait à Jos Cypius: «Vous mentez.»

Avant un spectacle, Olivier chantait *Body and Soul*, en s'accompagnant lui-même au piano pour se faire plaisir, se détendre. Il dansait aussi très bien. Ce n'était pas facile d'être le fils de Tizoune père. J'en sais quelque chose. Un jour, le père d'Olivier m'a téléphoné et m'a demandé de jouer dans un de ses sketches pour un soir à Trois-Rivières. J'ai accepté. Il n'y avait pas d'entente écrite. En s'y rendant, il m'a expliqué ce que je devais faire: «Je dis ceci, tu dis cela. Quand je dis ceci, tu réponds cela. O.K.?» Ça va.

Sur scène, j'ai eu de l'aplomb et j'ai assez bien fait ce qu'il me disait de faire. J'ai recueilli quelques rires. M. Guimond père est allé saluer à la fin du spectacle, sous des tonnerres d'applaudissements. Je me suis engagée derrière lui pour le deuxième salut. Il s'est retourné sec et m'a dit: «*No, you stay. This is for me.*» Je suis restée dans les coulisses. Après avoir vécu cette expérience et entendu dire qu'il faisait de même avec son fils, je me demande s'il n'était pas jaloux du succès d'Olivier.

Le soir où nous avions été élus Miss et Monsieur Télévision, Olivier m'avait dit: «J'en reviens pas, je suis tellement content.» Je pense qu'il s'était rendu compte, à ce moment-là seulement, de l'affection du public.

Le jour où son fils Marc est décédé dans un accident de voiture en France, il est quand même monté sur scène et a fait son spectacle comme lui seul savait le faire. Mais en revenant dans les coulisses, il pleurait comme un gamin. Son second fils, qu'il a eu avec Jeanne D'Arc Charlebois, est venu à Montréal assister à ses funérailles. Richard a fait carrière en France; c'est un excellent comédien, surtout reconnu pour sa voix de velours. En écrivant ces mots, je me souviens de cette phrase de Gaétan Labrèche: «Les comédiens, on les respecte, mais les comiques, on les aime.» On se souvient encore d'Olivier, grâce, entre autres, à la série dramatique *Cher Olivier* où Benoît Brière, un autre qu'on n'est pas prêt d'oublier, «était» Olivier. «Lui y connaît ça!» reste gravé dans notre mémoire.

Peu après, je suis repartie enregistrer les commerciaux des «14 soleils» à la Martinique pour Air Canada. J'ai enregistré avec une petite Haïtienne qui vivait à Montréal; elle disait: «Air Canada, pas poblème.» Habituellement, c'était Denis Héroux qui réalisait les publicités, mais cette fois, il était occupé à gérer ses nombreuses productions de films. Le travail a été confié à un autre réalisateur qui, pendant le tournage, est tombé amoureux d'une jeune et jolie figurante, blonde aux yeux bleus. On ne voyait qu'elle dans le spot publicitaire, et moi j'étais reléguée derrière à chanter sur la plage parmi un groupe de danseurs martiniquais. À l'occasion, on pouvait apercevoir mon front, mon bras, quelque chose qui bougeait. La voix vient d'où? Je me disais: «Ça n'a pas de bon sens, quand on va revenir à Montréal et que le directeur d'Air Canada et Jacques Bouchard de l'Agence BCP vont voir ça, ils vont crier au meurtre!» Une production comme celle-là coûtait cher, l'équipe technique, les figurants, les voyages, les chambres d'hôtel, les repas. Alors j'ai pris mon courage à deux mains et j'ai dit au réalisateur: «Ce n'est pas que je veuille faire mon intéressante, mais Air Canada et BCP paient pour voir Dominique Michel, je pense qu'il faut la voir!» Il m'a répondu: «Je connais mon travail!» Bon très bien. On a continué à filmer, moi toujours dans le fond du décor, presque invisible. Retour à Montréal: hauts cris. Résultat: on est retournés à la Martinique avec Denis Héroux et on a repris le tournage au grand complet. J'ai eu quatre belles semaines au soleil. Ah!

que M. Bouchard n'était pas content, le monsieur d'Air Canada non plus.

\* \* \*

Denise Filiatrault, Claude Landré et moi faisions, avec Jean Bissonnette, un spécial comédie d'une heure appelé *Allo le monde*, précédé de *Fuddle Duddle*, une parodie de la surprenante réponse du premier ministre Pierre Elliott Trudeau qui avait fait un commentaire sur la grève des autobus Murray Hill: «Qui mangent de la mar...» Et en rappel... «*Fuddle Duddle*».

Pendant ce temps, André Laurence était parti pour Paris, pour tourner *Les gens de Mogador*. Il ne donnait pas beaucoup de nouvelles, il tournait dans un petit village du sud de la France, Fontvieille.

Le film *Tiens-toi bien après les oreilles à papa* marchait très fort. Pour les 400 000 dollars d'investissement, le film a récolté trois millions. Les journalistes ne parlaient plus de scandale. Michel Costom était aux anges et, en avril, j'ai reçu le prix Orange en même temps que Gilles Vigneault. Un prix remis aux artistes les plus gentils avec les journalistes. Le prix Citron était allé à Michèle Richard et Claude Blanchard.

Le film *Tiens-toi bien après les oreilles à papa* a été présenté au Festival de Cannes, au marché du film, dans un tout petit cinéma, rue d'Antibes. J'y ai retrouvé mon ami Claude Jutra, que je fréquentais à l'occasion à Montréal. Nous mangions ensemble de temps en temps. Il m'a demandé: «Peux-tu m'accompagner ce soir, je mange avec Bibi Anderson et Milos Forman?» «Hein! Oui, oui, oui!» Nous les avons retrouvés au Ritz Carlton où nous avons dîné sur la terrasse. Un plaisir. Nous étions comme de vieux amis qui parlaient de tout et de rien. Soirée qui m'a laissé un bien beau souvenir.

Gilles Carle présentait en compétition *La vraie nature de Bernadette*. J'ai assisté à la première au Grand Palais du festival. Comme ça faisait plusieurs mois que j'avais quitté Montréal et que je vivais à Paris, j'ai retrouvé l'accent du Québec avec grand plaisir, mais en même temps je comprenais que certains Français aient de la difficulté à nous comprendre. Ils ont l'habitude d'entendre parler pointu avec des intonations plus hautes que les nôtres. Nous avons la voix plus grave.

Le lendemain, j'ai lu dans *Le Figaro* que Jacques Riberolles, venu jouer dans des films au Québec, faisait une sortie contre notre production cinématographique et parlait de notre «dialecte régional», jugeant notre niveau culturel minable; il faisait aussi une sortie contre le film de Gilles Richer et Jean Bissonnette. Enragée, j'ai déclaré à mon tour au même journaliste du *Figaro*: «Riberolles est un triste individu qui cause un tort immense à la réputation des Français en général. Il faut être culotté pour aller jouer au héros en exil à Paris quand on a raté sa carrière en France et qu'on est venu tourner des films de fesses au Québec, faute de sous!» Ça n'a peut-être rien changé à nos vies, ni à la sienne, mais moi, ça m'a soulagée.

*  *  *

Durant l'été 1972, j'ai tourné *J'ai mon voyage*, qui deviendra en France *Quand c'est parti, c'est parti*, une réalisation de Denis Héroux, un scénario de Gilles Richer, avec Jean Lefebvre, René et Régis Simard, mes deux fils dans le film.

Résumé: Jean-Louis Cartier (Jean Lefebvre) est commis à la Golden Trust dans la ville de Québec. Le siège social de la compagnie est à Vancouver. On a besoin là-bas d'un employé bilingue pour transiger avec une compagnie française. Jean-Louis est unilingue, mais il convainc la direction qu'il est bilingue et obtient l'emploi. Sa femme, Danielle (moi), croit qu'il est cinglé non seulement d'accepter l'emploi, mais aussi de croire qu'ils peuvent s'établir avec leurs deux enfants à Vancouver. Jean-Louis loue une roulotte et, pendant ses vacances, part avec sa famille pour un long voyage de reconnaissance à travers le Canada. Le but du voyage: prouver à sa femme qu'une famille francophone peut très bien vivre au Canada anglais.

Ne pouvant se faire comprendre, la famille Cartier s'empêtre dans tous les malentendus possibles et provoque autant d'aventures que de mésaventures. Au bout de leur peine, ils reviennent finalement au Québec pour s'entendre dire: «*Sorry, I don't speak French*», ce qui me fera dire «J'ai mon voyage!»

Le tournage fut très agréable avec René et Régis Simard, des enfants exemplaires. Ils savaient leur texte, se plaçaient au bon endroit sans faire de chichis, attendaient patiemment. Je me souviens d'une scène que nous avons tournée vers le 6 octobre, pendant laquelle la roulotte, en reculant, tombait dans le lac; nous étions à l'intérieur. Il faisait tellement froid qu'il y avait une très mince couche de glace sur le lac. Heureusement, nous avions des vêtements isothermes sous nos costumes.

On avait mis de gros barils à l'intérieur de la roulotte pour lui permettre de flotter. Nous étions à l'intérieur, les deux enfants et moi, attendant le mot «Action», gelés, gelés, gelés. Je me souviens de René qui, en sortant par le toit de la roulotte, a été à peine capable de dire son texte, tellement il avait froid. Moi, en sortant, je me suis coincé la main entre les barils et me suis cassé le petit doigt. Sur le coup, je ne m'en suis pas rendu compte, ma main étant presque anesthésiée par le froid. Mais quand elle a commencé à dégeler, aïoye, j'ai senti la douleur. Nous étions tous un peu fâchés contre Jean Lefebvre, qui cabotinait et nous a obligés à reprendre la scène. Il s'en foutait, lui, il n'était pas dans l'eau, mais assis sur le toit de la roulotte.

Je me souviens de la gentillesse de Roger Héroux, frère de Denis, qui venait gentiment me réchauffer entre les prises. Par contre, quand c'était à mon tour de faire des gros plans, Jean Lefebvre s'arrangeait pour passer son bras devant la caméra pour les gâcher. C'était la première fois que je voyais ça. Denis Héroux s'en était aperçu et m'a dit: «Écoute Dominique, pour tes gros plans, quelqu'un d'autre que Jean va te donner la réplique?»

«Pas de problème Denis, ça va aller plus vite.»

Ah! les vieux cabotins français!

André Laurence, avec qui je vivais, était aussi de la distribution. Il jouait le rôle d'un bel Indien venant m'enlever sur son cheval. Je n'étais pas très familière avec les chevaux et j'étais un peu craintive. André m'a dit: «Fais-moi confiance.» Je savais qu'il était un excellent cavalier, et je me suis sentie en sécurité avec lui. J'étais seule au milieu du champ lorsque j'ai entendu: «Action!» J'ai alors vu sept chevaux foncer sur moi à l'épouvante. Je me suis retrouvée prise entre deux chevaux. André m'a tendu le bras et m'a enlevée. La peur, toi! Je me suis accrochée à lui avec l'énergie du désespoir. La scène était réussie, mais il fallait encore tourner la suite. On galopait à toute vitesse, j'étais derrière lui, accrochée, je le serrais si fort qu'il avait de la peine à respirer. Il avait beau me rassurer, je ne desserrais pas mon étreinte, prise après prise. Il a été très patient. Je l'admire énormément.

Sur un plateau, André était parfait, patient, un vrai professionnel. Dans la vie, c'était autre chose. Il s'était pris de spiritualisme et s'intéressait au moonisme, il méditait de 4 heures à 8 heures et de 16 heures à 20 heures. Impossible de lui parler. J'avais beaucoup de difficulté à comprendre ce recueillement, mais j'acceptais. La méditation n'est pas mon point fort, le moonisme non plus!

Gilles Richer trouvait que le couple que je formais avec Jean Lefebvre marchait bien à l'écran et a décidé d'écrire une revue intitulée *La grande patente*, présentée à la Place des Arts, au théâtre Port-Royal, afin de mousser la publicité du film. Faisaient aussi partie de la distribution Benoît Marleau, heureusement qu'il était là pour détendre l'atmosphère, Danielle Ouimet, que j'ai toujours aimée et que j'aime toujours, et Suzanne Lévesque, à l'époque où nous étions très amies.

Pas délirant comme revue: Jean Lefebvre ne travaillait pas ses textes et s'en foutait. Travailler à Montréal, c'était pour lui comme jouer dans la France profonde. Le seul duo qui marchait dans cette revue était celui des hôtesses de l'air. Danielle, hôtesse d'Air France, dans un 747, faisait Paris, Rome, Athènes, et moi hôtesse dans un DC-4, je faisais Wabush, Rivière-du-Loup, Rimouski. Danielle était super élégante avec ses talons hauts, chic, et moi, j'avais l'air de quoi avec mon uniforme trop grand, des talons cubains et mes chaussures lacées! La critique, même anglophone, a été assez bonne: on s'en était tiré par la peau des fesses.

En février 1974, *J'ai mon voyage*, un film pour toute la famille, sortait enfin. La première du film avait eu lieu à Québec. J'étais sur place, quand j'ai reçu un appel de Jean Paquin, un membre de la haute direction de Télé-Métropole. Il m'informait que des photos de moi, nue, prises par André Laurence quelques années auparavant, circulaient à Montréal. Certains journaux dont *Photo Journal* s'apprêtaient même à les publier. Quelle tuile! Pourtant, c'était impossible. Les photos et les négatifs étaient chez moi à Montréal, dans un tiroir. Qui aurait pu les voler? André Laurence les aurait-il vendues? Tous les scénarios me passaient par la tête. Non, il ne m'aurait pas fait ça.

Ça me rappelait que quelques années auparavant, on avait dit que Denise et moi avions fait un film porno. Tout le monde disait: «Moi, je ne l'ai pas vu, mais mon beau-frère a vu un ami qui lui l'a vu cet été, etc.» Les policiers m'avaient alors expliqué: «Les "malfaisants" mettent en ouverture vos vraies photos (faciles à trouver!) puis ils filment une grande blonde et une petite brune (Denise est grande et blonde et moi petite et brune), toutes nues. Et voilà!» À l'époque, les films porno se vendaient sous le manteau; aujourd'hui, on ouvre la télévision à *Bleu Nuit* et on a tout ce qu'on veut. Malheureusement, pas de film de Denise et moi! C't'une blague!

Donc, après la projection de *J'ai mon voyage*, j'ai loué un avion privé et je suis rentrée à Montréal de toute urgence. Je me suis précipitée chez moi, pour bondir directement sur mon secrétaire. Les photos avaient disparu! Le lendemain matin, je me suis précipitée chez M<sup>e</sup> Claude-Armand Sheppard, un homme charmant, érudit, d'une grande intelligence, que j'admire beaucoup. Je lui ai expliqué la situation.

– Est-ce que ce sont des photos porno?

– Mais non, seulement moi, nue, qui marche dans les blés. Rien de scandaleux, mais mon film sort et c'est un film pour toute la famille, ce n'est pas le moment!

– Croyez-vous qu'André Laurence aurait pu les vendre?

Lui aussi y a pensé.

– J'ose espérer que non!

Dans l'heure qui a suivi, il a rédigé une mise en demeure d'un million de dollars à tous les journaux qui oseraient me montrer nue.

Quelques jours plus tard, en sortant de Télé-Métropole, j'ai croisé un journaliste d'un grand quotidien, qui m'a montré les photos et les négatifs. Comment les avait-il eus? Il n'était jamais venu chez moi. Il ne pouvait pas les publier à cause de la mise en demeure d'un million. Les vendre? À qui? Il était coincé. Il a toutefois refusé de me les rendre.

– Regarde-moi bien, je t'ai dans ma mire jusqu'à la fin de ma vie, lui ai-je lancé. Ne m'adresse plus jamais la parole.

Ce que j'ai fait. Je n'ai jamais essayé de me venger, mais je n'ai jamais oublié.

\* \* \*

Durant l'été 1973, j'ai tourné un autre film avec Denis Héroux, selon un scénario de Marcel Lefebvre: *Y'a toujours moyen de moyenner*, avec Willie Lamothe. Clémence Desrochers et moi incarnions des religieuses. Clémence jouait la sœur supérieure, et moi, je la suivais partout comme un petit chien de poche. Brusquement, elle a fait une génuflexion, et je suis tombée sur elle. Des rires, comme ça pendant tout le film! Nous nous étions bien amusées. J'avais enregistré la chanson thème, qui portait le même titre que le film, avec Willie Lamothe.

\* \* \*

Gilles Richer a écrit le *Bye! Bye! 73*. Bien sûr, j'en étais. Cette année-là, j'ai frappé dans le mille avec mon imitation de Michel Chartrand, mais la critique a été mitigée; certains journalistes ont critiqué le numéro écrit par Gilles Gougeon et Gilles Richer, parce que Chartrand «sacrait» à qui mieux mieux. On ne jure pas à Radio-Canada! Je disais: «Maudit, verrat de bâtard de viarge!» mais je le disais en ayant l'air de «sacrer». D'autres journalistes, dont ceux de *La Presse*, du *Devoir* et du *Journal de Montréal,* ont adoré.

Dans un numéro, j'interprétais «la femme superficielle» très belle, qui magazine chez Holt Renfrew, s'habille en Dior, et en même temps «la femme naturelle» qui a l'air du beau chien, en robe de maison, des pantoufles aux pieds; je faisais le ménage, la cuisine et magasinais chez Woolco, une vraie femme quoi! Mes autres partenaires à ce *Bye! Bye!* étaient Benoît Marleau, Paul Berval et Denis Drouin.

Déjà, j'imitais Diane Dufresne, je chantais devant un immense décor qui me suivait: il était attaché à moi. Fallait le faire: imiter, chanter juste et tirer le décor, comme si de rien n'était! Mais quelle joie et quel plaisir de faire toutes ces folies.

Durant l'hiver 1973, Réal Giguère, le maître des animateurs, a été chargé par Télé-Métropole de coanimer avec moi *Altitude 755*, pour concurrencer *Appelez-moi Lise*, avec Lise Payette, qui avait déjà un succès fou et plusieurs longueurs d'avance. On a fait de notre mieux Réal et moi, mais impossible de la rejoindre, encore moins de la battre. Sur le plan des cotes d'écoute, la concurrence était trop forte. Nous aurions dû suivre les règles de Brandon Tartikoff, qui a remonté la cote de NBC en perte de vitesse, après l'avoir fait pour ABC et CBS. En résumé, n'essayez pas de concurrencer une émission qui fonctionne très fort en mettant une émission du même genre à la même heure. Maintenant, je le sais pour la vie!

\* \* \*

André Laurence est revenu à Montréal. Je n'avais pratiquement pas eu de ses nouvelles depuis son départ. J'étais vraiment amoureuse de lui. Nous planifions de nous marier en France, vous avez bien lu, «marier». J'étais heureuse qu'il soit de retour. J'habitais avec lui à Habitat 67. J'avais toujours ma maison de Brossard, mais c'était surtout ma mère qui y demeurait.

Parenthèse: j'avais toujours peur que maman mette le feu, car elle s'endormait souvent avec sa cigarette allumée. Le tapis près de la table de chevet était tellement brûlé par les mégots qu'il en était presque rendu à la toile; pour ne pas que je voie les traces de brûlure, ma mère coupait les poils avec des ciseaux. Heureusement, en entrant dans la chambre, ça ne se voyait pas, c'était de l'autre côté du lit...

* * *

Cet été-là, je suis partie pour la Jamaïque enregistrer d'autres publicités pour Air Canada. En arrivant à l'hôtel de Kingston, j'ai constaté que des techniciens achetaient du «pot» auprès de petits dealers. Moi, je ne fumais pas et je n'ai jamais pris de drogue dure ou douce. Je connaissais le stratagème des vendeurs et j'ai dit aux techniciens de se méfier, car ces dealers allaient, après la vente, dénoncer leurs clients aux policiers qui eux faisaient des perquisitions dans les chambres d'hôtel. S'ils trouvaient du «pot», ils exerçaient un chantage sur les touristes et leur demandaient de 500 à 1 000 dollars en échange de leur liberté; sinon ils les arrêtaient et c'était la prison.

– Ne gardez aucun «pot» sur vous ou dans vos chambres, sinon vous êtes faits comme des rats, les avais-je prévenus.

Dans les corridors de cet hôtel se trouvaient des aires de repos agrémentées de grands divans, je leur ai conseillé de cacher leur pot dans les coussins des divans qui se fermaient par une fermeture éclair. Qui allait penser à chercher là? Personne. De toute façon, ça n'appartenait à personne, c'était dans le corridor. Ça n'a pas manqué, une heure plus tard, les policiers ont débarqué à l'hôtel, ont mis sens dessus dessous toutes les chambres des techniciens. Rien.

– Merci Dominique. Comment tu sais ça toi?

Je leur ai raconté qu'une amie, qui était allée à Cozumel au Mexique, avait acheté «du pot» aussi et avait été dénoncée. Lors de son transit à Miami en direction de Montréal, elle avait été arrêtée à l'immigration. Trois policiers l'attendaient. Elle avait caché son petit sac de pot dans ses culottes, difficile de dire que quelqu'un d'autre l'avait mis là à son insu. Ça lui avait coûté entre 5 et 10 000 dollars en frais d'avocats. Grosse leçon!

Donc, j'étais en Jamaïque et Philippe Dagenais, le designer, qui demeurait avec ma cousine Andrée, enceinte de huit mois et demi, m'a téléphoné. Je savais qu'elle devait accoucher bientôt.

– J'ai une grande nouvelle à t'annoncer! m'a-t-il dit.

– Andrée a eu son bébé?

– Non pas encore! André Laurence vient de se marier, c'est dans le journal de ce matin et son témoin est Jean Coutu!

– Quoi... oi... oi... oi! Ça ne se peut pas! T'es sûr!

– Dominique, c'est dans le journal!

– Mais je viens de partir de Montréal. Il y a à peine trois jours, il me parlait de mariage. Je suis «flabbergastée». Il a épousé qui?

– Je ne le sais pas, une Américaine!

– Quoi... oi... oi... oi?

Je tombais des nues. J'ai téléphoné chez moi, car aux dernières nouvelles, c'était là qu'il vivait... avec moi! Pas de réponse, le cellulaire n'existait pas à l'époque! Où le trouver? Je voulais mourir, je ne me remettrais pas de ça. Il était marié, ça ne se pouvait pas, je rêvais! Mon cœur se débattait; je l'entendais dans mes oreilles; je devenais sourde; je ne pouvais en parler à personne; je n'avais aucun ami avec moi sur le tournage. J'aurais voulu le tuer, comme ça, froidement! À ce moment-là, j'ai mieux compris les crimes passionnels. Heureusement que je n'étais pas à Montréal, j'aurais pu faire des déclarations stupides qui m'au-raient ridiculisée.

J'ai continué à travailler à la Jamaïque, à faire ma *cute*, à chanter *Mon bikini, ma brosse à dents*. Je vomissais toutes les heures; j'avais perdu l'appétit, je ne mangeais plus. J'ai téléphoné à Montréal 10 fois par jour, pas de réponse. J'aurais dû être heureuse d'être à la Jamaïque, d'avoir un contrat avec Air Canada. J'étais désespérée.

Le contrat s'est terminé, je téléphonais toujours à la mai-son. Finalement, il a répondu.

– André, c'est moi Dominique. (Je me contrôlais, car

j'avais envie de hurler.) Comment vas-tu mon chéri? (Comme si de rien n'était!) Tu n'as rien à m'annoncer?

– Non.

– Tu t'es marié il y a sept jours!

– Oui, mais c'est sans importance.

– Ah oui, pourquoi ?

– Pour avoir ma *green card* (carte de travail) pour les États-Unis.

– Ça ne t'est pas passé par la tête de me le dire?

– Mais non, c'est sans importance.

– Ah oui. Est-ce qu'elle le sait, elle, que c'est pour ta *green card* et que c'est sans importance?

– Non, mais c'est sans importance.

– R'garde donc ça!

Alors là, j'ai crié de toutes mes forces.

– Je rentre dans trois jours, tu me feras le plaisir de sortir de chez moi avant que j'arrive, avec toutes tes affaires. Je ne veux rien voir chez moi qui t'appartienne, même pas un bouton. Compris? Et n'oublie pas ta *green card*!

J'ai raccroché; j'ai vomi; je me tordais de douleur; j'étais malheureuse, un chagrin d'amour immense. «Mon Dieu, faites que ça passe!»

J'ai téléphoné à ma mère pour me faire réconforter, elle avait pris un verre et elle m'a chanté *Plaisir d'amour ne dure qu'un moment*. J'ai raccroché. J'en voulais au monde entier. Je ne voulais pas en parler à mon père, il aurait été aussi malheureux que moi.

Je suis revenue à Montréal. André était parti; il n'y avait rien, plus rien de lui chez moi. Je me suis couchée avec l'envie de mourir.

Puis je suis allée me réfugier chez mon père à Berthier. On est partis ensemble, comme quand j'étais petite, à la recherche d'antiquités. Je pensais moins à André et je me suis refait une santé.

Un an a passé. Pendant ce temps, André avait occupé plusieurs emplois à Montréal: portier dans des discothèques,

des petits boulots et la *green card* a servi à quoi finalement?
À rien.

Un jour, rue Crescent, entre le boulevard de Maisonneuve et la rue Sainte-Catherine, tout à coup, j'ai aperçu André qui remontait la rue. Il m'a vue, je n'ai pas osé changer de trottoir. Il est venu vers moi, mon cœur battait; je n'entendais plus le bruit de la rue.

– Bonjour Dominique. Je veux m'excuser, te demander pardon, j'ai fait une bêtise, je ne sais pas à quoi j'ai pensé, je voulais aller travailler aux États-Unis, j'ai été stupide. Finalement, ça n'a rien donné.

Je suis restée muette.

– Je demeure chez ma mère, je suis toujours mooniste; je médite le matin et le soir; je veux devenir une meilleure personne. Je vois une femme qui est la réincarnation de Thérèse d'Avila, tu vois?

Thérèse d'Avila, eh bien!

– E... e... e... oui, oupelaye, ai-je dit.

– Sois heureuse!

– Toi aussi, André.

Il m'a embrassée sur les joues. Je me sentais vide, soulagée et je me suis rendu compte que je n'avais plus de haine, plus d'amour, rien. C'était fini. J'étais au point mort. VIDE. Comme le dit si bien Léo Ferré dans sa chanson: «Avec le temps, avec le temps va, tout s'en va...» Avec le temps, on n'aime plus.

Je me retrouvais seule une fois de plus!

* * *

Après *Moi et l'autre*, c'était l'arrêt subit du travail et la fin de ma relation avec mon amoureux André Laurence. Il avait écrit en blanc sur un mur du port de Montréal, avec la complicité de son copain Michel Forget, juste en face de mon appartement d'Habitat 67: «Do, je t'aime!» Ces mots d'amour, je les ai eus sous les yeux pendant cinq ans. Pas facile d'oublier un amour quand il te dit qu'il t'aime chaque fois que tu regardes dehors.

# Chapitre 18

# TI-PAULO
# ET JACQUES-CHARLES GILLIOT

Je ne me sentais pas bien. J'ai pris rendez-vous avec le D$^r$ Jean Jetté. Plus rien ne m'intéressait. Je restais assise sur la galerie de ma maison de Saint-Ours dans le Rang de la base, et toute la journée, je regardais passer les voitures, deux par jour à peu près. Je me sentais déprimée, sans énergie. Diagnostic: une dépression!

– Hein? Quoi, pas moi!

– Il faut que tu t'occupes, c'est la conséquence d'un arrêt trop soudain de ton travail, m'a dit Jean Jetté.

– Tu crois?

– Oui!

– Bon, O.K.!

Alors, je me suis mise à peinturer ma grange, à travailler dans le potager, etc. Ma mère m'a téléphoné pour me dire qu'elle voulait passer quelques jours avec moi. J'ai accepté avec plaisir. Elle est arrivée quelques heures plus tard. J'avais oublié que je gardais des bouteilles d'alcool dans une grande armoire. Je suis partie faire l'épicerie au village, quand je suis revenue ma mère avait disparu. Je l'ai cherchée partout, elle était introuvable. Tout à coup, flash! Les bouteilles d'alcool. Elles étaient toujours là, mais plus pâles. Elle avait mis de l'eau dans les bouteilles: le cognac, un cadeau de Gilles Talbot, était pâle, à peine teinté. Maman avait sûrement bu et je me suis dit qu'elle était repartie chez elle. J'ai téléphoné, pas de réponse. J'ai poursuivi mes recherches jusque dans le potager. Je l'ai trouvée couchée par terre sous les grosses feuilles de rhubarbe (comme je le faisais quand j'étais petite!).

* * *

*Altitude 755* avec Réal Giguère ne décollait toujours pas. Lise Payette était trop forte. Avec raison, on a retiré l'émission de la grille. Quand ça va mal, ça va mal, comme on dit. Heureusement avec Jacques-Charles Gilliot, Jean Morin, Réal et Jean Péloquin, nous riions beaucoup, c'étaient de bons vivants. Faisaient aussi partie de l'équipe: Guy Robillard et Pierre Ste-Marie, avec qui je travaillerais plus tard.

Jean Morin, notre recherchiste de *Toast et Café* et d'*Altitude 755*, avait toujours plein d'anecdotes à nous raconter. Il avait été propriétaire et directeur d'*Allo Police* pendant des années. Il aimait bien une jeune femme qui vendait ses charmes dans une «maison de passe». Un jour qu'il avait emmené sa mère faire ses achats de Noël et que ça tombait sur «son jour», il l'avait entraînée dans ladite maison, sous prétexte d'y visiter une amie. Il avait installé sa chère mère dans le salon «d'attente», où la maîtresse de la maison avait reçu Mme Morin comme une princesse. Elle lui avait servi des petits fours et du porto. Mme Morin avait dit à Jean qu'elle avait «adoré la mère de sa jeune amie», en lui recommandant la fréquentation de cette jeune fille qui ne pouvait pas être une mauvaise personne en ayant une mère aussi aimable et distinguée. Jean nous a raconté que pendant «l'entretien», il avait eu quelques difficultés! Ce n'est pas facile de se concentrer quand ta mère t'attend en bas dans le salon et que tu veux faire vite!

* * *

J'ai eu aussi des problèmes avec mon comptable, qui tenait plus ou moins bien mes livres; mes déclarations de revenus n'étaient pas à jour. Il n'était pas malhonnête, mais négligent. Sur la recommandation de Jacques-Charles Gilliot, j'ai finalement atterri dans une firme d'avocats; l'un d'eux faisait de l'administration. Je tairai le nom de cet avocat, par respect pour

# Télévision: les années 1960

En 1960, à l'émission *Le club des autographes*, animée par Pierre Paquette

À l'émission *Bonsoir Chérie*, diffusée à Radio-Canada, je fais cette fois un numéro de variétés avec Monique Leyrac et Jen Roger, fort populaire à l'époque.

Au début de *Toast et café*, Fernand Gignac, récemment décédé, faisait partie de l'équipe d'animation. À droite: Frenchie Jarraud

En 1965, j'ai coanimé l'émission *Toast et café*, réalisée par Jean Péloquin et diffusée au canal 10, en compagnie de Paolo Noël, Frenchie Jarraud et Rod Tremblay.

J'ai enregistré quelques chansons sur disque
avec Robert Demontigny.

Le beau Robert Demontigny a coanimé avec moi
une émission de variétés estivale, *Copain Copain*,
en 1962 et en 1963, réalisée par Jean Bissonnette.

Cette photo prise en 1963 ▶
lors de l'enregistrement
de *Bonsoir chérie* a été
publiée dans *Time
Magazine*. Je porte
fièrement le chandail
des Canadiens.

Voici la photo officielle qui a servi à faire la promotion de l'émission *Moi et l'autre*.

Parmi les nombreux figurants qui ont participé à l'émission *Moi et l'autre*, il y a eu Normand Brathwaite, inconnu à l'époque et qui est devenu la star que l'on connaît.

Toujours dans la série *Moi et l'autre*: mon mariage avec le comédien Jean-Paul Dugas. C'est un Edgar Fruitier convaincant qui interprétait le rôle du prêtre.

Denise et moi avons enregistré ▶ un disque intitulé *Moi et l'autre*, qui contenait des sketches présentés au cabaret.

# Télévision: les années 1970

▲ À la fin des années 1970, la très belle équipe de *Chère Isabelle*, réalisée par Claude Colbert

▲ C'est dans les années 1970 que la série *Chère Isabelle*, écrite par Gilles Richer, a été diffusée sur les ondes de CFTM-TV, «votre» canal 10. Les comédiens Louise Latraverse et Earl Pennington faisaient partie de la distribution.

La série *Dominique* a obtenu ▸
un bon succès sur les ondes
de CFTM-TV, avec 2 millions
de téléspectateurs. Les comédiens
Mireille Daoust et Vincent
Bilodeau interprétaient les rôles
de mes deux enfants. Sur cette
photo, maman – Dominique –
semble plutôt fâchée.

◂ Dans les années 1970, Radio-
Canada produisait régulièrement
des émissions spéciales
de variétés. En 1974, j'ai animé
un spécial dans le cadre
des *Beaux dimanches*,
intitulé *Pas de problème*.
Benoît Marleau, André Dubois
et Paul Berval participaient
à l'émission.

Toujours dans les ▸
années 1970, Denise
et moi dans un spécial
télé avec les Jérolas
(Jérôme Lemay
et Jean Lapointe)

# Télévision: les années 1980

Dans un autre spécial variétés diffusé à Radio-Canada, Denise et moi portions des créations d'Yvon Duhaime.

Denise et moi avons interprété des rôles de mères (Denise) et de petites filles tannantes (Dominique) dans nos différents sketches. Sur la photo: le spécial «Fudle dudle», à Radio-Canada.

Denise et moi répétons en compagnie du renommé chorégraphe Brian McDonald, à l'époque directeur artistique des Grands Ballets Canadiens.

Dans un autre spécial télé, nous avons ▸ interprété les rôles de la chanteuse Chantal Pary (Denise), d'André Sylvain (Benoît Marleau) et de leur fille Mélanie (Dodo).

◂En 1981, Denise Filiatrault et moi avons été les premières présentatrices du gala de l'ADISQ.

En 1984, l'émission *Avis de recherche*, animée par Gaston L'Heureux et Aline Desjardins, a consacré une émission aux membres du *Beu qui rit*. De gauche à droite: Jacques Lorain, Denise, moi, Paul Berval et Roger Joubert.

Cette photo a été prise après un gala télé, je suis en compagnie de mes amis Denise, Donald Lautrec et Roger Joubert.

Avec la comédienne Nana de Varennes pour la chanson *Grand-Mère*. Nana m'avait raconté à la blague qu'elle avait déjà été souffleuse dans le trou du Gesù (salle de spectacle).

# Télévision: des années 1990 à aujourd'hui

J'ai adoré animer la série télévisée *Dodo déco*. Mon grand ami Philippe Dagenais, designer, qui coanimait l'émission, m'a beaucoup appris sur le milieu de la décoration.

Je connais Philippe depuis 40 ans et il fait partie de ma famille.

J'ai beaucoup apprécié mon rôle de Madame Beauchamp, tenancière d'une maison close dans la série *Montréal, ville ouverte*, écrite par Lise Payette.

J'ai retenu cette photo d'une des nombreuses remises de trophées auxquelles j'ai participé, car je trouve ma ressemblance avec la célèbre Christelle de *Dynastie* pour le moins frappante. En compagnie du ministre Marcel Masse, je remets le trophée à Martine St-Clair.

Michel Jasmin a animé une émission spéciale pour fêter les 20 ans de TVA.

En 1996, Radio-Canada a diffusé une série télévisée intitulée *Moi et l'autre 30 ans plus tard*. Sur la photo, on reconnaît Denise et moi, ainsi que les producteurs Luc Wiseman et Jean Bissonnette.

Une photo qui a été prise pour souligner la centième de la comédie télévisée *Catherine*. Il y a beaucoup de monde sur cette photo, je vous en nomme quelques-uns. Première rangée: le producteur délégué Claude Maher, les comédiens François Papineau, Sylvie Moreau, Marie-Hélène Thibault et Charles Lafortune, qui étaient les vedettes de cette comédie. À l'avant, on voit aussi le producteur Luc Wiseman. On me retrouve très loin à l'arrière, car j'étais arrivée à la dernière minute pour la session de photos. De chaque côté de moi: notre coiffeuse, Manon Côté, et le réalisateur, Philippe Louis Martin.

J'accepte régulièrement les invitations qu'on me fait de participer à diverses émissions télévisées. J'ai bien aimé mon passage à la deuxième année de *Star Académie*. Comme de nombreux téléspectateurs, je trouve qu'il y a beaucoup de jeunes talents au Québec. Autour des participants de l'émission, on peut voir Pierre Karl Péladeau, Luc Plamondon et Isabelle Péladeau.

# Publicités

Déjà dans les années 1950, j'avais commencé à m'intéresser à l'immobilier. Mon mari d'alors, Camille Henry, et moi avions accepté d'être les porte-parole d'un entrepreneur de la vieille capitale, qui vendait des maisons avec des mensualités de 59 $ et un paiement initial de 250 $... Les temps ont bien changé.

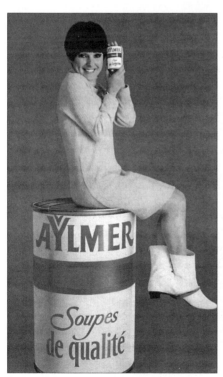

Dans les années 1960, j'ai accepté de vanter les mérites des soupes Aylmer.

J'ai commencé très jeune à faire de la pub. On pouvait déjà me voir dans les années 1950 faire la publicité, dans la région de Québec, des boissons gazeuses Fortier.

◂ J'apparais ici en bikini pour faire la publicité d'Air Canada et de l'une de ses destinations: la Martinique. J'ai 42 ans sur cette photo... je me trouve pas pire pour mon âge!

▴ Une autre publicité pour Air Canada pour sa campagne intitulée *Mon bikini, ma brosse à dents*. Sur cette photo, on reconnaît le regretté violoniste monsieur Pointu. Cette année-là, c'était: «Air Canada, pas poblème!»

Une nouvelle fois dans le rôle d'une petite fille coquine, pour le Salon de la femme

En 1992, j'ai tourné cette pub pour la compagnie Pepsi-Cola. Comme vous le verrez sur une autre photo, j'avais été infidèle à Coca-Cola, pour qui j'avais fait des pubs plusieurs années auparavant. Pour les fins de cette pub de Pepsi, je joue encore les petites filles pas toujours sages. À ma droite, mon amie la styliste Claudine Blanchet.

◄ J'ai fait pendant quelques années la publicité du Salon national de l'habitation. Cette jolie photo promotionnelle a été prise lors du 20ᵉ anniversaire de ce salon. Elle n'a jamais paru, car cette année-là, à cause d'un problème de toit, l'événement n'a pas eu lieu au Stade olympique.

▲
Ça ne paraît pas trop dans cette pub de Coca-Cola, mais lorsque cette photo a été faite, on en était à la 34ᵉ prise. Cela signifie que j'ai dû boire 34 grosses gorgées...

# Cabaret

Une autre revue, intitulée *Zéro de conduite*, où Denise et moi étions accompagnées sur scène de Benoît Marleau et d'André Fontaine (frère de Jacques Desrosiers). Les deux frères sont malheureusement décédés aujourd'hui.

Denise et moi jouons les vamps dans ce numéro intitulé *Les hommes préfèrent les blondes* (on disait: oui, mais ils marient les brunes!).

En 1963, Denise ▶ et moi avons présenté la revue *Dans le vent*, en compagnie de Donald Lautrec et de Jacques Desrosiers, au chic Casa Loma.

# Scène

J'ai joué en anglais dans la
comédie musicale *Little Mary
Sunshine*, écrite par Rick
Bessoyan, à qui on doit aussi la
chanson à succès *Un p'tit béguin*.

Dans mon monologue du pitou, ▸
dans *Showtime Dominique
Showtime*, j'étais accompagnée
de mon chien Charlie.

Émue, je salue mon public après le spectacle *Showtime Dominique Showtime*.
Je porte une création du couturier Yvon Duhaime.

◄ Dans mon spectacle *Showtime Dominique Showtime*, j'imitais le coloré syndicaliste Michel Chartrand. Ma première phrase était: «Vous êtes pas tanné de vous faire chier su'a tête?»

En 1978, j'ai fait une grande tournée avec *Showtime Dominique Showtime*. Mise en scène: Jean Bissonnette, textes: Jacqueline Barrette.
▼

Voici ma chère Cathy Gauthier, une jeune humoriste avec laquelle j'ai eu le bonheur de travailler au cours des dernières années. Elle se décrit comme un petit diable de 100% vache folle.
▼

# Mode

◄ Il m'arrivait de porter des
créations aussi prestigieuses
que celle-ci, du couturier
Paco Rabanne, à 3 000 $
la pièce... Elle m'avait été prêtée
pour la photo.

*Ces bottes sont faites
pour marcher* (air connu).
J'ai enregistré cette chanson
et je portais évidemment
des bottes blanches pour en faire
la promotion.

▼

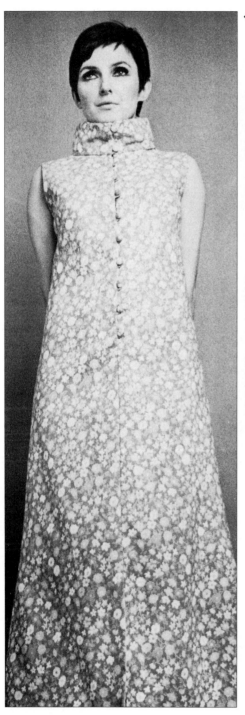

J'ai toujours été fascinée par la mode. Sur la photo, je porte une robe créée par John Warden.

Cette autre création du couturier John Warden ne passe pas inaperçue. Remarquez les bas qui *matchent* avec la robe et le manteau.

Le couturier John Warden, qui a été très populaire dans les années 1960-1970.

# Bye bye

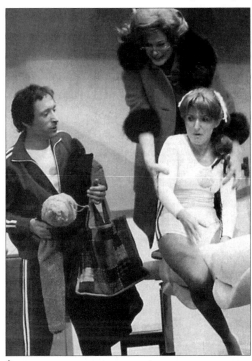

Ici, je personnifie la plantureuse Pamela Anderson dans son célèbre maillot rouge d'*Alerte à Malibu*. Non, ce ne sont pas mes vrais seins!

Un numéro dont j'entends encore parler et qui avait obtenu beaucoup de succès lors de la diffusion, celui de Nadia Courtemanche (inspirée par la célèbre Nadia Comaneci), dans lequel Denise Filiatrault jouait ma mère, et Benoît Marleau, mon entraîneur.

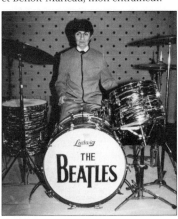

Un autre *Bye Bye*, une autre mégastar: Ringo, des Beatles. Je me moquais gentiment de lui en échappant constamment mes baguettes.

Dans ce numéro du *Bye Bye*, je parodie Mitsou avec un cornet de crème glacée à deux boules. Subtil!

◂ *Bye Bye 85*, j'imite Denise Bombardier. qui présente son invitée de marque, Denise Bombardier

◂ En 1986, nous avons souligné au cours du *Bye Bye* l'ouverture officielle de la station de télé TQS. Pour l'occasion, j'ai imité Guy Fournier dans son célèbre costume de chef indien.

Au *Bye Bye 83*, j'ai imité Dédé, ▸ alias petit Mozart, André Gagnon. Je suis photographiée ici avec mon ami, le réalisateur de l'émission, Jacques Payette.

◄ *Bye Bye 89*, avec Patrice L'Ecuyer et Yves Jacques. La comédienne Suzanne Champagne s'était jointe à nous, cette année-là.

*Bye Bye 91*, avec René Simard, Patrice L'Ecuyer et Yves Jacques, mes petits préférés.
▼

Dans cette édition 1993, je n'hésite pas à me moquer de ma longévité proverbiale au *Bye Bye* en incarnant le lapin de Duracel, dont les piles ne faiblissent jamais et durent encore... encore... encore... À mes côtés: Patrice L'Ecuyer et André-Philippe Gagnon.
▼

*Bye Bye 98*, avec mon cher Patrice L'Ecuyer, qui coanimait l'émission avec moi.
▼

*Bye Bye 86*, avec Yves Jacques, Michel Côté et la talentueuse Michèle Deslauriers.

Nous avons répété le *Bye Bye 92* en cachette alors que notre invitée surprise, Marina Orsini, a fait une imitation mémorable de la chanteuse Marjo. Sur la photo, à l'avant: Yves Jacques, René Simard et moi. Debout: Marina Orsini, Denise Filiatrault, Patrice L'Ecuyer et Daniel Lemire.

*Bye Bye 95*: une nouvelle production, de nouveaux partenaires. À mes côtés, les comédiens Serge Thériault, Diane Lavallée ainsi que l'adorable imitateur André-Philippe Gagnon.

◄ Je portais pour ce numéro du *Bye Bye 76* un tout petit bikini qui soulignait la fin de la campagne publicitaire d'Air Canada que je faisais avec Pierre Nadeau.

Lors de ce *Bye Bye*, ► je faisais un numéro avec Serge Thériault, dans lequel j'incarnais un rabbin que l'on disait asthmatique plutôt que hassidique.

◄ Si les succès des différents *Bye Bye* ont toujours été liés étroitement aux talents des comédiens et des scripteurs, il ne faut pas oublier l'excellence de tous ceux et celles qui travaillaient dans l'ombre. Le costumier Michel Robidas, à qui l'on doit d'incroyables costumes, était l'un de ceux-là. Il poursuit sa brillante carrière au Cirque du Soleil.

◄ Une finale vraiment endiablée pour le *Bye Bye 84.*

Au *Bye Bye 98*, on avait réuni la majorité des artistes qui avaient participé aux *Bye Bye* précédents... Essayez de tous les nommer!

# Les films

◂ Dans le film *J'ai mon voyage*, je partageais la vedette avec le comédien français Jean Lefebvre, décédé en 2004. Ce monsieur cabotinait souvent lors du tournage, au grand désespoir du réalisateur Denis Héroux.

Mon amoureux ▸
de l'époque, André
Laurence, que l'on voit
dans cette scène du film
*J'ai mon voyage*, joue
le personnage de l'Indien
qui essaie de m'enlever...
un peu comme dans
la vraie vie.

◂ René et Régis Simard interprétaient le rôle de mes enfants dans le film *J'ai mon voyage*.

Dans le film *Y'a toujours moyen de moyenner* (1974), j'avais quelques scènes avec Clémence DesRochers. On y jouait le rôle de deux sœurs volantes folles à lier. Ce film était réalisé par Denis Héroux.

Pendant le tournage du film *Les aventures d'une jeune veuve* (1975), par Roger Fournier, l'auteur-scénariste André Dubois n'hésitait pas à me réchauffer, en toute amitié, entre les prises.

En 1971, je tourne mon premier film, *Tiens-toi bien après les oreilles à papa*, aux côtés des comédiens Dave Broadfoot, Roger Garand et Yvon Deschamps. C'est Jean Bissonnette qui réalisait le film.

J'ai accepté de jouer nue dans le film *Je suis loin de toi mignonne*, réalisé par Claude Fournier. À l'époque, ma mère a failli perdre connaissance en me voyant nue au cinéma.

Sur cette photo, toute l'équipe de tournage de *Laura Cadieux... la suite*,
film de Denise Filiatrault, produit en 1999 par Cinémaginaire.

Je me suis rendue à Paris en 1987 pour faire la promotion du film *Le déclin de l'empire
américain*. Je suis entourée sur cette photo du réalisateur Denys Arcand et des comédiens
Yves Jacques, Dorothée Berryman, Geneviève Rioux, Louise Portal et Pierre Curzi.

Cette photo a été prise dans le cadre d'un événe- ▸
ment organisé pour la fondation de l'hôpital
Sacré-Cœur. Tout le monde pouvait se faire
photographier avec l'Oscar de Denys Arcand
moyennant une modeste somme de 100 $.
À mes côtés: l'auteur, réalisateur et scénariste
Denys Arcand et son épouse, Denise Robert,
productrice du film *Les invasions barbares*.

À Cannes, en 2003, avant la conférence
de presse du film *Les invasions barbares*.
De gauche à droite: les comédiennes Isabelle Blais,
Mitsou, Johanne-Marie Tremblay, Dorothée
Berryman, le réalisateur Denys Arcand,
Louise Portal, Marie-Josée Croze, moi
et la comédienne française Marina Hands.
▾

▴Une photo que j'aime beaucoup de l'équipe de *Les invasions barbares*. Je vous nomme
ceux qu'on n'a pas vus sur les photos précédentes: Rémy Girard, Pierre Curzi,
Jean-Marc Parent, Gaston Lepage et Stéphane Rousseau.

son ex-femme et ses enfants, très jeunes à l'époque, et qui occupent peut-être des postes importants aujourd'hui. Ils n'ont pas à subir les conséquences de la malhonnêteté de leur père. C'est une triste histoire!

J'ai rencontré ce jeune avocat, gentil, intelligent, très intelligent. Il a vite compris ma situation et m'a assuré qu'il allait remettre de l'ordre dans ma comptabilité. J'étais rassurée. Il avait plusieurs clients du monde artististique: Denise Pelletier, Serge Bélair, Michel Desrochers. Il avait vite appris tout ce qui marchait dans le milieu artistique. Il s'était rendu compte que la distribution de films rapportait énormément et avait décidé de mettre sur pied une société de distribution, Prospect Film. Il m'a convaincue d'investir dans la compagnie, ce que j'ai fait, pour un assez gros montant. Il fréquentait Carlo Ponti (producteur italien et mari de Sophia Loren), rencontrait des distributeurs américains, mais il faisait surtout affaire avec les Français. Comme la mode était aux films érotiques, il a acheté le film *Histoire d'O*, un très beau film, bien fait, soigné et qui faisait un malheur en France. Il a aussi acheté *Adieu poulet*, un film mettant en vedette Lino Ventura. Je fus chargée des relations publiques de M. Ventura durant son séjour à Montréal pour la première du film. Je l'ai emmené un peu partout. Un jour, il me dit qu'il voulait manger du pastrami.

– Du pastrami?

– Oui, il paraît qu'on trouve le meilleur ici à Montréal.

Enfin il prononce, mais mal, le nom Schwartz.

– Ah! du smoked meat, ai-je dit.

Je l'ai donc emmené boulevard Saint-Laurent. Schwartz existe depuis de nombreuses années. Son propriétaire, un Juif européen, adore la musique, l'opéra et les chanteurs. D'ailleurs, Yoland Guérard, Yolande Dulude, Fernande Chiocchio y mangeaient très souvent, invités par le propriétaire, qui leur servait du vin rouge dans des tasses à café, car il n'avait pas de permis d'alcool. C'est meilleur que du Cherry Coke. Quand il mourra des années plus tard, le propriétaire laissera le restaurant, par testament, à sa jeune et belle maîtresse qui, à son tour, s'en occupera très bien. La famille aura beau protester, le testament aura le dernier mot!

Donc Lino, on se tutoyait, adorait le restaurant. C'était un endroit où il n'y avait que des tables de huit personnes; on y mangeait en compagnie d'étrangers, mais tout se passait toujours très bien. Les gens de Montréal sont très civilisés et respectueux envers les artistes.

L'assiette est donc arrivée directement sur la table «d'arborite turquoise», imitation de marbre. Lino était heureux. Il a mangé son pastrami, des cornichons et des petites languettes de lard épicé. Il était au paradis. Je l'ai aussi emmené manger Aux Halles, rue Bishop, un restaurant huppé, fermé maintenant. En 2005, monsieur Landuri, le propriétaire, a mis la clé dans la porte et l'édifice en vente pour que ses nombreux clients gardent intacts les bons moments qu'ils y avaient passés.

Donc, nous étions à table Aux Halles, M. Ventura et moi. Nous en étions au potage, quand soudain une admiratrice a sauté sur moi, s'est mise à m'embrasser sur la joue en criant:

– Dominique, Dominique, Dominique, je vous aime assez!

Lino était interdit. Il ne savait pas que j'étais si connue au Québec. Elle était derrière moi, m'enlaçait le cou de ses deux bras, me brassait de gauche à droite; ma chaise aussi oscillait et j'ai fini par perdre l'équilibre. Je me suis accrochée à la table, à la nappe plutôt, qui a glissé. Et je suis tombée par terre, emportant la vaisselle, les deux potages, la bouteille de vin, etc.

Et elle, elle continuait, hystérique: «Je vous aime assez, je vous aime assez.»

M. Ventura était sidéré. Je portais un tailleur blanc. J'étais couverte de soupe, de vin, de beurre...

M. Landuri était sous le choc. La dame était repartie heureuse, elle avait vu sa vedette préférée! C'était l'fun! Je dégoulinais, les garçons étaient désolés. J'ai dû aller laver mon tailleur dans les toilettes et on m'a prêté une veste de cuisinier pendant que mes vêtements de gabardine séchaient. Finalement, tout le monde a éclaté de rire.

– Eh ben c'est de l'amour ça! a lancé Lino Ventura.

– Oui, mais des fois je m'en passerais bien!

* * *

Jacques-Charles Gilliot, avec qui je travaillais, me faisait une cour acharnée. Je savais qu'il était marié, père de deux enfants, mais je savais aussi qu'il n'était pas la fidélité incarnée. Nous sommes partis en reportage à la Barbade. Ce qui devait arriver arriva.

Jacques-Charles voulait vivre avec moi. Je n'étais pas trop emballée à l'idée, car je connaissais sa réputation. Toutefois, comme j'étais seule, j'étais prête à faire un essai, même si: «Chat échaudé craint l'eau froide...»

À l'époque, Jacques-Charles était le directeur de la station de radio CJMS, où j'ai fait la connaissance de Paul Vincent, qu'on appelait Ti-Paulo à la radio. Ce dernier était disc-jokey, ses présentations étaient toujours très drôles et il imitait souvent son grand patron, M. Bazinet. Il avait une oreille musicale extraordinaire. Il était fou d'Elton John, essayait de chanter comme lui, grosses lunettes comprises. Il voulait être chanteur et avait créé, pour la radio, *Balconville*, une émission où les chanteurs populaires venaient faire du «lipsync» sur leurs chansons devant public, les vendredis soir, sur des grands balcons de quartiers: ça marchait! Il a ainsi fait de la télévision à la radio. Paulo et moi, on se voyait souvent, presque tous les jours. On mangeait ensemble, on riait, on déconnait.

Un jour, il m'a proposé: «Tu vas faire un disque, on va le produire tous les deux.» On a fait faire la piste musicale et j'ai enregistré la version française d'une chanson américaine adaptée pour le Québec: *Quand je jouais dans la ruelle*. J'ai doublé ma voix. Nous avons fait les chœurs à deux en enregistrant plusieurs fois, jusqu'à ce que ça sonne comme un vrai chœur de vingt personnes. On a fait distribuer le disque par Michel Constantineau, un ami de Jacques-Charles. Nous étions un groupe d'amis qui s'amusaient, qui ne roulaient pas sur l'or, mais qui couvraient presque toujours leurs frais.

En juillet 1976, après sa séparation d'Ike Turner, qui la battait, Tina Turner a enregistré un disque solo, *Private dancer*, que Ti-Paulo a rendu très populaire à la radio. Le succès de ce disque, de Montréal à Los Angeles en passant par Plattsburgh et New York, était dû, je le crois encore, à l'acharnement de Paulo.

Tina Turner est venue à Montréal lors de sa tournée; elle s'est produite en spectacle dans l'ancien hippodrome de Pointe-aux-Trembles, accompagnée des Tinettes qui faisaient les chœurs et dansaient. Je crois que nous étions cinquante spectateurs.

Paulo et moi étions debout devant la scène, on applaudissait comme des fous après chaque chanson pour l'encourager, mais aussi parce que nous l'aimions beaucoup. Elle devait être désespérée. À la fin du spectacle, elle nous a souri. J'ai dit à Paulo: «Allons la voir.»

Elle nous a reçus gentiment; elle reconnaissait ses admirateurs collés au bord de la scène. On l'a invitée à manger avec ses Tinettes, elle a accepté avec plaisir. Paulo ne parlait pas anglais, je faisais la traduction de l'un à l'autre. Nous sommes allés au Castel du Roy, elle était ravie. On a échangé nos numéros de téléphone et chaque fois qu'elle viendra à Montréal par la suite, elle me téléphonera ainsi qu'à Paulo. Elle lui était très reconnaissante d'avoir passé ses disques pour ses débuts au Canada.

* * *

Air Canada m'invitait à Paris pour le 25$^e$ anniversaire de la compagnie, avec Pierre Nadeau, René Lecavalier, des ministres, des directeurs de l'entreprise, etc. Dîners, fête, bateau-mouche.

Ma copine Lorraine, qui est canadienne et qui a épousé un Français, travaillait chez Ted Lapidus à Saint-Germain-des-Prés. J'y ai acheté un très joli tailleur blanc avec une petite rayure rouge que je portais avec un chemisier rouge. Une vraie Parisienne.

Depuis un an, je faisais régulièrement des hémorragies. Très souvent, je devais quitter les plateaux d'enregistrement, car je perdais du sang. J'étais obligée de m'allonger. Un jour, j'étais couchée sur le siège de ma voiture, souffrante, quand un policier me croyant en état d'ébriété m'a obligée à sortir. Il a vu mon jean en sang et m'a demandé si j'avais été battue.

J'ai consulté plusieurs médecins, tous me prescrivaient des pilules pour arrêter les hémorragies, mais rien n'y faisait. Donc, j'étais à Paris, les hémorragies avaient ralenti. Je me sentais un peu mieux. Lorraine, qui connaissait tous les restaurants chics à Paris et en périphérie, m'a dit: «Il faut aller au Camélia Blanc, c'est un restaurant fabuleux; le président de la République y mange très souvent.» Ah bon! Si le président y mange, on y va. Elle est venue avec nous et des amis, c'était vraiment délicieux. Je portais mon petit tailleur blanc à rayures. Quand je me suis levée pour partir, Lorraine a poussé un cri.

– Assieds-toi, assieds-toi!
– Quoi!
– Tu as du sang partout.

La chaise, le tailleur, les jambes, les chaussures, il y en avait partout. J'ai enlevé ma veste, l'ai attachée par les manches autour de la taille et me suis dirigée vers les toilettes. J'ai rincé la jupe à l'eau froide, mais l'hémorragie, elle, n'arrêtait pas. J'ai laissé ma trace sur le moelleux tapis du restaurant. Fallait que je sorte.

Arrivée près de la voiture, je me suis couchée sur le plancher. Ça ne pouvait pas continuer comme ça. Je ne pouvais pas être malade pendant tout le voyage. Je maigrissais à vue d'œil, j'étais faible.

Je suis finalement revenue à Montréal, mais les hôpitaux étaient en grève. Jacques-Charles a parlé à Huguette Proulx. Huguette connaissait tout le monde, dont Lise Fortier, une chirurgienne attachée à l'hôpital Notre-Dame. Elle m'a obtenu un rendez-vous. Je voulais faire bonne impression; j'ai mis une très jolie robe blanche. Non, ce n'est pas ce que vous pensez. Il venait de pleuvoir. J'attendais un taxi, une voiture est passée et m'a arrosée de la tête aux pieds. Je suis retournée à la maison me changer avant de repartir pour le bureau du D$^r$ Fortier, essoufflée. Elle m'a auscultée.

– Je vous opère dans deux jours, a-t-elle lancé. Vous avez un kyste gros comme un pamplemousse aux ovaires.

– Mais la grève?

– Je m'en occupe!

Elle m'a donné une adresse où passer les examens pré-opératoires et j'ai été admise à l'hôpital Notre-Dame. Mon ami Yvon Duhaime est venu avec moi. J'étais tellement malade que je lui ai dit:

– J'ai peur de mourir.

– Ben voyons, pas nous autres, Dodo, on mourra jamais.

– C'est vrai Yvon, j'y avais pas pensé.

Cré Yvon!

1976, c'était aussi les Jeux olympiques de Montréal. J'ai regardé la cérémonie d'ouverture à l'hôpital. Ça me distrayait et m'a fait oublier qu'on m'opérait le lendemain. C'était dommage de ne pas pouvoir assister à l'ouverture, j'avais mes billets pour le stade... enfin terminé. Un ami m'a raconté que des matériaux avaient été volés par camions entiers et que les travaux avaient été intentionnellement retardés. «Les unions, quossa donne!»

J'ai donc subi une hystérectomie. La chirurgienne Lise Fortier était une très jolie femme, grande, les cheveux roux. J'étais sur la table d'opération et la dernière chose que j'ai vue, c'était, autour de son cou, un magnifique collier de corail rouge comme ses cheveux. Oui, oui, elle gardait son collier. L'anesthésiste m'a demandé de compter jusqu'à dix. Je me souviens de 1, 2, 3, 4, bye bye, j'étais partie. En me réveillant, c'était fait. On a toujours l'impression que ç'a duré deux minutes. Deux heures plus tard, une infirmière est venue.

– Faut vous lever.

– Hein?

– Oui, oui, pour ne pas avoir d'adhérence.

– Je ne peux pas, je suis à moitié morte!

Je me suis levée quand même malgré la douleur, car je suis assez docile.

Le lendemain, j'étais faible, mais je me sentais un peu mieux. Suzanne Lévesque est venue me voir, mais je lui ai dit de retourner chez elle. Inutile de perdre son temps à me regarder dormir. En dormant, je récupérais, car j'étais épuisée.

– Il faut vous lever, ça va vous aider à reprendre des forces, m'a dit une autre infirmière.

Je me suis relevée, mais je suis restée pliée en deux; comme tous ceux qui viennent de se faire opérer, j'avais peur que ma plaie s'ouvre. Je lui ai dit que j'allais marcher dans le corridor seule.

– Vraiment, vous êtes capable?

– Oui, oui.

Je suis partie avec mon soluté; je traînais les pieds, mais je me forçais. Au bout du corridor, je me suis arrêtée près d'une fenêtre; je m'y suis accrochée, je sentais bien que j'allais m'évanouir. Je voulais crier à l'aide, mais j'avais peine à parler. Alors dans un souffle, j'ai murmuré:

– S'il vous plaît, aidez-moi, au secours!

Du bout du corridor, l'infirmière m'a aperçue, j'étais couchée par terre. J'avais l'impression d'avoir couru le 100 mètres.

Malgré tout, je me suis remise assez vite et je suis allée en convalescence à Saint-Denis-sur-Richelieu, dans ma maison où je demeurais avec ma mère. J'avais vendu celle de Brossard. Je lui avais fait promettre de ne plus fumer au lit. Je n'avais pas envie de passer au feu. La maison était magnifique, toute «en bois» et les chambres étaient à l'étage.

Ma mère, qui adorait les animaux tout comme moi, s'était acheté cinq petits canards qu'elle gardait dans un enclos au bord du Richelieu. Ils pouvaient nager à l'aise, car l'enclos était assez grand. Les deux premières journées, elle a pris bien soin de moi et n'a pas bu. La troisième journée, je l'ai appelée. Pas de réponse. Elle n'était pas dans la maison. Je me suis dit qu'elle était allée à l'épicerie faire des courses. La journée a passé, toujours rien. Dehors, j'ai fait le tour la maison, elle n'y était pas non plus. Inquiète, j'ai téléphoné à mon père.

– Demain, je vais y aller! a-t-il répondu.

Le lendemain, maman n'était toujours pas rentrée. Tout à coup, un flash! «Les canards!» C'était bien ça! Comme elle avait beaucoup bu, elle était tombée dans l'enclos des canards, une partie du corps dans l'eau, l'autre sur la berge. Elle y était restée un jour et une nuit. Imaginez! Je ne pouvais pas aider papa à la sortir, car mon ventre me faisait encore trop mal. Vous dire comment maman était sale! Elle était trempée, pleine d'excréments de canards. Nous avons été obligés, papa et moi, de la laver avec un tuyau d'arrosage. Quelle déchéance! J'avais honte de faire ça à ma mère, mais comment faire autrement. J'ai maudit la boisson! Finalement l'ambulance est arrivée, direction l'hôpital de Saint-Hyacinthe. Nous avons suivi l'ambulance en camion, mon père devait signer pour la faire admettre à l'hôpital.

On nous a dit qu'elle était en très mauvais état; sa vie était en danger, car elle souffrait d'hypothermie. On a veillé sur elle une partie de la journée et de la nuit. Puis nous sommes revenus à la maison de Saint-Denis. Nous n'étions pas aussitôt arrivés qu'on nous a téléphoné. Nous devions retourner à l'hôpital, il ne lui restait que quelques heures à vivre. Lorsque nous sommes arrivés dans la chambre, ma mère était dans un état stable. Après cinq heures de veille, on nous a dit de retourner à la maison. J'étais épuisée, j'avais été opérée sept jours plus tôt.

Les jours suivants, nous avons souvent téléphoné, elle était toujours dans un état stable. La sixième journée, l'hôpital nous a dit: «Venez la chercher, elle va très bien, elle est en pleine forme.» Cré maman! Combien de fois allions-nous revivre de telles aventures!

\* \* \*

De retour à Montréal, avec Jacques-Charles, je voulais aller voir le Français Guy Drut courir le 110 mètres haies aux Jeux olympiques. Il a gagné, nous étions fous de joie. J'avais encore des douleurs dans le ventre.

Quelques jours plus tard, nous devions nous envoler pour ma maison de la Barbade, pour m'y reposer. Le voyage a été un peu fatigant, mais ça allait. Jacques-Charles était très actif, et le lendemain, il m'a proposé une balade en catamaran. Il était très habile avec les voiles. Ça tirait toujours dans mon ventre, mais bon, je n'allais pas me plaindre. Il faisait un temps magnifique, je n'avais qu'à me laisser aller et bercer par la mer.

Nous nous sommes éloignés doucement vers le large; l'île n'était plus qu'un petit trait de terre. Nous étions en été, saison des tornades et des tempêtes. Tout à coup, le vent s'est levé, le catamaran a été emporté. Jacques-Charles tirait sur les cordes, le bateau s'est levé sur un patin, je m'accrochais avec désespoir à la toile. Je n'avais pas de gilet de sauvetage. J'étais étirée, ballottée, j'avais l'impression que mon ventre était en train de s'ouvrir. Je ne pouvait pas l'aider, tout ce que je pouvais faire, c'était de m'accrocher. J'étais inutile. Heureusement Jacques-Charles était assez adroit et surtout très fort. Il s'est mis à pleuvoir, à venter, je ne savais plus où se trouvait la terre, car je ne voyais plus l'île tellement la pluie tombait dru. Au bout de 45 minutes, le vent nous a jetés sur la plage, loin de ma maison, mais sur la terre ferme. Cependant, nous n'étions pas au bout de nos peines. Une bourrasque a retourné le catamaran à l'envers, je m'y accrochais, et je ne savais plus où j'étais. J'entendais Jacques-Charles qui me cherchait; il pleuvait des cordes.

– T'es où?
– Ici!
– Où?
– Sous le bateau.

J'étais coincée dessous. Je ne voyais que la toile du catamaran, car j'étais à moitié enterrée dans le sable. Les vagues étaient fortes et l'eau me rentrait dans le nez, les yeux, la bouche, les oreilles.

Finalement, Jacques-Charles a réussi à soulever le bateau. Dans un état second, je suis parvenue à m'extirper de là. J'ai rampé pour me sortir de ce pétrin, mais les vagues étaient de plus en plus fortes, elles me repoussaient vers la plage, et la seconde d'après, elles me ramenaient vers la mer. Je me suis agrippée, les doigts dans le sable, comme si j'avais des griffes. J'étais hors de danger.

Jacques-Charles se battait avec le catamaran. Je trouvais la situation tellement ridicule que je me suis mise à rire, à rire: un signe de nervosité et de fatigue. Je lui criais: «Laisse le bateau aller.»

– Non, non, je vais l'attacher aux branches des arbres sur le bord de l'eau.

Ce qu'il a fait. Pour ma part, je me foutais pas mal du bateau, après l'épopée que nous venions de vivre.

Nous avons dû marcher presque un demi-mille sur la plage avant d'arriver à la maison. Nous étions épuisés, mais heureux d'être encore vivants. Les enfants ne sont pas prudents? Que dire de certains adultes!

\* \* \*

Cette année-là, j'ai aussi appris le décès de Denise Pelletier, que j'ai bien connue quand je faisais *En haut de la pente douce*, et avec qui je m'étais liée d'amitié. J'étais souvent allée déjeuner dans sa maison de Saint-Marc-sur-Richelieu. On riait beaucoup ensemble. C'était une femme qui avait beaucoup d'humour. Juste avant d'entrer à l'hôpital pour se faire opérer du cœur, elle m'avait fait parvenir une bouteille de champagne, avec un très joli foulard de cachemire, car je devais m'absenter du pays.

Elle est décédée sur la table d'opération. J'ai eu beaucoup de chagrin et j'ai été des années avant de boire le champagne et de porter le foulard qu'elle m'avait offert. Je l'ai souvent porté plus tard, pour aller à la pêche, car il me gardait la gorge au chaud.

\* \* \*

Denise Filiatrault et moi avons décidé d'écrire un film relatant certains événements vécus par les gens d'ici pendant la dernière guerre. Vers 1975-1976, on sentait une vague de nostalgie pour les années 1940. On y a raconté nos souvenirs d'enfance pendant les années de guerre, notamment les tickets de rationnement. Une très belle scène était interprétée par Juliette

Huot. La mère recevait un télégramme de l'armée écrit en anglais. Comme elle ne comprenait pas la langue, elle demandait à un voisin ce que ça voulait dire. Et lui, en traduisant, lui annonçait la mort de son fils. La douleur que l'on pouvait voir sur le visage de Juliette était immense.

J'y avais tourné aussi une scène amusante avec Marc Legault, dont le personnage devait partir à la guerre et voulait faire l'amour avant de quitter le pays. Les deux amoureux étaient très maladroits, c'était leur première fois. Ils étaient dans le lit, la scène allait comme ceci:

– Pis là cé-tu bon?

– Non, c'est pas là.

– Là?

– Non, plus bas.

– Là?

– Plus haut.

– Là, c'tu bon?

– Non, c'est pas là!

Amusant. À la fin du film, réalisé par Claude Fournier, j'avais une scène avec Marc, dans laquelle je devais lui sauter dans les bras. J'étais nue. J'avais oublié de mentionner ce détail à ma mère qui devait voir le film. Pour moi, cette scène n'avait rien de particulier, ce n'était que du travail comme le reste du film. Dans la vie, je ne suis pas très pudique, la nudité ne me gêne pas. Mais à l'écran... Maman est revenue à la maison au désespoir. Elle avait eu un choc, elle ne s'y attendait pas. La scène était très belle, il n'y avait aucune vulgarité, mais quand une mère ne s'y attend pas, ça surprend! *Je suis loin de toi mignonne*, c'est le titre du film diffusé en 1976, avec un certain succès. Le titre était tiré d'une chanson que le soldat Lebrun interprétait pendant la guerre:

«Je suis loin de toi mignonne, loin de toi et du pays.

Mais je resterai madone toujours ton petit kaki.

J'ai dû partir c'est la guerre et te quitter brusquement.

Quelque part en Angleterre, à toi je pense souvent.»

Un grand moment de poésie!

* * *

Fin 1975, je ne faisais pas partie du *Bye! Bye!* La critique avait dit: «Qu'on nous ramène Dodo!» Je dois avouer que j'étais flattée.

Gilles Richer avait écrit une série humoristique présentée à Télé-Métropole, *Chère Isabelle.* J'étais Isabelle. Je portais le prénom de la fille de Gilles, la talentueuse Isabel Richer. François, le prénom de son fils, était joué par Denis Drouin. La série n'était pas mauvaise, mais ne décollait pas. L'émission s'est arrêtée à la fin de la saison.

Denis Drouin toussait beaucoup et avait de la difficulté à faire ses journées. Il ne se plaignait pas, mais je savais qu'il ne se sentait pas bien. Il est entré à l'hôpital Saint-Luc. On avait diagnostiqué un cancer du poumon. Je connaissais Denis depuis 1954, au Beu qui rit. Quel charmant garçon! Il aimait tellement la vie. Il a été, comme on dit, le *drinking companion* de ma mère à plusieurs reprises.

Je suis allée le voir à l'hôpital, il était étendu sur son lit, très affaibli et amaigri. Il m'a regardée longuement, on n'a pas parlé de sa maladie. Je savais qu'il savait que je savais, et je savais qu'il savait aussi qu'il allait mourir. On n'en a pas parlé. Je lui ai serré très fort la main. On a parlé de tout et de rien. Je lui ait dit que je m'étais acheté un Cuisinart; il me cassait les oreilles depuis un an avec son Cuisinart, un robot ménager qui hache tout, lui qui adorait faire la cuisine.

Au moment de partir, il m'a dit: «Ne reviens pas me voir.» Il était fier. Il ne voulait pas que je voie la déchéance de son corps. Je l'ai embrassé, il m'a serrée très fort contre lui, j'avais peine à retenir mes larmes.

– Prends bien soin de toi, mon 'tit chien!

Cette expression de tendresse m'avait toujours émue. Il est décédé quelques jours plus tard. Adieu Denis, mon 'tit chien!

* * *

Je vivais toujours avec Jacques-Charles. Après être restée quelques mois dans un appartement près du Canal 10, j'ai acheté une maison rue Vendôme, dans le quartier Notre-Dame-de-Grâce. J'étais installée dans la maison depuis quelques jours, quand je suis revenue à la maison à l'improviste. Je suis tombée face à face avec des voleurs. Ils avaient descendu la télé, le tourne-disque, les vêtements, etc., au sous-sol et s'apprêtaient à tout sortir par la porte arrière qui ouvre sur la cour. Je me suis emparé d'un bâton de baseball et me suis lancée à leur poursuite. J'en ai frappé un dans le dos, il n'est pas tombé, mais je ne l'avais pas manqué.

J'ai dit à Jacques-Charles: «Je ne veux pas rester ici, je n'aime pas ça.»

Pour l'achat, je m'étais laissé influencer par des amis et par Jacques-Charles. L'hiver, le garage était difficilement accessible. Les rues n'étaient déneigées que trois jours après les tempêtes. La maison était belle, mais je la trouvais sombre. «Quand on veut se débarrasser de son chien, on dit qu'il a la rage.»

Ti-Paulo Vincent, que je voyais souvent, adorait la maison.

– Achète-la et je te garantis que dans six mois, tu vas faire entre 30 000 et 50 000 dollars de profit, lui ai-je suggéré.

Mes prédictions se sont avérées justes. Cependant, lui aussi avait été victime de cambrioleurs, comme moi. Qu'a-t-il fait? Il a vendu la maison et a réalisé son profit.

J'ai donc redéménagé à Habitat 67; j'y avais été très heureuse une première fois. Au même moment, j'ai appris que Jacques-Charles me trompait. «Ah non, pas encore!» J'étais fatiguée des mensonges, des faux-semblants, de me promener dans la ville de Montréal avec des cornes si grosses que je ne passais plus dans les portes. Je le lui ai fait savoir. Je lui ai dit que j'allais le quitter. Bien sûr, il a nié. Il m'a juré que c'était faux. Des rumeurs. Il a demandé à Paul Vincent d'intercéder pour lui.

– Paul, je le sais, je ne le supporte plus. Il a le droit de sortir avec qui il veut, il ne m'appartient pas, mais moi non plus je ne lui appartiens pas. Qu'il fasse sa vie, je ne regarde pas en arrière. J'en ai assez!

La cerise sur le sundae fut que, invité au mariage d'un ami, il m'a dit que je ne pouvais pas l'accompagner.

– Quoi?

J'ai appris qu'il y allait avec une fille qui travaillait à CJMS. Bon, j'avais compris! Encore une fois, Paul a intercédé en sa faveur.

– Paulo, ne te mêle pas de ça, c'est FINI, F–I–N–I.

Jacques-Charles est donc parti aux noces ce jour-là... pour toujours!

Comme ce samedi-là, j'étais seule, Philippe Dagenais et ma cousine Andrée m'ont invitée à un brunch dans leur nouvelle petite maison, à Saint-Jean-de-Matha, près des chutes. Il faisait un temps magnifique. Philippe avait aussi invité quelques clients et amis.

Depuis quelque temps, il me parlait de nouveaux clients, le D$^r$ Henri Atlas et sa femme, qui avaient un goût exquis. Il décorait leur maison.

Lorsque ça a frappé à la porte de la maison, je suis allée ouvrir. Quel choc! Un homme beau, grand, mince, élégant, il s'est présenté:

– Bonjour, Henri Atlas!

– Dominique Michel.

– Je sais.

On est resté là, l'un devant l'autre, sans bouger. Le ciel venait de nous tomber sur la tête. Coup de foudre, une deuxième fois! Avant de rencontrer Henri H., j'avais pourtant dit que le coup de foudre n'existait pas!

C'était mon deuxième et celui-là frappait fort, pas à peu près. On n'avait pas encore bougé, heureusement Philippe est arrivé:

– Ah, Henri, entre!

On nous a invités à bruncher. Je l'ai assis près de moi, je ne voulais plus le quitter. Il n'y avait plus personne qui existait. Nous étions seuls au monde.

– J'ai été retardé, j'avais un cas urgent.

– Vous êtes chirurgien?

– Oui.

– Où?

– À Sacré-Cœur.

Il répondait timidement, car c'est un homme réservé qui ne parle pas beaucoup et surtout pas fort.

– Chirurgien? Quelle spécialité?

– Système digestif, chirurgie générale.

– Ah, bon!

Silence.

On ne s'est pas quittés des yeux. Sujet épuisé. Tout ce qu'on avait envie de faire, c'était de s'embrasser, mais ça ne se fait pas. En tout cas pas là, pas à cet instant!

Philippe est venu nous «réveiller». Il m'a dit à voix basse: «Dominique, viens avec moi, sa femme est ici, la grande rousse là-bas.» Je savais par Philippe qu'il y avait de l'eau dans le gaz dans le couple, qui avait quatre filles.

Ma filleule Laurence, âgée de cinq ans, qui est la fille de Philippe et de ma cousine Andrée, est venue me chercher pour m'emmener dehors voir le chien d'Henri, Janko, un beau husky, un mâle, qui avait un œil jaune et l'autre bleu. Comme tous les huskys, ce chien aimait se sauver, courir dans les bois et revenir au bout de trois jours. Ce jour-là, le chien était sagement couché sur la galerie.

– Il faut le faire courir, a dit Henri, qui était venu nous rejoindre. Il m'a demandé d'aller avec lui.

Nous n'avions aucun sujet de conversation, trop intimidés l'un et l'autre. On ne savait pas par où commencer.

– La température est magnifique.

– Oui, l'endroit est très bien.

– J'espère que l'été sera aussi beau.

– Oui! (Un silence) Je viens de déménager.

– Ah, oui! Où?

– Habitat 67. J'avais une maison à NDG. Je viens de me séparer de mon copain.

– Ah! oui? (Silence)

– Je pars pour l'Europe avec mes quatre filles et ma femme. J'ai loué une villa à Saint-Tropez pour six semaines. (Déception!) Elles partent cette semaine et dans quelques jours, je vais les rejoindre, j'ai trois semaines de vacances, ensuite je reviens à Montréal.

On a échangé nos numéros de téléphone. Difficile de se joindre. Pour se parler, je devais être chez moi et lui à l'hôpital.

Un soir, j'ai téléphoné chez lui, il partait le lendemain pour l'Europe.

– Viens faire un tour, me dit-il.

Je suis arrivée chez lui, il était avec un jeune interne, le D$^r$ Ronald Denis, qui deviendra un grand ami. Le D$^r$ Denis est devenu très célèbre en introduisant au Canada en 2003, le robot Da Vinci, pour opérer à distance. Il a eu comme professeurs les D$^{rs}$ Atlas et Charest, deux grands chirurgiens. Le D$^r$ Denis Charest a été lui-même le professeur du D$^r$ Atlas. Le D$^r$ Denis était entre bonnes mains.

Ce soir-là, j'ai quitté à regret les deux médecins en laissant discrètement une lettre à Henri, à ne lire que dans l'avion: une lettre d'amour.

# Chapitre 19

# VICTIME DE FRAUDE

Je venais d'emménager et j'avais acheté chez Eaton, devenu depuis Les Ailes de la mode, des lits, matelas, sommiers et plein d'autres choses pour la maison et la terrasse.

J'allais régulièrement au bureau de mon avocat administrateur et je signais des chèques «en blanc» pour les factures du téléphone, d'électricité, du loyer, d'Eaton, etc. Je faisais confiance à cet homme. Il ne pouvait pas être malhonnête, «c'était un avocat».

Peu de temps après, une préposée au crédit d'Eaton m'a téléphoné pour me prévenir que mon compte était en souffrance. «Impossible, je suis désolée, j'ai encore signé des chèques il y a quelques jours.» Ma limite de crédit de 5 000 dollars était dépassée. J'ai essayé de parler à la secrétaire de l'avocat. Elle n'était pas là, elle venait de se marier et, à son retour de vacances, elle est repartie avec l'avocat en Europe pour affaires. J'ai dit à la remplaçante: «Je vais passer au bureau, je voudrais vérifier certaines choses.» J'essayais d'avoir l'air calme; elle était un peu naïve, elle ne savait pas trop ce qui se passait.

J'ai vérifié quelques talons de chèques: 35 000 mille dollars, 20 000 dollars et plusieurs autres au nom du bureau de l'avocat. J'avais chaud: pas de chèque pour Eaton, le loyer, etc. J'ai senti monter le tsunami. Je lui ai dit: «Pouvez-vous m'attendre quelques minutes?» Mon cœur battait à tout rompre; j'étais dans une grosse merde; j'ai descendu les 20 étages. À la porte du building, il y avait une station de taxis, j'ai fait signe à l'un des chauffeurs: «Venez avec moi, je vais très bien vous payer; j'ai besoin d'un homme pour m'aider à sortir des boîtes.»

Ma voiture était au parking, je suis revenue la chercher plus tard. De retour dans le bureau, j'ai dit à la secrétaire:

– J'ai besoin de tous mes documents, de toutes mes boîtes.

– Je ne peux pas vous les laisser.

– J'ai parlé à Maître... j'en ai besoin, il est au courant. C'est pour une vérification d'impôts.

J'ai pris les boîtes, une douzaine, je les ai mises dans le taxi, et en route pour Habitat 67. J'ai largement dédommagé le chauffeur. Je me suis installée et j'ai ouvert les boîtes; j'ai trouvé 350 000 dollars de chèques tous faits au nom de l'avocat. En plus, ma marge de crédit de 80 000 dollars à la Banque Nationale avait été utilisée. Je lui avais donné une procuration; il pouvait faire ce qu'il voulait en mon nom, avec mon argent. NE JAMAIS, JAMAIS FAIRE ÇA!

J'avais chaud; j'avais froid; j'avais le souffle court; j'étais désespérée; j'étais ruinée. Comment lui, un avocat, avait-il pu me tromper? En plus, c'était un ami en qui j'avais confiance. J'ai tenté de le joindre en Europe, impossible, personne ne savait à quel hôtel il était descendu. J'ai appelé la banque pour tout arrêter. Aux réponses du nouveau gérant, je me suis rendu compte que l'ancien directeur était de connivence avec l'avocat, car il venait d'être mis à la porte. J'ai aussi appris que la secrétaire qui venait tout juste de se marier était la maîtresse de l'avocat. Donc, elle aussi était de connivence avec lui pour tirer les chèques. Le monde s'écroulait autour de moi.

J'ai appelé un autre avocat, un ami, M<sup>e</sup> Jean Massé, qui m'a affirmé que ce serait difficile de récupérer l'argent, à cause de la procuration et des chèques signés de ma main, qui auraient pu servir à payer les honoraires professionnels. Une belle merde!

J'ai contacté mon père; je n'avais pas fermé l'œil depuis deux nuits, j'étais survoltée, à bout de nerfs.

– Écoute Dominique, c'est juste de l'argent! m'a-t-il dit.

– Oui mais papa, ça fait 400 000 dollars, comment vais-je faire?

– Tu es en santé, c'est le principal. Tu as des valeurs, la maison de Saint-Denis-sur-Richelieu, ta maison de la Barbade; rembourse la banque, le reste c'est perdu, je crois. Mets tout ça derrière toi.

Ce n'était pas facile, j'avais la rage au cœur. Comment avais-je pu être aussi idiote, naïve. Je peux comprendre qu'on ait envie de voir «mort» quelqu'un qui nous a floué, trahi, volé et qui nous laisse dépourvu et sans ressources.

J'étais capable de m'administrer, de faire des chèques, de faire faire mes déclarations de revenus par des comptables honnêtes, et c'est ce que j'ai décidé à l'instant même. Mon bon ami Jean-Claude Lespérance à qui j'ai raconté mes déboires, m'a recommandé son comptable, Yves Giroux, c. a., qui était, comme Jean-Claude, d'une honnêteté cristalline. C'était un jeune homme calme, intelligent, qui m'a expliqué comment faire ma comptabilité, payer mes impôts, tout. Grâce à lui, je me suis remise financièrement sur pied.

Pendant un an et demi, j'ai laissé mes cartes de crédit de côté. Pas de restaurants, pas de voyages, pas d'achats de vêtements. Je remboursais la banque, la marge de crédit, la voiture. J'ai vendu la maison de Saint-Denis – qui deviendra plus tard le magnifique restaurant Les Chanterelles, endroit idéal pour fêter un anniversaire, un mariage, surtout l'été, car le terrain est extrêmement grand et beau. J'avais acheté, pour cette belle maison victorienne, des lustres d'origine et des rideaux de dentelle faits au crochet par des «petites mains agiles», que le propriétaire a heureusement conservés.

Pour vendre la maison de la Barbade, ce fut plus compliqué. Comme les dossiers des avocats de la Barbade étaient empilés dans des «cases» qui servaient de bureaux, j'ai été obligée d'y retourner deux fois avec mon bon ami Me Jean Massé, qui m'a si bien conseillée. Jean répétait: «Ça se peut pas, ça se peut pas! Tu nous vois tenir nos bureaux comme ça à Montréal!»

Je lui disais: «Je crois qu'ils ont suivi leurs cours de droit par correspondance!»

Trois mois se sont passés entre nos deux visites à la Barbade, et entre-temps, ils avaient finalement retrouvé les dossiers. Ouf!

Comme je l'ai déjà dit, pour sortir l'argent de la Barbade, il faut qu'il ait été enregistré à la banque à son entrée dans l'île. Heureusement, j'avais conservé tous les reçus. La maison fut vendue à un résident de Trinité-et-Tobago. Quant au bureau d'avocats barbadiens, ils ne se sont pas gênés, ils ont eu le crayon «gras». Jean était scandalisé de leurs tarifs. Mais avait-on le choix? Non. Comme je le disais à Jean: «Les cours par correspondance ça coûte cher, le papier, les timbres, les planches de bois, la décoration quoi!» Ce fut un peu frustrant, mais nous en avons beaucoup ri. Une expérience de vie à raconter.

Je commençais à me «refaire», car je suis un peu fourmi et les REÉR n'avaient pas été touchés, heureusement!

Côté cœur, je n'oubliais pas Henri Atlas. J'ai revu Jacques-Charles, qui m'a demandé de reprendre la vie commune, mais il n'en était plus question. Je le regrettais un peu, à cause de sa mère que je n'aurais plus la chance de voir et que j'adorais. Mme Gilliot était la sœur de Pierre Tisseyre, l'époux de Michelle Tisseyre, un couple charmant. Mme Gilliot avait écrit un livre, que tous ceux qui parlent en public, politiciens, artistes, hommes d'affaires, devraient se procurer et qui s'intitule: *Ce que parler veut dire*, paru en 1974 chez Léméac. Elle y relevait les fautes que nous faisons souvent: «Il y a "comme" un pont.» Il y a un pont ou non? Pourquoi «comme»? Un autre exemple: je disais souvent au lieu du mot «ranger», le mot «serrer»: «Je vais le serrer dans le tiroir.» Mon amoureux français ajoutait: «Ne le serre pas trop fort!» Me faire reprendre ne me vexe pas du tout: il n'y a pas de mal à s'améliorer. Je suis devenue une meilleure cuisinière après m'être fait corriger par mes amoureux français et belges.

Mme Gilliot avait écrit un autre livre: *C'est si peu de chose*, paru au Québec en 1972, dans lequel elle racontait une partie de sa vie durant la guerre. Elle avait été détenue dans un camp de concentration.

Un voisin, qui était amoureux d'elle et dont elle repoussait les avances, l'avait dénoncée et accusée de collaborer avec les Allemands. Elle avait été arrêtée en plein après-midi, laissant seuls à la maison son petit garçon de six ans, Jacques-Charles, et sa jeune sœur de quatre ans, sans avoir le temps de confier ses jeunes enfants à qui que ce soit. Quelle angoisse ç'a dû être pour elle! Pendant l'Occupation, de nombreux Français ont dénoncé des gens par vengeance ou par jalousie. Comment peut-on faire une chose pareille et vivre avec cette infamie? Comme elle parlait couramment l'allemand, elle servait de traductrice entre les Français et les Allemands, ce qui lui a permis de sauver des vies.

\* \* \*

Denise Filiatrault était en train d'écrire une série pour la télévision, *Chez Denise*, qu'elle a proposée à Radio-Canada en mai 1976 et qui devait prendre l'antenne l'année suivante. Elle m'a demandé d'en faire partie. J'ai accepté.

Quelques jours plus tard, Réal Giguère et Pierre Ste-Marie m'offraient une série à Télé-Métropole, qui commençait tout de suite, en septembre. J'y jouerais une mère de famille veuve (Réal la voulait divorcée, mais la direction refusait). On ne parlait pas encore d'une femme divorcée à la télévision, ça ne la rendrait pas sympathique paraît-il! Donc, veuve avec deux adolescents, un garçon de 17 ou 18 ans, joué par Vincent Bilodeau, et Geneviève, rôle tenu par Mireille Daoust. Il y avait aussi une voisine fofolle, jouée par Danielle Ouimet, et le personnage de Jacques Thisdale, amoureux de Dominique, le titre de la série. Les dialogues étaient de Claude Jasmin. Ça m'intéressait.

Cette série fut un pur bonheur et un très grand succès pour tous. Les cotes d'écoute atteindront deux millions de téléspectateurs, chose très, très rare à cette époque. Même les journaux anglophones en ont parlé.

J'ai donc appelé Denise pour lui dire que je ne pouvais plus faire sa série, en ondes l'année suivante seulement. J'étais dans une situation difficile et il fallait que je travaille tout de suite. Je n'avais parlé à personne de mes déboires financiers, pour ne pas risquer de voir mes cachets négociés à la baisse. Je lui ai dit: «Écoute, je veux te parler de vive voix, c'est trop long de te raconter tout ça au téléphone, faut que je te parle en personne, que je t'explique. C'est assez grave.»

Elle a refusé, s'est fâchée, m'a dit que je n'avais pas de parole et que ça ne l'intéressait pas d'écouter mes niaiseries. J'ai insisté, elle a raccroché. J'en étais profondément peinée, mais coudonc, elle ne voulait pas m'écouter. On a fait avec! Je serai en pénitence «dans la cabane à chien» pendant au moins deux ans.

Ce fut lors d'un gala, où je suis allée en chaise roulante, la jambe dans le plâtre, qu'elle est venue m'embrasser. Les blessures d'amitié comme d'amour laissent toujours des cicatrices.

Jacques Blouin, alors directeur des variétés à Radio-Canada, m'a convoquée dans son bureau pour me convaincre de rester à Radio-Canada, et de refuser l'offre que me faisait Télé-Métropole. Il avait une série policière comique à m'offrir. Je venais de refuser de faire partie de *Chez Denise*, avec Denise Filiatrault, je n'allais quand même pas accepter l'offre de Radio-Canada, une autre série écrite par André Dubois. Je lui ai donc fait part de la situation. De plus, je n'avais pas très envie de jouer une policière comique. Je ne mettais pas en doute le talent d'André Dubois, avec qui j'ai travaillé tant de fois pour les *Bye! Bye!* et *Moi et l'autre*, mais j'ai dit non!

Jacques s'est énervé et m'a dit que je manquais de jugement. Je me suis énervée aussi. Nous avions travaillé plusieurs fois ensemble, je le savais un peu «soupe au lait», mais ce matin-là, je l'étais plus que lui, à cause de tous les problèmes financiers qui me tombaient dessus. On a commencé à crier tous les deux. En colère, je lui ai dit: «Va donc au diable!»

Il a continué à crier, les baguettes en l'air:

– Tu ne me parleras pas comme ça!

– Oui je vais te parler comme ça et arrête de crier après moi, c'est mon droit de refuser.

– T'es une petite tête enflée.

– Ah pis mange donc d'la marde! ai-je répliqué, excédée, en me dirigeant vers la porte que j'ai claquée.

Je l'ai entendu crier à l'intérieur:

– Tu me diras pas ça deux fois!

– Ouin! J'ai rouvert la porte: Ben, mange d'la marde!

J'ai reclaqué la porte. Lui, criant toujours à l'intérieur:

Tu me diras pas ça trois fois!

– Ouin!

J'ai de nouveau ouvert la porte:

– Mange d'la marde! Pis t'es mieux d'arrêter ça tout de suite, parce que je vais passer la journée icitte à t'envoyer chier!

J'ai claqué la porte. Les secrétaires des patrons dans leurs cubicules (des espaces démarqués par des petits murs amovibles) affichaient toutes un sourire. Je n'étais pas un peu fière de moi!

En y repensant bien, ce n'était pas les répliques les plus intelligentes que j'ai dites dans ma vie, mais ça m'avait fait du bien. Je suis allée travailler au «Canal 10».

Quelques mois plus tard, comme par hasard, on avait effacé presque tous les *Moi et l'autre*: 39 émissions par année pendant cinq ans, soit un total de 195 émissions perdues. Vengeance ou négligence?

\* \* \*

Henri Atlas est revenu à Montréal et m'a invitée à dîner. On se plaisait beaucoup. Son couple traversait une zone grise. Dire que ça m'a fait de la peine, non; mais je me disais que nous deux ça ne pouvait pas marcher. Marié, père de quatre enfants, c'était compliqué. Peut-être ne cherchait-il qu'une aventure? Pourquoi pas? Ça durera ce que ça durera.

\* \* \*

Au moment où j'enregistrais l'émission *Dominique*, Guy Latraverse et son assistant Jean-Claude Lespérance m'ont proposé de monter un spectacle sur scène. Encore là, pourquoi pas! Profitons du succès de l'émission.

Jean Bissonnette, avec son bon goût, son bon jugement, son talent, en a assuré la mise en scène et Jacqueline Barrette en a écrit les textes. Le titre du spectacle: *Showtime Dominique Showtime*. On m'a reproché le titre anglais. Hey! *Wake up*, c'est une expression familière comme «*The show must go on*».

J'adorais mon spectacle. Dans un des numéros, je tentais d'expliquer que l'amour ce n'était pas «juste du sexe». Il y avait aussi les mots d'amour, les câlins, les gestes tendres et je posais la question: «Le romantisme est-il mort?» Voici la réponse:

«Vous, Monsieur, quand on vous approche
Vous fuyez derrière votre sourire
Vous bâillonnez votre âme
Pour que je n'entende pas ses soupirs.
Croyez-vous que je n'ai pas lu
Au milieu de vos yeux la lettre que mille fois
Vous avez voulu m'écrire?

«Vous, Monsieur, quand on vous approche
Vous plissez le front, vous détournez un peu la tête
Comme pour chercher ailleurs si vous y êtes.
Croyez-vous que je n'ai pas vu dans vos mains
Les caresses que vous m'adressez dans votre solitude?

«Vous, Monsieur, quand on vous approche
Vous riez fort, vous parlez fort,
Comme pour étourdir le désir.
Croyez-vous que je n'ai pas reconnu derrière votre voix pleine d'assurance
L'autre voix qui tremble, suppliante?

«Vous, Monsieur, quand on vous approche,
Vous devenez la peur sauvage, farouche, violente.
Croyez-vous que vous pourrez vous taire un jour

Et que dans un doux silence,
Nous laissions l'amour parler d'amour?»

Un autre numéro intitulé *Le téléphone du Pitou* était très amusant. Je parlais au téléphone à mon amoureux et tout ce que je disais c'était: «Oui mon Pitou, oui mon Pitou, moi aussi mon Pitou.» Au bout de cinq minutes: «Rappelle-moi demain mon pitou, je vais te donner d'autres nouvelles!» Les deux merveilleuses chansons de Jacqueline Barrette: *La P'tite Sylvestre* et *J'avance* étaient très touchantes:

«Sur le chemin de ma vie, j'avance, j'avance, tantôt je ris, tantôt je crie, tantôt je cours, tantôt je rampe, mais j'avance, j'avance.»

«J'ai l'âge de mes bonheurs, j'ai l'âge de mes douleurs. Dans la nuit de mes questions, votre amour avive ma passion pour que j'avance, j'avance, j'avance!»

Je cherchais un directeur musical et j'ai découvert le merveilleux Daniel Mercure, recommandé par Michel Farmer, un batteur décédé très jeune. Il me disait que Daniel jouait au bar du lounge de l'hôtel Méditerranée. Je suis allée l'écouter, quel merveilleux pianiste!

Il joue d'une façon extraordinaire, il fait preuve d'une dextérité exceptionnelle, et sous ses doigts les notes sont perlées. C'est un musicien amoureux des sons; son piano a une âme, la sienne.

Nous avons fait un long bout de chemin ensemble et Jean-Pierre Ferland est ensuite venu le chercher. Il a été son chef d'orchestre et pianiste pendant plusieurs années.

Le rêve du père de Daniel était de le voir jouer à la Place des Arts. Daniel lui a donc annoncé: «Papa, je vais jouer avec Dominique, à la salle Wilfrid-Pelletier.»

Le soir de la première, Daniel m'a dit: «Mon père ne va pas très bien. Avant le spectacle, je suis allé le voir à l'hôpital et le médecin m'a dit qu'il pouvait mourir ces jours-ci.»

J'ai sympathisé avec lui. Nous avons commencé le spectacle et, à l'entracte, avant de revenir sur scène, j'ai appris que le père de Daniel était décédé. Daniel, lui, était déjà sur scène au piano et n'en savait rien. Au cours de la deuxième partie, à un moment donné, je me suis tournée vers Daniel et je l'ai regardé intensément. Après le spectacle, Daniel m'a dit: «À ton regard Dominique, j'ai su que mon père était décédé.»

Le show était terminé, c'était un triomphe! Daniel et ses musiciens ont salué. Les gens étaient debout. Je l'ai serré dans mes bras. Mon Dieu que son père aurait été heureux. Daniel n'avait que 25 ans.

J'ai mes enfants du show business: Daniel est l'un de ceux-là, tout comme Patrice L'Ecuyer, Yves Jacques, René Simard, Stéphane Rousseau, Valérie Blais, Cathy Gauthier, et bon nombre d'autres pour qui j'ai beaucoup d'affection.

Je travaillais beaucoup pour *Showtime Dominique Showtime* et j'enregistrais l'émission *Dominique*. Je pesais 95 livres, maigre comme un cure-dent. Mon avocat a fini par revenir de son «voyage de noces». J'ai décidé de lui rendre visite... la rage au cœur. Moi qui n'ai jamais donné une petite tape ni à mes chiens, ni à mes chats, j'ai compris à ce moment-là, ce que pouvait être l'envie de tuer.

Je ne suis pas violente; j'ai fait une erreur en lui faisant confiance. C'est tout! Je ne fais plus confiance à personne, sauf à mon amie Denise Dion, qui est au-dessus de tout soupçon.

Je suis entrée comme une furie dans le bureau de l'avocat. Il recevait un client. Je lui ai demandé de sortir et lui ai lancé: «Ça ne sera pas long monsieur, je vais payer le temps de votre consultation.»

Je me suis approchée du bureau en essayant de rester calme. J'ai crié:

– Qu'as-tu fait de mon argent?

– Je l'ai placé; j'ai fait les chèques au nom du bureau *in trust*, pour ensuite le placer à 25 pour cent.

– Quoi? Pour combien de temps? Tu le récupères quand?

Il était sûr de lui.

– Bien... incessamment.

– *Bullshit*!

Je sentais la rage monter en moi. Je suis devenue «comme» folle, je ne me contrôlais plus. J'ai sauté par-dessus son bureau, comme un joueur de football sur son ballon, je l'ai saisi à la gorge; il est tombé à la renverse avec sa chaise. Un peu plus, on passait à travers les fenêtres vitrées du 20ᵉ étage; un tout petit rebord de fenêtre nous a arrêtés.

Une secrétaire a ouvert la porte. Tout le monde s'est énervé. Ça criait. Moi, je le tenais toujours à la gorge. On a essayé de soulever mes doigts un par un, ils se refermaient aussitôt. Je ne lâchais pas prise. J'étais comme un chien enragé qui ne veut pas lâcher son os. Finalement, trois avocats sont venus à bout de ma résistance. J'étais un paquet de nerfs. Ils ont eu peine à me retenir. Ils me tenaient à trois et je criais: «Mon écœurant, moi je n'ai plus d'argent, mais toi, demain matin, cherche-toi un job, car tu ne seras plus avocat.» Et je suis partie, les vêtements tout de travers!

Dans le corridor, les gens se rangeaient sur mon passage. Ils me regardaient comme si j'étais «Terminator». Je ne savais pas ce qu'ils pensaient, mais je m'en foutais.

J'essayais de me calmer. J'ai foncé en droite ligne au syndic du Barreau pour déposer une plainte. La réceptionniste m'a dit qu'il fallait un rendez-vous.

– Oh non, je veux voir le bâtonnier, tout de suite.

– Un moment s'il vous plaît.

Je n'ai pas attendu sa réponse et j'ai foncé vers la porte du bâtonnier. Lorsque je suis entrée, il était calmement assis à son bureau.

– Je viens déposer une plainte, ai-je dit.

Même après avoir écouté ma plainte, il m'a prise de haut: «Ce sont peut-être des frais pour des conseils juridiques.»

Je me suis alors souvenue de ce que m'avait dit Mᵉ Jean Massé.

– Wow! On allume! Des frais juridiques, des frais juridiques de 350 000 dollars pour six à huit mois de travail, maître. Je ne suis quand même pas Shell Canada, on s'entend-tu?

Il est resté calme; il devait se dire qu'il avait affaire à «une actrice hystérique». Je sentais qu'il se méfiait; il m'a parlé doucement, comme à une petite débile.

– On va s'en occuper, asseyez-vous, calmez-vous, respirez lentement.

– Non, je reste debout, je ne veux pas me calmer, ni respirer doucement. Je suis ruinée, ma vie est foutue, je ne sais pas si j'aurai le courage de continuer ni de tout recommencer. Voyez mon désarroi, ça ne vous touche pas? Vous, les avocats, êtes censés être d'une honnêteté exemplaire, aider les citoyens. Peut-on vous faire confiance? Vous ne voyez pas mon désespoir et vous me dites de respirer lentement!

J'avais envie de crier: «Allez donc ch...» Il me semble que ça m'aurait fait du bien.

Quelques jours plus tard, aidée par un ami avocat, j'ai rédigé un rapport et je l'ai déposé au Barreau. Aucun résultat!

Par la suite, je suis allée faire une déposition à l'escouade des crimes économiques où on m'a très bien reçue et où on a eu de la compassion. Enfin, ça faisait du bien! Un rapport de 18 pages.

J'ai oublié le nom du sergent qui m'a si bien reçue; s'il lit ces lignes, je lui permets de dire à tout le monde: «C'est moi qui ai reçu son rapport et qui ai eu de la compassion pour elle!»

– Vous savez, m'a-t-il dit, nous allons faire notre possible, mais si vous allez en cour, les juges ont l'habitude d'être cléments dans les cas de crimes économiques, des crimes sans violence.

– Si vous saviez toute la violence qu'il y a en moi et qui est remontée à la surface. Je ressens une douleur et une impuissance terribles.

– Je vous comprends, vous n'êtes pas la première à vous faire avoir par des avocats. Ne vous attendez pas à grand-chose, mais je vous promets qu'on va faire notre gros possible.

Quinze ans plus tard, un autre officier m'a téléphoné très gentiment en me disant:

– Voulez-vous ravoir la douzaine de boîtes de preuves que vous nous aviez apportées? Après 15 ans, nous devons nous en débarrasser.

– Non monsieur, merci de m'avoir téléphoné, c'est tellement loin derrière moi.

– Nous pouvons les brûler.

– Oui! Faites donc ça! Merci monsieur.

– J'espère que je n'ai pas réveillé de mauvais souvenirs?

– Non, j'ai mis ça dans les profits et pertes. Je préfère oublier.

Pour vrai? Pas totalement. Ai-je pardonné? Non, mais je ne me gâche pas la vie avec ça. Un très mauvais moment à passer, une expérience de vie.

Fin de l'aventure? Non.

Quelques semaines plus tard, un camion de réparations s'est garé près de l'immeuble où habitaient l'avocat qui m'avait flouée et sa secrétaire. À leur sortie de la bâtisse, des hommes en salopettes ont surgi du camion et ont tiré sur eux à bout portant. L'avocat a reçu sept ou huit balles, mais aucune partie vitale n'a été touchée. La jeune femme a été blessée plus gravement, rate et foie éclatés. J'ai appris la nouvelle à la radio: ils ont été envoyés à l'urgence de l'hôpital du Sacré-Cœur. Qui était le chirurgien de garde? Le docteur Henri Atlas. Je me suis précipitée sur le téléphone. «Docteur Atlas, urgent.»

Il m'a rappelée. Henri était au courant. J'étais inquiète; si par hasard, il arrivait une complication à l'issue fatale.

– Ne t'inquiète pas, je suis déjà sur un autre cas, ce n'est pas moi qui m'en occupe! m'a-t-il rassurée.

– Ouf! Merci!

Cela me rappelle l'histoire qu'un jeune chirurgien m'a racontée, alors qu'il pratiquait en traumatologie à Detroit.

Un Noir criblé de balles arrive à l'urgence. Il voit le chirurgien, un Blanc. Il ne veut pas qu'il le touche, lui crache à la figure en disant: *«You white trash doctor, I don't want you to touch me.»*

Le jeune chirurgien lui répond: «Très bien, pas de problème, vous voyez le jeune médecin noir là-bas, c'est lui qui va vous opérer. Il vient de terminer ses études, vous allez être son premier cas. *Good luck!*»

* * *

Le soir de la première de *Showtime Dominique Showtime*, mon amoureux, le Dr Atlas, a assisté au spectacle. C'est terrible comme l'amour nous transporte. Je n'ai joué que pour lui, je voulais qu'il soit fier de moi. Heureusement, les critiques ont été unanimes. Laissez-moi me vanter pendant quelques lignes. Je le fais aussi pour Jacqueline Barrette, mon ami Jean Bissonnette, Daniel Mercure, Claude St-Denis, un mime qui faisait partie du spectacle, décédé, et toute mon équipe de création: Marcel Lefebvre, André Dubois, François Dompierre, Yves Lapierre, Monique Bailly, Rod Tremblay, mon cher, très cher Yvon Duhaime, qui avait fait les costumes, décédé lui aussi.

Louis-Guy Lemieux, *Le Soleil:* «Dominique Michel triomphe!»

Pierre Beaulieu, *La Presse:* «Ma chère Dodo, c'est à ton tour!»

Nathalie Petrowski: «Les silences dorés de Dominique...»

Claire Carol, *Le Journal de Montréal:* «Dominique, c'est pas n'importe qui!»

Christine Gautrin, *Le Montréal-Matin:* «Dominique a su envahir la scène.»

Évelyne Lauzier, *Revue Montréal:* «Triomphe de Dodo.»

Pierre Beaulieu, *La Presse:* «Dodo est renversante.»

Marie-Odile Vézina, *Châtelaine:* «Seule en scène, au bout d'elle-même, Dominique Michel!»

René Lord, *Le Nouvelliste* de Trois-Rivières: «Dominique une histoire d'amour bien réfléchie».

Gray Tooney, *Montreal Star: «Slapstick Queen!»*

Un soir, mon père, qui ne m'avait jamais vue sur scène, a assisté à mon spectacle à la salle Wilfrid-Pelletier. Il m'avait demandé un billet dans la première rangée, et je l'ai eu toute la soirée sous les yeux; il me regardait avec grande admiration. Quand ça riait beaucoup, il se tournait vers son voisin de droite ou de gauche, n'en croyant pas ses oreilles que les gens rient à mes monologues.

À la fin de la soirée, les gens étaient debout pour m'applaudir. Papa ne me regardait pas, il observait les gens qui applaudissaient. Il est venu dans ma loge: «Les as-tu vus, ils étaient tous debout. Les as-tu vus?» Il faut dire que 3 000 personnes debout, c'est assez impressionnant. «Ils ont tous aimé ça! C'est incroyable!»

Puis, j'ai enchaîné avec une tournée d'un an sans arrêt: on affichait complet partout. Quel bonheur quand on a travaillé fort! Tout le monde en profitait. La chanson *La P'tite Sylvestre*, paroles de Jacqueline Barrette, racontait bien mon histoire. Vous allez comprendre pourquoi:

«Dans les clubs comme aux vues
Sur une scène à TV pis sur la rue
J'vous ai fait rire, j'vous ai fait rire.

«Jamais je n'ai eu de plus bel amant
Que le chant de vos applaudissements
J'vous ai fait rire, j'vous ai fait rire.

«Quand le rire devient tendresse
Quand l'artiste devient caresse
Quand l'humour devient tigresse
Je me sens géante et je vous berce.

«Quand j'grimace comme une singesse
Quand j'sautille comme une damnesse
Quand vous guettez mes yeux et gestes
Quand tu dis: "Hé que j'te trouve comique"
Ç'comme si tu me disais "Je t'aime Dominique".

«Mais quand tu veux que les journalistes
Te disent si l'clown Dodo est triste

Comment s'appelle mon amour
Que si j'mène une vie normale
J'me sens comme une enfant
Qui a les mains sales.

«Mais quand tu sais que je suis doctoresse
Que l'rire guérit le temps qui blesse
Que chaque farce que je t'adresse
C'est autant de beaux gros becs
Là tu vois la femme, la P'tite Sylvestre
Pis occupe-toi pas du reste
Occupe-toi pas du reste.»

Voici quelques extraits du programme:
Lettre à Guy Latraverse

Mon cher Guy,
Ta patience, ton entêtement à vouloir me faire remonter sur scène sont venus à bout de moi. Je ne regrette rien. Ton extraordinaire équipe de Kébec Spec m'a grandement facilité la tâche. Je pense à Jean-Claude Lespérance, qui est devenu un ami, à Monique Maranda, à Marco Navratil, à Mario Dugré, à Normand Choquette et à tous mes merveilleux musiciens.
Tu me demandais l'autre jour si j'étais contente. NON! JE SUIS HEUREUSE!
Dominique

À Jean Bissonnette
Jean Bissonnette a été à mes côtés aux premières heures de ma carrière qu'il a dirigée à travers *Au p'tit café*, *Moi et l'autre*, plusieurs *Bye! Bye!* et différents spéciaux TV.
Je veux ce soir qu'on sache qu'en plus de coordonner le spectacle, il a aussi apporté plusieurs idées ainsi que bien des lignes drôles à dire. Jamais il n'a demandé de crédit. C'est un humble, un travailleur.

Mon cher Jean, moi je sais tous les succès qu'on te doit, que je te dois.

Ta patience à me rassurer, ton bon jugement, ton sens des responsabilités, ton immense talent ont fait que maintenant, quand je suis sur scène, je ne me sens jamais seule.

Lorsque pour la dernière fois le régisseur me criera *Showtime Dominique Showtime*, je souhaite que tu sois encore près de moi et qu'à travers les applaudissements, tu entendes mon cœur te dire: «MERCI, JEAN, MERCI!»
Dominique

À Jacqueline Barrette
Jacqueline Barrette a été un événement dans ma vie. Lorsqu'en 1975, lors des Fêtes de la Saint-Jean sur la montagne au Show des femmes j'ai chanté *La P'tite Sylvestre*, sur une musique de François Dompierre, je me suis dit: «Comment peut-on me connaître aussi bien, savoir déceler mes craintes, scruter mon cœur et cette envie que j'ai de dire au public combien je l'aime?»

Chère Jacqueline, c'est à ce moment-là que j'ai soupçonné et, par la suite, découvert ton immense talent, ta sensibilité, ta grande tendresse et ton amitié à toute épreuve. Personne mieux que toi n'a su me prêter les mots que je voulais crier et que, grâce à toi, je dis avec amour, bonheur et sincérité.

Jacqueline sois assurée de mon affection qui ne peut plus augmenter et de mon admiration qui ne cesse de grandir.
Dominique

«Tous les textes de *Showtime Dominique Showtime* sont de Jacqueline Barrette. Les musiques des chansons sont de François Dompierre, Yves Lapierre, Monique Bailly et Rod Tremblay. Les quatre musiciens qui accompagnent Dominique sur scène sont dirigés par Daniel Mercure; les costumes de Dominique sont signés Yvon Duhaime; sa coiffure, Michel Poitras du Salon Olivier. La mise en scène est de Jean Bissonnette.»

À Dominique

Je la côtoie depuis sept mois, cette grande Dominique Michel. C'est un beau cadeau dans ma vie. Le cadeau de la confiance et du respect. Je pourrais dire qu'elle travaille fort mais je crois qu'il serait plus exact de dire qu'elle bûche passionnément. Préparer un show en donnant la place de choix à l'humour et la complicité d'âme... comme c'est extraordinaire.

(Surtout quand le coach ou le metteur en scène est aussi un complice qui a le don de la douceur, parce que chez lui c'est un don, une grâce.)

C'est beaucoup d'honneur de travailler avec des grands. Dominique Michel a toutes sortes de couleurs dans son cœur... écrire pour elle me donnait la belle occasion de les montrer. Vous la verrez magicienne, jouant librement, amoureusement, humoureusement au vrai pays des humains, le pays de nos âmes.

Merci chère Dominique, cher Jean, de m'avoir choisie pour la belle aventure. Merci pour l'amitié naissante promise à un bel avenir!

Jacqueline Barrette

Voici une autre lettre de Jacqueline Barrette et Jean Bissonnette, sept mois plus tard.

Vous MADAME

Vous Madame quand on vous dit: «C'est extraordinaire comme les gens t'aiment Dominique»,

Vous baissez les yeux un peu apeurée et votre sourire a des douceurs d'humilité, l'humilité propre aux grands.

Aujourd'hui Madame, nous les prenons tous à témoin,

Des mots d'admiration et d'affection que nous vous adressons

Quitte à vous voir rougir et bouillir sous le feu de notre tendresse.

Vous Madame, on vous aime comme on aime l'arc-en-ciel, nous vous l'avons déjà dit, voire même écrit, Madame que vous avez l'arc-en-ciel dans votre cœur.

Voilà sûrement pourquoi depuis tant d'années, Madame, vous nous en faites voir de toutes les couleurs.

Et nous Madame, qui vous côtoyons depuis sept mois déjà, nous avons eu l'honneur de voir l'arc-en-ciel de plus près, nous avons vu le bleu douceur, le vert ardeur, le rose clémence et le rouge puissance.

Oui Madame, nous avons eu l'honneur de voir de très près pourquoi on vous aimait. C'est parce que vous, Madame, vous possédez le secret des préférés.

Et vous le garderez toujours, parce que vous ne savez pas que vous le possédez. Non Madame, vous ne savez pas que vous le possédez parce qu'encore l'autre soir sur scène, tandis que vous saluiez et que le public vous couvrait de ses applaudissements dorés, nous avons cru lire dans vos yeux intimidés: C'est donc vrai que vous m'aimez?

Ah! Madame, chère petite grande Dominique, ne baissez plus les yeux, malheureuse, et laissez-nous vous aimer.

Jean Bissonnette et Jacqueline Barrette
Merci à vous tous mes amis, mes très chers amis pour ce merveilleux voyage.

* * *

En 1977, j'ai remporté le trophée Olivier Guimond. À Télé-Métropole, *Dominique* a atteint des cotes d'écoute de 2 403 000 téléspectateurs. Quand ça se met à bien aller, ça va! Après la pluie le beau temps. L'expression anglaise dit: «*Beyond a cloud there is always a silver lining.*»

À ce moment-là, j'ai rencontré un photographe magnifique, Daniel Poulin. Quand je dis magnifique, je parle aussi de son physique: grand, six pieds deux pouces, cheveux bruns bouclés, yeux bleu-vert, sourire à tuer tous les autres hommes autour de lui et un talent extraordinaire pour la photo. Comme il aimait les femmes, il nous a toujours rendues très belles. J'ai des photos magnifiques que Daniel a faites de moi.

Nous avons noué une grande amitié et, quelques années plus tard, il a acheté mon petit chalet des Laurentides, au bord du lac Tondohar, à Sainte-Adèle. Il y sera très heureux et y mourra trop jeune, couché sur le divan dans les bras de celle qu'il aimait en lui disant: «J'ai tellement peur de mourir.» Elle-même nous quittera un an ou deux plus tard.

Daniel et moi mangions souvent ensemble, on riait, une amitié copain-copine, avec beaucoup de tendresse l'un pour l'autre. J'ai fait pour lui de nombreux *front page* où je paraissais toujours 10 ans de moins.

\* \* \*

En 1979, je suis nommée Femme de l'année. René Lévesque m'avait écrit: «Chère Femme de l'année, permettez-moi de m'associer à celles et ceux qui, dans le cadre du Salon de la femme 1979, viennent d'inscrire votre nom dans la brillante phalange des 10 personnalités de l'année.

Je vous en félicite chaleureusement et vous adresse mes vœux les plus sincères de réussite et de bonheur.»

René Lévesque


Lise Payette aussi m'a écrit pour me féliciter. Je lui retournerai l'ascenseur en allant la présenter à une assemblée du Parti québécois, après le faux pas des Yvette lors du premier référendum.

Cette année-là, j'ai aussi animé, avec Denise Filiatrault, le Gala de l'ADISQ. On avait choisi deux pros du métier. On a chanté, fait des disques, et on était encore là, on durait. J'avais 47 ans, Denise 48, on fonctionnait toujours. C'était le premier Gala de l'ADISQ et tout s'est bien passé, pas de mauvaises critiques, comme du beurre dans la poêle.

# Chapitre 20

# J'OUVRE LA PORTE ET
# JE TOMBE EN AMOUR

Un jour, Henri Atlas est débarqué chez moi avec deux valises. Il les a mises au pied du lit, les a ouvertes et les a laissées là. Comme j'ai horreur des traîneries (je ne lui ai pas dit), je lui ai proposé de ranger son linge, il m'a dit qu'il ne savait pas trop encore. J'étais heureuse et déçue en même temps; mais je n'ai pas posé de question. Au bout de deux semaines, ses vêtements étaient toujours dans ses valises au pied du lit. Il m'a dit qu'il devait retourner chez lui, sur les conseils de son avocat, pour régler les choses correctement. Ce qu'il a fait.

Je continuais à travailler très fort. Je suis partie en tournée avec *Showtime Dominique Showtime* dans plusieurs villes de la province, dont Magog, au Vieux-Clocher. C'est là que j'ai eu la surprise de ma vie. À la fin du spectacle, la salle s'est levée d'un bond et s'est mise à me chanter «Ma chère Dodo c'est à ton tour de te laisser parler d'amour.»

Je voyais toujours mon copain Paul Vincent, Ti-Paulo. Il était très ami avec Jacques-Charles, ils partaient en vacances tous les deux. Ti-Paulo m'a dit:

– Écoute, Jacques-Charles est en dépression, il aimerait revenir.

– Dommage, mais c'était à lui d'y penser avant.

Je suis restée de glace.

Pour les fêtes, j'ai interrompu la tournée du 15 décembre au 15 janvier et je suis allée à la Barbade, car j'y avais toujours ma maison. Elle était vendue, mais je pouvais encore l'occuper, la vente officielle n'était pas encore signée. Surprise, Henri est arrivé avec sa plus jeune fille. J'en étais très heureuse, nous avons passé des vacances extraordinaires. Tout le monde était fatigué, on s'est remis en forme.

Puis, ce fut le retour à Montréal et re-tournée en province. Tout le monde voyageait en autobus, les techniciens, les musiciens. Le problème étant qu'il y avait sept ou huit gars et une seule fille. Ils m'aimaient bien, mais se retrouver entre eux dans un bar, avec une bonne bière, c'était mieux. Je les invitais souvent au restaurant après le spectacle, ils l'appréciaient.

Un jour, à Victoriaville, nous avons logé dans un «motel de baise»... Mon directeur de tournée, Normand Choquette, avait loué LA suite du motel pour moi: au rez-de-chaussée, salon, cuisine, salle à manger, et en haut, immense lit pouvant recevoir de quatre à six personnes, bain tourbillon, néon rouge au plafond et autour du lit. J'aime lire le soir avant de m'endormir. Il n'y avait pas de lampe de chevet.

– Je veux lire dans mon lit, donne-moi ta chambre et prends celle-ci! ai-je dit à Normand.

Trois nuits à Victoriaville, je vous dis pas le party que les gars ont eu dans la suite aux néons rouges et aux films porno!

Quand je n'étais pas trop loin de Montréal, je rentrais chez moi. J'aime être dans mes affaires. J'avais une Cadillac super confortable, mais diesel! On ne me voyait pas venir, on «m'entendait». J'ai gardé la voiture 5 ans et je l'ai vendue à un couple qui lui l'a gardée 10 ans. Je prends un soin jaloux de mes voitures.

Henri est finalement venu s'installer avec moi à Habitat 67. L'appartement était magnifique, mais comme tout bon Européen, il préférait les maisons. Nous avons donc quitté Habitat et il a acheté une maison très moderne à Ville Mont-Royal, avec piscine dans le jardin.

La dame qui nous a fait visiter nous avait dit qu'il y avait un «système de son», je me souviens encore de son expression, «incrusté» dans les murs. Nous adorions la maison, assez grande pour accueillir ses filles qui voulaient rester au Canada pour terminer leurs études. Henri avait une autre maison à Ville Mont-Royal, elle était vide... Quand je dis vide, c'est vide! Plus de porte-serviettes, d'encastrés, de miroir dans les salles de bains, plus d'éclairage, plus de poêle, de réfrigérateur, de rideaux, rien. Il était déçu. Sa femme et lui s'étaient pourtant quittés en bons termes, semblait-il. Les séparations, même d'un commun accord, ne sont pas faciles. On a tous «quitté» et été «quittés», un jour ou l'autre. Pas facile de se souvenir seulement des bons moments.

Pour ma part, quand j'ai été «quittée», je ne leur ai plus adressé la parole pendant de nombreuses années. Plutôt que de dire des bêtises, j'aimais mieux me taire et ignorer. Ça ne m'empêchait pas d'avoir du chagrin, mais il faut savoir être élégant et souvent ceux qui quittent ne le sont pas. Ce n'est pas donné à tout le monde de savoir s'en aller.

Si je parle de mes amours dans ce livre, c'est que j'ai eu des rencontres qui m'ont motivée et qui m'ont rendue heureuse, très heureuse. Je ne règle pas de comptes, je raconte ma vie, et mes amours en font partie.

Le bonheur, c'est autre chose; pas besoin d'être deux pour l'être, mais c'est mieux à deux. J'aime la vie de couple, être seule ne m'angoisse pas, mais aimer, quel doux sentiment! Échanger, parler, avoir une épaule, un refuge, un bras qui soutient. Les hommes que j'ai aimés étaient des hommes bien. C'est ça la vie. J'ai gardé d'eux de très bons souvenirs, mais il y en a un parmi eux que je place au-dessus de tous les autres. Ce n'est pas qu'il le mérite, mais «le cœur a ses raisons...», dit un proverbe connu!

Donc, comme *Showtime Dominique Showtime* avait été un succès, Guy Latraverse a récidivé. «Pourquoi ne pas faire un autre spectacle avec l'équipe gagnante: Jacqueline Barrette, Jean Bissonnette, Daniel Mercure?» On s'est remis au travail avec Jacqueline. Le spectacle s'est intitulé *Ben voyons donc!*

Le premier numéro était consacré à la peur: la peur d'être, de ne pas être aimé au bureau, peur de ne pas arriver à temps pour souper, peur que la gardienne soit irresponsable, peur de ne pas trouver un parking avant le spectacle, peur de ne pas avoir un bon siège, peur que le show ne soit pas bon, etc.

Jacqueline a été moins prolifique que pour le premier show. On a travaillé comme des fous; les numéros étaient bons mais pas exceptionnels. Nous devions commencer avant Noël et jouer au Jour de l'An, mais tout le monde était en vacances.

Fin novembre, et l'écriture du spectacle n'était pas terminée. Jacqueline m'a confié qu'elle n'avait plus d'idées. Jean et moi avons essayé de l'améliorer, mais le temps nous manquait. Que faire? J'ai pensé à remettre le spectacle, mais les salles étaient louées, les musiciens engagés, il fallait respecter nos contrats, sinon ça pourrait entraîner une autre faillite pour Guy Latraverse, qui en avait déjà deux ou trois à son actif.

On devait bientôt débuter à Québec. Horreur! L'ordinateur pour la vente des billets est tombé en panne quelques jours avant l'ouverture du spectacle. La couturière qui confectionnait mes robes, dessinées par Yvon Duhaime, était partie en Europe dans sa famille et les robes n'étaient pas terminées. Personne n'avait la clé de sa maison, c'était l'enfer. Devrais-je porter des vieilles robes qui n'avaient rien à voir avec mon spectacle? Yvon Duhaime, qui était très professionnel et livrait toujours ses costumes à temps, était atterré. Que faire? Attendre.

Nous sommes d'abord allés roder le spectacle au Vieux-Clocher à Magog. Clémence Desrochers était dans la salle et a remarqué la faiblesse des textes.

Elle est venue me voir après le spectacle et m'a dit: «Tes robes sont bien belles!»

On a éclaté de rire. On savait très bien toutes les deux que le spectacle n'allait pas. On se connaissait assez pour se comprendre sans le dire.

Ensuite, je suis passée au Grand Théâtre de Québec; le spectacle allait un peu mieux, nous avions beaucoup travaillé.

Le soir de l'ouverture, j'ai entendu des voix dans la salle, des gens brandissaient des pancartes dans les allées: les placiers de la Place des Arts de Montréal étaient en grève; ils demandaient une augmentation de salaire. Comme ils savaient que je serais bientôt en spectacle à Montréal, et que les caméras étaient là pour ma première à Québec, ils ont profité de l'occasion pour manifester.

Ils ont collé des macarons sur les vêtements des gens; ils ont grimpé sur scène et m'en ont collé un sur ma robe en paillettes. Lorsque je l'ai enlevé, la paillette est venue avec. J'étais découragée, j'avais envie de pleurer. «Allais-je passer à travers?»

C'est là que l'amour d'Henri m'a donné des ailes et m'a aidée à traverser cette merde. Quand un spectacle ne va pas, c'est l'enfer. On travaille quatre fois plus et les résultats sont quatre fois moindres. Faut être courageux. Le spectacle est moyen, mais il faut respecter les contrats.

J'étais désespérée. J'avais l'impression de flouer le public.

Le lendemain de la première, à la Place des Arts, M. Fernand Daoust, président de la FTQ, m'a reproché, à la télévision, d'avoir traversé la ligne de piquetage. «M. Daoust, allumez, ça fait un an et demi que la salle est réservée. C'est vous qui allez payer les frais de la salle et du spectacle à la place de Guy Latraverse et l'empêcher de tomber en faillite?»

Il voulait partir une polémique, je n'ai pas répliqué, je me suis tue. Ce que réclamaient, entre autres, paraît-il, les placières: des serviettes sanitaires fournies par l'employeur pendant les heures de travail. Des fois, on se demande où est le gros bon sens.

Après une longue tournée laborieuse, ce fut enfin la fin! Le spectacle s'était amélioré au fil des mois, mais j'étais épuisée de l'avoir porté à bout de bras. On a terminé à Victoriaville. Je ne pouvais plus voir les décors et les costumes. J'ai dit au responsable de la salle: «Je vous les donne.»

– Que dois-je faire avec?

– Brûlez-les!

L'angoisse était terminée, anéantie avec le feu des décors. Le stress a été si grand que, de retour à la maison, j'ai vomi pendant trois jours.

Le 24 septembre 1977, jour de mon anniversaire. Emmanuelle, la chanteuse, mariée à Mᵉ Jean Massé, a organisé une fête chez elle, en mon honneur. C'est une cuisinière hors pair, mère de deux beaux garçons.

Ils avaient une magnifique maison à Saint-Hilaire, sur le bord du Richelieu. Elle m'a demandé de dresser la liste de mes invités. Au nombre de ceux-ci, un ami que j'affectionnais particulièrement, un garçon super brillant. Lorsque Emmanuelle et mon copain se sont vus, ç'a été le coup de foudre, le grand amour. Il n'y avait plus rien qui existait, plus de maison, plus d'enfants, plus de mari, rien que la «passion». Je l'ai remarqué au premier coup d'œil, mais j'ai préféré croire que ce n'était que passager. Jean, le mari, était un grand ami. J'étais un peu mal à l'aise, mais que pouvais-je y faire? Ils étaient seuls au monde, ils ne raisonnaient plus, le bon sens foutait le camp.

Elle a tout quitté pour lui et ils ont vécu une passion de quelques mois. Cela en valait-il la peine? Emmanuelle était une belle fille, une chanteuse formidable, l'interprète inoubliable des chansons de Stéphane Venne: *Et c'est pas fini, ce n'est qu'un début*, reprise par les participants de *Star Académie*, et que dire de cet autre succès: *Toutes les fois que j'tombe en amour, on dirait que le monde est à l'envers*. Prémonitoire!

Durant l'été 1979, Henri Atlas, qui adore la pêche, a acheté un chalet en bois rond dans le nord de la province, près du barrage Gouin. Ses amis, Mᵉ Jean-Pierre Sutto et Yvon Plante, propriétaire du salon de coiffure Olivier, et plus tard de l'Auberge Sacacomie, avaient aussi chacun un chalet au bord du même lac de la Grosse Île. Pour s'y rendre, c'était assez compliqué: il fallait une Jeep ou un hydravion.

En avion, nous partions de Berthier et amerrissions sur le lac. Il fallait tout emporter, nourriture pour la durée du séjour, vin, essuie-tout, etc. Le poids des passagers et des bagages était limité; le pilote ne voulait pas, comme on dit dans le langage de l'aviation, être «*overload*» et se «planter» dans le bois; l'hydravion devait donc faire plusieurs voyages.

Plus tard, Henri a pris des leçons de pilotage avec Yvon, et les deux copains ont acheté chacun un avion qu'ils ont mis sur flotteurs l'été, et sur roues l'hiver. Ils ont eu un 172, un 185 Cessna et un bimoteur. Nous partions souvent de Montréal en Cessna pour aller à Saint-Barthélémy, un périple de quatre jours nécessitant plusieurs arrêts pour prendre de l'essence ou dormir, avec un arrêt plus long à Fort Lauderdale.

Cette année-là, nous étions au camp, mais j'étais extrêmement fatiguée. Nous avions décidé de faire du portage et de pêcher dans un lac assez loin de notre chalet. Les gars portaient les canots et nous, les filles, les cannes à pêche, la boîte de vers, les sandwiches.

Au retour, j'ai glissé et suis tombée, aïoye, sur mon pied gauche. Résultat, le D^r Atlas a dû porter le canot du lac au chalet et revenir sur ses pas pour porter «l'actrice». Il m'était impossible de marcher; j'étais certaine que la cheville était cassée, j'avais entendu le cric croc dans mes oreilles. J'avais raison.

Henri était épuisé d'avoir fait les portages. Nous sommes enfin arrivés au camp, j'avais la cheville et la jambe enflées. Impossible de partir, nous devions attendre l'hydravion qui devait venir nous rechercher trois jours plus tard, s'il faisait beau temps. On a fini par joindre le pilote par radio, il viendrait dans deux jours.

Pour le moment, j'étais étendue dans mon petit lit de camp en fer, je souffrais le martyre. Le lendemain, je suis restée seule au camp, tout le monde étant parti pêcher; je ne voulais pas les empêcher de s'amuser. J'ai demandé qu'on me laisse une carabine chargée, si jamais un ours entrait dans le camp.

Lorsqu'un ours entre dans un endroit, il n'en sort pas par la même porte. Il choisit plutôt une fenêtre ou une autre porte, et, croyez-moi, il n'y a pas grand-chose qui lui résiste, il détruit tout.

Finalement, les copains sont revenus en fin d'après-midi, sans que j'aie vu d'ours, avec une pêche miraculeuse, la plus belle pêche faite au camp en plusieurs années. On en parle encore.

Au bout de deux jours, l'hydravion est venu nous chercher. Nous étions entassés comme des sardines. C'est agréable quand on ne peut pas étendre sa jambe, la cheville enflée comme un melon! Je tenais ma jambe avec mes bras, par-dessous ma cuisse. À chaque poche d'air, une douleur. Mais je ne disais rien, je ne voulais pas avoir l'air plaignarde. Henri et moi en étions au début de notre relation. Arrivés à Montréal, direction hôpital du Sacré-Cœur, radiographies, etc., les malléoles du pied gauche étaient vraiment fracturées, plâtre pour six semaines. L'été était beau et chaud, et je devais me déplacer en béquilles! J'avais tellement peur d'en garder des séquelles à la cheville que j'ai fait les exercices recommandés par le médecin, tous les jours.

Henri est ensuite allé passer plusieurs semaines avec sa famille. J'étais seule, mais mon ami Michel Forget venait souvent me chercher pour dîner. Le soir, il s'occupait de moi. Je conduisais quand même, car c'était la cheville gauche qui était blessée.

Enfin, on a enlevé mon plâtre, mais j'ai dû faire de la physio tous les deux jours.

– Pourquoi ne pas aller à ma maison de la Barbade faire des exercices dans l'eau salée? ai-je proposé à ma gentille physiothérapeute.

Elle a trouvé l'idée excellente. C'est aussi efficace que dans une piscine, n'est-ce pas? Les exercices se sont révélés bienfaisants. Nous en faisions tous les jours. Je suis revenue à Montréal complètement «réparée».

\* \* \*

À la Barbade, justement. Un jour, je regardais vers le large, à l'abri derrière les immenses grilles en fer forgé du grand salon avec vue sur la mer, quand soudain j'ai vu s'approcher une immense vague. En un rien de temps, la vague est passée par-dessus le muret qui délimitait le terrain de la plage, est entrée dans le jardin, a renversé tables et chaises et a pénétré dans la maison par la grille du salon. Je me suis précipitée à gauche de la grille, derrière un petit mur. La grosse vague est entrée dans le salon avant de retourner vers la mer en moins de temps qu'il ne faut pour le dire. En quelques secondes, il y a eu trois pieds d'eau dans la maison, les meubles flottaient. Puis l'eau est repartie. Trois autres vagues, moins grosses et moins inquiétantes, sont ensuite revenues et reparties. Un petit raz de marée (à l'époque, on ne disait pas encore un tsunami). Je n'avais même pas eu le temps d'avoir peur. J'ai été surprise et effrayée... après. Je comprends très bien comment les gens ont pu se faire happer en Indonésie.

Au premier coup d'œil, la vague semblait assez normale, pas effrayante, mais si j'étais restée dans l'entrée du salon, l'eau m'aurait plaquée contre le mur, ou m'aurait poussée assez vite vers la porte d'en avant, de l'autre côté de la maison.

Pendant que j'étais à la Barbade, je téléphonais à Henri Atlas tous les jours. Je dépensais, à l'époque, pas loin de 160 dollars par jour pour lui parler. Tranquillement, j'oubliais mon autre amour, l'autre Henri. Je ne l'avais pas revu depuis des années, mais je gardais une passion inexplicable pour cet homme, tout en ayant aussi beaucoup d'amour pour le D$^r$ Atlas.

Durant l'été, nous sommes allés en Belgique, son lieu de naissance. Nous vivions chez sa mère, dans un magnifique pavillon, à Bruxelles, dans un quartier chic, comme Westmount, en retrait du centre-ville. C'était une femme charmante qui était veuve. Son mari était décédé à 51 ans, je crois. Il était l'un des actionnaires des chaussures Charles Jourdan. Elle vivait très à l'aise, seule avec un couple de domestiques. C'était une très belle femme, très élégante, qui avait dû être une beauté plus jeune. Elle avait eu trois enfants, deux garçons et une fille, Danielle, très belle elle aussi, copie de l'actrice Jean Seberg, en plus jolie.

Nous avons passé quelques jours à Bruxelles, puis nous sommes partis pour Saint-Tropez avec Kathleen, la plus jeune fille d'Henri, et une de ses amies. En route, nous nous sommes arrêtés chez mon amie Lorraine Barrette, une Canadienne qui avait épousé un homme très, très riche. Ils habitaient dans un grand mas en pierre avec une piscine presque olympique. Un autre endroit de misère, quoi!

Nous y avons passé deux jours très agréables; Lorraine m'a raconté qu'elle venait tout juste de récupérer les meubles de famille de Bernard, qui valaient une fortune. Je n'en doute pas! Ils avaient été volés et cachés derrière un faux mur, et c'est grâce à la perspicacité d'un gendarme qu'on les avait découverts, empilés dans une chambre secrète en sondant ce mur.

En arrivant à l'hôtel à Saint-Tropez, la propriétaire, qui connaissait bien Henri, lui a dit: «Je mets les trois petites ensemble, comme ça, tu auras un peu de liberté.» J'étais de la même grandeur que les deux jeunes.

– Dominique est avec moi, a-t-il répondu en me désignant.

Il a dû passer pour un vrai satyre. Pour moi, ce fut très agréable de passer pour une adolescente! Cela dit, nous avons eu de très belles vacances. Saint-Tropez était encore agréable à ce moment-là.

* * *

Retour à Montréal, boulot, dodo. L'émission *Dominique* se terminait, Réal Giguère avait été approché par Radio-Canada pour écrire une sitcom, sûrement à cause du succès de *Dominique* à Télé-Métropole. *Métro, boulot, dodo* n'a pas levé. Pourquoi? Peut-être à cause de mon personnage, une directrice de grosse compagnie. Or, je crois que les gens voulaient me voir en victime qui se débattait et les faisait rire, plutôt qu'en femme d'affaires qui avait réussi. Ai-je tort ou raison? Je ne sais pas, mais l'émission n'a duré qu'un an. J'étais déçue, car j'aimais travailler avec Réal, qui savait très bien parler des vrais problèmes de la vie.

Réal est un homme discipliné, un homme renseigné, un travailleur qui livre ce qu'on lui commande. On s'est moqué de lui en disant: «Le gros Giguère, y'est parfait.» C'est vrai que son français était irréprochable. On pouvait aimer ou ne pas aimer son accent, c'est une question de goût, mais quelle rigueur implacable!

Eh mon Dieu qu'il sentait bon; je le sais, je le côtoyais tous les jours. J'ai beaucoup aimé Réal, j'étais en sécurité avec lui.

* * *

Entre-temps, Jean-Claude Lespérance avait fondé sa société de production. À New York, il avait découvert une pièce intitulée *Lunch Hour*, avec Gilda Radner, une comédienne de mon gabarit, l'égérie de la populaire émission *Saturday Night Live*. Elle était merveilleuse dans le film *Woman in Red*. Elle mourra quelques années plus tard d'un cancer du sein.

Jean-Claude m'a proposé la pièce qui, en français, s'intitule *L'heure du lunch*. Mes partenaires étaient Jean Besré, Louise Laparé, Gaétan Labrèche, Guy Boucher, dans une mise en scène de Gaétan Labrèche. La traduction était de Luis de Cespedes et les costumes de François Barbeau. J'étais contente d'avoir Gaétan Labrèche comme metteur en scène. Il était drôle dans la vie et avait le sens de la comédie.

Nous avons commencé à répéter. Jean Besré disait son texte à voix très basse. J'en ai parlé à Gaétan. Je paniquais, j'aurais aimé avoir déjà le ton de la pièce. Gaétan lui en a fait la remarque. Jean a répondu qu'il jouerait vraiment quand il serait sur scène. Cela dit, il était très gentil et on s'entendait bien, nous avions tous beaucoup de plaisir à travailler ensemble, mais j'étais toujours inquiète.

Je me suis liée d'amitié avec Louise Laparé, qui restera une amie indéfectible. Malheureusement nos routes se croisent moins, mais l'amitié reste intacte. Je suis aussi devenue l'amie de Denise Dion, régisseuse et directrice de tournée, une travailleuse, intelligente et généreuse de son temps, toujours prête à aider; un peu bougonneuse, mais on l'aime comme ça! C'était une directrice très stricte, nous l'avions surnommée bien affectueusement «la charmante». Pour vous montrer que tout allait bien, pendant une pause-repas, Jean Besré m'a donné une recette de sauce à spaghetti extraordinaire, que je fais encore aujourd'hui.

Puis le soir de la première est arrivé. Jean n'avait pas encore haussé le ton. Moi aussi, je répétais toujours en étant très conservatrice, mais là, l'instinct de survie me rattrapait. Mon instinct de cabaret acquis au Mocambo et au Casa Loma, où je me débattais pour me faire entendre, est ressorti!

Je rentrais en scène, énervée, parce que je venais d'avoir un accident. Mais en même temps, je me sentais faible, prête à perdre connaissance. Je m'approchais d'un aquarium où nageaient de faux poissons, y plongeais les mains, m'en aspergeais le visage pour me remettre de mes émotions. Je faisais semblant d'avaler un poisson, et je m'étouffais. Je rentrais aussi dans une porte de verre, je m'assommais. J'avais vu Olivier 100 fois, je savais comment le faire sans me blesser. Super efficace. Le public se tordait de rire. Finalement, Jean s'est réveillé et s'est mis vraiment à jouer. Il a dû se dire: «Oupelaye! À côté d'elle, ils ne vont même pas me remarquer.»

À la fin de la pièce, je fumais, moi qui n'ai jamais fumé. J'entendais les gens des premières rangées murmurer: «A sait pas fumer.» J'échappais ma cigarette, je la cherchais pendant une minute dans ma robe très large, puis une autre minute dans les coussins du divan, par terre, sous les meubles... ça s'appelait voler le show. Jean m'a suivie, et jusqu'à la fin de *L'heure du lunch*, nous avons été sur la même longueur d'onde. Nous avons joué longtemps cette pièce et la critique a été excellente.

Martial Dassylva, *La Presse:* «L'heure du lunch à Dodo.»

Laurence Sabatt, *The Gazette:* «*Actress picks perfect role.*»

Nous sommes partis en tournée, dans tous les théâtres de la province. Nous avons joué 108 fois. La pièce a été un succès. Mais que faire entre les représentations? J'ai tricoté des foulards, des pulls, des bas, des couvertures. Gaétan était fasciné. Il me disait: «J'aimerais ça tricoter moi aussi.» On a acheté des aiguilles, de la laine, et il s'est mis à tricoter. Nous avons même organisé un concours: faire un foulard qui doit être fini à la fin de la tournée.

Jean, qui n'était pas très intéressé, l'a fait tricoter par ses blondes. On a ri. Par contre, Gaétan s'est révélé excellent. Après la tournée, il a créé des pulls avec des dessins compliqués, des bas, etc. Il était très heureux de savoir tricoter. Un vrai cercle de fermières à lui tout seul, comme Jacques Plante, le gardien de but du Canadien qui, pendant des années, tricotait ses tuques avant de créer le masque que tous les gardiens de but ont adopté par la suite.

Denise Dion, qui avait pris un peu d'embonpoint, a décidé de suivre un régime. Louise Laparé et moi, pour l'aider, mangions peu et sainement, et jamais entre les repas. Nous habitions toujours dans la même chaîne d'hôtels, les Auberges du Gouverneur. J'étais devenue amie avec les chefs de cuisine, qui nous gardaient, à Louise et moi, un petit lunch après le spectacle. Nous ne le disions pas à Denise, qui mourait de faim.

– Vous n'avez pas faim vous autres? demandait-elle.

– Un peu, mais on commence à s'habituer. Quand on mange moins, l'estomac se rétrécit. (Et autres balivernes que tout le monde dit quand il est au régime.)

Tous les soirs, Louise et moi, en quittant Denise, allions aux cuisines en cachette, chercher le lunch préparé par le chef. Nous lui avons avoué notre subterfuge des années plus tard. Denise avait maigri de 60 livres, je crois. Nous ne l'avons pas fait pour rien.

\* \* \*

Je me suis acheté une Jeep assez grande pour asseoir cinq personnes et contenir les bagages. Je conduisais toujours. Un soir, en revenant de Sorel, sur le boulevard Métropolitain, nous sommes tombés en panne d'essence. Pourtant, j'avais fait le plein avant de partir. Je me suis alors rendu compte que l'essence avait été siphonnée. Guy Boucher est descendu de l'auto et a enjambé le petit parapet de ciment, à la recherche d'une station service.

– Il ne faut pas rester dans l'auto; j'ai lu un article qui disait que nous avons au plus trois minutes pour sortir de la voiture sur une autoroute, et qu'après nous avons cent pour cent de chance de nous faire frapper, ai-je dit à Gaétan, Louise et Jean.

Gaétan est descendu. Dans mon rétroviseur, j'ai vu approcher une voiture à toute allure.

– Attention, ça y est, attention! ai-je crié à Louise et Jean.

J'avais à peine fini de le dire que la Jeep est partie en vol plané, a fait plusieurs tonneaux et a atterri du côté chauffeur, celui où j'étais. La vitre de la portière a éclaté en mille morceaux. La voiture a continué à glisser; heureusement, j'avais un manteau de fourrure en renard gris, et c'est ma manche qui a glissé sur l'asphalte par la vitre cassée. Quand je me suis relevée, il n'y avait plus un poil et le cuir était plein de trous, jusqu'à ma peau. Au même moment, quatre ou cinq voitures nous ont rentré dedans. C'était l'hécatombe. Jean et Louise ont subi un *whiplash* (coup de fouet); blessés au cou, ils ont été obligés de porter une minerve pendant plusieurs mois.

Moi j'ai été secouée, j'avais de la difficulté à me tenir debout. J'étais étourdie, ç'avait frappé fort.

– Mon Dieu, mon Dieu, mon Dieu, Ah! mon Dieu merci! disait Gaétan tout près de moi et, surtout, surpris que nous soyions toujours en vie.

Nous avions été frappés par une petite Toyota. Vitesse et alcool étaient en cause. Mais comment une petite voiture comme ça avait-elle pu nous propulser si loin? La police m'a expliqué: «Ça peut arriver en frappant un point stratégique.» Le policier a demandé le numéro de téléphone d'une personne à prévenir. J'ai donné celui d'Henri Atlas. Il est arrivé sur les lieux quelques minutes plus tard, et s'est occupé de nous tous. Il m'a auscultée, cou, dos, bras, front: j'avais une bosse sur la tête, mais rien de grave. Je me souvenais d'être sortie par la vitre arrière. Je passais tout juste.

Denise Dion et les techniciens suivaient plus loin derrière. Ils ont vu un gros accident, et ont été détournés par la voie de service, mais ils n'ont pas pensé une seconde que ça pouvait être nous. La radio a annoncé la nouvelle. De la façon dont on a raconté la chose, mon ami Donald Pilon, en voiture ce soir-là, a cru que j'étais presque à l'agonie. Il m'a dit plus tard: «J'ai pensé perdre connaissance quand j'ai entendu la nouvelle.»

Le lendemain de l'accident, nous jouions à Valleyfield. Le matin, j'ai peiné à me lever. «Rackée», je marchais à quatre pattes. J'avais des bleus partout: sur le côté du visage, sur les jambes, les cuisses, les hanches, il n'y avait pas un pouce de mon corps qui ne me faisait pas mal. Mais *the show must go on*. La voiture a été une perte totale. Jean Besré, qui a eu des points de suture au front, a déclaré à *La Presse*: «C'est un miracle que nous soyions encore vivants.» Il mourra des années plus tard, victime d'un autre accident de voiture, sur une petite route, en allant nourrir ses chats. La vitesse et l'alcool étaient encore en cause. Adieu, gentil et souriant Jean!

* * *

Comment pourrais-je oublier ces deux journées de mars 1982. Le lendemain de mon accident de voiture, mon ami Gilles Talbot, 43 ans, et sa femme, Nicole, qu'il avait épousée quelques mois auparavant après plusieurs années de vie commune, se sont tués dans leur avion. Des amies de Nicole, Mireille Paquette et Sergine Landry, 29 ans toutes les deux, ont aussi péri dans cet accident.

En m'en allant vers Valleyfied, j'ai entendu à la radio qu'un Cessna 210 s'était abîmé en mer, non loin de Hilton Head. On ne pouvait pas encore dévoiler les noms des victimes. J'ai eu un drôle de pressentiment, car je savais que Gilles devait aller en Floride et faire un arrêt à Hilton Head. J'ai téléphoné à Henri, lui aussi pilote d'avion, pour lui demander de s'informer auprès de ses connaissances du monde de l'aviation. Il m'a dit que la base marine de Beaufort avait repéré un Cessna sur son système de radar, puis plus rien. Il faisait un temps de chien: pluie forte et bourrasques. Gilles avait-il pris les balises de Hilton Head pour les lumières d'un petit aéroport? On ne sait pas. Il était au-dessus de l'océan Atlantique, à un mille et demi au large de Hilton Head. Un hélicoptère a bravé le mauvais temps et a repéré une partie du fuselage maintenu en surface par un pneu du train d'atterrissage.

*Journal de Montréal,* 1<sup>er</sup> mars 1982

«Un bateau de la garde côtière fut envoyé à l'endroit de l'accident, mais le mauvais temps lui a fait rebrousser chemin.»

Le bateau avait eu aussi des difficultés lors de l'opération tellement la mer était mauvaise. Un jour ou deux plus tard, on avait aperçu un soulier de femme et une housse de siège qui flottaient dans le même secteur. Aucune trace des victimes.

Par ailleurs, un citoyen de Fripp Island avait déclaré aux autorités avoir vu l'avion s'écraser dans l'océan à un mille et demi de la côte.

La Federal Aviation Administration a déclaré que le pilote du Cessna n'avait pas enregistré de plan de vol pour le voyage qu'il allait effectuer. Surprenant, tous les pilotes d'habitude déposent un plan de vol.

Quelques jours plus tard avait lieu à l'église de l'Immaculée-Conception une messe commémorative pour les victimes. Pas de corps. On ne les a jamais retrouvés. Le père de la jeune Sergine Landry, M. Sylva Landry, s'est jeté dans mes bras, fou de chagrin. Quoi dire pour essayer de calmer une si grande douleur? Je l'ai serré fort et lui ai dit bêtement: «Bon courage!» Nous pensions tous à la panique qu'ils avaient dû vivre à bord de l'avion, dans l'orage avant de se «crasher». L'associé de Gilles a invité tout le monde après la messe au restaurant La Sila et la photo qu'on a donnée aux amis présents en était une qu'on avait prise chez moi à la Barbade, devant la mer. Rappelons-nous ce que Gilles m'avait dit un jour: «Je ne voudrais pas mourir noyé.» Quelle tristesse!

Au restaurant, sa sœur m'a confié qu'une femme lui avait interprété les cartes au tarot et avait dit à Gilles: «C'est drôle, après 40 ans, je ne vois rien du tout pour l'avenir. Rien du tout!»

Je n'oublierai jamais Nicole et Gilles. Chaque fois que je passe rue Sherbrooke Est, en face du parc Fullum, où nous avons vécu de si bons moments, mon cœur se serre.

J'ai connu Gilles Talbot, maître d'hôtel au club le Flamant Rose à Pointe-aux-Trembles, dans les années 1950. Puis, il a été le gérant de Ginette Reno, de Jean-Pierre Ferland et de Michel Louvain. En 1974, il a réalisé un vieux rêve en fondant Kébec Disc. Il a fait enregistrer un premier microsillon à Yvon Deschamps et, par la suite, il a mis sous contrat des gens comme Fabienne Thibault, sa découverte, Paul Piché, Gilles Rivard (décédé depuis), Robert Paquette, Sylvain Lelièvre (décédé), Marc Favreau (décédé), Lucien Francœur, Corbeau, Diane Juster, Jim Corcoran. C'est aussi grâce à lui et à Guy Latraverse, avec qui il fut associé un temps, que la chanson au Québec est devenue une industrie. La compagnie de Gilles avait, en collaboration avec Jean-Claude Lespérance, investi dans *L'Heure du lunch*. Ce 1er mars 1982, nous avons joué quand même, mais le cœur lourd, très lourd.

* * *

À la fin de *L'heure du lunch*, nous sommes partis pour la Floride, Jean Besré, Louise Laparé, Gaétan Labrèche, Henri et moi. Mon ami Paul Vincent m'avait recommandé un motel à Miami, très bien, très propre; il y avait séjourné plusieurs fois, pas trop cher, très confortable. Je n'étais pas allée à Miami depuis longtemps. La dernière fois, c'était avec Donald Lautrec, Jacques Desrosiers, Tony Roman, avec qui j'avais eu une petite aventure, et Denise Filiatrault; un voyage de dernière minute, après une de nos nombreuses tournées. Nous avions convaincu Jacques Desrosiers, qui avait une peur bleue de l'avion, de venir avec nous. Aussitôt la porte de l'avion verrouillée, la crise, toi! La panique. Il voulait sortir, faire ouvrir les portes, descendre. Donald l'a fait asseoir, lui a donné un ou deux Gravol pour le calmer; il les a pris avec pas mal d'alcool. Il s'énervait, mais il n'était pas question de sortir, l'avion roulait déjà et était prêt à décoller. Il a pleuré, tremblé, crié à la moindre secousse. Il est arrivé à Miami épuisé, nous aussi d'ailleurs.

Nous avions loué une décapotable. À ce moment-là, les vitres arrière des décapotables étaient en verre. Pour ouvrir le toit facilement, il fallait que la fermeture éclair soit défaite pour que la vitre arrière glisse et se place à plat. Nous étions tellement «sur les nerfs» que nous avons oublié de le faire et la vitre arrière a éclaté en mille morceaux comme un coup de fusil. Sur qui? Sur Jacques, qui s'est retrouvé couvert de débris. Aucune réaction, il était tellement heureux d'être à terre qu'il n'en a pas fait de cas.

*  *  *

J'aime me baigner dans la mer. Il m'est déjà arrivé qu'une méduse s'enroule autour d'une jambe. Il est recommandé de mettre de l'eau de Javel ou de l'urine pour empêcher l'infection. Cette fois-là, à Miami, j'aurais bien voulu uriner dessus, mais ce n'était pas évident. J'ai appelé Donald à ma rescousse, ça n'a pas été plus évident; pas facile d'uriner devant des Québécois qui nous regardaient. On a bien rigolé. Finalement, c'est l'eau de Javel qui m'a soulagée. Ça chauffait terriblement, c'était paniquant, mais la brûlure n'a duré que quelques jours.

*  *  *

Denise Filiatrault s'était remise à l'écriture en 1982 et elle projetait une série pour Radio-Canada avec Benoît Marleau, Paul Berval, elle et moi pour l'automne: *101 Ouest, avenue des Pins.* J'y incarnais une chanteuse de club; Denise, une ancienne actrice; Benoît, un barman que j'aimais et qui me trompait. On n'était pas loin de la vraie vie. La série n'a toutefois pas fait long feu. Je portais une perruque qui ne bougeait pas d'un poil pour jouer Sonia. Quand je me retournais, je ressemblais à la petite fille dans *L'exorciste*, ce qui donnait le fou rire à Benoît. Chaque fois que je bougeais, je voyais dans ses yeux qu'il fixait ma perruque. Elle était tellement laineuse et laide qu'elle avait l'air d'être faite en poils de chien.

– Elle est très belle, elle est faite à la main, m'avait assuré le perruquier.

– En poils de c...?, ai-je répliqué.

# Chapitre 21

# MES 50 ANS

Le 24 septembre 1982, j'ai eu 50 ans. CINQUANTE ANS! Je n'en revenais pas. Tout le monde disait: «On va fêter ça.» J'ai refusé. Mes 50 ans, je les assumais mais je voulais faire le party chez moi, à Ville Mont-Royal.

J'ai engagé un traiteur, Bernard Roguenaud, de l'hôtel de la Montagne et du Thursday, qui a préparé un buffet somptueux: champagne à volonté. Des pièces montées tellement belles que mes amis les photographiaient. Yvon Duhaime m'avait fait une robe noire, en tulle et dentelle brodée d'une grande beauté, style années 1950, décolletée; les bretelles se croisaient dans le dos. Tout le monde était là: Denise Filiatrault, France Castel, Pierre Nadeau, Danielle Parent, Guy Boucher, Gaétan Labrèche, Jean Bissonnette et sa femme, Denise (mon amie d'enfance), Andrée Boucher, Jean-Pierre Bélanger, Donald Pilon, Daniel Roussel, Jean Besré, Jean-Claude Lespérance, Louise Claude, Francine Chaloult, mon ami Jean Péloquin, mon ex Jacques-Charles Gilliot, avec Colette, je ne m'étais pas trompée, Richard Martin, Guy Fournier, Daniel Poulin, photographe qui a eu la permission de prendre toutes les photos qu'il voulait, Jacqueline Vézina, Philippe Dagenais, ma cousine Andrée, Yvon Plante et sa femme, Joyce, Emmanuelle, Patrick Lotte, designer, et sa femme, Nicole, et d'autres que j'oublie et je m'en excuse. Ma famille, parents, cousins et cousines, dont mon cousin Jean Adam, le curé de la paroisse Saint-Sauveur dans les Laurentides, étaient aussi de la fête. Mon ami le D$^r$ Jacques Bougie m'a offert 50 t-shirts rouges portant l'inscription «C'est la fête à Dodo, 50 ans.»

On a tous enlevé nos belles robes, moi la première, et on a enfilé nos t-shirts rouges avec des jeans. La fête a duré toute la nuit. Un beau, très beau souvenir, toutefois assombri par la disparition, dans l'après-midi même, de Janko, notre husky. Janko avait la mauvaise habitude de se sauver et d'aller jouer avec de jeunes enfants dans la rue, derrière la maison, quand ils mangeaient leurs «petits 4 heures»; il leur volait des petites bouchées, les enfants l'adoraient, riaient et jouaient avec lui.

Un jour, un voisin, le père d'un des enfants, est venu à la maison nous dire que le chien devrait être attaché, qu'il pouvait être très dangereux pour les petits. Pendant qu'il me parlait, Janko était resté couché sur le côté, et le fils du monsieur s'est couché avec lui et a mis sa tête sur le ventre du chien. En voyant ça, le papa m'a dit: «OK, je m'excuse, je n'ai rien dit.»

Nous n'avons retrouvé Janko que trois ans et demi plus tard, il errait sur le bord de l'eau à Pointe-Claire. Une jeune femme vétérinaire l'avait recueilli et avait téléphoné au Kennel Club; un code tatoué à l'intérieur de la cuisse lui avait permis de nous joindre. Henri était allé le chercher. Janko l'a reconnu tout de suite. Arrivé à la maison, il n'a pas arrêté de nous parler. Les huskys n'aboient presque pas, ils hurlent. Il a hurlé pendant des heures comme pour nous signifier sa joie et nous raconter ce qui lui était arrivé. Ce chien adorait être en voiture, nous l'amenions toujours avec nous. Il était tellement sage qu'on aurait pu l'oublier. Nous avions donc pensé que quelqu'un l'avait fait monter dans sa voiture et l'avait gardé. C'était un très beau chien, très gentil, il avait un collier, une médaille, où était inscrit notre numéro de téléphone, volontairement ignoré. Après trois ans et demi, les gens l'ont probablement abandonné, car il avait une excroissance cancéreuse sur le dos. Quelques années plus tard, devenu progressivement aveugle, j'ai compris qu'il souffrait. Henri et moi voulions que

Janko meure dignement; le 27 décembre 1989, le vétérinaire mettait fin à ses souffrances. Nous avons beaucoup pleuré, il faisait partie de la famille. Nous l'avions aimé, autant qu'il nous avait aimés.

Je me souviens d'une anecdote. Dans mon spectacle *Showtime Dominique Showtime*, il y avait un petit chien noir appelé Charlie, il était super gentil et Janko l'aimait, mais le contrôlait. Charlie devait toujours marcher derrière lui. Un jour, nous sommes partis pour le Nord avec les deux chiens et Emmanuelle, mon amie. Une petite neige tombait doucement.

– Je vais aller promener les deux chiens, ai-je dit.

– Laisse-les, Janko sait où se trouve la maison, ils vont se promener et revenir, a dit Henri.

Au bout d'une heure, Janko est revenu, seul.

– Tu vois, on a perdu Charlie, ai-je dit à Henri.

– Où est le petit chien? Janko, viens nous montrer où il est, a demandé Henri.

On a suivi Janko et il nous a emmenés directement à Charlie, assis, presque entièrement couvert de neige: il n'avait pas bougé, comme si Janko lui avait dit: «Toi, tu restes ici, tu ne bouges pas.» Peut-être que Janko avait eu peur que Charlie prenne un peu trop de place. Bah! Il était presque humain!

\* \* \*

En 1981, Jane Fonda est devenue la grande prêtresse de la remise en forme. On a acheté ses cassettes vidéo, on se mettait à l'exercice. Ça durait une semaine, et on arrêtait, mais bon, c'était un bel effort! Raquel Welch aussi s'y est mise, ainsi que d'autres vedettes, moins connues, de la colonie artistique américaine.

– Je vais en faire un moi aussi! ai-je lancé à Jean-Claude Lespérance.

On a fait un beau livre avec des photos réalisées par mon copain Daniel Poulin. J'étais en collant rouge sur fond blanc. Nous en avons vendu 15 000 exemplaires, je crois, un bon succès. Les exercices ont aidé des gens à bouger et pour ceux qui ne parlaient pas anglais, à suivre dans leur langue, un vrai programme d'exercices.

* * *

J'aime beaucoup les fêtes et, pour mon anniversaire en 1983, j'ai réuni mes amis, des copains, et des médecins, collègues d'Henri lors d'un grand dîner. J'avais prévenu tout le monde: pas de cadeau! Ça me gêne trop de recevoir des cadeaux à mon anniversaire. J'aime mieux en donner. Chaque anniversaire nous donne l'occasion de nous revoir. C'est toujours un grand plaisir et c'est ce que j'aime.

Ce soir-là donc, Jean-Claude Lauzon, que j'ai connu chez Gaston Lepage, avec qui il avait fait son premier film, a été invité. Il m'a apporté tout un cadeau: un cheval. Oui, oui, un cheval. Que fait-on avec un cheval à Ville Mont-Royal? J'étais au désespoir. Mais mon ami Michel Forget, qui avait l'habitude des chevaux, s'en est occupé. Vous auriez dû voir le terrain derrière la maison. Jean-Claude avait eu la «bonne idée» d'apporter une grosse balle de foin. Il y avait du foin partout et de la merde aussi. Le terrain était devenu un vaste champ labouré. J'ai téléphoné le lendemain matin à la SPCA qui est venue chercher le cheval. Je vois encore la tête du monsieur italien qui entretenait mon terrain. Il était désespéré. «Que s'est-il passé?» Le terrain a été nettoyé, mais l'odeur du fumier est restée quelques jours.

Jean-Claude Lauzon était un être bien spécial. Un jour, André Petrowski, le père de Nathalie, professeur de cinéma, avait reçu un scénario de Jean-Claude Lauzon et était resté estomaqué. Il s'est dit: «Ce gars-là est un fou ou un génie!» Il s'est donc mis à sa recherche pendant des semaines, car Jean-Claude s'était fait mettre à la porte de l'école. Finalement, André l'a retrouvé. La suite, c'est Jean-Claude qui me l'a racontée.

«André, voyant que je n'avais pas un sou, pas de job, que j'étais un voyou, m'invite chez lui. Je me dis: "C'est peut-être un vieux pédé qui veut m'enfiler." J'arrive chez lui, je

298

regarde autour et je me dis demain, je vais revenir ici et vider la maison. J'ai l'œil sur plusieurs choses.

André me dit: "Tiens voici la clé, tu es chez toi ici. Tu auras toujours à manger et un endroit pour dormir."

J'ai été déculotté bien sûr, je n'ai jamais rien pris dans la maison ni à personne.»

André, en lui accordant sa confiance, venait de remettre Jean-Claude dans le bon chemin. Il adorait André, je devrais dire, il le vénérait et l'a aimé, je crois, plus que son propre père.

Nous allions souvent à la pêche avec lui, Gaston Lepage et Louise Laparé, au camp de la Grosse Île. Un jour, après une journée de pêche, il s'était assis dans un des fauteuils, nous en avions deux, et il m'observait avec ses yeux noirs perçants.

– Tu me regardes et tu penses: coudonc elle est moins quétaine que je pensais! lui ai-je suggéré.

– Oui, c'est ça. (Il était très franc.) J'veux te dire que t'es une crisse de bonne fille.

– Merci!

– J'peux te faire confiance?

– Oui, si tu veux.

– J'ai avec moi un scénario, je voudrais que tu le lises.

– D'accord, mais demain dans la journée.

Il l'a sorti de son grand sac noir en cuir qui le suivait partout, un sac à plusieurs pochettes qu'il portait en bandoulière et dans lequel il traînait toujours ce qu'il avait de plus précieux. Quand il est mort, nous avons pensé qu'il y avait même son testament dans le fameux sac, car avec Gaston nous l'avons cherché des jours et des jours dans sa maison sans le trouver.

Donc, le lendemain dans la journée, j'ai lu le scénario. Dans son texte, j'ai découvert toute son angoisse, sa tristesse, son humour, sa violence, son désespoir.

J'étais seule au camp, j'avais les larmes aux yeux. Je découvrais Jean-Claude et je le comprenais «plus» au travers de son scénario qu'au cours des années précédentes. Il est revenu de la pêche: «Pis?»

Je l'ai pris dans mes bras, et l'ai serré très fort. «C'est bon! Bon? Non. Excellent. Jean-Claude, j'ai été très touchée, faut faire ce film-là.» C'était *Un zoo la nuit*.

* * *

Nous voici à l'automne 1983.

– J'ai une pièce pour toi, m'a dit Jean-Claude Lespérance. *En sourdine les sardines*, la traduction d'une pièce américaine, *Noises off*. Ça marche très fort à Paris.

Je suis donc partie à Paris avec Michel Forget, qui voulait jouer avec moi, mais s'est retiré au début des répétitions. Je ne me souviens pas pourquoi. C'était du théâtre dans du théâtre, une parodie des acteurs qui jouent avec leurs états d'âme, comme on en rencontre souvent dans notre métier.

Avec Daniel Roussel, qui a fait aussi la mise en scène, nous avons adapté la pièce à la québécoise. Un pur bonheur de travailler avec lui. Comme il le dit dans le programme: «De cet échange de travail avec Dominique, je garde un souvenir de fête, car si nous nous amusions beaucoup, nous ne nous passions rien...! Dans la joie, la bonne humeur et la folie qui grimpe au sommet de l'absurde.»

De cette rencontre est née une amitié indéfectible. On a souvent été séparés, pendant des années même, mais nous nous retrouvons toujours comme si le temps n'avait pas passé.

Voici quelques mots d'esprit sur les acteurs qui me reviennent en mémoire:

«Un acteur c'est quelqu'un qui, si tu ne parles pas de lui, ne t'écoute pas.» Marlon Brando.

«La chose la plus importante pour un acteur est de savoir rire ou de savoir pleurer. Pour pleurer, je pense à ma vie sexuelle. Pour rire aussi.» Glenda Jackson.

«Et le talent... le talent c'est comme l'argent, il n'est pas nécessaire d'en avoir pour en parler.» Jules Renard.

«Une actrice: "Dans quelle pièce me préférez-vous?"

"Dans votre salle de bains."» RIP.

Jack Warner, qui détestait les comédiens, disait à leur sujet: «*Once a comedian, always a son of a bitch!*»

Faisaient partie de la distribution: Guy Nadon, qui était extraordinaire, Véronique LeFlaguais, les fous rires qu'on s'est payés, Ronald France, Paul Berval, la cause de nos fous rires, Marc Legault, Monique Spaziani, qui m'a tricoté des bas que j'ai toujours, Roger Joubert, Esther Lewis et notre directrice de plateau et de tournée, «la charmante», l'irremplaçable Denise Dion. Le public s'est amusé et la critique a été excellente:

Robert Lévesque, *Le Devoir:* «Le rire triomphe au Rideau-Vert.» (Oui! Le Robert Lévesque qui fait peur à toute la colonie artistique.)

Carmen Montessuit, *Le Journal de Montréal:* «*En sourdine les sardines* vous fera crouler de rire.»

Jean-Pierre Bonhomme, *La Presse:* «*En sourdine*, un hilarant tour de force.»

Pendant que nous jouions *En sourdine les sardines*, nous travaillions aussi au *Bye! Bye! 83*, écrit cette année-là par André Dubois, un très bon auteur avec qui j'ai souvent travaillé et qui a toujours été excellent. Jean Bissonnette était le producteur délégué, Jacques Payette, réalisateur. Mes coéquipiers étaient Paul Houde, un grand imitateur que le monde ne connaissait pas encore, le fabuleux Normand Chouinard, Michel Desrochers, qui s'était fait flouer en même temps que moi par le même avocat, avec des actions «au porteur» faciles à changer!, le fou de Michel Forget et l'incomparable Pauline Martin, qui a fait une imitation d'Édith Butler époustouflante. Je commençais à imiter l'intouchable Céline Dion, mais la meilleure imitation de Céline sera faite par Pauline Martin quelques années plus tard.

Les gens nous demandaient toujours comment on procédait pour le *Bye! Bye!* Dès la fin de juin, on retenait les événements les plus importants des six premiers mois de l'année et les scripteurs commençaient à écrire les textes; il restait encore six mois et d'autres textes à écrire au fil des événements jusqu'à la fin novembre: on gardait toujours une petite place pour les dernières minutes de décembre. Et là, arrivait le moment crucial... les coupures sans merci, sans état d'âme, mais qui parfois nous arrachaient le cœur. On ne gardait que la crème de la crème, en éliminant ce qui ne nous faisait pas rire et nous empêchait de faire un bon show. À quatre autant que possible, plus des invités surprises. Quand il y avait trop de monde, ça marchait moins bien. Avec Patrice l'Ecuyer, René Simard, Yves Jacques et moi, le public a été conquis en voyant nos multiples imitations et à quel point on se débattait pour arriver à ressembler à nos têtes de turc; et tout ça sans prétention. Du rire mêlé à de l'admiration... bravo! Et pourtant, la critique a été mi-figue, mi-raisin.

Louise Cousineau, *La Presse:* «Bye! Bye! 83! Non, ce n'était pas le pire, mais...»

Louise Blanchard, *Le Journal de Montréal:* «*The return of the* Bye! Bye!» (Elle a aimé.)

Les autres journaux: «*Bye! Bye!* meilleur que l'an dernier, mais...»

«Dominique a été sublime.» (Je crois qu'ils s'étaient ennuyés de moi, car j'avais sauté quelques années.)

Au même moment, je faisais une publicité dans les journaux pour les bijoutiers People's. Les photos étaient belles, mais les maquillages? *Oh my God!* J'avais l'air de ma tante Laurette qui s'était «crêtée» pour ne pas passer inaperçue aux noces de Raymonde! J'avais une robe bleue, les yeux maquillés rose et bleu, pour «matcher». Je regardais récemment les photos avec ma filleule Laurence, qui a 30 ans, et qui travaille dans la mode, elle est très «fashion». Comme elle est gentille, elle m'a dit:

– T'as l'air plus jeune maintenant

– Moins quétaine?

– C'est ça Do, je n'osais pas te le dire.

Nous rions beaucoup ensemble, c'est une fille qui a un cœur d'or, toujours souriante, avec un goût exquis. Elle adore les animaux comme moi. Elle aime tellement mon chat Snow et l'embrasse si intensément quand elle vient chez moi, qu'il se sauve et se cache, épuisé de son trop-plein d'amour.

\* \* \*

Denys Arcand, dont j'admire les films, l'écriture et le talent, m'a téléphoné pour m'offrir un caméo dans *Le crime d'Ovide Plouffe*. J'étais folle de joie. Jouer pour Denys, quel bonheur! Il m'a écrit un texte extrêmement drôle, celui d'une agente de voyage qui essaie de faire changer d'idée à Ovide Plouffe: il veut aller à Paris et elle lui conseille d'aller plutôt en Floride, en dénigrant la France, les fromages français qui puent, ainsi que leurs toilettes pas pratiques. Elle lui dira: «Y'ont même pas de Corn Flakes, comment peux-tu visiter un pays qu'y'a même pas de Corn Flakes?» Un vrai bijou ce caméo. Je l'aurais fait en stand up, j'aurais eu du succès.

Et bien sûr, le retour de *Bye! Bye! 84*. J'en étais, avec Michel Côté et Marc Messier. Quels comédiens! Des garçons adorables. D'ailleurs, ce fut à ce moment-là que Michel s'est lié d'amitié avec le D\(^r\) Atlas. Ils se voient encore régulièrement. Henri adore l'humour de Michel.

Avec nous, la sublime Pauline Martin. Ce fut un bon cru, écrit par André Dubois et réalisé par Jacques Payette. Je suis portée à dire souvent «talentueux et formidables» de mes amis comédiens, auteurs ou réalisateurs, c'est que je le pense vraiment. J'ai été chanceuse de travailler avec eux.

Les sketchs qui ont marché le plus cette année-là: une imitation de Diane Dufresne, dans *Magie rose*, quand son décor la suit partout, dont j'ai déjà parlé. Je pense que j'ai montré mes seins, tellement je faisais d'efforts à tirer sur le décor. Ma robe descendait à chacun de mes pas. Personne n'en a parlé. Faut peut-être dire qu'il n'y avait pas de quoi; Marc Garneau, l'astronaute, qui se grattait avec le bras canadien; René Lévesque (moi) en Michael Jackson expliquant ses changements d'attitude, *Le temps d'une paix*, où mémère Bouchard (Pauline) et Ti-coune (Michel) reçoivent la visite de leurs imitateurs, la vieille Zéphise (moi) et le petit «pas fin» (Marc); Louise Forestier (Pauline) parlant de son show d'été à Radio-Québec: «J'étais pourrie, j'étais zéro, mais ne touchez pas à mon ego.» Drôle, très drôle.

Louise Cousineau, *La Presse:* «*Bye! Bye! 84*, la recette retrouvée.»

Nathalie Petrowski, *Le Devoir:* «La chimie des anciens (moi) et des modernes (Michel, Pauline et Marc).»

Donalda Champagne, *Le Journal de Montréal:* «Cette année, *Bye! Bye!* a livré la marchandise.»

Au moment où j'écris cette biographie, je tombe sur une entrevue de mon père, parue dans le *Journal de Joliette* en mars 1984, où il parle de moi, de mon enfance, de la collecte des antiquités, etc. Ça me rassure! Je me dis, je n'ai rien oublié, parce que souvent, quand on regarde dans le miroir terni de la mémoire, il nous arrive de changer les faits que le souvenir a embellis ou enlaidis. Il me semble bien que j'ai relaté les faits tels qu'ils se sont passés.

* * *

Louise Laparé, ma très grande amie, adore la pêche. Nous avons passé plusieurs étés à pêcher la truite au lac de la Grosse Île, en Haute-Mauricie. Comme il y a beaucoup d'ours qui rôdent autour des camps, Jean-Claude Lauzon nous avait dit: «Ce soir je vais essayer d'abattre l'ours qui vient toujours rôder, il peut être dangereux, entrer dans le camp et nous attaquer.»

Nous étions entièrement d'accord. Il s'est installé dans le camp voisin, chez notre ami, Me Jean-Pierre Sutto; il a disposé le lit en face de la porte grillagée, s'y est étendu à demi, la carabine dans les mains. Il a préparé de la nourriture pour l'ours, à l'intérieur d'un gros baril. Il a coupé le dessus du baril en métal en pointes, comme une tarte dont chaque pointe était recourbée vers l'intérieur. Quand l'ours allait passer sa tête dans le trou, il ne pourrait pas la ressortir, il serait coincé à cause des pointes qui allaient pénétrer dans son cou; il serait pris au piège. C'était ce que nous croyions tous. C'était plein de bon sens.

Nous nous sommes couchés. De notre camp, nous voyions très bien la porte derrière laquelle Jean-Claude était étendu. En pleine nuit, vers trois heures du matin, un bruit nous a réveillés: l'ours avait la tête entrée dans le baril et il faisait un bruit d'enfer pendant qu'il mangeait; il brassait le baril de gauche à droite. On a attendu quelques secondes! Le bruit allait réveiller Jean-Claude et il allait tirer, c'est sûr. Rien. Louise et moi, on s'est mise à crier pas trop fort: «Jean-Claude? Jean-Claude?» Il n'entendait rien.

Un peu plus fort: «Jean-Claude? Jean-Claude?» Rien. L'ours mangeait toujours en faisant du bruit. Finalement, on a crié comme des folles à tue-tête:

– Jean-Claude? Jean-Claude? Réveille-toi, l'ours est là, réveille-toi Jean-Clauauauaude!

L'ours a fini de manger, a sorti la tête comme si de rien n'était et est reparti. Jean-Claude dormait. Il a dormi jusqu'au lendemain matin. Au petit-déjeuner, ce fut la rigolade. Il n'avait rien, mais alors, rien entendu du tout.

– Ah! le maudit ours, y'est venu manger ce que j'avais mis dans le tonneau pis y'est reparti!

– Penses-tu? ai-je dit.

\* \* \*

Louise et moi avons décidé de prendre une semaine de vacances. Nous sommes parties toutes les deux en voyage entre filles pour Acapulco. Nous sommes descendues à l'hôtel Princess, l'un des plus beaux hôtels, situé sur la superbe plage de Revolcadero, où est situé aussi le magnifique hôtel Pierre Marquez. Par hasard, nous avons rencontré Louise Harrison, la femme de Claude Blanchard; elle aussi était en vacances avec une amie et était au même hôtel que nous.

Louise et moi, nous nous levions tôt pour nous baigner dans l'océan. Le troisième ou quatrième jour, alors que nous nous dirigions vers la mer, un jeune Mexicain, grand à peu près comme moi, donc petit, s'est approché de moi, et m'a parlé en espagnol, et tout ce que je comprenais, c'était «oro». Ah! Merde, ma chaîne en or de Ding Sing, joaillier renommé, qu'Henri Atlas m'avait donnée en cadeau. J'ai fait comme si je n'avais pas compris et j'ai continué mon chemin. Le Mexicain s'est approché plus près encore, a agrippé ma chaîne, et a donné un coup très fort pour me l'arracher, la chaîne a résisté. Je suis tombée par terre. Il tenait toujours ma chaîne, qui ne cédait pas. J'ai réussi à me relever et je lui ai expédié un coup de pied, là où vous pensez. Il a fini par me lâcher, mais a sorti un pic à glace de sa poche. Là, on ne riait plus. Il essayait de me donner des coups, j'esquivais. Je courais à gauche, à droite. Tout s'est passé en quelques secondes. Louise était sidérée, ne sachant trop que faire.

– Cours vite, cours à l'hôtel, vite, vite! lui ai-je crié.

Il était sur le point de me frapper, mais j'ai eu la présence d'esprit de crier «*Policia*», comme s'il y avait un policier derrière lui. Il s'est retourné, j'en ai profité pour lui échapper et me précipiter vers l'hôtel. La plage était très large. Je courais si vite que je recevais sur la tête du sable soulevé par mes enjambées. J'ai porté plainte à la sécurité de l'hôtel, qui m'a prise de haut:

– Vous, les Canadiennes, vous aimez les Mexicains.

– Hey! Wow! J'ai 53 ans et un Mexicain avec un pic à glace dans les mains, c'est pas mon rêve!

Ç'a gâché nos vacances! Moi qui aime marcher sur la plage, j'étais confinée à la piscine. La chaîne en or cachée dans le coffre-fort. J'ai cette chaîne depuis 25 ans, et je la porte toujours.

À mon retour, mon ami Jean Bissonnette m'a proposé de faire une émission spéciale d'une heure à Radio-Canada, qui serait un peu un résumé de ma carrière: *La petite Sylvestre*. J'avais 53 ans, et je parlais de retraite à ce moment-là. Faut dire que j'ai commencé à en parler à 40 ans, tout comme j'ai aussi dit mille fois: «Je ne fais plus le *Bye! Bye!*» Qu'est-ce que j'ai radoté dans ma vie! Pour ma défense, je dois dire qu'à chaque fois que je l'ai dit, je le pensais, quelles que soient les raisons qui m'y poussaient: fatigue, chagrin d'amour, déception. Non, je ne suis pas parfaite, mais pas loin! (C'est une blague!)

Dans l'émission, on retrouvait des extraits d'*Au P'tit café* avec mes copains Normand Hudon et Pierre Thériault, de *Moi et l'autre*, mon numéro de chanteuse de lounge Dorothée Robillard à l'orgue, qui finit son numéro en disant: «God bless you! Que Dieu vous blesse!» *En veillant su'l'perron* (1957), des extraits des *Bye! Bye!*, des chansons: *La P'tite Sylvestre, J'haïs l'hiver* (ce qui est vrai, ayant tellement gelé dans mon enfance), *J'avance* et la *Chanson pour l'autre:* «Entends-moi bien mon amie ma grande, ce soir je prends le temps de dire la tendresse qui jaillit des souvenirs...», les films que j'ai tournés, l'époque des cabarets, etc. Une heure bien remplie, avec mon très cher Daniel Mercure à la direction de l'orchestre; une heure agréable, réalisée avec goût, tendresse et rigueur par mon aussi très cher Jean Bissonnette.

Je pourrais écrire «encore» des pages et des pages sur Jean pour le remercier et lui rendre hommage. Je souhaite très sincèrement qu'il publie un jour ses mémoires, vous n'allez pas vous ennuyer.

L'émission a été appréciée et j'ai récidivé quelques années plus tard, en faisant quatre heures des meilleurs moments de ma carrière, avec Pierre Brochu.

# Chapitre 22

# MA PASSION POUR SAINT-BARTH

Notre ami Ronald France nous a fait connaître à Benoît Marleau, à Henri Atlas et à bien d'autres, l'île de Saint-Barthélemy, une toute petite île, charmante, peu peuplée, difficile d'accès, où l'on mange divinement, avec des plages magnifiques où l'on peut s'étendre sur le bord de la mer et dormir sans qu'à toutes les cinq minutes il y ait quelqu'un pour te réveiller et te vendre quelque chose ou te faire des tresses à la Bo Derek.

La première fois que nous y sommes allés, nous étions restés sept jours. Il y avait Benoît Marleau, son copain Luc Archambault, Louise Laparé, Gaston Lepage, Henri et moi. Nous avons mangé dans tous les restaurants de l'île midi et soir, en nous promettant d'y revenir l'année suivante. Nous y sommes retournés pendant 22 ans et j'y retourne encore à l'occasion. David Letterman était presque un voisin. Il avait acheté une maison à Gouverneur, l'a fait démolir entièrement pour en construire une plus grande.

J'ai été super heureuse dans l'île de Saint-Barthélemy. Difficile d'y accéder et difficile de la quitter. Comme elle est petite et isolée, on l'a surnommée «l'île des Aventuriers». Rémy de Heannen a abordé l'île en 1938. À l'époque, il y avait peu d'étrangers, deux ou trois bonnes sœurs, deux curés bretons, un gendarme, mais pas à temps plein, et un radio émetteur. De Heannen a bâti un chantier naval et a établi le commerce entre

Balboa, Curaçao, Cuba et Saint-Domingue (République domini-caine). Du marin, on ne se souvient pas tellement aujourd'hui; on ne connaît que le pilote.

En 1944, il a pris conscience que l'avenir des îles résidait dans le transport aérien. Il a acheté un premier avion à Porto Rico et a passé son brevet. Pas facile d'atterrir à Saint-Barth, entre deux montagnes avec des vents contraires sur une piste de 500 mètres en terre, où il fallait qu'un homme éloigne les moutons avant que l'avion puisse se poser. Aujourd'hui, la piste homologuée par l'OACI (Organisation de l'aviation civile internationale) compte plus de 80 mouvements d'avions par jour. La population de l'île, reconnaissante envers M. de Heannen, l'a élu maire pendant une vingtaine d'années. Son successeur dira que sa première respon-sabilité a consisté à reboucher les trous au plafond de la mairie. M. de Heannen avait en effet coutume de faire taire le conseil municipal en tirant des coups de feu en l'air. Il ressemblait physiquement au célèbre commandant Cousteau. Il a vécu les cyclones de 1938, 1950, 1960 et le cyclone *Luis* en 1995. Chaque fois, Rémy de Heannen a tout perdu. Chaque fois, il a tout recons-truit, dont l'Eden Rock, son hôtel, qu'il a vendu à un gentleman anglais qu'il avait choisi lui-même et qui a su conserver l'âme et la beauté de l'établissement.

Je dois aussi parler d'un autre vieil aventurier de l'île, un très vieux chien. Tout le monde à Saint-Barth connaît Toiny. On a trouvé le chien sur la plage de Toiny, d'où son nom, à l'est de l'île, là où la plage est extrêmement dangereuse. Un jour dans les années 1990, un habitant de l'île s'y reposait avec ses deux petites filles. Elles ont soudain été emportées par une vague de fond extrêmement forte. Il a essayé de les sauver allant jusqu'au bout de son souffle. Il ne les a jamais revues. J'étais dans l'île quand le drame est arrivé. Tous les gens de l'île ont assisté aux funérailles, et toutes les boutiques ont fermé cet avant-midi-là, en signe de deuil. Comme la vie est cruelle.

Comment le chien Toiny était-il arrivé sur la plage? S'était-il débattu lui aussi contre la mer déchaînée? Il garde son secret.

Toiny est connu de tous dans l'île où il a fait de l'auto-stop toute sa vie. Il se fait déposer à l'entrée des restaurants, il connaît les horaires. Toiny s'est, paraît-il, maintenant choisi un bon maître et il ne quitte plus le petit port de Gustavia. Il va souvent au restaurant Sélect, sur le port, pour sa portion de frites et un reste de combo de poulet. On lui a construit une niche de retraite douillette dans un jardin.

À Saint-Barth, on côtoie des gens riches et célèbres, des vedettes: David Letterman, Catherine Deneuve, Steve Martin, Susan Sarandon et son mari, Tim Robbins, Tom Hanks et sa femme, Rita, le baron de Rothschild. Vous savez, quand on est en maillot de bain sur une plage, on est tous égaux. On se fout pas mal de qui est qui. Pour la plupart d'entre eux, j'étais Mme Atlas. Ça avait ses bons côtés.

J'ai encore des amis à Saint-Barth: Rosa Capaï et Gérard Fiore, qui sont importateurs d'aliments. La vie de Gérard est encore plus tumultueuse que celle de Papillon, l'aventurier! Ce sera peut-être le sujet de mon prochain livre.

Je retourne souvent dans l'île et quand je présente mon passeport, on me dit: «Pas nécessaire.» Je suis un peu comme une enfant de l'île. Un jour, un gendarme a regardé mon passeport, a noté ma date de naissance, m'a regardée et m'a dit en me le remettant: «Félicitations!» Y'a des compliments qui font du bien!

Quand j'achète dans une boutique et que je dis: «Je reviens vous payer dans quelques jours», on me fait confiance. Mais gare à ceux qui ne règlent pas leurs factures, toute l'île sera au courant dans l'heure.

Au début, quand nous étions dans notre maison, nos invités pouvaient laisser traîner leur argent dans un tiroir. Je leur disais: «L'île est sécuritaire.» Mais lors de nos derniers séjours, on a constaté qu'elle l'était déjà un peu moins. Notre ami Yvon Plante avait un jour laissé traîner son argent américain et canadien sur le bureau de sa chambre, et il ne s'était fait voler que les dollars américains. À ce moment-là, le dollar américain valait

30 % de plus que le dollar canadien. À Saint-Barth, même les voleurs sont sélectifs.

La première fois que l'on y atterrit, il faut avoir le cœur bien accroché. Nous étions arrivés dans un bimoteur de 12 ou 14 places, sans compter le pilote et le copilote.

Les bagages sont pesés au départ et s'ils sont trop lourds, ils restent sur le tarmac, que ce soit à la Guadeloupe ou à Saint-Martin. De Saint-Martin, il ne faut que dix minutes pour se rendre à Saint-Barth. Quand nous approchons, juste avant d'atterrir, nous descendons entre deux montagnes où il y a plein de *cross winds* dans le langage de l'aviation, et l'avion ballotte de gauche à droite. On vole en descente au-dessus du chemin entre les montagnes, puis le pilote doit redresser le nez de l'avion avant de toucher les damiers sur la piste. Il n'y a que 500 mètres de piste, c'est court, et au bout, il y a... la mer! Si vous n'avez pas touché les damiers sur la piste, l'avion doit *overshooter*, c'est-à-dire remettre les gaz et tenter un nouvel atterrissage. «Jamais trois fois cependant», disent les pilotes; la troisième fois, tu perds ton assurance et il y a danger de s'écraser. C'est aussi ce que disent les pilotes de ligne.

Bref, la première fois que j'ai atterri à Saint-Barth, moi qui n'ai pas peur en avion, j'ai crié malgré moi comme tout le monde. Après, je connaissais la manœuvre, je me taisais et je rigolais d'entendre les petits nouveaux tenter l'expérience pour la première fois.

Je trouvais Henri Atlas très talentueux d'atterrir à Saint-Barth avec son avion, tout comme ses bons amis, Louis Grenier et Yvon Plante, car souvent les vents ascendants soulevaient l'avion et obligeaient le pilote à tenter un nouvel atterrissage. Ce n'était pas évident après six ou sept heures de vol entre les îles Turks et Caicos et Saint-Barthélemy. Le long des joues d'Henri, je voyais souvent glisser des gouttes de sueur, causées par le stress probablement. Je n'ai jamais eu peur avec lui. Henri est d'une prudence exemplaire; il faut faire confiance à la mécanique et aussi au pilote. Jamais je n'ai passé de commentaires. Le pilote est le seul maître à bord après Dieu, comme le capitaine d'un bateau.

Ce que nous avons vu très souvent à Saint-Barth, ce sont des avions rouler jusque dans la mer. Certains pilotes avaient mal calculé leur atterrissage sur la courte piste. Sortir de l'avion dans l'eau, avec des valises de vêtements qui dégoulinent, c'est dramatique, même si l'on n'est pas blessé.

Au cours d'une envolée, il nous est arrivé de perdre la radio, c'est-à-dire le contact avec les aéroports des îles des Caraïbes. Ce n'est pas rassurant quand on ne sait pas s'il y a un 737 ou un 747 qui va peut-être surgir en face de nous. Un jour où nous avions fait le voyage Montréal-Guadeloupe dans un avion de ligne, notre vol avait été retardé et nous avions été forcés de coucher à la Guadeloupe. L'aéroport de Saint-Barth ferme à 18 heures. N'ayant pas de réservations en Guadeloupe, Henri, moi, Jacques Payette, Marie Vien et la fille de Jean-Pierre Ferland, Julie, qui allait retrouver son père sur un voilier à Saint-Barth, avions été obligés de coucher à cinq dans une chambre de motel plus ou moins propre, à 250 dollars américains la nuit. Eh oui! Je n'ai pas dormi cette nuit-là, car j'avais fait la chasse aux coquerelles.

Benoît Marleau et Luc Archambault, qui nous accompagnaient, avaient fait la même chose que moi dans leur chambre. Le lendemain, nous étions arrivés épuisés à Saint-Barth.

Pour nous reposer, nous nous étions étendus sur la terrasse de notre hôtel favori, Emeraude Plage, sur la mer des Caraïbes, pas très loin du tout petit aéroport. Les départs et les atterrissages des avions sont l'attraction de l'île. «Va-t-il se poser? Va-t-il arrêter? Va-t-il finir dans la mer?» Demandez à ceux qui connaissent Saint-Barth, ils vous le diront.

Le complexe hôtelier comprend une trentaine de petits bungalows tout à fait charmants, qui ont chacun une grande terrasse, une petite cuisine, une très grande chambre et une salle de bains. Un endroit de rêve. Si l'on ne veut pas cuisiner, il y a d'excellents traiteurs pas loin: croissants chauds le matin, poulets délicieux, foie gras et champagne, franc de port, sans taxes, au prix des grossistes!

Donc, Benoît et moi étions sous les palmiers face à la mer en train de siroter un petit rosé. Henri et Luc faisaient la sieste. Tout à coup, nous avons entendu les ratés d'un moteur. L'avion est passé au-dessus de nous, très, très bas. Il essayait de tourner et de prendre de l'altitude, il n'y arrivait pas. Son aile droite a touché l'eau et l'avion a plongé dans la mer, près du banc de corail, à 300 mètres de la rive.

Tout de suite des bateaux à moteur sont partis secourir les passagers. On a réveillé Henri, tout le monde savait dans l'île qu'il était chirurgien. On le respectait beaucoup quand il arrivait à la douane de l'île. On ne lui demandait même plus son passeport.

Donc, on a vu le pilote sortir de l'avion, monter sur l'aile, tenir la porte pour laisser sortir les passagers. Au bout de quelques secondes, il a glissé et a disparu dans la mer. Dans l'avion, il y avait un Londonien, très riche, sa femme, sa fille et un bébé de cinq mois. Des fils électriques s'étaient enroulés autour du cou de la jeune fille et la retenaient prisonnière dans l'avion, sur le banc avant droit. Les sauveteurs ont réussi à la dégager. L'Anglais, sa femme et le bébé semblaient indemnes. Le pilote s'était noyé en essayant de sauver ses passagers. On a transporté tout le monde à la clinique de l'île. Il n'y avait pas d'hôpital à ce moment-là. Henri est parti en vitesse, en maillot de bain vers la clinique. La jeune fille avait avalé beaucoup d'eau et avait besoin de points de suture; la dame et le monsieur avaient aussi été coupés à plusieurs endroits par le corail à leur sortie de l'avion. Le bébé n'avait rien. On dit que les bébés se mettent en apnée dans l'eau.

Sur la plage, Benoît et moi avons ramassé, dans de grands sacs en plastique, les vêtements, les valises, l'argent des naufragés. Nous étions obligés de faire la police et d'empêcher les gens de s'accaparer les biens de ces malheureuses victimes.

Quatre heures plus tard, nous sommes arrivés à la clinique avec des vêtements pour Henri; il était 20 heures, il commençait à faire frais et Henri était toujours en maillot de bain avec son masque et ses gants de chirurgien. C'était ridicule et dramatique tout à la fois. Le pilote était mort; son corps bleu était étendu sur la table d'opération. C'était la première fois que je voyais un noyé. Je serai marquée pour longtemps.

L'Anglais n'arrêtait pas de remercier Henri: «Demandez-moi n'importe quoi et je vais vous le donner.» Ce n'est pas le genre d'Henri d'attendre quoi que ce soit. Le monsieur a dit: «Je vais vous faire a *great donation.*»

Henri l'a remercié. Très gentiment, l'homme nous a invité à déjeuner dans son hôtel quelques jours plus tard et puis, plus rien, aucune nouvelle.

Henri avait fait ce geste sans rien attendre en retour, comme sa profession l'exige, et il attend encore la «*great donation*» pour son hôpital! Mais les gens de Saint-Barth, eux, n'ont jamais oublié le D<sup>r</sup> Atlas.

Là-bas, je n'étais pas Dominique Michel, mais comme je vous l'ai dit, Mme Atlas. La preuve, Catherine, la propriétaire de chez Hermès, m'a dit un jour: «Est-ce que tu sais qu'il y a dans l'île une actrice très connue au Canada, qui est une grande comique. Ce sont des gens qui sont venus par bateau qui me l'ont dit.»

Elle m'a répété ce que des Québécois lui avaient raconté.

– Bien... l'actrice comique... c'est moi!

– Ah non! C'est pas vrai, tu n'as pas l'air de ça!

J'comprends! Elle me voyait toujours décontractée, les cheveux attachés, avec un t-shirt et un jean, pas de quoi l'impressionner. Tandis qu'une actrice comme Catherine Deneuve, qui venait souvent dans l'île, se promenait dans Gustavia, la capitale de Saint-Barth, pas bronzée, maquillée comme si elle allait débuter un tournage, avec du Yves Saint Laurent sur le dos! Moi, mon auréole venait de la réputation d'Henri.

Benoît Marleau et moi parlions souvent de Saint-Barth à Pierre Péladeau, avec qui nous dînions à l'occasion Chez Marleau, le restaurant de Benoît.

Nous étions en 1985, et pour l'anniversaire de Benoît, le 17 mars, nous avons décidé de le fêter à Saint-Barth. Pierre nous a promis de nous y rejoindre pour fêter Benoît, ce qu'il a fait quelques jours plus tard. Nous avons tous passé une semaine de plaisir. Pierre avait emmené une amie avec lui, la chanteuse Ginette Ravel. Il était heureux. On l'a promené partout, on a ri, on a mangé, on s'est baignés, on l'a invité plusieurs fois à dîner au restaurant, Benoît et moi. Pierre nous a remercié mille fois: «J'ai passé une des plus belles semaines de vacances de ma vie. Je vous remercie de m'avoir invité à manger plusieurs fois, ça ne m'arrive pas souvent vous savez, et vous ne me croirez pas, je n'ai pas pensé à ma business une seconde.» J'étais heureuse d'entendre ça.

Pour rentrer à Montréal, nous devions prendre notre avion à Saint-Martin. Pierre m'a dit qu'il allait s'occuper de nos billets; ensuite, il nous a distribué nos cartes d'embarquement: nous étions en première classe! Cher Pierre!

Peu après mon retour à Montréal, Gilbert Rozon, président du Festival Juste pour rire, m'a demandé de participer aux cinq galas animés par Michel Drucker et Jean-Guy Moreau. C'était la troisième édition du festival.

La première année, les galas ont été animés par Serge Grenier; la deuxième année par Jean-Guy Moreau et Thierry Le Luron (décédé). Je devais faire deux numéros par gala. J'en étais très heureuse; j'avais déjà des numéros tout prêts, tirés de mes deux spectacles *Showtime Dominique Showtime* et *Ben voyons donc!* J'étais au-dessus de mes affaires côté texte, je les savais très bien, à l'envers, à l'endroit. Je suis partie à la pêche avec Henri, Luc Archambault, d'autres amis et connaissances.

Nous avions décidé d'aller en hydravion au barrage Gouin pour pêcher le doré. Nous étions plusieurs dans la chaloupe. Je déteste ça, car nos lignes s'emmêlent constamment et on entend toutes les cinq minutes:

– J'suis pris.

– O.K., rentrez vos lignes.

– O.K. Ça y est, elles sont rentrées.

On rejette nos lignes à l'eau et ça recommence.

À un moment donné, Luc a fait un long lancer et sa ligne s'est accrochée aux arbres. Nous n'étions pas très loin de la rive. Il a tiré, tiré, tiré.

– Ne tire pas, c'est dangereux, l'hameçon peut se décrocher et nous blesser, l'ai-je averti.

À peine avais-je eu le temps de finir ma phrase en me retournant vers lui, que l'hameçon s'est décoincé. Je l'ai reçu à un demi-pouce de l'œil. L'hameçon à trois crochets avec un gros ver au bout était entré dans ma joue. Le coup était si fort, que j'ai cru que mes dents s'étaient cassées du côté gauche. Je ne sentais plus ni ma joue ni mes dents. J'ai craché dans le fond de la chaloupe en étant certaine de les avoir perdues. Il n'en était rien, pas de dents dans le fond.

– Ne bouge pas! m'a dit Henri.

L'un des trois crochets de l'hameçon était bien accroché dans la peau, toujours avec le gros ver. Henri savait que je ne paniquais pas facilement.

– Je vais te l'enlever. Ça peut faire mal. Ça va?

– Vas-y, je ne sens rien de toute façon.

Il a arraché l'hameçon d'un seul coup avec succès. Ça s'est mis à saigner.

– Quelqu'un a des kleenex?

– Non, personne.

J'en ai trouvé un vieux, tout sale, qui traînait dans le fond de ma poche.

– Mets-le sur la plaie, on verra rendu au camp! a conseillé Henri.

Tout le monde a ramassé ses affaires. Nous étions à 45 minutes en hydravion du camp. Mais bon, ça allait. Ma joue enflait doucement et, bien sûr, arrivée au camp, je me suis précipitée vers le miroir. J'avais l'œil presque fermé, au beurre noir. Nous n'avions pas un diachylon, pas un «Band Aid», rien. Pas besoin de dire qu'à partir de ce jour-là on s'est fait un «kit» de premiers soins. Dans son nécessaire de toilette, Henri a trouvé une sorte de diachylon qu'il a appliqué sur ma joue. La blessure s'est refermée doucement. J'en ai gardé une toute petite cicatrice, à peine visible. Il travaille bien, le D$^r$ Atlas. J'étais «réparée».

De retour à Montréal pour la conférence de presse du Festival, j'affichais un œil au beurre noir, et pour cause! La joue bleue, mauve, verte, jaune. J'ai fait des photos. J'avais l'air d'une femme battue.

Les humoristes en ont remis en rigolant: «Une petite volée Dodo? Frappée sur le coin d'une table? Une main t'est rentrée dans la face!» etc., etc. Tout le monde a ri, ça a fait jaser. La conférence fut un succès.

Une semaine avant le premier gala, Jean-Guy Moreau a eu un malaise cardiaque; il est entré d'urgence à l'hôpital et s'est fait opérer: trois pontages coronariens. Pas question qu'il anime les cinq galas. Michel Drucker devait arriver dans les jours suivants. PANIQUE. Gilbert Rozon m'a téléphoné:

– Dominique, il faut que tu animes les cinq galas.

– Hein! Quoi? Voyons donc, ce n'est pas possible, j'ai trop peu de temps pour me préparer, mais laisse-moi réfléchir.

– Non, dis-moi oui tout de suite! On va te donner tous les moyens qu'il te faut. Tout le monde va travailler pour toi. Drucker est charmant, très gentil. Tu vas l'aimer.

– Ah mon Dieu!

J'étais paniquée, mais en même temps flattée, j'allais travailler avec la plus grosse vedette de la télévision française.

– D'accord, mais je veux Jean Bissonnette.

Avec lui, je me sens en sécurité. Je sais qu'il va prendre des responsabilités, me libérer de ce qui pourrait être trop lourd pour moi, mon fidèle Jean. Jean-Pierre Plante allait écrire des petits sketches pour Drucker et moi. Michel aurait le temps de les apprendre au jour le jour et de les revoir entre chaque numéro.

Michel Drucker est enfin arrivé à Montréal, quelques jours avant l'ouverture du festival. Il était charmant, gentil, travailleur, un vrai pro. Il était disponible, et s'est très bien adapté. Il a un sens de l'humour aiguisé. Tout de suite, nous avons sympathisé. Nous sommes devenus de très, très bons copains.

Le jour «J» est arrivé, tout s'est très bien passé.

Les galas duraient presque trois heures et demie, c'était trop long; mais on peut dire que le public en avait pour son argent, malgré la chaleur étouffante, car à l'époque, le St-Denis n'était pas climatisé. Tout le monde avait chaud, le public, les artistes, les techniciens.

Un gala fini. Le lendemain matin, nous avons répété le deuxième. J'avais des présentations à faire, mes numéros, ceux avec Michel.

Un soir, je suis entrée sur scène après l'entracte et «blanc», le trou. J'ai regardé vers les coulisses et j'ai lancé à Babar (Bernard Monfette):

– À quel numéro je suis rendue, je dis quoi là?

Le public a cru à une blague.

– Non, non, très sincèrement, je ne sais pas quel numéro je dois faire! ai-je répété. Les gens riaient, applaudissaient et finalement j'ai repris mes esprits.

Le public de Juste pour rire est vraiment le public le plus gentil, le plus ouvert, le plus sympathique. Je lui rends hommage aujourd'hui. Ce sont des connaisseurs qui viennent s'amuser.

Je me sens toujours en sécurité quand je suis au Festival: que ce soit avec Marcel Gouin ou Harvey Robitaille au son, qui sont là depuis les débuts, avec toute la technique, la régie, Babar, Line, Marie-Claude, avec la chorégraphe Dominique Giraldeau, avec les chefs d'orchestre Scott Price ou Claude «Mégo» Lemay, avec qui j'ai fait aussi les *Bye! Bye!* et qui est maintenant le chef d'orchestre de Céline Dion à Las Vegas. Tout ce beau monde travaille fort, très fort pour nous faire bien paraître. Je les remercie très sincèrement. «Et ça, ça vient vraiment de mon fond!» Cette phrase, Sonia Benezra ne l'a jamais dite; c'est Stéphane Laporte, mon cher Stéphane, qui l'a écrite pour moi lors d'un *Bye! Bye!* dans lequel j'imitais Sonia en train d'interviewer Michèle Richard. Je faisais les deux personnages. Cette phrase ressemble tellement à Sonia que tout le monde a cru qu'elle la disait régulièrement. Elle-même s'en est servie plus tard. C'est ça, être un bon auteur humoriste et caricaturiste.

Mais parlons donc de cette première année d'animation à Juste pour rire! Pour moi, l'important dans les galas, c'est de donner sa vraie place à chaque humoriste dans l'ordre de présentation des numéros, on appelle ça le «pacing», pour que finalement tout le monde s'en tire bien, que chacun aille chercher le plus de rires possible, que l'artiste soit confiant, et que le gala soit bien équilibré, pour que le public soit satisfait. Ouf! Tout un défi!

Au programme, ce jour-là, un débutant dans le métier: Jean-Marc Parent. À la répétition, il est arrivé en chaise roulante et a fait un numéro audacieux sur les problèmes d'un handicapé, en parlant lui-même comme un handicapé; j'en avais été époustouflée. Croyant vraiment qu'il était handicapé, je me suis approchée de lui pour le féliciter et, comme bien des gens qui parlent à un handicapé, j'ai parlé «fort» pour le féliciter. Il m'a répondu en se levant et en parlant comme vous et moi. J'étais «flabbergastée».

– On croit tellement à ton numéro, lui ai-je dit, qu'il faut que tu te lèves à la fin pour recevoir tes applaudissements. Autrement tout le monde, comme moi, croira que tu es vraiment handicapé.

Le soir, j'ai présenté Jean-Marc, qui est arrivé en chaise roulante poussée par un technicien. Il a fait son numéro. Au début, les gens riaient un peu jaune, gênés, puis ils ont ri de plus en plus de bon cœur. Fin du numéro. Les gens ont applaudi chaudement pendant un bon moment. Puis, Jean-Marc s'est levé: ovation. Du délire, comme on dit dans le milieu, un *show stopper*.

C'est là que l'animateur doit calmer un peu le public pour donner une chance à l'artiste qui suit. Il fait un petit numéro ou une présentation plus longue. Pas facile de passer après une telle ovation!

Un jeune Français talentueux, Francis Perrin, un acteur de théâtre et de cinéma, devait finir la première partie du gala. Il y tenait beaucoup, car en France, c'est très prestigieux de finir une première partie, en vedette américaine.

Dans l'après-midi, lors des répétitions, André-Philippe Gagnon, qui était encore très peu connu du grand public, nous avait présenté son numéro *We Are the World* dans lequel il fait une imitation hallucinante des voix de tous les chanteurs-vedettes du disque produit par Quincy Jones. Vous vous souvenez, la chanson avait été écrite par Lionel Ritchie et Michael Jackson. Les bénéfices de la vente du disque avaient servi à amasser des fonds contre la famine en Éthiopie. Un succès retentissant!

Donc, il ne fallait pas qu'André-Philippe passe avant Francis Perrin, qui avait un gentil numéro, mais qui n'avait pas l'impact de *We Are the World*.

Mais Francis Perrin tenait mordicus à passer après André-Philippe et à fermer la première partie. Après une heure de discussions, j'ai dit à Jean: «Ben coudonc, c'est son choix.»

Le soir, j'ai présenté André-Philippe Gagnon. C'est un imitateur, et tout le monde ici aime les imitateurs. On l'a accueilli gentiment. André a fait son numéro. À la fin, les gens étaient fous, ça criait, ça applaudissait, il est revenu saluer 12 fois. On ne voulait plus le laisser partir, on l'aimait, on le lui a fait savoir sous des tonnes d'applaudissements, et lui avec son beau sourire et son talent, les a conquis.

Pas le choix, fallait faire l'entracte maintenant. Je me suis tournée vers Francis Perrin en me disant: «Il va comprendre.» Mais, non, il voulait quand même passer. Ça continuait de crier dans la salle. J'ai dis à Babar: «Rideau!» Je ne voulais pas envoyer Perrin à la guillotine. Il m'a suivi jusque dans ma loge en me criant des bêtises. J'avais envie de lui dire: «Tais-toi donc, je fais ça pour toi, je viens de sauver ta peau.»

Il y a des artistes des fois qui ne comprennent pas. À partir de ce jour-là, André-Philippe n'a plus fermé la première partie du gala, mais la fin du gala, avec toujours le même succès: personne ne pouvait passer après lui. Drucker l'a d'ailleurs invité dans son émission en France.

Au fil des ans, Michel Drucker s'est révélé un ami fidèle. Je me souviens qu'il m'a téléphoné pour me demander ce que je pensais de la jeune Céline Dion. Je lui ai dit: «Passe-la dans ton émission, tu ne le regretteras pas, tu seras le premier à l'avoir fait connaître aux Français.»

Je lui trouvais une voix magnifique, du talent et de la détermination. Je sentais qu'elle ferait son chemin. Qu'elle serait la mégastar qu'elle est maintenant? Je serais menteuse de dire: «Oui je le savais.» Mais qu'elle ferait une belle carrière? Je n'hésite pas à dire oui.

Un jour, René et Céline m'ont téléphoné de leur limousine, je ne sais plus après quel spectacle. Je lui ai dit: «Tu es merveilleuse Céline, meilleure encore que Barbra Streisand, ma chanteuse préférée.» Elle disait: «Ben voyons, t'es folle.»

Céline n'est pas une fille prétentieuse, elle aime chanter, elle aime le monde. Je dois dire que René et elle sont très généreux et gentils pour leur équipe. Ils les traitent bien, je devrais dire très, très bien, ce qui est rare dans ce métier.

Je suis encore une fan de Barbra Streisand, et également de Céline. J'ai tous leurs disques. Combien de disques de Céline ai-je achetés pour les offrir en cadeau? J'ai fait la même chose pour *Don Juan* dont j'adore les chanteurs et les chansons. Je disais à Guy Cloutier pour le faire rire: «Je suis une "pusheuse" de disques de *Don Juan*.»

Donc, toujours au premier gala, il y avait Pierre Labelle, un très bon humoriste. Il répétait son numéro l'après-midi, magnifique. Je me suis dit: «Il va faire un malheur ce soir au gala.» Le soir venu, il est arrivé sur scène, a fait son numéro d'une lenteur... d'une lenteur. Il faisait de longues pauses entre chaque phrase, ça n'en finissait plus. Il avait un sourire béat accroché dans la face, il n'avait pas l'air normal. Il se trouvait drôle, j'en étais certaine. Après 20 minutes – il en avait fait huit l'après-midi – le punch final est arrivé. Silence! Je suis entrée en applaudissant pour réveiller la salle et j'ai lancé: «Pierre Labelle, mesdames et messieurs, Pierre Labelle!»

Le public, poli, a applaudi. Pierre semblait très heureux. Il est sorti de scène et est resté dans les coulisses. Avec Michel Drucker, j'ai présenté les deux numéros suivants.

Pierre était toujours là dans les coulisses; il s'est avancé vers moi:

– J'peux-tu savoir quand j'vais passer?

Michel et moi, on s'est regardé. Que dire, que faire?

– Pierre, c'est fait, t'es passé.

– Ben voyons donc toi là!

– Oui Pierre, tu es passé!

J'avais de la peine de le voir dans cet état un peu hébété. Je l'aimais bien, on se connaissait depuis si longtemps, du temps des Baronets. Je l'ai serré dans mes bras, lui aussi m'a serrée très fort. J'ai senti qu'il avait besoin d'aide. Quelque part, il criait au secours.

Popeck aussi faisait partie du spectacle. On savait à quelle heure Popeck entrait en scène; à quelle heure il en sortait, ça c'était autre chose. Michel Drucker a annoncé Popeck. Au bout de 30 minutes, j'ai vu arriver Gilbert Rozon comme un fou:

– Il faut le sortir, ça fait une demi-heure qu'il est sur scène. Les shows sont trop longs. À son prochain punch, faut le sortir.

Comme c'était moi qui devais faire la présentation suivante, ce serait à moi de le sortir! Un punch!

Comme une fusée, je suis entrée en applaudissant:

– Popeck, mesdames et messieurs, Popeck!

– Je n'ai pas fini!

– Oui vous avez fini, oui! lui ai-je glissé discrètement.

Je l'ai tiré par la manche, il s'est dégagé, s'est avancé sur le devant de la scène pour continuer.

– Popeck mesdames et messieurs, Popeck!

Je me suis placée à sa gauche et l'ai poussé à droite vers les coulisses. «Oupelaye!» qu'il n'était pas de bonne humeur. Ce fut comme ça presque tous les soirs. Le dernier soir, il a fait 20 minutes, un coup de maître! Ouf!

En guise de surprise, le maire Jean Drapeau est venu rendre hommage à Jean-Guy Moreau, qui l'imitait dans des numéros désopilants. Jean Drapeau avait réussi à amener les Jeux olympiques de 1976 à Montréal, et les problèmes qui venaient avec: Jean-Guy soulignait joyeusement son côté mégalomane. Il avait réussi à redorer l'image du maire et ce dernier le savait bien. En découvrant le maire Drapeau sur scène, la salle lui a fait une ovation.

– Vous souhaitiez sans doute la copie, c'est l'original qui vous apparaît! L'événement est moins drôle, je l'avoue. Jean-Guy n'est pas exempt lui non plus d'un accident de santé. Par amitié, je voulais aussi lui dire que, vraiment, il est allé un peu trop loin et n'avait pas besoin de s'imposer une opération à cœur ouvert pour nous convaincre qu'il avait du cœur.

Une sympathique intervention.

Au même programme, Clémence, que le public adore. Je l'ai présentée avec ces mots: «Une fille avec qui j'ai deux points en commun: on est folles raides et on est beaucoup plus jeunes que Louise Arcand.»

Je faisais allusion au départ de Louise Arcand de Radio-Canada, qui était une excellente lectrice de nouvelles et une très belle femme de 48 ans à qui on reprochait son âge... avancé!

Et finalement, l'excellent Daniel Lemire était là en oncle Georges. Quel beau personnage dont je ne me suis jamais lassée! Je le revois encore aujourd'hui avec plaisir. Eh, qu'il en aurait à dire aujourd'hui sur les enfants abusés, les uniformes à l'école, etc.

La critique a été excellente.

Carmen Montessuit, *Le Journal de Montréal:* «Tout va bien, le Festival Juste pour rire fait bien rire.»

Jean Beaunoyer, *La Presse:* «Une deuxième soirée de bon rire.»

# Chapitre 23

# JE ME FAIS DU CINÉMA

Au début de l'été 1985, Benoît Marleau avait une émission à CJMS, un talk-show en direct de son restaurant. J'y allais à l'occasion, et CJMS nous avait engagés, Benoît et moi, pour décrire les feux d'artifice de la Ronde à la radio. Oui, oui, à la radio. Le plaisir que j'ai eu! Je connaissais tous les termes techniques, mais pourquoi décrire des feux à la radio? Ça reste encore un mystère.

Puis, j'ai reçu un appel de Denys Arcand:

– Je veux vous rencontrer, j'ai quelque chose à vous proposer.

– Oui d'accord, quand vous voulez.

Il est arrivé chez moi à Ville Mont-Royal, il avait un scénario à la main: *Le Déclin de l'Empire américain*.

– J'aimerais que vous jouiez dans mon film. Il y a Pierre Curzi, Rémy Girard...

– Qui est Rémy Girard?

– Un comédien fabuleux de Québec. J'aimerais vous avoir pour le rôle de Dominique. J'ai écrit les trois rôles en pensant à vous trois. Je n'ai pas changé les prénoms, à quoi bon! Lisez-le. Si ça marche, tant mieux. Si le film ne marche pas, nous aurons eu au moins le plaisir de travailler ensemble.

Je me suis jetée sur le scénario. Je l'ai lu dans l'après-midi; j'étais enchantée. Quel bon scénario! Qu'est-ce qu'il écrit bien! J'étais tellement impressionnée que je me suis demandé si j'allais être à la hauteur. J'en ai parlé à Denys, j'ai insisté pour passer une audition filmée; j'avais peur de ne pas faire partie intégrante du cercle d'intellectuels, de ne pas me fondre suffisamment dans l'univers des autres comédiens. C'était un rôle à contre-emploi, j'avais des craintes. Denys m'a rassurée: «Je sais que ça ira.»

Il a accepté que je passe l'audition. La scène qui ouvre le film, la plus difficile au point de vue du texte. Je l'ai apprise. Je la savais à l'envers et à l'endroit!

Long travelling dans le hall de l'Université...

Diane (Louise Portal): «Dominique St-Arnaud, directrice du département d'histoire de l'Université, vous venez de publier aux Presses universitaires, un livre que vous intitulez: *Variances de l'idée du bonheur*. Pourriez-vous nous en parler un peu?»

Dominique: «Oui, c'est un livre qui part de l'hypothèse que la notion de bonheur personnel s'amplifie dans le champ littéraire en même temps que diminue le rayonnement d'une nation, d'une civilisation.»

Diane: «Et qu'entendez-vous par bonheur personnel?»

Dominique: «Bien disons... l'idée de recevoir de sa vie quotidienne des gratifications immédiates et que la mesure de ces gratifications constitue le paramètre normatif du vécu.»

Diane: «Pourriez-vous donner un exemple précis pour nos auditeurs?» (Sous-entendu: ils ne comprendront rien à tout ça.)

Elles marchent toujours montant un escalier, longeant un corridor.

Dominique: «Bien... par exemple, le mariage. Dans les sociétés stables, le mariage est un mode d'échange économique ou politique ou encore une unité de production.»

Diane: «Ce qui veut dire qu'un mariage réussi n'a rien à voir avec le bonheur personnel des deux individus mariés ensemble?»

Dominique: «À la limite la question ne se pose même pas. Comme si une société en développement se préoccupait davantage du bien collectif ou d'un bonheur hypothétique futur plutôt que de satisfactions individuelles immédiates.

«Dans la littérature romaine par exemple, la notion d'amour conjugal commence à proliférer sous Dioclétien au troisième siècle, au moment où la structure de l'Empire s'effondre. Même phénomène dans l'Europe du 18ᵉ siècle où l'idée rousseauiste de bonheur, précède de peu la Révolution française et je pose la question paradoxale: cette volonté exacerbée de bonheur individuel que nous observons maintenant dans nos sociétés, n'est-elle pas en fin de compte historiquement liée au déclin de l'Empire américain que nous avons maintenant commencé à vivre?»

À la fin de la scène, Denys m'a dit: «Très bien Dominique, tu me refais ça mais sans sourire.»

Essayez pour voir! Mais ça n'avait rien à voir avec les pianos (longues répliques) que Rémy Girard avait dans *Le Déclin*, et surtout dans les *Invasions barbares*. J'admire sa mémoire indéfectible et son immense talent.

Donc, l'audition passée avec succès, j'étais engagée. Mais René Malo, le distributeur, avait des doutes sur la crédibilité de mon rôle vis-à-vis des spectateurs. C'était un rôle sérieux et René avait peur que les gens rient de m'entendre dire des choses sérieuses.

Denys l'a rassuré: «C'est moi qui vais la diriger, elle sera crédible.»

Quant à Rémy Girard, qui n'était pas connu à l'époque, Denys disait de lui: «Rémy, c'est un as que j'ai dans ma manche.»

Il ne s'est pas trompé; on connaît la suite. Je ne peux pas énumérer tous les succès de Rémy ici, il ne resterait plus de place pour moi!

Nous avons commencé à tourner à l'automne au bord du magnifique lac Memphrémagog, dans la maison du politicologue Daniel Latouche. C'était tellement agréable, mais mon Dieu qu'il faisait froid!

Je me souviens de cette scène de nuit où j'embrasse goulûment Daniel Brière, mon jeune amant, à qui je raconte mon aventure avec Rémy, pendant que Louise (Dorothée Berryman), femme de Rémy, écoute à mon insu; il faisait tellement froid que la pellicule cassait et la caméra gelait. Guy Dufaux, le directeur photo, n'arrivait pas à faire des zooms. On était obligés de sucer de la glace pour ne pas avoir de fumée qui sorte de la bouche. C'est l'fun les scènes d'amour, mais pas à -30 °C.

C'est sur ce film que j'ai connu Yves Jacques, avec qui je suis restée amie. Yves, toujours aussi angoissé, était allé voir Denys le premier jour de tournage, cinq minutes avant la première prise du film en lui disant: «Es-tu sûr que c'est moi que tu veux pour le rôle? J'pense que j'aimerais mieux partir et ne pas le faire.»

Denys, qui connaissait Yves et ses angoisses, l'a rassuré en lui disant qu'il était presque le seul au monde à pouvoir jouer cela! Il doute toujours, lui un si grand comédien et toujours si juste.

Il m'a déjà fait le coup une minute avant un *Bye! Bye!* en direct, il m'avait dit:

– J'pense que j'aime pas mon costume.

– Pas de problème mon Yves, il reste une minute, on va t'en faire un autre.

Il m'avait répondu en m'embrassant:

– O.K. O.K., j'ai compris, j'suis trop bébé hein?

– J'sais pas!

Pendant le tournage du *Déclin*, je tricotais pour passer le temps. Quand je tricote ou que je fais des puzzles, je ne pense à rien d'autre, sauf à la maille à l'envers ou à l'endroit qui vient ou au morceau de puzzle que je dois trouver. J'adore aussi broder. Je fais du Richelieu, j'ai appris cette technique chez les sœurs de Sainte-Anne à Lachine; mes cours d'art ménager me servent, comme vous voyez.

Quand on demandait à Denys comment s'était passé le tournage, Denys répondait: «Il est arrivé des choses formidables: Dominique a tricoté un pull, il a peut-être plu un jour ou deux, voilà les moments excitants du tournage.»

Avant la sortie du film à Montréal, Denys Arcand a aussi appris la bonne nouvelle: son film était sélectionné à Cannes, à la Quinzaine des réalisateurs. On m'a demandé d'y aller, mais Henri faisait un peu la gueule et préférait que je reste à Montréal. Comme je savais qu'il passait souvent ses étés seul à la pêche (enfin, je le crois!) pendant que je faisais le Festival Juste pour rire, j'ai décidé de rester à Montréal. Seule Dorothée Berryman sera de la fête avec Denys, bien sûr.

Je dois dire aujourd'hui que ce n'est pas tous les jours qu'un film est retenu pour Cannes. Quelque part, je me trouvais idiote de rester ici. Combien de fois cette chance-là peut-elle se présenter dans une carrière? C'était la troisième fois que Denys était invité à Cannes; il l'avait été en 1972 pour *La maudite galette* à la Semaine de la critique, et en 1973 pour *Réjane Padovani* à la Quinzaine des réalisateurs. Malgré tous ces honneurs, Denys disait qu'il avait fait le *Déclin* pour se faire plaisir. C'était son premier film «personnel» depuis *Gina*.

J'ai fait promettre à Denys de me téléphoner tout de suite après la projection, pour me dire comment le public et la presse réagissait. Denys m'a appelée: «Dominique, ç'a très bien marché, les journalistes adorent le film.» J'étais si contente pour lui, pour nous tous, acteurs, techniciens. C'est tellement plaisant de faire un film qui marche, que le monde aime et qui est bien accueilli.

Le lendemain dans les journaux:

Serge Dussault, envoyé spécial, *La Presse:* «Cannes ovationne Arcand. Salle archi-comble hier soir pour la projection du *Déclin de l'Empire américain* de Denys Arcand et pas une petite salle de rien du tout! La grande salle de l'ancien Palais des Festivals qui pendant des années a accueilli les films de la sélection officielle. Mille huit cents places et de partout à la fin de la projection, des applaudissements nourris, les gens debout, *standing ovation*, Arcand rayonnait, on l'entourait, on le tirait par le bras, on le félicitait.»

Une jeune femme s'était exclamée: «C'est un film absolument formidable qui donne envie de faire du cinéma. *Le Déclin de l'Empire américain* tient du tour de force. Après une savante leçon d'histoire sur la décadence des civilisations donnée par Dominique Michel, on ne parle que de cul pendant une heure et demie avant de conclure aussi à l'échec du grand rêve marxiste. On parle de cul, mais sans tomber dans la bêtise, ni dans la platitude.»

Franco Nuovo, *Le Journal de Montréal: «Le Déclin de l'Empire américain* bien accueilli et déjà exporté.»

Denys Arcand a remporté le Prix de la critique, prix prestigieux décerné par la Fédération internationale des critiques de cinéma et qui ne relève pas du jury officiel du Festival, même s'il a été projeté à la Quinzaine des réalisateurs. Tous les films, y compris ceux qui sont en compétition officielle, sont admissibles pour le Prix de la critique.

*Le Déclin*, une production de l'Office national du film et des Films René Malo, avait été refusé en compétition officielle. Belle revanche!

Denys est revenu de Cannes pour présenter en primeur son film à Montréal. Je voulais qu'Henri Atlas m'accompagne à la première. Pour des raisons obscures, il a refusé. Ça commençait à aller mal entre nous. Je pensais sincèrement que c'était difficile pour qui n'était pas du métier, de sortir avec un acteur ou une actrice. Lui qui était un grand chirurgien, personne ne s'intéressait à son métier. Les gens ne voulaient pas savoir si l'opération du foie ou des intestins avait bien réussi. Ils voulaient savoir si «Céline Dion est fine». J'essayais de me faire discrète quand je sortais avec lui, mais que voulez-vous! Donc, je suis allée à la première du *Déclin* seule. Ce fut un succès.

*Le Déclin* a obtenu le même succès public et critique qu'au Festival de Cannes. En sortant de la projection, les discussions de couples s'enflammaient et prenaient une place importante dans les dîners, les soirées. «M'as-tu déjà trompé? Combien de fois? Avec qui?» Je peux dire aujourd'hui: cherchez l'intrus(e) dans votre entourage ou dans le milieu de travail de votre conjoint(e), c'est là que ça se passe! Ça me rappelle cette phrase d'une femme à son amoureux: «Dis-moi mon amour, m'as-tu été fidèle?» «Eh oui, mon amour... souvent!» J'adore!

Aujourd'hui, le film *Horloge biologique* de Ricardo Trogi provoque des discussions semblables à celles du *Déclin* dans les soirées et les dîners: les femmes veulent des enfants, les hommes n'en veulent pas. Eh oui, c'est reparti comme en 1986.

On a fêté la première québécoise du *Déclin de l'Empire américain* dans les Laurentides, à l'hôtel Chanteclerc. J'étais accaparée, toujours avec plaisir, par la promotion du film qui faisait un malheur; nous étions dans toutes les radios et à la télévision, nous passions dans tous les talk-shows en français et en anglais. Quel plaisir d'être dans un bon film que le public et la critique aiment.

J'ai adoré faire la promotion du *Déclin*. En province, j'ai retrouvé toutes les connaissances que je n'avais pas vues depuis des lunes, j'ai renoué avec de vieux amis dont le métier m'avait séparée.

Quand on fait un film ou une émission de télé, il se crée un genre de famille. Pour un film, tu revois chaque jour les mêmes personnes pendant six à huit semaines, et pour une émission de télé, c'est pendant presque 23 semaines que tu les côtoies. Des amitiés se nouent et, par la suite, le métier qui nous a rapprochés nous sépare. Ainsi va la vie!

Après Cannes et Montréal, le *Déclin* a été sélectionné pour le 24e Festival de New York. C'est un festival très prestigieux où l'on ne remet pas de prix. Mais le simple fait d'y être invité est la récompense, le trophée.

Nous sommes donc arrivés à New York. Le soir venu, on nous a installés dans une loge, Denys, Dorothée et moi. On nous a présentés. Denys ne reste jamais à ses projections, il dit qu'il attire le mauvais sort sur ses films, comme des bris de pellicule, des baisses de son, etc. Donc pendant la projection, nous avons été dîner dans un restaurant très chic. Denys n'a pas mangé beaucoup, je le sentais très nerveux, le Festival de New York était très important pour lui, non seulement pour le film, mais pour l'avenir. Nous sommes revenus un peu avant la fin de la projection, nous faisions les cent pas dans le hall. La projection du film s'est terminée, l'attachée de presse nous a demandé de regagner notre loge. Personne ne disait un mot, nous étions tendus. Nous sommes entrés dans la loge, nous étions encore debout lorsque la lumière s'est allumée, spot sur Denys. OVATION pendant plusieurs minutes. Mon cœur battait tellement fort que j'entendais les battements dans mes oreilles; j'ai serré la main de Dorothée, c'était gagné. Nous étions tellement contentes pour Denys. Conférence de presse sur la scène, les questions fusaient.

Tout à coup, dans le noir, une voix qui me semblait familière m'a demandé: «*What is your first specialty in your work?*» La question s'adressait à moi. Je me suis dit que c'était quelqu'un qui me connaissait, mais qui?

– *I am a stand up comic.*

J'ai entendu comme un murmure dans la salle, des ah! ah! de surprise. Et de qui venait la question? De mon ami Tony Roman qui travaillait à ce moment-là à New York. Elle a suscité bien des discussions.

Souvent à cause de mon rôle dans le *Déclin*, on m'a prise pour une actrice intellectuelle.

– Si je suis bonne, c'est grâce à Denys, si je suis mauvaise, ben...

Les journalistes étaient surpris de me voir jouer à contre-emploi, moi la «comique» des festivals d'humour.

Nous avons été invités à Paris pour présenter le film dans un cinéma des Champs-Élysées et ensuite pour le lancer dans toute la France. Le jour de notre arrivée, à la première parisienne, j'ai marché par mégarde sur la jupe longue de Dorothée, elle s'est un peu déchirée... petite panique. Nous étions assises avec les ministres, dont celui de la Culture. Ça faisait 100 fois que je voyais le film et j'avais beaucoup de difficulté avec le décalage horaire. J'ai appuyé ma tête sur ma main et je me suis endormie. Yves Jacques ou Pierre Curzi m'a réveillée:

– Est-ce que je ronflais?

– Un p'tit début.

J'ai eu un peu honte devant le parterre d'officiels.

J'ai profité de notre passage à Paris pour envoyer une copie du film à mon ami Michel Drucker, qui l'a adoré. Il nous a invitées à son émission, Louise Portal et moi. Nous devions, tous les invités de l'émission, arriver dans une voiture ancienne et nous diriger en descendant vers l'animateur Michel Drucker, qui nous accueillait chaleureusement. La voiture s'est arrêtée. J'ai essayé d'ouvrir la portière du côté où se trouvait la caméra, elle était coincée et ne s'ouvrait pas. J'ai donné des coups sur la porte avec mon épaule, rien. J'ai remué la poignée, rien.

– On va sortir de ton côté, la porte est coincée! ai-je dit à Louise. Et là, j'ai entendu le régisseur dire: «Ah! ces connes de Canadiennes, elles ne comprennent rien, elles sortent par la mauvaise porte.»

Je suis passée à côté de lui et lui ai lancé: «Woh! Prends ton gaz égal.» Lui non plus, je crois, n'a rien compris.

Finalement, Michel Drucker nous a interviewées. Il était chaleureux, a parlé du film en termes élogieux. Dans l'interview, j'ai dit que j'avais 53 ans.

– Personne n'avoue son âge ici en France, surtout pas les femmes.

– Moi, c'est une chose qui ne me dérange pas, surtout qu'on me dit que je ne les fais pas!

Le lendemain de notre passage à l'émission, les salles étaient pleines; le distributeur français m'a envoyé un énorme bouquet de roses aussi longues que moi et si gros que pour circuler dans ma chambre, petite mais confortable, de l'hôtel Atala, j'ai été obligée de les laisser à l'extérieur.

Nous avons ensuite fait la tournée de quelques villes françaises pour la promotion du film. Notre attachée de presse parisienne, Gabrielle Maîresse, qui deviendra une très bonne amie et que j'inviterai au Québec, nous a conduits à l'aéroport pour prendre l'avion qui nous emmenait à Bordeaux. Elle n'était pas du voyage, occupée à organiser les entrevues de Denys avec la télévision, la presse, etc.

En arrivant à Bordeaux, nous avons été reçus comme des rois. Le lendemain matin, par contre, on nous a oubliés. Personne n'est venu nous chercher, on n'existait plus. Denys, Yves, Geneviève Rioux et moi nous nous sommes rendus à l'aéroport en taxi. Il fallait acheter les billets, trouver un avion pour Paris. On a téléphoné à Gabrielle, oh! qu'elle n'était pas de bonne humeur contre les promoteurs de Bordeaux. On l'appelait d'une cabine téléphonique, on ne savait pas trop comment ça fonctionnait. On manquait de francs, la ligne s'est coupée, on a ri, on a angoissé. Dans les situations de détresse, je ris toujours.

– Ben coudonc, on arrivera quand on arrivera!

Gabrielle, qui n'est pas beaucoup plus grande que moi et très mince, est mauvaise comme une puce. Ils ont dû se faire engueuler les gars de Bordeaux. C'était une attachée de presse formidable, efficace, drôle. Elle connaissait tout le monde, elle avait côtoyé les plus grands aux festivals de Cannes, de Brigitte Bardot à Claudia Cardinale en passant par Catherine Deneuve, de Robert Redford à Francis Coppola, tout le monde.

À Paris, Denys est allé donner une entrevue à TF1, la première chaîne de télévision. La présentatrice l'appelait Denys Archange. Ce fut le réalisateur de *Diva*, Jean-Jacques Beineix, qui l'a corrigée: «Non, Arcand, ARCAND.» Très généreusement, Jean-Jacques était venu vanter le film de Denys qu'il avait adoré. Belle preuve d'amitié!

Denys est ensuite parti en promotion toute la journée. Quelques minutes après son départ, le téléphone a sonné chez le concierge. On voulait parler à Denys Arcand de toute urgence. «Y a-t-il quelqu'un de responsable, c'est très très important?»

J'ai pris le téléphone; c'était Los Angeles. *Le Déclin* était l'un des cinq films étrangers sélectionnés dans la course aux Oscars. «Vous faites le message.»

«Oui, oui, oui.» J'ai pris les coordonnées et j'ai couru dans la rue pour voir si Denys était encore là. Parti. J'ai dû garder le secret toute la journée.

On me demandait: «Ça va?»... «Oui ça va!»

J'avais envie de crier: «ON EST EN NOMINATION POUR LE MEILLEUR FILM ÉTRANGER AUX OSCARS.» Je ne pouvais pas, c'était un secret.

Fin de la journée, j'étais dans le hall de l'hôtel, lorsque, enfin, Denys est arrivé.

– Tu sais pas quoi Denys?

À voir mon excitation, il a compris.

– Oui, je le sais, a-t-il dit, de sa voix calme. On est en nomination pour le meilleur film étranger aux Oscars.

– Ah! Es-tu content?

– Oui!

René Malo a offert le champagne, le distributeur français était aux oiseaux, on était tous très heureux.


Un jour, plus tard, à Paris, j'étais en train de me promener seule dans Saint-Germain-des-Prés, quand un jeune Parisien m'a arrêtée.

– Ah! c'est vous qui êtes le professeur dans *Le Déclin de l'Empire américain*?

– Oui!

– À quelle université enseignez-vous?

– Je ne suis pas professeur, monsieur, c'est un rôle pour le film.

– Allez, allez, dites-le moi.

– Bon très bien, à l'Université de Montréal.

– Ah! Je le savais.

Je me suis regardée dans les vitrines de Saint-Germain, en me disant: «Est-ce que je ressemble à une intellectuelle?» Finalement j'étais flattée, car après tant d'années à faire la comique, on m'accusait parfois d'user de facilité pour faire rire. Combien de fois ai-je entendu: «C'est facile de faire rire!»

Bien oui! Essayez donc.

À l'Université de Bordeaux, un étudiant avait demandé à Denys: «Vous ne trouvez pas que l'idée de ce film est un genre de masturbation intellectuelle, intello?»

Et Denys avait répondu: «La masturbation, qu'elle soit intello ou autrement, me semble toujours assez agréable.» À la grande joie des étudiants, qui l'applaudirent chaudement.

J'aimais beaucoup l'affiche canadienne du *Déclin*, je l'ai conservée. Elle représente un homme et une femme debout: un sexe en érection est dessiné sur le pantalon de l'homme et des seins sur la robe de la femme. L'affiche française était belle aussi: sur fond bleu, un gars et une fille, habillés de blanc, sont assis et lisent chacun un livre; sur la couverture du livre du gars, on voit des seins et sur celle de la femme, un pénis en érection. Très, très belle et efficace affiche.

Denys a été invité à tous les festivals qui existent au monde et a reçu de nombreux prix pour le *Déclin*.

Festival de Cannes, France: Prix de la critique internationale.

Festival Georges-Brassens, Sète, France: Prix du public.

Festival des Festivals, Toronto: Prix du meilleur film canadien.

Festival des Films du Monde de Montréal, Québec: Prix du public.

Festival de Vichy, France: Prix du public.

Festival de Chicago: Hugo d'argent.

Festival de Rio: Prix de la presse brésilienne.

Cercle des critiques new-yorkais: Meilleur film étranger.

Los Angeles: Nomination aux Oscars pour le meilleur film étranger.

Quand un film marche, c'est comme un cheval à l'épouvante, rien ne peut l'arrêter.

Un peu plus tard, je suis partie pour Los Angeles avec Henri Atlas. Nous avions des billets pour assister à la cérémonie des Oscars, en direct. Nous sommes descendus au Beverly Hills Hotel.

# Juste pour rire

Pour l'édition 1985 de Juste pour rire, j'avais accepté de coanimer les galas avec le gentil Michel Drucker. Sur cette photo, de gauche à droite: Jean Bissonnette, Stéphane Collaro, animateur français, Gilbert Rozon, le ministre de la Culture de l'époque, Clément Richard, Pierre-Marc Johnson, ex-premier ministre, Michel Drucker et le producteur Michel Chamberland.

Une photo officielle de l'édition 1991 de Juste pour rire. On y reconnaît, assises à l'avant: Mouffe, Clémence DesRochers, moi et Denise. Debout, de gauche à droite: René Richard Cyr, Marcel Béliveau, Danièle Lorain, Sylvie Drapeau et le dessinateur Vittorio, créateur de la mascotte de Juste pour rire, Andy Norman, directeur de Just For Laughs et le comédien Germain Houde. À l'arrière: le producteur du festival, Gilbert Rozon, s'amuse à faire le pitre.

Michel Courtemanche avait obtenu un
très gros succès avec son numéro ce
soir-là à Juste pour rire. Il nous arrivait
d'ailleurs d'une tournée triomphale de
spectacles en France.

Lors de ce gala de Juste pour rire en ▸
1990, mon comparse Patrice L'Ecuyer me
parlait fort, comme si la vieillesse m'avait
rendue complètement sourde.

# Les grandes vacances

J'aimais bien le concept des *Grandes vacances*, qui mêlait avec bonheur plaisir et travail, dans différentes destinations des Club Med.

En 1988, aux Bahamas, en compagnie de Pierre Bertrand, de Claude Barzotti et de Francine Raymond

◀ À Banff, toujours dans le cadre des *Grandes vacances,* avec Yvan Demers, à l'époque le mari de Michèle Richard, Marie Perreault, le charmant moniteur de ski dont j'oublie malheureusement le nom, Michèle et moi ainsi que le réalisateur Louis Plamondon.

À la Guadeloupe avec ▶ le beau Robert Charlebois. Une photo qui me laisse d'inoubliables souvenirs.

◂ Au Brésil, le chanteur Mario Pelchat joue au magicien avec moi.

Nathalie et René en compagnie de Guy Cloutier, en des jours plus heureux...
▾

◂ À ses débuts, la belle Mitsou a participé à quelques émissions des *Grandes vacances.*

En compagnie de la chanteuse Martine St-Clair, je personnifiais une femme qui avait visiblement abusé des délicieux buffets du Club Med.

À Marrakech, sur la place Djemaa El-fna, en compagnie des chanteurs Daniel Lavoie, Véronique Béliveau et Gérard Lenormand, dans le cadre de l'émission *Maroc'n roll*

Johanne Blouin, Normand Brathwaithe, Michèle Richard et moi sur les sommets de Banff, à la fin d'avril

Aux côtés de Nathalie avec le chef du village, sur le bateau *Club Med One.*

Une photo qui me rend un peu triste. Je suis en compagnie du jeune garçon que j'ai failli ramener du Maroc pour l'adopter.

Au Brésil, entre deux prises de vue, entourée de l'équipe technique

La célèbre chanson *Haut les mains* popularisée dans les différents Club Med de la planète.

En République dominicaine, aux côtés de la chanteuse Nanette et de quelques membres féminins de l'équipe technique des *Grandes vacances*. Dans l'ordre habituel, Mouffe, Brigitte Couture, assistante du réalisateur, Pauline Raymond, Annie Carrus et Claudine Blanchet. En passant, j'aime bien travailler avec des filles.

◄ Mon ex-chum, Henri Atlas, passe un bon moment de détente à Tahiti avec les vahinés.

En Polynésie française, plus précisément à Tetiaroa, ce fut un tournage particulièrement difficile, que je vous raconte d'ailleurs dans ce livre.

À Tahiti, j'ai eu le plaisir de m'asseoir dans une belle pirogue décorée de jolies fleurs, qui amène la mariée de la mer au lieu de la cérémonie.

Ma chère Mouffe, si belle, si drôle et si attachante

# «Mes vacances...»

Mon premier voyage à Acapulco, en compagnie de ma mère (à droite) et du comédien René Caron (à gauche). Nous sommes entourés de quelques mariachis un peu trop présents à mon goût (ce cher René leur réclamait constamment des chansons).

Acapulco était une destination de vacances très à la mode dans les années 1960. Plusieurs stars s'y retrouvaient. Je me souviens d'un séjour particulièrement agréable avec le comédien français Alain Delon, en voyage de noces avec sa femme, Nathalie.

J'ai toujours adoré le soleil, les plages et la mer. On me voit ici à Acapulco en compagnie de mon copain mexicain, Moises, de Claude Blanchard, récemment décédé, et de Muriel Millard.

Des vacances bien méritées en Floride, en compagnie des regrettés comédiens Jean Besré et Gaétan Labrèche. Nous prenions quelques jours de repos après la tournée de la pièce de théâtre *L'heure du lunch*.

À noël 1968, des vacances en amoureux avec Henri Heusdens, au chic Copacabana Palace Hotel, à Rio de Janeiro.

À ma maison de la ▸
Barbade, où j'étais
allée en convalescence
après m'être cassé
la cheville.

◂ J'ai toujours aimé Paris. On me voit
sur cette photo en compagnie
du journaliste Edward Rémy
et de l'ex-producteur de disques
Michel Constantineau, qui est devenu
mon précieux conseiller financier
à la Fiducie de la Banque Nationale.

J'ai fêté mes 70 ans ▸
à Las Vegas en
compagnie de quelques
copines: Suzanne Landry,
la juge Louise Mailhot
et la juge Suzanne Coupal.

# Saint-Barth

En mars 1986, nous avons fêté l'anniversaire de mon ami Benoît Marleau en compagnie de l'éditeur Pierre Péladeau et de la chanteuse Ginette Ravel.

Mon ami Benoît Marleau, que je n'ai pas la chance de voir souvent, me manque beaucoup. Je m'ennuie de nos fous rires et de notre complicité.

On s'amusait ferme à Saint-Barth, avec ma gang de chums de fille. De gauche à droite: Diane Deslauriers, Joyce Plante, Carole Guilbault, Rolande Bolduc et la D$^{re}$ Nicole Gougeon.

J'ai l'air plutôt sérieuse sur cette
photo. Il faut dire que j'étais en
train de discuter de l'achat de
ma future maison à Saint-Barth...
Une escale qui a coûté cher!

◄ Une vue de la piste d'atterrissage de Saint-Barth, courte
de 500 mètres. Le premier atterrissage est un souvenir
impérissable... pour tous ceux qui s'y risquent.

◄ Je pose fièrement devant
ma maison de Saint-
Barthélémy, où j'ai passé
des jours heureux.

Une vue spectaculaire ►
de la mer, où voguait
ce jour-là le voilier
*Club Med One*.
On distingue l'île
de Saba à l'horizon.

Henri et moi en compagnie de nos amis D^re Nicole Gougeon et du D^r Ronald Denis. Les maillots blancs étaient de mise.

La comédienne Louise Laparé et son conjoint, Gaston Lepage, sont venus plusieurs fois nous voir à notre maison de Saint-Barth.

◀ Au fil des ans, de nombreux amis sont venus nous rendre visite à notre maison. Jacques Payette, réalisateur et producteur délégué à Zone 3 (qui a réalisé plusieurs *Bye Bye* et la série *Viens voir les comédiens*), était de ceux-là.

Un moment de détente. J'adorais lire confortablement installée sur la terrasse.

Au dîner, le jour de l'achat de notre maison à St-Barth, on a voulu fêter l'événement avec des amis. Sur la photo: Claude Boulay, Reine Malo, mon ami Robert Bolduc, Diane Deslauriers et Henri Atlas. C'est moi qui prends la photo.

Première rangée: Henri Atlas et moi. Deuxième rangée: la D$^{re}$ Nicole Gougeon, le D$^r$ Ronald Denis, Suzanne Landry, mon cher Stéphane Laporte et Pascale Déry.

Deux amis et deux aviateurs de grand talent: Louis Grenier et Henri Atlas

Nos dernières vacances à Saint-Barth en couple, pour Henri Atlas et moi, avant notre rupture. Sur la photo, nous sommes entourés de nos amis la D$^{re}$ Nicole Gougeon, Nathalie Mongeau et Yvon Plante.

# «Mes maisons...»

À mon retour
d'Europe, à la fin
des années 1950, mes
parents m'ont offert
ce modeste chalet
situé sur la Grande
Montée de Berthier, à
côté du village du
défricheur.

J'ai fait construire
ma première
maison à
Brossard, dans
les années 1960.
Une piscine
Val-Mar coûtait
à l'époque
3 000 dollars.
Le petit bunga-
low valait,
quant à lui,
25 000 dollars.

En 1973, j'ai acheté
cette maison,
à Saint-Ours, faite
en rondins de cèdre
et en mortier.
Je l'ai revendue à mon
ami C.H. Roy.

◀ J'ai beaucoup aimé cette maison historique sise à Saint-Denis-sur-Richelieu. Elle abrite aujourd'hui le restaurant Les Chanterelles.

Dans les années 1970, ▶ je me suis acheté une maison à la Barbade, que j'ai habitée lors de mes vacances, pendant 5 ans. Elle était faite de matériaux récupérés d'un hôtel Hilton, et elle était donc très solide.

◀ Dans les années 1990, j'ai habité cette maison à Sainte-Adèle, faite de cèdre de Colombie à l'extérieur et à l'intérieur. L'architecture est extrêmement moderne.

J'ai habité peu de temps dans cette grande maison blanche de Sainte-Anne-des-Lacs, car Céline Dion et René Angélil en sont tombés amoureux dès leur première visite et m'ont convaincue de la leur vendre. Céline l'appelait «la dernière maison sur la gauche».

J'ai bien aimé ma maison située à l'Estérel. Elle aussi était faite en cèdre de Colombie. J'y ai reçu beaucoup d'amis à l'époque.

Une photo prise ▸ en 1992, sur la terrasse de la maison que Henri Atlas et moi possédions à Saint-Barthélémy. Un coin idéal pour le farniente tout en admirant la mer.

En 1992, j'ai rénové de A à Z ce chalet situé à Val-Morin. Pour les rideaux, je me suis inspirée de ceux que j'avais vus à l'hôtel La Mamounia, à Marrakech, un des plus beaux hôtels du monde, à mon humble avis.

Henri Atlas, moi et notre ami Yvon Plante aimions bien aller pêcher au lac de la Grosse Île. Nous nous rendions au camp de pêche d'Henri et d'Yvon en hydravion.

◀ J'étais très fière de mes prises ce jour-là.

◄ Je vis actuellement
à Tropique Nord.
On voit ici une partie
du salon et
de la cuisine.

Une vue de ma cuisine ▶
à Tropique Nord.
Je l'ai voulue à la fois
pratique et esthétique.

◄ Mon chat Snow,
dans la chambre
à coucher, où j'ai
maintenant un
coussin où est
inscrit «J'habite
chez mon chat».

Tropique Nord ▶
possède une serre
spectaculaire. Toutes
les terrasses donnent
sur un grand
jardin tropical.

# «Mes honneurs...»

◄ Au début des années 1950, j'ai été élue Miss Est-Central. Comme grand prix, j'ai reçu une valise... mais pas le voyage pour m'en servir!

En 1963, j'ai été faite citoyenne ► honoraire de Saint-Boniface, ce qui signifie que j'aurais pu aller vivre là-bas et ne pas payer de taxes... Mais c'est un peu trop loin!

En 1968, j'ai été élue comédienne de l'année. À l'époque, lors des galas, on essayait de se démarquer par des vêtements vraiment originaux. Style petit page. Création: Yvon Duhaime.
▼

En 1977, j'ai reçu avec beaucoup
de fierté le trophée Olivier Guimond,
que je me suis malheureusement
fait voler des années plus tard.

En 1990, Patrice
L'Ecuyer et moi avons
reçu respectivement
le Métrostar de
la vedette masculine
et de la vedette
féminine de l'année.

◄ J'ai reçu
un second prix
Gémeaux pour
mon rôle
de Rachel dans
la série télévisée
*Catherine*.

J'ai été honorée au gala des Grands Montréalais, en 2002, en compagnie du père Pops, de M. André Cayer, président d'Hydro-Québec à l'époque, et de M. Robert Lacroix, recteur de l'Université de Montréal.

◄En 1994, j'ai reçu l'Ordre du Canada en compagnie de Serge Savard, de Denise Filiatrault et de Bernard Derome.

En 1995, j'ai reçu ► le prix hommage, section artistique, au *Gala Excellence* de *La Presse*. René Homier-Roy, Denise et moi semblons bien nous amuser sur cette photo.

# Leucan

Je garde encore aujourd'hui un souvenir attendri de mes braves et courageux petits amis de Leucan.

Mon ami Serge Savard, ancien joueur de hockey, fut avec moi le porte-parole de Leucan pendant plusieurs années.

Le D$^r$ Jocelyn Demers a tant fait pour les jeunes victimes de cancer, qu'il a soignées à l'hôpital Sainte-Justine.

# «Mes amoureux...»

Mon premier amoureux, Édouard Montpetit, petit-fils d'Édouard Montpetit, qui fonda l'école des sciences sociales. Nous avons à peine 14 ans. Brun, grand, les yeux bruns, le type d'homme que j'allais préférer toute ma vie.

Camille Henry est le seul homme que j'ai épousé. C'est notre photo officielle de fiançailles.

◄ Que de beaux souvenirs de vacances avec Moïses, un charmant Mexicain: *Je me souviendrai d'Acapulco* (air connu).

Burt, comme je l'appelais, m'avait dit:
«Vous m'aimerez vous aussi un jour...»
Malheureusement, l'amour ne
se commande pas.

Burt, le riche Hollandais qui voulait
m'épouser, m'a beaucoup gâtée. Pendant trois
ans, on se rejoignait un peu partout dans le
monde, dans les endroits les plus chics.

J'ai eu une courte liaison
avec le coiffeur Jean-Claude Vélez.

◄ Le chanteur et producteur Tony Roman
et moi avons connu des amours
intermittentes.

La complicité!

La tendresse!

À Ottawa.
Henri Heusdens et moi
avons divorcé tous
les deux la même journée
de nos conjoints respectifs.

◀ Le bonheur!

Ah... les vacances! Sans commentaires...

Henri Heusdens et
moi, 30 ans plus tard.
Tu n'as pas changé! ▸

En 1978, André Laurence et moi nous sommes revus à quelques reprises, après une rupture de quatre ans.

Avec Lorne Laufer, qui ne savait pas que j'étais une vedette si connue au Québec. Il a eu le choc de sa vie lorsqu'il s'est retrouvé en première page des journaux et des revues du Québec à la suite d'une soirée du Gala Metrostar, où il m'accompagnait.

Le comédien André Laurence dans la série télévisée qui l'a rendu célèbre, *Thibaud ou les croisades*. J'aurai connu avec lui un amour comme dans les films, où ça ne finit pas toujours bien.

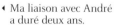
Ma liaison avec André a duré deux ans.

◄ Nos premières vacances
▼ à Saint-Tropez.

Des vacances en amoureux
à notre maison de Saint-Barth.
Nous y avons passé
de merveilleux moments,
Henri Atlas et moi.
▼

▲
En vacances à notre maison
de l'Estérel, dans les années 1980.

J'ai connu avec le
D<sup>r</sup> Henri Atlas, chirurgien
à Sacré-Cœur,
mon dernier coup de foudre,
qui aura duré 17 ans.

Henri est un amant de la nature
et de la pêche. Il m'a fait partager
sa passion au fil des ans.

Henri et moi avons beaucoup voyagé
ensemble. Il m'accompagnait parfois lors
des enregistrements de la série télévisée
*Les grandes vacances*. Cette photo a été ▸
prise à Tahiti.

Nous avons décidé d'aller faire un tour en ville, sur Rodéo Drive, une Rolls Royce était à notre disposition. Henri m'a dit: «Ça part bien.» La vie des gens riches et célèbres nous amusait beaucoup.

Henri, qui avait opéré sa mère quelques semaines auparavant, a reçu un coup de téléphone de Belgique: sa mère était décédée, il devait partir immédiatement. Je suis donc restée avec mes amis pour la cérémonie des Oscars.

Le grand jour arrivé, j'ai quitté l'hôtel Beverly Hills à 15 heures avec la femme de Roger Frappier et la déléguée générale du Canada. Quelques jours auparavant, nous avions été reçus dans le jardin de la délégation à Los Angeles. La déléguée portait à cette occasion une robe longue imprimée de feuilles d'érables rouges, sur fond blanc... Au cas où nous aurions oublié qu'elle représente le Canada... d'un chic!

Notre limousine était identifiée par un petit drapeau du Canada, comme la robe de la déléguée... Madame était accompagnée de son mari, qui avait déjà commencé à fêter.

Nous avons dû rester près de trois heures dans la limousine; finalement nous sommes arrivés juste un peu avant 18 heures au théâtre. Ensuite, il a fallu franchir les cordons de sécurité et prouver que nous étions bien détenteurs de billets. En sortant de la limousine, le chauffeur nous a dit de repérer le drapeau canadien après la cérémonie; il devait nous ramener.

Les chauffeurs se tiennent derrière une barrière et c'est grâce aux petits drapeaux de leur pays que chacune des vedettes étrangères peut s'y retrouver. Les petits drapeaux des stars américaines portent un code imprimé.

Nous avons emprunté le tapis rouge, exactement comme les vedettes que nous voyions à la télévision. Dans les estrades de chaque côté, le public attendait depuis deux jours, m'a-t-on dit, pour être sûr d'avoir une bonne place et de bien voir les vedettes.

En arrivant au théâtre, je me suis précipitée aux toilettes. J'y ai croisé Kathleen Turner, Goldie Hawn, très belles, comme dans leurs films. Des coiffeurs étaient à notre disposition pour retoucher nos cheveux, notre maquillage; des parfums étaient alignés sur les comptoirs: l'abondance!

Nous avons rejoint nos places. Nous étions assis à l'avant-dernière rangée: loin, loin, loin! Normal, les vedettes et les nommés étaient devant. Denys, qui était en nomination, était là, sur la droite. La veille, les analystes et critiques de cinéma à la télévision avaient prédit la victoire de Denys. On se croisait les doigts.

J'étais heureuse d'être dans la salle, mais déçue parce que je ne voyais pas grand-chose.

C'est vraiment beaucoup mieux à la télévision, on voit mieux les robes, les expressions des gagnants, les artistes, etc. Ce qui est intéressant cependant quand on est sur place, c'est de voir les changements de décors faits par des machinistes tout vêtus de noir, cagoules noires; pas de petite main blanche ni de petite face blanche!

Puis est enfin arrivée la catégorie Meilleur film étranger. Denys m'avait dit avant la cérémonie: «Ce n'est pas nous!» Il dit toujours cela pour ne pas être déçu, je présume. Mais cette fois, il avait bien raison, ce ne fut pas nous. Ce fut un film hollandais qui remporta la statuette. Nous étions déçus, mais nous avions quand même le cœur à la fête. Déjà, être en nomination pour le meilleur film étranger était un cadeau.

Nous sommes donc repartis nous amuser au Beverly Hills Hotel, dans une immense salle. Sur les tables, dans nos assiettes, un panier plein de cadeaux: caméra, parfum, foulards signés, etc. J'ai vu des femmes voler des paniers et les cacher sous les tables. Pas de classe! Moi, je n'ai pas lâché le mien d'un pouce! Une belle soirée, de beaux souvenirs. J'ai gardé le programme souvenir ainsi que le menu de cette soirée. C'est à voir et à vivre une fois dans une vie. J'étais comblée.

# Chapitre 24

# JUSTE POUR RIRE
# ET LES *BYE! BYE!*

La série *Lance et compte*, écrite par Réjean Tremblay, connaît un tel succès qu'il avait été décidé d'en faire un quiz pour la télévision: *Ultra Quiz Lance et compte.* On m'a demandé de l'animer. J'en étais très heureuse, car j'aime les jeux-questionnaires. Je trouve ça amusant d'interroger les gens, d'évaluer leurs connaissances, leur mémoire et de donner des cadeaux aux gagnants. Mais en studio les gens criaient tellement que je ne m'entendais pas, et je me suis sentie obligée de crier moi aussi comme une perdue. Oui, mais moi j'avais un micro, et c'était énervant pour les téléspectateurs.

D'ailleurs, il y avait trop de monde sur le plateau: concurrents, animateurs sportifs, experts, juges, etc. Les questions étaient difficiles et les tableaux compliqués: c'était long avant d'avoir la confirmation des réponses; je devais remplir les temps morts du mieux que je pouvais. Résultat: je me suis fait «planter» par les critiques.

André Rufiange, *Le Journal de Montréal:* «Prix citron à *Ultra Quiz,* un beau fouillis, même Dominique Michel ne savait plus où elle était et comment se comporter.»

Je sais où j'étais: en enfer!

Seule Louise Cousineau m'a défendue: «Trop de monde, Dominique devrait mettre de l'ordre dans un tel fouillis.»

Le quiz n'a pas duré longtemps, une douzaine d'émissions, et ensuite bye!... Je suis allée jusqu'à la fin de mon contrat comme un bon petit soldat avec l'épée de Damoclès au-dessus de la tête. Fin de ma carrière d'animatrice de quiz; pas un grand succès, mais j'ai beaucoup aimé l'expérience.

Les artistes qui se font planter à la première diffusion d'une émission me comprendront. Il ne faut pas écouter les commentaires qui arrivent de toutes parts, il faut bûcher, continuer, même si tes amis te disent pour te consoler sans te le reprocher: «C'est pas grave, ça va aller mieux.»

Tu as envie de crier: «Merci, mais je sais que ça va mal!» Ces expériences forment le caractère et on est plus prudent ensuite avant d'accepter un contrat. Mais sait-on d'avance que ça va être un flop? Non! On travaille 10 fois plus fort pour que ça marche, souvent sans résultat. Heureusement le public est gentil, il essayait de m'encourager: «Tu sais Dominique, on t'aime pareil!»

\* \* \*

Tout le monde sait que faire des commerciaux dans notre métier, c'est payant! Tu travailles deux ou trois jours et puis tu reçois presque le salaire d'une année.

On m'a approchée pour être porte-parole de Coca Cola. J'ai accepté d'être porte-parole pour le Canada, et Bill Cosby pour les États-Unis. Il devait venir à Montréal pour tourner la pub dans le même décor que moi.

On me l'a présenté au studio. Un homme charmant. Il a fait deux prises de 30 secondes. On lui a demandé de recommencer parce qu'il dépassait de deux ou trois secondes. Il a refusé et leur a dit: «Vous vous arrangerez avec ça!» J'étais renversée, aucune réplique de la part du réalisateur et des représentants de Coca Cola. À mon tour, j'ai fait une ou deux prises. Je suis «entrée» dans mes trente secondes, mais mon doigt aurait dû être placé plus près du logo de Coca Cola, sur la bouteille quand je la tenais nonchalamment. Je devais faire attention à ce que la bouteille ne frappe pas mes dents, en buvant le Coke et je ne devais pas trop brasser la bouteille; il ne fallait pas entendre de «psitt», un son pas très glamour pour le produit.

Après avoir bu du Coca Cola au moins 30 fois au cours des 30 prises, on m'a dit: «C'est fait, c'est dans la boîte», mais on m'a demandé d'en faire une dernière. Le représentant de Coca Cola trouvait que le doigt n'était pas encore assez près du logo d'une toute petite ligne. J'ai refait la prise, c'était parfait! Et juste après avoir dit: «Coke numero uno!», je fais un gros rot; c'est normal après autant de Coke et de gaz. Tout le monde a ri, sauf le représentant. Je me suis dit: «J'aurais aimé voir Bill Cosby être obligé de faire 30 prises pour que son doigt soit plus près du logo de Coke.» La notoriété donne des avantages. Et je suis sûre que son cachet n'était pas le même que le mien. Qu'en pensez-vous?

* * *

Ma mère, qui demeurait avec Henri Atlas et moi à Ville Mont-Royal, a manifesté le désir de partir. Elle voulait retourner avec mon père à Berthier. Je devrais dire près de mon père. Elle trouvait que je la surveillais trop et que je l'empêchais de boire. Je le sentais. Mon père préférait vivre seul et j'ai donc dû louer, pour ma mère, un appartement tout près du sien, au centre du village. La propriétaire était une femme très âgée, 90 ans, mais encore verte, qui tenait un magasin de «variétés» dans le village. Elle était gentille et l'appartement était super propre. Elle vendait des crayons, de la «liqueur», comme elle disait, des tablettes de papier à écrire, des chiens en plâtre, des colliers, des bagues, de la pacotille, de tout, et elle savait faire des affaires.

J'ai installé maman avec l'aide de mon amie Denise Dion. J'ai ouvert le store d'une des fenêtres; et face à moi, de l'autre côté de la rue, j'ai vu: SAQ! Non, non, non! Que faire? Le loyer était signé. «Coudonc, on verra bien!»

Un peu plus tard, papa m'a téléphoné: «Écoute, ça fait deux semaines que ta mère est là, elle n'est pas du monde. Elle passe son temps à la «commission des liqueurs», ça fait deux fois qu'elle met le feu dans son lit, elle s'endort avec sa cigarette. Elle va finir par mettre le feu pour vrai.»

Je lui ai demandé de patienter et de la surveiller, car Henri et moi venions de vendre la maison de Ville Mont-Royal et nous avions acheté deux appartements que nous convertirions en un seul, plus grand, au Sanctuaire du Mont-Royal. Mais la construction de l'édifice n'étant pas terminée, nous ne pouvions l'habiter avant un an. En attendant, nous avions emménagé dans un petit appartement.

Un soir que nous dînions tranquillement, des artificiers ont dynamité le roc où devait être construit le Centre sportif du Sanctuaire. L'explosion a été très forte et une grosse grosse pierre a jailli comme une fusée, faisant voler en éclats l'immense fenêtre de notre chambre à coucher. Atterrissant ensuite sur le tapis, elle y a fait un trou. Il y avait de la vitre partout, sur le lit, les bureaux, le tapis, la salle de bains. Partout. Nous étions en novembre, il ne faisait pas chaud. On a sonné à la porte et le chef de chantier nous a dit:

– Est-ce ici que la roche a atterri sur la terrasse?

– Non, dans notre chambre à coucher!

– Ah non, non, non. Vous êtes Dominique Michel?

– Oui, ne vous inquiétez pas, je ne ferai pas de crise, n'ayez crainte, pas de poursuite, pas de drame, c'est un accident.

– Il n'y a personne de blessé?

Ç'aurait pu être le cas, car Henri était dans la chambre quelques secondes avant.

– Non, mais si vous pouviez placarder la fenêtre avec du contreplaqué pour la nuit... il fait froid.

– Ah, je ne sais pas si je peux le faire.

– Mais voyons, vous devez sûrement avoir des matériaux dans les entrepôts en bas.

– O.K., je vais aller voir.

– Je veux bien être gentille, mais faut pas pousser trop fort.

Finalement, ils ont réparé la fenêtre trois ou quatre heures plus tard. Des voisins avaient reçu des éclats de roc moins gros que chez nous; ils ont été très déplaisants et leur fenêtre a été réparée plus vite que la nôtre.

Des fois, c'est à se demander si la gentillesse apporte quelque chose. Mais de toute façon, je déteste les gens agressifs et je ne vais quand même pas tomber dans le panneau et descendre à leur niveau.

Cette année-là, en janvier 1986, c'est la 1000ᵉ de *Broue*. Depuis que j'avais travaillé avec Véronique LeFlaguais dans *En sourdine les sardines*, Michel Côté, Véronique, Henri et moi nous voyions beaucoup; d'ailleurs ils sont venus en vacances avec nous quand nous avons pris possession de la maison à Saint-Barth.

C'est un couple charmant, drôle, amusant. Henri a pour Michel Côté une admiration sans borne; il est devenu et est encore un grand ami. Ils vont souvent à la pêche et à la chasse ensemble. Je vois moins Véronique et Michel maintenant, mais je les aime tout autant. C'est souvent ce qui arrive quand les couples se séparent. C'est bien compréhensible, mais les souvenirs demeurent toujours intacts.

Je me souviens de la première fois où j'ai vu *Broue*; le choc: Marc Messier, Marcel Gauthier, Michel Côté, quels comédiens! Je leur avais dit: «Cette pièce est intemporelle, vous allez avoir 70 ans et vous allez la jouer encore.»

Je pourrais la revoir 100 fois, toujours avec le même bonheur, et rire aux larmes. Le succès continuait encore en 2005!

\* \* \*

Pour Loto-Québec, toujours cette année-là, j'ai présenté un numéro audacieux à la télévision dans le cadre des premiers tirages du million. Ma tante Irène vérifait ses numéros de loto et gagnait le million. Elle était à demi consciente et faisait des rêves: avoir un gros char parqué devant la porte! «Ben non, Mme Théoret va être jalouse, elle ne me parlera plus. Les gens vont être gênés de venir me voir dans ma grosse maison, pis mon mari va rencontrer une petite pitoune plus jeune que moi pis va partir avec.» Elle a fini par brûler le billet en disant: «Maudit argent! Maudit argent!» Un beau numéro écrit par Jacqueline Barrette.

\* \* \*

Fin octobre 1985, la direction de l'hôpital Sainte-Justine m'a demandé d'être la porte-parole d'une collecte de fonds pour Leucan. C'était leur première campagne. C'est quoi Leucan? ai-je demandé.

Ce mot est constitué des premières syllabes de leucémie et de cancer chez les enfants. «Cancer» chez les enfants? Est-ce possible? J'ai accepté.

Peu avant la conférence de presse, pour annoncer le lancement de la campagne, j'ai rencontré les enfants et le personnel hospitalier. J'étais bouleversée.

Le dévouement du personnel exceptionnel et le courage, l'immense courage de ces enfants qui reçoivent les traitements, sont incroyables.

Comment allais-je pouvoir parler aux journalistes? J'avais la gorge serrée et envie de pleurer.

«Je voudrais vous parler de ces petites et petits surhommes en ne disant que leur prénom. Éric a 12 ans, il est atteint de leucémie: la prolifération des globules blancs dans le sang, depuis l'âge de huit ans. Il a très bien réagi aux trois premières années de chimiothérapie. Il allait à l'école, nageait, se promenait à bicyclette, mais à l'arrêt des traitements il y a un an, il a fait une rechute. Il n'est plus allé à l'école et s'est soumis à des traitements plus agressifs. La chimio le rend malade, provoque des nausées. Ça fait trois fois qu'il perd ses cheveux. La photo de son chat est à côté de lui près de son lit; il garde le moral, il veut revoir son chat, c'est ce qui le force à se battre. Brave petit Éric!»

Je revois les mains potelées de ces enfants et l'aiguille qui s'enfonce dans leur chair pour leur administrer le traitement; leurs petites plaintes, ça fait mal, des larmes coulent doucement sur leurs joues pâles. La compassion des infirmières traitantes est sans pareille. Les enfants se souviennent du dernier traitement, ils ont peur, savent qu'ils seront affaiblis, et devront passer des jours au lit.

«Martin, dix ans, de Petit-Rocher au Nouveau-Brunswick; Ghislain, quatre ans; Annick deux ans et demi, sont seuls, loin de leurs amis dont ils n'ont plus de nouvelles; ils se battent pour survivre, c'est jeune pour faire la guerre.»

Je voulais aussi parler du courage des parents.

«Du jour au lendemain, plus rien n'a d'importance que la vie de leur enfant. Ça prend de la détermination pour partir chaque matin travailler, se battre toute la journée avec dans la tête l'image de ton enfant qui t'attend. Va-t-il survivre ou mourir? Leur univers est centré sur leur petit, très souvent ils négligent bien involontairement leurs autres enfants. Des mères quittent leur emploi pour rester au chevet du malade. Souvent les couples se séparent. As-tu envie de faire l'amour quand ton enfant est en train de mourir et que tu ne peux rien y faire? Pour d'autres couples, un amour indéfectible les soudera pour la vie.»

Je pensais à mes petits problèmes, à mes amours déçues, tout cela était si futile, sans importance.

Une mère m'a raconté comment ils avaient appris la maladie de leur enfant. Appelons-le Carl.

«Il ne se sentait pas bien, était toujours fatigué, ce qui est anormal pour un enfant de huit ans. On l'a emmené à l'hôpital pour y passer une batterie de tests: "On vous appellera pour vous donner des nouvelles." Les semaines ont passé. Pas de nouvelles, bonnes nouvelles. On était au début du mois de juillet, on a loué un joli chalet près d'un lac pour un mois entier. Les deux enfants pourraient pêcher avec papa, on allait faire des feux de camp, faire des randonnées, se baigner! Les bagages étaient dans la voiture, avec le chien, le chat, le lunch pour la route, c'était la fête, on était prêt à partir. Le téléphone a sonné. Est-ce qu'on répond? Bien non, tout le monde savait qu'on partait.

"Je vais quand même répondre", a dit mon mari. Les deux enfants, le chat, le chien et moi attendions dans la voiture. J'ai vu mon mari arriver à la porte comme un condamné. Il a fait un temps d'arrêt, s'est assis sous le porche, la tête dans les mains.

"C'est l'hôpital Sainte-Justine. Leucémie! Carl a la leucémie!"

«On est restés à Montréal, on a tout rentré. Le bonheur s'est changé en enfer.»

Il mourra doucement. J'étais à son chevet. Ses parents m'avaient demandé d'y être avec eux, près de leur petit ange. Il nous regardait, et puis plus rien, la vie était partie.

Je revois le père au bout du lit, s'écrouler et crier de désespoir, à genoux, menacer le ciel, crier: «Est-ce que Dieu existe!»

Sa femme le regardait silencieuse, assommée. Je comprenais son désespoir, je me suis mise à genoux devant lui pour le serrer dans mes bras.

– Excusez-moi!

– Laissez-vous aller, c'est du gros chagrin qui sort.

Je suis restée avec eux à les consoler sans parler. On ne sait pas ce qu'on peut dire devant tant de désarroi et on se demande aussi est-ce que Dieu existe! Est-ce que Dieu existe?

Jamais, jamais je n'oublierai ces petites têtes rasées, les visages blancs minés par la maladie. Vous, les enfants, vous êtes mes héros!

L'une des assistantes du D<sup>r</sup> Atlas en salle d'opération m'a présenté sa fille, une belle grande jeune fille en santé. Elle était là en 1985, elle s'en est sortie. On peut dire merci mon Dieu... Merci mon Dieu!

Je veux aussi remercier ici les ouvriers de la première heure, Serge Savard et Guy Lafleur, qui ont beaucoup aidé à faire connaître Leucan. D'ailleurs, Serge était avec moi quand on nous a remis une petite coccinelle, emblème de Leucan. Vingt ans déjà!

\* \* \*

En novembre 1985, au 7<sup>e</sup> gala de l'ADISQ. Les grands gagnants de la soirée étaient Céline Dion et Corey Hart. On commençait à apprécier Céline Dion, qui avait remporté cinq trophées: interprète féminine de l'année, album le plus populaire, 45 tours le plus vendu, 33 tours le plus vendu (les CD n'étaient pas encore en circulation), chanson la plus populaire: *Une colombe.*

Céline était habillée par Michel Robidas, cet excellent créateur qui m'a dessiné des ensembles pour des émissions à Radio-Canada, pour *Juste pour rire*, et qui a créé des costumes extravagants pour Diane Dufresne.

Donc Céline, notre petite Céline que l'on voyait avec des petites robes et des costumes discrets, est arrivée avec une jupe moulante, un petit chapeau sur le coin de l'œil. L'adolescente s'était transformée en une belle jeune femme, sexy en plus.

Corey Hart avait été élu artiste s'étant le plus illustré hors Québec, interprète masculin de l'année, auteur-compositeur de l'année. La soirée était animée par un humoriste, Jean-Guy Moreau. Le gala s'ouvrait avec la chanson *On fait tous du show-business* interprétée par Nanette, Marjo, Marie-Michèle Desrosiers, René Simard, Michèle Richard «mince, mince», et Véronique Béliveau. Belle brochette.

Les autres gagnants de ce gala ont été: Nathalie Simard, le meilleur disque pour enfants; Martine St-Clair, l'album pop de l'année avec *Y'a de l'amour dans l'air*, elle qui a fait un retour en 2005; Ding et Dong, le meilleur album humoristique et le meilleur spectacle d'humour; Édith Butler, le spectacle le plus populaire de l'année; Michel Rivard, le spectacle rock *Rumeurs sur la ville* (non je ne me trompe pas, un spectacle rock); Rock et Belles Oreilles, la découverte de l'année. Tous nos amis de ce groupe sont encore dans le milieu et font individuellement une très belle carrière. À ce moment-là, on laissait une place assez importante au country, qu'on a négligé par la suite. Je pense à Patrick Norman, qui a fait de si bons disques et composé cette merveilleuse chanson, «Ne laisse pas passer la chance d'être aimé, le cœur est bien moins lourd quand on est en amour», qui nous envoûtait. Chanson reprise par de nombreux interprètes, dont la talentueuse et très belle Marie-Chantal Toupin.

Ce soir-là, j'ai aussi retrouvé mon ami Michel Drucker, venu spécialement de Paris pour me remettre un trophée.

Moi-même, j'ai remis un trophée avec Yvon Deschamps. Très bizarrement, je ne me souviens plus lequel, mais je me souviens d'avoir beaucoup ri en le présentant.

* * *

Quand nous avons joué *L'heure du lunch*, mon ami Guy Boucher menait une vie de fou, brûlait la chandelle par les deux bouts, dépensait tout son argent. Chaque semaine, il demandait des avances. Un jour je lui ai dit:

– Je ne peux plus te faire d'avance Guy, la tournée est finie, tu as touché tous tes cachets.

– Ben voyons, eh que le temps passe vite!

Je lui avançais, je veux dire je lui donnais, des petites avances de ma poche, car j'adorais Guy.

– J'ai fait un rêve, m'a-t-il dit un jour. Je voyais à la porte un gros lion qui me regardait.

Sa copine Jacqueline Aubry, qui lisait le tarot, lui avait prédit: «Ta vie va changer du tout au tout», ce qui arriva. Il a disparu de la vie publique en novembre 1985. Il a publié un livre, *Ma vie au monastère*. Il était enfin délivré de tous ses démons.

J'ai aimé Guy, je devrais dire j'aime Guy pour son humour, son bon cœur, sa facilité à s'adapter aux gens. Je sais qu'il aide de nombreuses personnes en difficulté et de nombreuses associations; je pense qu'il ferait un excellent bras droit du père Emmet Johns (Le bon Dieu dans la rue). Les jeunes ont besoin d'une oreille attentive; Guy saurait les écouter, leur parler aussi.

* * *

Nous voici maintenant au *Bye! Bye! 85*. J'y étais avec Pauline Martin, Michel Côté et Marc Messier. André Dubois en avait signé les textes et Jacques Payette, la réalisation. Nous avons beaucoup ri pendant les répétitions. Michel et Marc étaient très créatifs.

Louise Cousineau, *La Presse*: «*Bye! Bye! 85*. Entre le pire et le meilleur.» Elle n'a pas aimé un sketch sur Pierre-Marc Johnson et Robert Bourassa, mais n'a pas trouvé archi-mauvaise la chanson sur les pauvres chômeurs du Québec sur l'air des

*Yeux de la faim.* «Ils n'ont plus de besogne, le derrière ils se pognent.» Elle a aimé la parodie du film *Amadeus*, où Salieri est devenu Claude Léveillée et Mozart, notre Amadédé Gagnon (moi!). J'avais le sourire d'André Gagnon et le rire sans fin de Tom Hulce, le Mozart du film. «C'était la perfection, tout y était», a-t-elle écrit.

Et que dire de la Céline Dion de Pauline Martin, en train de traire la vache du pape avec sa fameuse robe de gala de l'ADISQ et son petit chapeau sur le coin de l'œil, «l'essence de Céline Dion y était, les larmes, la docilité, le timbre de voix», et de la caricature de Martine St-Clair, «elle était aussi bien enlevée» et de «Dominique Michel en Denise Bombardier, déguisée en Madonna, "les hésitations, son agressivité, son ton saccadé, sa vanité, quel plaisir à voir!" "Je suis la vierge de notre littérature, j'ai un style très pur." C'était de l'excellent André Dubois.» Finalement, la critique commençait mal et a bien fini, comme chaque année.

Robert Lévesque, *Le Devoir*: «*Bye! Bye! 85*. La visite annuelle à Montréal PQ.» Bien oui, on parlait de nous! «Local, trop local», mais il a aimé à peu près les mêmes choses que Louise Cousineau, en plus de l'imitation de Mario Tremblay par Michel Côté: «excellente». Robert Lévesque a dit que le problème de nos *Bye! Bye!* était d'être écrits par un seul scripteur. Peut-être, mais je crois qu'il faut un script-éditeur, pour donner une couleur au *Bye! Bye!*

Je crois que Gilles Richer, André Dubois, Claude Meunier, Jean-Pierre Plante et Stéphane Laporte avaient chacun leur couleur et c'est ce qui a rendu les *Bye! Bye!* si intéressants.

Robert Lévesque a aimé l'idée du quatuor «Pauline, Michel, Marc et Dominique, toujours en forme, qui suffisaient à peupler l'écran de plusieurs portraits réussis.»

Daniel Rioux, *Le Journal de Montréal*: «*Bye! Bye! 85* un bon millésime. Un humour mordant, une réalisation impeccable, des comédiens savoureusement à la hauteur et un souci du détail, bien exploité, tel a été le *Bye! Bye! 85* que nous a

349

présenté Radio-Canada pendant la dernière heure avant la nouvelle année.»

Et comme chaque année, après le *Bye! Bye!*, je suis partie pour Saint-Barth avec Henri. Se sont joints à nous Benoît Marleau, Luc Archambault, Jacques Payette et sa copine; nous nous sommes amusés ferme. Nous aimions manger sur la plage en maillot de bain, au restaurant Chez Francine, des langoustes mayonnaise, des frites et un petit verre de rosé, et aussi... dormir.

Je me souviens d'un jour où Benoît s'est endormi au soleil pendant deux heures, les bras croisés et les mains ouvertes sur sa poitrine; quand il s'est réveillé, ses bras et ses mains l'avaient protégé du soleil, mais imaginez le dessin sur sa poitrine... Ça lui a pris une semaine à se débarrasser des marques. Ces hivers au soleil de Saint-Barth ont été pour moi des moments que je n'oublie pas.

\* \* \*

Deux émissions marchaient très fort: la première à la radio CJMS, *Café Provigo*, animée par Benoît Marleau, et l'autre à la télé, *Le train de 5 heures*, animée par Jacques Boulanger, qui n'avait plus besoin de faire ses preuves.

\* \* \*

En février 1986, René Simard a fêté ses 25 ans; tout au long de l'année, il n'en finissait plus de fêter ses 25 ans. J'aime René, son talent, sa gentillesse.

Au même moment, André-Philippe Gagnon triomphait avec son spectacle au Théâtre Maisonneuve de la Place des Arts, écrit par Stéphane Laporte, produit par Jean-Claude Lespérance. Jean Bissonnette en était le conseiller artistique; Daniel Hubert et Denis Farmer signaient la direction musicale.

Les journaux ont annoncé ma séparation d'avec le D<sup>r</sup> Atlas. Je n'étais même pas au courant; souvent les journalistes savent des choses que nous ignorons! On parlait d'un dîner en tête-à-tête avec une inconnue, qui n'avait pas l'air d'un dîner d'affaires, de la sortie d'un hôtel bras dessus, bras dessous, de gestes qui ne mentent pas, de necking dans une voiture, de voisins qui ont vu le «chum de Dominique Michel» sortir d'un appartement d'un troisième étage, rue de Gaspé. On était loin de Tropiques Nord. J'ai laissé passer, en me disant: «Ça va se replacer.» Les journaux s'en donnaient à cœur joie. Je n'ai pas commenté. Ça peut arriver à tous les couples, mais quand ça arrive au tien, disons-le bien, ça fait ch...!

* * *

Télé-Métropole a mis sur pied, après le Gala des Artistes, le Gala ARTIS. Je me suis retrouvée en nomination comme Artiste féminine préférée. J'ai gagné, ex-æquo avec la talentueuse Martine St-Clair. René Simard a remporté deux trophées: Chanteur préféré et, ex-æquo avec Pierre Marcotte, Artiste masculin préféré; la Jeune comédienne préférée était Marie-Soleil Tougas.

Après la soirée de remise des prix, tout le monde s'est retrouvé à l'hôtel 4 Saisons. Tout à coup, la chicane a «pogné», comme on dit, entre Suzanne Lévesque et une journaliste, Carmel Dumas. Oups! les injures volaient bas. J'ai essayé de restaurer la paix, pas beau à voir, car ces deux-là n'ont pas la langue dans leur poche.

Carmel s'en est prise à moi en me lançant: «Mêle-toi pas de ça, toi la vieille sacoche.»

Wow! c'en était trop. J'avais 54 ans, je ne trouvais pas que j'avais l'air d'une «vieille sacoche». Je ne me suis pas privée de lui dire qu'avec un gros cul comme le sien, elle devait être confortable quand elle s'assoyait. Et en ajoutant:

– Tu ne trouves pas ça trop lourd à traîner jusqu'à la fin de la journée?

Vous voyez le genre? Une chicane raffinée!

– On s'en va! ai-je ensuite dit à Suzanne.

J'étais enragée noire, tellement que j'en ai oublié mon trophée.

Le lendemain dans les journaux, Carmel Dumas, journaliste «objective» a écrit: «Dominique Michel n'a aucun respect pour le public qui lui a remis ce magnifique trophée ARTIS. Elle le laisse négligemment traîner sur un bar et se fout de l'admiration des gens.»

C'est tout juste si elle ne disait pas que je vomissais sur le monde quand ils venaient me féliciter. Tout ça pour avoir voulu faire la paix. Je suis comme la devise du Québec: «Je me souviens...», mais j'aime mieux ne pas me rappeler.

Le lendemain, j'ai reçu un gentil télégramme de félicitations de Mme Lise Bacon, ministre des Affaires culturelles, que nous avons beaucoup aimée et appréciée.

\* \* \*

En mai 1986, Gilbert Rozon m'a demandé d'animer les cinq galas Juste pour rire en français, avec Michel Leeb. Je connaissais Michel de réputation, mais je ne l'avais jamais rencontré. C'était un beau grand jeune homme de grand talent, un ancien professeur, qui faisait un malheur sur scène et à la télévision en France.

Le problème, pour ces artistes qui viennent de loin animer les galas, c'est qu'ils n'ont pas beaucoup de temps pour répéter les numéros que nous devons faire ensemble. Ils arrivent au Québec quelques jours avant le premier gala.

Dans le cas de Michel Leeb, répéter ne l'intéressait pas trop; ses numéros à lui étaient prêts, c'était tout ce qui comptait. Il faisait, entre autres, une reprise du numéro de Jerry Lewis: le dactylo.

Et le voilà parti sur le party, jouant au tennis, le fun était dans la cabane. Jean Bissonnette, Jean-Pierre Plante et moi l'avons supplié de nous accorder quelques minutes pour répéter.

Le soir de la première, Denis Sperdouklis m'avait fait une robe magnifique, mais *overdressed*, pour ouvrir le Festival. J'avais l'air de «ma tante Laurette» qui part au bal des P'tits souliers. Je me souviens de l'expression de Michel Leeb, quand il m'a vue! Lui était habillé très élégamment: costume marine, chemise blanche, cravate, il était super élégant. Il a dû penser: «C'est qui la quétaine, la "crêtée" qui s'habille comme pour une remise de trophée?» J'ai quand même assumé ma «over super» élégance. Ça n'était pas laid, juste trop!

Les galas marchaient bien: Daniel Lemire, comme d'habitude, favori du public en oncle Georges; Yves Rousseau et son fameux personnage Giuseppe l'Italien, vendeur de condos, plus vrai qu'un vrai avec son accent italien, tellement vrai que Denise Filiatrault un jour lui a demandé «s'il s'ennuyait de son pays». Michel Leeb a volé le show avec son numéro de l'Africain. Jean Lefebvre était aussi au programme, mais avec un mauvais numéro. Il n'avait pas travaillé et ça se sentait.

Les premières de Juste pour rire accueillent toujours tous les grands du moment: Pierre Elliott Trudeau, Jean Chrétien, Pierre-Marc Johnson, Robert Bourassa si chaleureux quand il me recevait dans son bureau, Jacques Normand, que j'aurais tant aimé voir faire un numéro au Festival, Daniel Johnson, Jean Doré et Roger D. Landry, président et éditeur de *La Presse*. Tiens, tiens, mon amoureux Henri Atlas était dans la salle!

Malgré toutes les rumeurs de chicane, Denise Filiatrault s'est jointe à moi pour le sketch des commères: deux femmes qui étendent leur linge et potinent sur tout le monde, un sketch que nous avions créé dans la revue *Moi et l'autre* à la Comédie canadienne. Le numéro marchait toujours aussi bien.

Denise et moi étions des Old Timers avec Roméo Pérusse, que les gens découvraient en dehors des cabarets. C'est Roméo qui a parrainé Stéphane Rousseau à ses débuts dans le show-business. Stéphane n'avait que 15 ou 16 ans; c'est ce qui s'appelle apprendre son métier «sur le tas», de la façon la plus difficile: jouer dans les bars et se battre contre un public à moitié saoul. J'en sais quelque chose... Après ça, il n'y a plus grand-chose qui te fait peur; jouer au Festival Juste pour rire, c'est comme sauter dans une Rolls Royce et lâcher ta Lada.

Claude Blanchard aussi était là et a remporté comme toujours un très grand succès. Qui ne se souvient pas de «Trois heures, on farme!» Lui aussi à Juste pour rire roulait en Rolls Royce.

Deux mois avant le Festival, soit en mai et juin, on travaillait comme des fous, mais pendant le Festival, c'était pire, on ne dormait plus. À la fin juillet, tout le monde était sur les genoux, on ne savait plus notre nom. Les gens nous parlaient, mais on avait la tête et le regard vides, des zombies. Entre la promotion à la télé, à la radio, les répétitions, le trac, les imprévus, il ne fallait surtout pas paniquer. Je dis toujours: «On est en santé, on n'a pas de bras arraché, on va régler ça, tout se règle. Si ça ne se règle pas, on fera avec!» J'ai adoré cette année 1986 au Festival.

Et pour nous remercier du travail accompli, d'année en année, Gilbert Rozon, le président, a reçu dans le jardin de sa maison tous les artistes et artisans de Juste pour rire, tout le monde, du plus petit au plus grand. Tous les problèmes étaient oubliés et on s'est amusés ferme.

\* \* \*

Septembre 1986, ce fut le lancement de Télévision Quatre Saisons (TQS) lors d'un grand gala à la Place des Arts. Guy Fournier sortait d'un immense chou déguisé en Indien, un rappel du logo de Radio-Canada avec la tête d'Indien à l'ouverture en 1952. Le maire Jean Drapeau y assistait et, bien sûr, mon ami Jean Pouliot, président de TQS que j'avais connu à Québec grâce à un autre ami, André de Chavigny. Quel beau nom il a André, un nom noble d'écrivain, «de Chavigny». Ce fut une belle soirée pour annoncer la naissance d'une station de télévision qui continue à se faire une place de plus en plus importante dans la grande famille des médias. Pascale Nadeau et Stéphane Boisjoly étaient les lecteurs de nouvelles au *Grand Journal* des débuts.

\* \* \*

En octobre, je me suis rendue à Namur, en Belgique, avec Gabriel Arcand, pour présenter le *Déclin* au Festival. Nous sommes descendus dans l'hôtel où se trouve l'École de formation hôtelière de Belgique. Je suis devenue amie avec le chef des cuisines, qui adorait mon accent bien sûr, et me proposait des nouveaux plats tous les jours.

Un soir, en m'en allant à la projection du *Déclin* en limousine avec Gabriel, j'ai ressenti une soif terrible, ça ne m'était jamais arrivé. Tout le monde dans le milieu artistique sait que je suis incapable de boire deux verres de vin ou de champagne de suite. Mais là, j'étais en Belgique où la bière est un pur délice. J'ai demandé au chauffeur: «Pouvez-vous nous arrêter au prochain bistro s'il vous plaît, j'ai soif.» Il s'est arrêté, j'ai commandé une bière en fût (une mominette, petit format) et je l'ai avalée en 30 secondes. Puis je suis remontée dans la limousine. Au bout de cinq minutes, j'avais encore soif. Deuxième arrêt. J'ai «calé» une autre bière, encore en 30 secondes. On est repartis. J'ai demandé d'arrêter peut-être cinq fois de suite, en tout cas, au moins quatre!

– Dites donc, vous portez bien ça vous la bière les Canadiens! m'a lancé le chauffeur.

Je ne savais pas ce que j'avais; plus je buvais, plus j'étais assoiffée. J'en aurais bu dix. Je n'étais pas pompette, même pas étourdie. C'était la première fois que ça m'arrivait. Je dois avouer que j'ai aimé ça être assoiffée. La bière belge est délicieuse.

J'ai adoré mon voyage. Je suis revenue à Montréal avec quelques livres en plus et une nouvelle passion pour la bière belge qui n'a pas duré. Je la trouvais bonne en Belgique seulement. Mais ne demandez pas à Gabriel Arcand si j'aime la bière, il vous dira: «J'comprends!»

\* \* \*

L'appartement du Sanctuaire du mont Royal que nous avions acheté était prêt, nous y avons donc emménagé. Ma mère est venue vivre avec nous, ainsi que Pascale, la fille d'Henri. Chacune avait sa chambre, sa salle de bains. Ma mère était très heureuse, mais je savais qu'elle buvait en cachette. Aussitôt que j'étais partie, elle commandait un 40 onces de gin au portier. Elle lui donnait 100 dollars; 40 pour le gin et 60 de pourboire. Je suis certaine que c'était lui qui le lui achetait. Elle cachait la bouteille dans l'appartement, mais où?

Un jour, dans l'ascenseur, j'ai eu un flash! Elle cachait peut-être la bouteille dans une petite valise ronde qu'elle gardait toujours dans son placard avec des pièces de monnaie, des billets de banque des années 1940 et 1950, des souvenirs, etc. Je me suis directement dirigée vers le placard. Eureka! La bouteille de 40 onces était là, vide aux trois quarts. J'ai vidé la bouteille dans son lavabo. Cris, injures, menaces de se tuer, de me tuer, pleurs. Pour elle, c'était très difficile, elle était en manque. On n'arrête pas de boire comme ça du jour au lendemain.

La journée avait très mal commencé. Nous venions d'emménager, et j'avais reçu ma laveuse-sécheuse, installation comprise.

– Tout est bien installé? ai-je demandé aux livreurs.

– Oui, oui, oui, inquiétez-vous pas ma petite madame!

J'avais un peu de linge à laver depuis quelques jours, j'ai donc fait une lessive. Ça semblait bien fonctionner. Tout à coup, inondation dans le passage, le salon, les chambres. Tous les tapis neufs, beige très pâle, de toutes les pièces étaient mouillés. Quand on marchait, ça faisait «flouche, flouche.» Je me suis précipitée vers la laveuse, la sortie d'eau n'était pas entrée dans le tuyau d'évacuation. Le voisin du dessous a sonné à la porte; il venait lui aussi d'emménager, l'eau avait traversé le plancher, son papier peint décollait, ça coulait sur ses rideaux, ses draperies, l'eau s'était infiltrée par le canapé de sa salle à manger et était tombée sur la table de bois, éclaboussant les chaises neuves rembourrées; son tapis était aussi détrempé. La fin du monde.

«Est-ce qu'on a toujours nos assurances? Ai-je fait le transfert pour le nouvel appartement?» Et pendant tout ce temps-là, ma mère qui criait parce que j'avais vidé sa bouteille de gin:

– Je ne te le pardonnerai jamais, jamais, t'es plus ma fille.

Y'a des jours comme ça, à bout de nerfs, où l'on souhaiterait être orpheline.

Le soir, Henri a constaté les dégâts:

– Qu'est-ce qui s'est passé?

– On mange au restaurant, je vais t'expliquer!

\* \* \*

Papa m'a téléphoné et m'a appris le décès de ma marraine, Jeanne, une très belle femme. Elle était coiffeuse chez Eaton et a été remarquée par Karsh[1] le grand photographe; il avait fait une magnifique photo d'elle. Jeanne aurait pu avoir une carrière de mannequin. Mais, à l'époque, les mannequins étaient considérées comme des prostituées; ça n'était pas un métier sophistiqué.

Aujourd'hui, les mannequins sont célèbres: Claudia Schiffer, Cindy Crawford, Kate Moss, Elle MacPherson, Naomi Campbell, Linda Evangelista sont des super stars, payées à prix d'or.

La jolie Jeanne aurait pu être des leurs; mais une jeune femme venue du rang de Maskinongé, qui n'avait pour toute richesse que sa beauté, ne savait même pas que le métier existait.

Jeanne, comme ma mère, avait un petit penchant pour l'alcool. Quand elle faisait une commande à l'épicerie du coin, c'était: des céréales, deux bières, une douzaine d'œufs, deux bières, un pain, deux bières, pour tenter de cacher son penchant. Je lui disais souvent:

– Commande une douzaine de bières.

– Non, disait-elle, je ne veux pas qu'ils pensent que je bois.

«Bien non, ma belle Jeanne, mais peut-être qu'ils s'en doutent!»

Après son enterrement, nous sommes tous allés manger Chez Marleau. Benoît avait encore son restaurant. Malgré notre tristesse, nous avons parlé avec nostalgie de l'être que nous aimions et qui venait de nous quitter.

---

[1] Yousuf Karsh, né en Turquie arménienne en 1908, émigré au Canada en 1924. Devenu célèbre internationalement lorsqu'il a photographié, fin de 1941, le premier ministre de la Grande-Bretagne, Sir Winston Churchill, lors de sa visite au Canada pendant la guerre. Il est décédé en 2002.

La mort nous sépare et nous rapproche en même temps en fournissant une occasion à la famille et aux amis de se retrouver. Depuis le temps qu'on se promettait de se revoir. Arrêtons d'en parler, faisons-le.

Mon ami le D<sup>r</sup> Jean Jetté, un très grand ami aussi de Gilles Latulippe, nous a quittés le même mois, enfin presque à la même date que Jeanne. Un soir, il a dit à sa femme: «Je ne vais pas me coucher tout de suite, je vais regarder un peu de football.» Il est mort sur son divan devant sa télévision. Il avait 60 ans. Jean était généraliste, je le consultais à l'occasion. Je l'ai consulté entre autres pour un état que je ne pouvais pas expliquer: je mangeais, je mangeais, et je maigrissais, j'avais des maux de ventre épouvantables.

Souvenez-vous, je vous en ai déjà glissé un mot. Un jour, Marie Laforêt avait été invitée à *Toast et Café* et nous avait dit, en prenant une bière à huit heures du matin:

– J'ai un problème, j'ai un ver solitaire!

Flash! Peut-être que moi aussi j'en avais un. Encore maintenant, comme dans le temps, je mange beaucoup de viande et de poisson crus. Pas du saumon fumé, mais une truite fraîchement pêchée dont j'enlève la peau, que je mange comme un épi de blé d'Inde avec du sel et du poivre: un délice!

J'avais consulté Jean pour lui expliquer la situation: «Ne me parle pas de ça, ça m'écœure», et il m'avait recommandé un spécialiste de ce genre de maladie, qui m'avait prescrit un médicament adéquat. Les seules pharmacies qui possédaient ce médicament étaient situées dans l'ouest de Montréal, dans des quartiers où il y avait beaucoup d'immigrants qui souffraient souvent de ce problème.

Donc, je suis arrivée à la pharmacie avec mon ordonnance et l'ai donnée à la préposée, qui a crié à tue-tête à l'autre pharmacien: «Où sont les pilules... c'est pour Dominique Michel, elle a le ver solitaire!»

Tous les yeux des clients se sont tournés vers moi. C'était l'fun, pas gênant du tout! Quand tu as le ver solitaire, t'aimes mieux garder ça pour toi!

Posologie: prendre 12 pilules toutes les 45 minutes. Au bout de huit heures, ça endort le ver qui se détache de ton intestin et devrait sortir. Faut quand même avouer une chose, ça endort le ver, mais ça t'endort toi aussi!

Et ce qui devait arriver, arriva! Je n'en ferai pas la description, mais j'ai dû recueillir le ver pour m'assurer que la tête était sortie, sinon, il aurait repoussé. Le mien avait 32 pieds de long. Au laboratoire, j'ai eu la confirmation que c'était fait. «Ç'a l'air de quoi une tête de ver solitaire, est-ce que ç'a des yeux, des oreilles comme une couleuvre?» La tête ou la queue, pareille. C'est un long fettucini de 32 pieds, c'est aussi la fin de l'explication!

# Chapitre 25

# *LES GRANDES VACANCES*

Au mois de novembre 1986, Radio-Canada a rediffusé les meilleurs moments des *Bye! Bye!* Denise Filiatrault, Benoît Marleau et moi en avons assuré la présentation. On y retrouvait le numéro avec Olivier Guimond et Denis Drouin sur la crise d'octobre 70, celui de Nadia Courtemanche avec Denise, Benoît et moi, un pastiche de Nadia Comaneci; Le lac des cygnes, Denise et moi en tutus; ma fameuse imitation de Michel Chartrand; un extrait des Cyniques, dans le sketch du confessionnal, où une dame s'accuse d'avoir volé une robe: «Êtes-vous une artiste?» demande le curé (Serge Grenier), faisant allusion aux frasques de jeunesse de Michèle Richard qui avait pris une robe au magasin La Baie; on revoit Denise Filiatrault en Véronique Sanson et moi, en Diane Dufresne, un fameux duo!

Les galas se sont aussi succédé: Gala Excellence de *La Presse*, j'étais en nomination; Gala de l'ADISQ, Martine St-Clair a remporté plusieurs trophées. À un moment, elle a dit: «J'sais plus quoi dire!» et moi qui lui remettais le prix, je lui ai soufflé: «Pleure un p'tit peu.» Éclats de rire! Ce fut lors de ce gala que Joe Bocan a été présentée comme la Muriel Millard des New Wave.

\* \* \*

Puis, j'ai enchaîné les présentations de galas: Gala Saint-Hubert, coanimé par Yvon Deschamps, pour souligner le

35ᵉ anniversaire de la fondation des Rôtisseries Saint-Hubert, Gala Provigo, etc.

Les répétitions du *Bye! Bye! 86* ont aussi commencé, mais je ne me sentais pas bien. Le Dʳ Piché, oto-rhino-laryngologiste avait découvert des ulcères aux cordes vocales: signe de surmenage. Je devais me reposer. Mais je n'avais pas le choix, je devais quand même faire le *Bye! Bye!* avec Michel Côté, Michèle Deslauriers et Yves Jacques. C'est là que j'ai commencé à dire: «C'est mon *Bye! Bye!* d'adieu.» Pour mon dernier... les critiques furent bonnes.

Daniel Rioux, *Le Journal de Montréal:* «Un des bons *Bye! Bye!* depuis un bon moment!»

On s'était amusés comme des p'tits fous pendant les répétitions. Michel Côté excellait en Pierre Pascau et en Mario Tremblay; faire des imitations était nouveau pour lui, mais il s'en sortait très bien. Yves, lui, avait de la facilité dans tout; Michèle Deslauriers, qui travaillait à *Samedi de Rire* en même temps, était toujours excellente.

Louise Cousineau, *La Presse:* «Bête, méchant, vulgaire et... très drôle!»

Mais la palme revenait à l'attaque contre le militant anti-avortement Reggie Chartrand, parodiée par la chanson de Renaud: *Miss Maggie:* «On peut aussi être nouille quand on a une paire de couilles. Il eût mieux valu que sa mère après avoir baisé son père se fasse nettoyer les ovaires par le Dʳ Morgentaler!» Du bon André Dubois.

J'ai fait une parodie de Nuance (la chanteuse) à la gloire de la langue française: «Vivre en français j'trouve ça *too much* bébé. Va falloir se *matcher* pour pas s'angliciser, le français *all the way!*»

Yves Jacques a imité Brian Mulroney qui, avec son accent, disait «les bekenis»; moi, en Guy Fournier avec ses plumes, ses dents croches et son accent du nez qui s'écriait en voyant sa blonde de l'époque, Louise Deschâtelets: «Tu m'as fait d'bander», au lieu de «tu m'as fait demander.» On a tellement ri.

Paul Cauchon, *Le Devoir:* «Drôle et cynique.»

Michèle Deslauriers a parfaitement imité Claire Lamarche et a dirigé d'une façon autoritaire un débat sur les taches au comptoir d'un nettoyeur, très drôle. J'ai aussi imité Joe Bocan, qui a aimé mon travail et m'en a félicité.

Ce *Bye! Bye!* avait été réalisé par l'excellent Jacques Payette.

\* \* \*

Janette Bertrand animait *Parler pour parler,* dont le thème était ce soir-là: «Vivre avec une star». Janette y avait invité son amoureux Donald Janson et le mien, Henri Atlas.

– Henri: – Nous sommes ensemble depuis neuf ans et elle était déjà très célèbre. Nous nous sommes rencontrés par hasard... et c'est faux ce qui a été dit, jamais Dominique n'a été ma patiente. Nous avions été invités tous les deux chez Philippe Dagenais, qui avait fait la décoration de ma maison et qui vit avec la cousine de Dominique, Andrée Martin. Une étincelle s'est produite... J'étais avec mon chien et nous sommes allés faire une promenade. Ma première conversation avec elle était tout à fait lamentable. Nous nous sommes donné rendez-vous, nous nous sommes revus. Au début, nous nous voyions dans les boîtes, les restaurants, pour constater finalement que nous haïssions ça tous les deux. Nous avons continué de nous voir ailleurs et nos conversations sont devenues plus intelligentes par la suite, avait-il déclaré.

Il n'avait rien oublié, tout était là!

\* \* \*

Décembre 1986, Denys Arcand a fait un bilan du *Déclin de l'Empire américain* dans *La Presse.* Denys avait passé l'année à faire la promotion de son film aux quatre coins du monde. C'était la rançon du succès, mais pendant ce temps-là, il ne pouvait pas travailler à l'écriture de son prochain film. Il n'était pas rémunéré pour la promotion. Dans un article de Luc Perrault, il a déclaré: «Mon seul revenu jusqu'ici reste le prix de 15 000 dollars décroché à Toronto.» Incroyable! Heureusement, il avait la gloire, mais ça ne nourrit pas son homme!

Les réactions au film partout dans le monde ont été à peu près semblables, mais il y a eu une exception. Au Brésil, le public a hurlé en entendant les remarques que le personnage de Dominique faisait sur le pape, c'est-à-dire qu'il devrait se limiter à parler de la masturbation et des troubles de la prostate. Le film a quand même remporté le Prix de la Presse brésilienne, au Festival de Rio.

\* \* \*

Mon ami Paul Vincent suivait un régime draconien et est devenu très, très mince. Nous avons passé quelques semaines de vacances ensemble, dans ma maison de la Barbade. Paul travaillait toujours à CJMS comme disc-jockey. Il avait une très bonne oreille pour détecter les hits.

À notre retour de la Barbade, direction Québec avec Paul; j'y remplaçais Michel Jasmin pour une semaine d'animation. J'ai profité de cette tribune pour présenter Roch Voisine, la découverte de Paul, devenue «ma» découverte.

– J'aime la voix de Roch, si tu as besoin de pognon, je t'aiderai! lui ai-je proposé.

Dans l'émission *L'autobus du show-business*, animée par Jean-Pierre Ferland et diffusée à Radio-Canada, j'ai aussi présenté Roch. J'ai vanté sa voix, ses compositions et j'ai affirmé que Roch avait tout pour réussir dans le métier.

Dans les journaux, on m'a reproché d'avoir déclaré que Roch serait une grande vedette et que rien ne se passait. Attention, on ne fait pas une vedette en criant lapin! Laissez-nous le temps.

– Les chiens aboient, la caravane passe, prenons notre temps! ai-je suggéré à Paul.

\* \* \*

Quelque temps plus tard, j'ai animé les Gémeaux avec Denise Filiatrault. Oublié, le malentendu qui nous avait séparées quelques années plus tôt! On s'était expliquées Denise et moi, et elle avait finalement compris mon désarroi à l'époque de mes problèmes financiers.

Quand on est dans la tourmente, on aime s'épancher auprès de nos amis. On a besoin de quelques mots d'encouragement, mais la vie étant ce qu'elle est, je pense qu'on ne doit pas leur en vouloir s'ils ne répondent pas à notre appel. Ce n'est bon pour personne. Je ne suis pas rancunière, mais je n'oublie pas. L'ai-je déjà dit? Je le répète! La rancune ronge l'âme. Nos actions ne peuvent pas plaire à tout le monde et, en vieillissant, j'essaie d'être plus tolérante. J'aime mieux piger dans le sac du pardon que dans celui du «mange de la m...!» Expression bien québécoise!

Le soir des Gémeaux 86, le réalisateur Jacques Payette et moi avons remporté le trophée de la meilleure émission humoristique pour le *Bye! Bye!* Mon ami Jacques a réalisé avec succès de nombreux grands spectacles pour la télévision. C'était un ami à Henri et moi et nos séjours à Saint-Barth avec lui ont toujours été agréables.

Aux Gémeaux, Céline Dion, devenue une belle jeune femme, a chanté et a eu droit à une ovation. *Lance et compte*, la télésérie de l'heure, a remporté plusieurs trophées. Vous souvenez-vous des interprètes de *Lance et compte*: Carl Marotte, Marc Messier, Chantal Labelle, la blonde de Pierre Lambert, Lise Thouin, Michel Forget en gérant général, Yvan Ponton, le coach, et la très belle France Zobda, cette belle noire aux yeux bleus qui a fait chavirer le cœur de Pierre Lambert. Eh! qu'on a aimé ça cette émission-là!

Plus tard, j'ai recommandé Roch Voisine, qui jouait alors au hockey en Europe. Réjean Tremblay écrira le rôle de Dany spécialement pour lui.

Le réalisateur Louis Plamondon et Mouffe m'ont parlé d'une émission de télévision d'une heure: *Les grandes vacances*, et m'ont demandé d'en être l'animatrice. L'émission était produite par la maison Coscient et réalisée par Louis; Mouffe en avait fait la conception. J'aime beaucoup ces deux personnes, avec qui je suis toujours amie.

La première émission a été tournée au lac Louise et à Banff, en Alberta. Les participants étaient le très beau chanteur français Marc Lavoine, Normand Brathwaite, à ce moment-là avec Johanne Blouin, Roberto Medile et Michèle Richard, qu'Yvan Demers accompagnait.

En arrivant à Calgary, nous avons découvert avec intérêt les installations olympiques. Dans l'autobus réservé à l'équipe de tournage, nous avons pu découvrir les Rocheuses. J'étais impressionnée par ces montagnes si hautes; je me sentais si petite. C'était la première fois que je voyais les Rocheuses. On a fait beaucoup de blagues sur les Rocheuses, quand on parlait de la séparation du Québec du Canada. On nous disait: «Vous n'aurez plus les Rocheuses.» Je dois dire que, d'une certaine façon, ce serait dommage! Si ça arrive, nous traverserons la frontière pour les voir!

Je repense aux religieuses qui, au couvent, nous expliquaient ce qu'était l'éternité: comme si un oiseau venait frôler de son aile les Rocheuses tous les mille ans. Elles avaient raison; si c'est ça l'éternité, c'est long; je m'en suis rendu compte à ce moment-là.

Le paysage était magnifique. Puis, nous sommes arrivés au lac Louise, au magnifique Château du lac Louise, un hôtel face au lac bleu turquoise, au pied du mont Victoria, dont le sommet est couvert de glace et de neige toute l'année. De la fenêtre de ma chambre, tous les matins, je voyais cette gigantesque montagne. Nous étions en avril et il neigeait un peu. J'ai demandé à un jeune Québécois qui travaillait à l'hôtel pour payer ses études, s'il neigeait souvent au printemps.

– Il neige très souvent, sauf au mois de juillet et encore! a-t-il répliqué.

Nous sommes partis filmer sur les pentes. Je devais chausser des skis. Ça faisait 30 ans que je ne l'avais pas fait. Notre moniteur était un jeune Québécois.

On sait que tous les moniteurs de ski sont beaux, bronzés, ont les cheveux blonds, les yeux bleus, et sont très athlétiques. Nous en avions un très beau modèle avec nous, le plus beau!

À première vue, la pente ne me semblait pas si haute ni si abrupte. Mouffe et moi avons donc décidé d'en entreprendre la descente. Notre jeune moniteur nous y a encouragées, il descendrait avec nous. Parfait, à nous la montagne!

Nous avons pris le téléphérique. On a monté, monté, monté, monté. J'ai risqué un œil derrière moi; sur les pentes, les skieurs ressemblaient à des petites fourmis noires qui s'agitaient dans tous les sens. Un p'tit choc! «Soyons courageuses!»

Après 20 minutes de montée, enfin, le sommet de la montagne! J'avais un petit doute sur mes habiletés à descendre, mais notre beau moniteur m'a persuadée. Je me suis motivée: «Je suis capable, je suis capable!» J'ai amorcé ma descente: l'équipement de ski ne m'appartenait pas et je devais faire du slalom, mais... j'avais oublié comment. Notre beau moniteur a crié des directives que je n'ai pas entendues, car je m'époumonais à crier aux autres skieurs (les fourmis): *Watch out, Watch out*! Au bout d'une demi-heure, je suis finalement arrivée en bas, épuisée, les jambes tremblantes; j'étais «faite à l'os». Mouffe, qui me suivait à peu près dans le même état, était incapable de faire un pas de plus, mais JE NE SUIS PAS TOMBÉE!

Le jeune moniteur a bien vu mon inexpérience: «T'as été chanceuse de ne pas t'être blessée.»

Maintenant, je devais tourner. J'en étais incapable. Je n'avais plus de jambes. Mon cœur voulait sortir de ma poitrine. Je devais remonter. Je l'ai fait, mais Louis, le réalisateur, a eu pitié et m'a fait doubler pour la descente par une professionnelle qui a fait du slalom, des sauts, etc. Si, un jour, vous revoyez l'émission, vous constaterez que ma doublure me ressemble à s'y méprendre. Mais elle sait skier, elle, ce qui n'est pas mon cas. Jeune pourtant, j'étais pas pire!

Le lendemain, nous avons tourné à Banff, dans un paysage à couper le souffle. Le Fairmount Banff Springs Hotel, réplique d'un château écossais, est accroché à la montagne au pied du mont Sulphur. Nous tournions dans le village. On y vendait des souvenirs très beaux de Banff, cela dit, de l'artisanat local, pas made in China. Près d'un magasin de souvenirs, un magnifique orignal grandeur nature. Il était si beau qu'il avait l'air vivant. J'ai rejoint Mouffe pour lui suggérer de faire une des présentations près du très bel orignal, avec la montagne en arrière-plan. Elle a acquiescé. Je l'ai emmenée voir la sculpture, elle n'était plus là! Elle avait disparu en moins d'une minute. Je la voyais s'éloigner, c'était un vrai!

Dans l'après-midi, nous avons filmé dans le parc national. Selon la recommandation qu'on nous avait faite, nous devions rester dans nos voitures. Ce parc s'étend sur des milles et des milles, on y trouve des renards, des chèvres de montagne, des bisons, des marmottes. Ces petits animaux se dressent sur leurs pattes arrière en prenant appui sur leur queue. On en voit à perte de vue, il y en a des centaines, comme des petites personnes qui surveillent; elles sont adorables. Elles restent immobiles, de loin elles ont l'air de petits bouts de bois plantés en terre.

Nous avons alors aperçu un troupeau de bisons. Louis m'a demandé si j'avais peur de ces bêtes. Je lui ai dit que non.

– Tu pourrais faire une présentation assez loin des bisons, mais nous les verrions très bien derrière toi.

– Pas de problème!

Richard Hamel, notre directeur photo, s'est discrètement installé derrière un gros arbre, pour ne pas attirer l'attention des bêtes. Notre styliste, Dominique Vien, est aussi descendue de l'autobus, tout comme Mouffe, Louis et moi. Normand Brathwaite ne voulait pas mettre le pied dehors.

– J'ai trop peur, je vais vous regarder faire de loin! m'a-t-il soufflé.

– O.K. Nous sommes prêts.

Au moment où je devais faire ma présentation, une voiture avec trois Japonais à bord est arrivée. Ils affichaient de grosses caméras pendues à leur cou (nous n'en étions pas encore au numérique). Ils ont commencé à photographier les bisons. À chaque photo qu'ils prenaient, on entendait un petit bruit strident comme Zeeeeeep!

Je suis restée immobile en attendant qu'ils aient terminé pour tourner ma présentation. Au bout d'une dizaine de Zeeeeeep, un bruit de gros animal comme brrrrrrrr! a retenti dans mon dos. Un gros bison grattait la terre de son sabot et s'apprêtait à charger. Sauve qui peut! Richard Hamel, l'assistant, le preneur de son, Dominique Vien, Mouffe, Louis et moi, on a couru comme des fous vers l'autobus. Dominique Vien est tombée, je lui ai marché dessus. C'était terrible!

Tout ce à quoi on pense dans des moments de panique, c'est à sauver sa peau. J'ai tenté de grimper dans l'autobus, mais impossible. Il était garé près d'un fossé; la marche était trop haute, je n'avais pas les jambes assez longues. Merde! Je me suis précipitée vers la voiture des Japonais et j'ai sauté à l'intérieur. Le troupeau de bisons s'est arrêté sec au fossé. Mais où était Dominique Vien? Maintenant que j'étais à l'abri, je m'inquiétais pour elle! Ah! Je l'ai vue dans l'autobus, ouf! Les Japonais étaient là, normal, c'était «leur» voiture. J'avais envie de leur crier des bêtises pour avoir énervé les bêtes... mais je ne parle pas japonais couramment, même en colère! Je suis retournée dans l'autobus, Normand nous dit: «Vous vous êtes pas vus, des hystériques, la panique. J'ai bien fait de rester dans l'autobus.» Discrètement, nous avons tout récupéré, caméra, micro, etc. L'énervement passé, nous en avons ri pendant des heures. Encore maintenant, quand on en parle, on se tord de rire.

\* \* \*

Mon ami Yvon Plante venait d'acheter des terrains au lac Sacacomie et s'apprêtait à y construire un hôtel.

– Va voir le Post Hotel au lac Louise, un hôtel en bois rond magnifique, je pense que ça peut t'inspirer pour le style de construction que tu veux; c'est chaleureux et ce serait splendide sur le lac Sacacomie.

Il y est allé et quelques mois plus tard, il a construit son auberge dans le même style. Malheureusement, un an plus tard, le feu la réduisait en cendres. Courageusement, il a tout reconstruit, et la nouvelle auberge est devenue un lieu très fréquenté par les Québécois, de nombreux Européens et des Américains. Grâce à Yvon, un hôte chaleureux et toujours souriant, le roi du laisser-vivre, le lac Sacacomie est un havre de paix.

Yvon est parti du petit village de Saint-Alexis-des-Monts très jeune; il a étudié la coiffure et a ouvert le salon Olivier à Montréal. C'est un homme qui aime le bois, la chasse, la pêche. Il avait un rêve: piloter un hydravion. Il a suivi des cours, en même temps que son ami Henri Atlas. C'est un très bon pilote de brousse. Un jour, il a connu des problèmes de moteur, mais il a quand même réussi à atterrir avec un sang-froid peu commun. Il est passé avec son hydravion entre des fils à haute tension sans les accrocher! Il s'en est sorti sans aucune blessure. Yvon a toujours gardé le contrôle. Avec toutes les aventures qui lui sont arrivées, on pourrait écrire un livre. J'ai toujours dit à Yvon: «Tu devais être un chat dans ton ancienne vie, tu retombes toujours sur tes pattes!» Il est doué pour le bonheur, il fait ses affaires «seul» et très bien. Il est méfiant, et n'a confiance qu'en lui; comme un renard il sait détecter les *fly by night*. Il est généreux et constant en amitié. Il aime les gens, et que tu sois directeur d'une grosse compagnie, artiste, garde-chasse ou homme à tout faire, tout le monde est sur le même pied, seule la personne compte. J'ai toujours aimé Yvon.

\* \* \*

En juin 1988, de retour de Paris où j'étais allée pour affaires, j'ai gagné le trophée ARTIS, pour l'artiste féminine préférée; Gilbert Sicotte était l'artiste masculin préféré pour son rôle de Jean-Paul Belleau, dans la série de Lise Payette *Les dames de cœur*. La petite Marie-Soleil Tougas a remporté le trophée de la jeune comédienne préférée dans un téléroman. Qui à l'époque se doutait qu'elle allait mourir si jeune et si tragiquement?

\* \* \*

En 1988, Loto-Québec a fait tirer à la télévision un million de dollars. Wow! Tout le monde était énervé, «un million» en direct et en plus à un joueur présent sur place. On m'en a confié l'animation et la mise en scène à René-Richard Cyr. Les invités étaient Céline Dion, Johanne Blouin, Pierre Flynn, The Box et les Foubracs, un duo d'humoristes dont faisait partie Michel Lauzière, qui décidera plus tard de faire cavalier seul, peut-être à cause du mauvais caractère de son partenaire, dont plusieurs techniciens ont eu à subir les foudres.

Guy Latraverse, le producteur de l'émission, nous a fait faire des photos promotionnelles pour les journaux. Guy avait fait reproduire 200 billets de 10 dollars, 200 de 20 dollars et 200 de 50 dollars, etc. Les billets devaient tomber sur les têtes de Céline, Pierre, The Box et moi. Un matin, des agents de la Gendarmerie Royale se sont présentés chez l'imprimeur pour saisir «l'argent». En effet, il est interdit de reproduire des «billets du Dominion», par quelque procédé que ce soit. Alors, nous avons dû nous contenter d'une volée de sachets de la Super 1988. Nous étions loin des 10, 20, 30 millions que l'on fait tirer maintenant à la Super 7 ou au 6/49.

* * *

Encore une fois, Gilbert Rozon m'a proposé d'animer des galas au Festival Juste pour rire. Cette année-là, Charles Trenet allait interpréter une chanson composée spécialement pour le festival: «Juste pour rire, juste pour rire, juste pour rire un petit peu, juste pour rire et puis se dire ensuite ça va mieux.» Une charmante chanson, mais qui n'a pas eu l'impact de la chanson de Serge Fiori, qui est encore et toujours le thème de Juste pour rire.

J'ai animé deux spectacles. Le soir de l'ouverture toute seule et l'autre en coanimation avec Daniel Lemire. J'ai été très heureuse de travailler avec Daniel, car nous nous entendons très bien. Quelques jours avant l'ouverture du Festival, Gilbert a donné une conférence de presse pour présenter le comédien français Jean-Claude Brialy qui animait l'un des galas. Il venait tout juste d'arriver à Montréal. Mouffe me l'a présenté, il m'a à peine regardée, comme si j'étais un tas de m... Nous avons pris une photo, Gilbert Rozon, lui, Daniel Lemire et moi. Il me tournait presque le dos, peut-être que ma tête ne lui revenait pas. Ce n'était pas grave!

Le soir de la première, en entrant sur scène, je l'ai vu, assis dans la quatrième rangée du parterre. Je l'avais dans ma mire. Le public était content de me revoir et m'a fait une ovation. Je l'ai regardé, il observait les gens autour de lui, un peu surpris de l'accueil. Comme j'avais beaucoup travaillé les textes avec Josée Fortier et Jean-Pierre Plante, les numéros marchaient, le gala baignait dans l'huile. À la fin du gala, Brialy, bon prince, est venu me féliciter dans ma loge.

Le lendemain, ce fut à son tour d'animer un gala. Il était venu me demander des conseils sur la pertinence de ses textes, c'était bien, mais un peu intellectuel, du Guitry: «Comme elle baillait devant moi, je lui ai dit bye! bye!»; «Une femme dans une soirée déclare: Quand je serai vieille, je me tuerai. Quelqu'un crie: Feu!»

J'aime ce genre d'humour, mais ça passait, comme on dit, par la peau des fesses au Festival!

Le mime français Marcel Marceau, que nous n'avions pas vu depuis des années, est venu présenter avec succès son spectacle dans le cadre du Festival.

Pierre Verville a fait un numéro d'imitations qui a marché très fort, comme toujours. Il finissait avec une imitation de Gerry Boulet qui, sans être annoncé, venait le rejoindre sur scène; ovation autant pour Pierre que pour Gerry.

Dans l'après-midi, Gerry est venu répéter le numéro avec Pierre. Je me suis bien rendu compte qu'il était un peu ivre et avait de la difficulté à s'exécuter. A-t-il vu l'inquiétude dans mes yeux? Toujours est-il qu'il a été dormir vers la fin de l'après-midi et le soir, il est arrivé en forme. En sortant de scène, il s'est avancé vers moi et m'a dit: «Je m'excuse pour cet après-midi Dominique.» Je l'ai pris dans mes bras, je l'ai embrassé et lui ai dit tout simplement: «Je comprends Gerry, je comprends!» Je savais qu'il était condamné, ce qu'ignorait la majorité des gens, et puis je me disais: «Qu'est-ce que ça peut bien faire qu'il boive un peu pour oublier, pour moins sentir son mal.» Il souffrait d'un cancer qui devait l'emporter trop jeune. Adieu Gerry!

Puis ce fut le gala coanimé avec Daniel Lemire. Le bonheur. Nous avions un numéro ensemble: L'oncle Georges, qui hait toujours les enfants, cherche une petite fille dans la salle pour faire un jeu avec elle et «me» trouve. Je monte sur scène avec une petite robe rose, des lulus. Oncle Georges, en la voyant, la déteste déjà et sous prétexte de jouer à la cachette, la fait entrer dans une boîte à la fin du numéro. Il lui donne la clé, ferme le couvercle, verrouille la boîte avec un cadenas et sort la boîte. Le public était en délire.

Ce soir-là, le Victor, un trophée ainsi nommé en hommage à Vittorio, le créateur du petit bonhomme vert emblème du Festival, a été décerné à Charles Trenet.

Le St-Denis n'était pas encore une salle climatisée et, après notre sketch, Daniel et moi avons eu de la difficulté à enlever nos costumes d'oncle Georges et de «Cricri». Ils nous collaient à la peau, tellement il faisait une chaleur d'enfer.

Nous devions remettre le trophée à Jean-Claude Brialy qui, un peu plus tard, le décernerait, après une brève allocution, à Charles Trenet. Mais plus on se dépêchait, plus nos vêtements collaient. J'avais les deux bras en l'air, la robe était coincée par-dessus ma tête, mes deux bras pris dedans. Finalement quelqu'un est venu à mon aide et j'ai sauté dans mon vrai costume de scène: une jupe que j'ai enfilée en vitesse, et une petite veste; les manches collaient sur mes bras, j'étais en nage; ce qui ne m'arrive pas souvent. Nous nous sommes dirigés vers la scène en courant avec le trophée dans les mains. Gilbert Rozon avait déjà commencé son discours hommage à Trenet et jetait de discrets coups d'œil dans notre direction, heureux de nous voir arriver.

Des voix nous parvenaient des coulisses, la chicane était «pognée»: Trenet ne voulait pas monter sur scène pour chanter sa chanson *Juste pour rire*, ni recevoir son trophée des mains de Jean-Claude Brialy, qui le suppliait d'accepter. Le gérant de Trenet, à l'époque, un Français, se promenait de long en large dans les coulisses. François Rozon le suppliait aussi. Nous parvenait une cacophonie de mots, d'accents québécois et français mélangés: «S'il vous pla... monsieur Trena..!»

«C'est un con, il n'ira pas, on ne sait jamais ce qu'il va décider de faire!» «Mais enfin Charles, tu y vas?»

«S'il vous pla... monsieur Trena...»

Gilbert continuait toujours sa présentation et nous jetait des coups d'œil inquiets, car il arrivait à la fin de son discours, mais Daniel et moi le regardions en haussant les épaules, tournés un peu vers les coulisses, voulant dire: «On ne sait pas ce qui se passe!» Finalement Gilbert a lancé «Mesdames et messieurs, Charles Trenet.» Ce dernier est finalement entré, poussé par son agent; l'orchestre a attaqué sa chanson. Il a chanté le refrain et est ressorti aussi vite. Il n'avait pas encore reçu son trophée que nous tenions toujours Daniel et moi. Nous n'osions pas bouger, deux chandelles. Jean-Claude Brialy est entré à son tour, et a présenté Trenet. Dans les coulisses, c'était reparti.

Trenet: «Je n'irai pas!»

L'agent: «C'est un con!»

François: «S'il vous pla..!»

Gilbert: «Monsieur Trenet!»

Finalement, encore poussé par je ne sais qui, M. Trenet est entré, a pris son trophée des mains de Brialy qui n'avait pas le temps de faire sa présentation et est ressorti, en disant le plus court merci que j'ai entendu de toute ma vie. Ce qui devait être une fête se terminait en queue de poisson.

Daniel et moi avons donc dit au public qui, comme nous, attendait l'apothéose: «Bon ben coudonc, ceci termine la soirée. Merci d'avoir été là et bonne fin de soirée.» Le public, gentil, a applaudi; les gens se rendaient bien compte du malaise, mais nous remerciaient quand même par leurs applaudissements généreux pour la soirée qu'ils avaient aimée.

Raymond Devos était aussi du Festival et venait souvent me parler dans ma loge. J'avais beaucoup de difficulté à me concentrer, ce que j'aime faire au moins 10 minutes avant d'entrer en scène. Il est venu sept fois m'embrasser et me dire «bonne chance». Il était gentil, il m'aimait bien, mais j'aurais bien aimé qu'il m'oublie un peu. Il passait en fin de spectacle.

Finalement, je l'ai présenté. Comme d'habitude, il a fait un triomphe. Puis, je suis revenue sur scène pour l'inviter à profiter des applaudissements, comme je faisais pour tous les humoristes: «Mesdames, messieurs, Raymond Devos!» Il est revenu sur scène, trempé, comme s'il sortait de son bain; il faisait, comme je l'ai déjà dit, une chaleur insupportable. Il m'a serrée fort, fort dans ses bras. Je portais un petit veston ajusté en soie turquoise très pâle; quand Raymond s'est détaché de moi, j'avais deux gros ronds mouillés turquoise foncé sur les seins. Je ne m'en suis pas aperçue tout de suite, le public oui! Ç'a éclaté de rire, ce que j'ai fait à mon tour en me regardant. M. Devos est revenu une fois encore pour me prendre dans ses bras. Je lui ai indiqué les deux ronds foncés. Il a ri lui aussi, à la grande joie des spectateurs. Ah! les souvenirs de Juste pour rire!

Cher public de Juste pour rire, à mon tour mes amis de vous dire ici aujourd'hui, merci pour votre compréhension et votre bon sens de l'humour. J'ai adoré travailler pour vous. Vous êtes, comment dire? Spéciaux! Uniques!

* * *

Puis nous sommes repartis, toujours dans le cadre des *Grandes vacances*; cette fois au Club Med de Paradise Island, aux Bahamas. Messieurs Trigano père et fils, les propriétaires des Club Med, avaient été emballés par le concept de Louis Plamondon et Mouffe. Les clubs étaient extrêmement populaires à l'époque, à cause du «tout compris». Aujourd'hui, de magnifiques hôtels à Cuba, en République dominicaine et au Mexique offrent des «tout compris» deux fois plus luxueux: télé dans les chambres, trois ou quatre restaurants et des prix très, très compétitifs.

Au cours du voyage, Martine St-Clair a célébré ses 20 ans, nous lui avons offert une petite fête. Elle a impressionné tout le monde par son immense talent, notamment Claude Barzotti, venu de France pour l'émission.

En parlant de Barzotti, pendant que je faisais une entrevue avec lui, Mouffe est venue me glisser discrètement: «Fais attention Dominique, quand tu parles avec Claude, tu as tendance à prendre son accent.» Je parlais un «'tit brin» à la française!

Nous restions une semaine ou deux dans chaque destination; ensuite nous revenions à Montréal deux semaines, et nous repartions vers une autre aventure, toujours *Les grandes vacances*.

De retour à Montréal, j'ai rencontré Patrice L'Ecuyer pour la première fois. Il donnait un spectacle avec Gaston Lepage, au salon Chasse et Pêche. Il était drôle, amusant, super sympathique. Le courant est passé entre nous.

Après cinq à dix minutes, comme il est très timide (je sais que c'est peut-être difficile à croire il a l'air tellement à l'aise à la télévision) il m'a dit: «Je ne veux pas vous déranger longtemps, bye!» et il est parti avec son merveilleux sourire.

Claude Maher, réalisateur, et André Dubois, qui a déjà écrit plusieurs *Bye! Bye!*, m'ont demandé de faire le *Bye! Bye! 88*. Comme depuis au moins deux ans, je passais mon temps à dire que je ne le ferai plus, j'avais un peu honte d'accepter. «Bah! On dira que je suis ridicule, mais j'assume.»

J'ai suggéré à Claude Maher d'engager Patrice. Il le connaissait bien comme comédien et le trouvait déjà très bon. Avec Yves Jacques, toujours excellent, et l'irremplaçable Pauline Martin, on «était en affaires»! Les textes de Dubois étaient percutants.

Pauline a joué une inoubliable Céline Dion, qui «puise dans le fond de son cœur» les remerciements pour les innombrables trophées. Aïoye!

J'ai incarné une Mitsou assez ressemblante; je chantais en tenant un gros cornet à «deux boules»! Subtil!

Patrice et Yves ont personnifié les deux frères de *L'héritage*: Gun Bitch et Junior (Robert Gravel et Yves Desgagnés). Patrice nous a fait une imitation de Robert-Guy Scully qui interviewe Mère Teresa (moi), en lui donnant des petits coups de hochet sur la tête. Puis, j'ai été Michèle Richard, la reine de TQS, qui disparaissait dans la bonde (le trou d'évacuation) d'un bain tourbillon avec sa somptueuse et immense robe blanche. Le sketch de la soirée canadienne des juifs hassidim d'Outremont a fait l'unanimité, de même que l'imitation de Jean-Luc Mongrain par Pauline Martin.

Les maquillages de Jacques Lafleur étaient hallucinants. Que ferions-nous sans lui au *Bye! Bye!* Quel talent! Jacques était plus qu'un maquilleur, il nous dessinait des visages, de Mère Teresa à Mitsou en passant par Michèle Richard, faut le faire! Il m'a maquillée en ayatollah Khomeiny, sans ajouter aucune prothèse à mon visage. Du grand art! En nous voyant, le public reconnaissait tout de suite le personnage. Cinquante pour cent du travail était déjà fait.

Les critiques étaient encore partagées, comme chaque année. Raymond Bernatchez de *La Presse* doutait un peu du talent de Patrice L'Ecuyer. On était en 1988; Patrice a fait du chemin, aujourd'hui personne n'en doute.

Un autre *Bye! Bye!* était terminé, allais-je encore dire que c'était mon dernier. Eh oui, je n'y manquerais pas!

\* \* \*

En 1989, à l'hôtel Windsor de Montréal, on a célébré le bicentenaire de la Révolution française. Toutes les femmes devaient être habillées de bleu, de blanc ou de rouge. Michel Robidas avait créé, pour Diane Dufresne, une robe blanche en satin avec une écharpe retenue autour du cou par une broche rouge. Mon amie Alexandrine Sutto, épouse de l'avocat Jean-Pierre Sutto, portait une robe blanche de Marianne romantique; le sein gauche était peint à la main en rouge sur sa robe et une banderole rouge partait de l'épaule droite et venait s'attacher à la taille. J'avais une jupe bleue, le bleu du drapeau français, et un bustier blanc *strapless*, garni de fleurs de lys piquées et de longs gants blancs.

Le bal était présidé par Son Excellence François Bujon de l'Estang, ambassadeur de France au Canada; le spectacle fut réussi grâce à Robert Charlebois, Désiré Saint-Preux et Muriel Robin.

Un beau bal. Une semaine plus tard, nos photos paraissaient dans *Paris-Match*. Wow, nous étions célèbres! Non sérieusement, une belle soirée agréable, c'est rare qu'on s'amuse dans un bal, habituellement guindé.

\* \* \*

Depuis longtemps, je désirais une maison ultramoderne avec des plafonds très hauts, sur une montagne avec vue et piscine extérieure. J'ai donc acheté un terrain à Sainte-Anne-des-Lacs, sur la montagne. Puis, j'ai fait les plans avec un ami, Sylvain Plouffe, qui étudiait en architecture et qui comprenait très bien ce que je voulais.

Tout d'abord, il fallait trouver de l'eau, ce qui était assez difficile sur cette montagne. Comment faire? Mon voisin, Jacques Demers, pas le coach du Canadien mais un constructeur élevé à la campagne, m'a rassurée: «Je vais t'en trouver moi de l'eau.» Il s'est emparé d'une petite branche en «Y» et s'est promené en pointant la fourche du «Y» vers la terre: s'il y avait de l'eau, la pointe s'inclinerait directement à l'endroit où se trouvait une source. J'étais un peu sceptique. Il a marché, marché, fait le tour du terrain; je le suivais, rien ne se passait. Tout à coup, devant et à gauche de l'endroit où devait s'ériger la maison, la branche est descendue. J'avais des doutes; j'ai voulu essayer, car je suis un peu Thomas. J'ai pris la branche, et en effet, elle a pointé la terre au même endroit. On a creusé, l'eau a jailli, miracle! Le puits serait là.

Il nous a fallu huit mois pour construire la maison.

Enfin, le 12 décembre, c'était presque terminé. Mais les ouvriers ont désiré me parler: «Si vous voulez qu'on finisse la maison pour Noël, nous désirons être payés à temps double.» J'étais un peu beaucoup en colère... J'avais un budget à respecter et j'avais très bien payé les ouvriers chaque semaine; de plus, très souvent je les nourrissais. J'étais plutôt généreuse de ce côté-là et je trouvais qu'ils abusaient. C'est ce qu'on appelle tenir quelqu'un par les couilles. J'ai demandé 10 minutes pour réfléchir.

– Vous pouvez partir si vous voulez, je ne vous paierai pas temps double. Demain matin, une autre équipe va entrer pour terminer la maison.

Bien sûr, je bluffais.

– Je vous donne 15 minutes pour y penser, je reviens pour avoir votre réponse, c'est votre choix.

Je me suis retirée. Ils ont discuté et ont décidé de terminer la maison. Ouf, je l'avais échappé belle!

– Je ne veux plus parler de ça, jamais! leur ai-je dit.

La maison a été terminée à Noël. Je leur avais préparé des cadeaux, mais... comme par hasard, le père Noël est passé tout droit avec ses présents.

La maison était belle, à mon goût. Les plafonds avaient 19 pieds de hauteur, les pièces étaient spacieuses, trois chambres, trois salles de bains, un immense salon et une cuisine de magazine. La piscine était au même niveau que la maison. Au printemps, j'ai planté des cèdres partout: stucco blanc et verdure font un mariage parfait. Janko, notre Husky, y a été très heureux. Il se promenait dans les bois; nous aussi. Nous y donnions très souvent des fêtes.

À Noël, Henri et moi avons invité nos amis canadiens et européens: Yvon Plante, sa femme, Joyce; Louise Laparé, Gaston Lepage, nos amis de pêche; Alexandrine et Jean-Pierre Sutto; Robert Sézé, sa femme, son fils; Denys Arcand; Jean-Claude Lauzon, Hélène, sa copine, et mon amie Denise Dion. Il fallait que la fête soit belle et inoubliable. J'ai donc creusé la neige pour y faire tenir d'énormes bougies: les flammes vacillaient et éclairaient mystérieusement le chemin qui conduisait à la maison. C'était magnifique!

J'ai aussi préparé tout le repas moi-même. Au menu, saumon fumé, caviar et blinis, foie gras et confit d'oignons, de l'oie aux pommes pour faire plaisir aux Européens, des fromages, des desserts: mousse au chocolat, crème anglaise, gâteau aux marrons, une recette d'Emmanuelle, gâteau aux carottes et gâteau au fromage, toutes mes spécialités que mes amis réclamaient. J'ai cuisiné pendant trois jours. Pour arroser le tout, du champagne et les meilleurs vins. Je recevais pour la première fois dans ma nouvelle maison, je voulais qu'on s'en souvienne.

Dès leur arrivée, j'ai questionné mes amis:

– Comment trouvez-vous l'éclairage avec les bougies, c'est beau hein?

– Quoi, quelles bougies où ça? Ah là, ah oui, c'est beau!

Personne n'avait rien remarqué, c'était un bel effort!

Le party se déroulait bien, tout le monde était détendu, l'ambiance conviviale. Les entrées furent un succès. Puis ce fut au tour de l'oie, j'en avais fait cuire trois. J'ai servi; j'ai vu les invités mâcher, d'un bord, de l'autre, c'était dur sans bon sens, impossible à avaler. Jean-Claude Lauzon a parlé le premier: «On a raté sa recette, Dominique? C'est pas grave, on va commander du Saint-Hubert.» Tout le monde a ri.

– Je crois qu'elles sont venues à pied de l'Île-aux-Coudres! ai-je répliqué.

Le chien, lui, a été heureux, il en a eu pour la semaine à manger de l'oie.

On s'est rabattu sur les purées, les fromages, les desserts et les vins. Une soirée réussie, amusante. On en parlera longtemps de la soirée de l'oie dure et des bougies enfouies dans la neige. Et pour terminer un vrai Noël québécois, les voitures coincées dans la neige:

– Donne pas trop de gaz, ça fait *spiner* les roues, mets tes roues droites, roule doucement, mets-toi à *drive*, à renverse, à *drive*, crampe en masse. T'es beau, t'es beau, crampe pas trop, lâche les freins. Envoye, envoye, on va pousser. C'est ça, c'est ça, envoye, là vas-y! O.K., on pousse tout le monde, un, deux, trois, envoye, attention au chien. Janko ici. O.K., t'es beau, t'es beau, ben ça y est.

– Bon c'est-tu tout droit?

– Oui, mais y'a deux côtes, prends-toi un élan.

– O.K., merci encore, hein!

– De rien!

– Hey Do, m'a crié Jean-Claude Lauzon, la recette de l'oie, jette-la! Je t'embrasse.

– Moi aussi, bye!

Mes amis, je les aimais tous. Comme nous étions heureux ensemble.

* * *

L'année suivante, Céline Dion et sa famille ont loué une maison pas très loin de la mienne. Le lendemain du Jour de l'An, Céline m'a téléphoné, elle voulait visiter ma maison. «Pas de problème, je t'attends.» Elle en est tombée amoureuse.

C'est terrible de tomber amoureux d'une maison, c'est vraiment comme tomber en amour. Tu as beau te dire que ce n'est pas pour toi, que tu vas le regretter, il n'y a rien à faire, «on la veut», elle n'a que des qualités. Ça m'est arrivé plusieurs fois, je ne l'ai jamais regretté; comme en amour, le temps que ça dure c'est tellement extraordinaire!

Céline appelait ma maison: la dernière maison sur la gauche! C'était comme un titre de chanson ou de roman! Elle m'a dit quelques jours plus tard:

– La maison est-elle à vendre? Je veux l'acheter, ça serait ma première maison.

– Laisse-moi y penser!

Je n'y ai pas pensé trop longtemps. J'ai consulté le carnet dans lequel j'avais inscrit tous les coûts de construction: je lui ai offert la maison à ce prix. René a accepté; la maison serait au nom de Céline, «la dernière maison sur la gauche», sa première!

* * *

On est partis pour le Mexique, Louis Plamondon, Mouffe et moi, cette fois au Club Med de Playa Blanca. Les invités étaient Mitsou, Michèle Richard, Mario Pelchat, Marie Philippe et Daniel Deshaime, le parolier de *Ils s'aiment*, le grand succès de Daniel Lavoie. L'adorable Mitsou chantait avec des danseurs de ballet mexicains de Jalisco. Avant-gardiste de la mode, elle portait un pull très décolleté et l'on voyait un peu son soutien-gorge et ses bretelles. Mario Pelchat, moins au courant et moins fashion, lui a crié:

– Mitsou, fais attention, on voit ta brassière et tes bretelles quand tu chantes.

– J'le sais, c'est exprès.

– Ah oui? wow!

Ce fut à Playa Blanca que j'ai rencontré Diane Beaudoin, l'amie de cœur de Laurent Gaudreau, notre producteur. Cette belle brune, toujours souriante, drôle et moqueuse, deviendra une grande amie. Elle aime la vie. Comme elle a un bon sens de l'humour et qu'elle écrit bien, elle a écrit les présentations et les topos des *Grandes vacances* pour les sites que nous visitions, en y ajoutant quelques gags.

Michèle Richard était avec son copain Yvan Demers, qui deviendra son mari. En voyant le paysage mexicain, Yvan s'était écrié:

– Coudonc, ici c'est comme chez nous, au lieu des palmiers, nous autres on a des arbres!

– Ben oui Yvan!

Le village du Club Med de Playa Blanca est construit en surplomb, en montagne. Quand on va à la plage, on a intérêt à ne rien oublier, ça prend une demi-heure pour retourner à nos chambres, il faut monter de nombreux escaliers.

# Chapitre 26

# ADIEU YVON!
# ADIEU PAPA!

Mon ami Yvon Duhaime n'allait pas bien. Il souffrait de diabète et d'insuffisance rénale, il était très, très malade. Avant, j'étais toujours avec Yvon au travail et en dehors du travail, mais depuis que je vivais avec le D<sup>r</sup> Atlas, je le voyais moins souvent. C'est ça la vie! Depuis trois ou quatre ans, c'était Yvon qui ne voulait plus me voir. Plusieurs de nos amis pensaient que c'était moi qui l'oubliais, il n'en était rien, c'est lui qui refusait: «Je ne veux pas que tu me vois dans cet état, je suis trop malade.»

Nous étions le 25 juillet 1989, le jour de son anniversaire. Je lui ai téléphoné: «Yvon, je veux te voir aujourd'hui, c'est ton anniversaire, je veux t'embrasser, j'ai un cadeau pour toi.» Il a dit d'accord. J'ai acheté des fleurs, je savais qu'il les adorait, des bouteilles d'eau de toilette pour femmes, pas pour hommes, il préférait les parfums féminins.

En arrivant chez lui, j'ai constaté qu'il ne portait pas de chaussures. Le bout de ses pieds était enveloppé dans de gros bas de laine. J'étais intriguée. Il m'a emmenée dans sa chambre et m'a montré ses pieds. J'ai eu un choc. Ses orteils étaient pleins de gros vers blancs qui bougeaient. J'en avais les larmes aux yeux.

— Ne pleure pas.
— Que dit ton médecin?

– On a pensé à me couper les orteils, mais comme je suis diabétique...

– C'est pour ça que tu ne voulais plus me voir?

J'étais atterrée.

Il a acquiescé. Je lui ai donné ses parfums, il était très heureux; on a parlé du passé, on a ri. Avant de le quitter, je l'ai embrassé et serré très fort. Il m'a gardée dans ses bras: «Je t'aime tellement, tellement!»

– Moi aussi Yvon!

Je suis repartie le cœur gros. Son sourire était si triste. Il a créé tellement de robes pour moi, nous avons eu tellement de fous rires ensemble.

Six jours plus tard, il mourait; son cœur avait lâché. Il avait 55 ans. Une partie de ma vie partait avec lui. À l'enterrement, au moment du *Panis Angelicus*, une chanteuse, caricature de chanteuse d'opéra, a faussé, faussé. J'imaginais Yvon sortir de son cercueil et dire: «Coudonc viarge, est pas capable de chanter sur la note elle.»

Andrée Lachapelle, une autre grande amie d'Yvon, a écrit et lu à l'église un merveilleux texte, dont voici un extrait:

«Aujourd'hui, nos routes se séparent, il y aurait trop de choses à raconter sur ta générosité, ta fidélité en amitié, ton élégance, ta fantaisie, ta joie de vivre et ton immense talent. Mardi, c'était ton anniversaire et tu n'arrêtais pas de bouger malgré ta douleur. Tu ne voulais pas qu'on te voie diminué, tu étais si heureux d'avoir revu ta Dodo, et puis tu nous as fait tant rire pendant des années mon cher Yvon... Brel disait: "Mourir ce n'est rien, mais vieillir..." Ce qu'il y a de tragique dans le fait de vieillir, c'est de voir partir ceux et celles qui ont fait notre joie. Ce matin, j'ai l'impression que c'est toute une époque qui part avec toi. Sache que le souvenir de toi est impérissable. Merci pour tout!»

Comme c'est beau, merci Andrée. Tout au long des funérailles, j'ai pleuré, pleuré, j'étais inconsolable; je me disais que j'aurais dû insister quand il ne voulait pas me voir, j'aurais dû, j'aurais dû. Il était trop tard. Adieu mon ami, mon copain, mon frère, mon cher, cher et tendre Yvon.

* * *

Comme je connaissais bien la Côte d'Azur, nous sommes partis, Louis Plamondon, Mouffe, Marie Perreault et moi avec notre productrice, trouver des lieux de tournage pour *Les grandes vacances*, ce qui n'était pas une mince affaire. Mais avant de partir, j'ai dit à Paul Vincent: «Roch (Voisine), qui vient d'enregistrer un 33 tours de ses chansons, aura besoin d'un intermédiaire et d'un producteur en Europe.» J'ai avancé 30 000 dollars à Paul pour produire le disque, qui était très bon, mais il fallait quelqu'un qui puisse négocier avec les Français pour le faire connaître. J'ai proposé le nom de Jean-Claude Lespérance, Paul était d'accord. Jean-Claude n'était pas trop chaud à l'idée de devenir le second de Paul en Europe. Je lui ai apporté le disque pour qu'il l'écoute. Je lui téléphonais tous les jours:

– L'as-tu écouté?

– Pas encore.

Finalement au bout d'une semaine: «Il est bien, je vais m'en occuper.»

J'ai annoncé la bonne nouvelle à Paul.

– Sais-tu! Je ne sais pas si...

– Écoute Paul, Jean-Claude est un homme respecté et d'une grande honnêteté. Finalement, à bout d'arguments, il a accepté. Ils se sont entendus.

– Dis-moi ce que tu veux comme pourcentage? m'a demandé Jean-Claude Lespérance.

– Rien, je veux juste que ça marche pour Paul et Roch, ce sont mes amis.

Jean-Claude a signé avec la France, tout baignait dans l'huile. Est-ce que ça allait marcher, ça on le saurait éventuellement.

Donc, j'étais à Cannes. Mouffe et moi sommes entrées dans une boutique, la radio était allumée. Et qu'est-ce qu'on a entendu? *Hélène*, chantée par le Canadien Roch Voisine, a dit le présentateur; ça jouait partout, tout le monde nous en parlait, mais la nouvelle n'était pas encore arrivée à Montréal. J'ai téléphoné à Paul: «C'est un succès, Paul. Roch tourne dans toutes les radios de France.» En entendant notre accent, un Français nous a demandé si l'on connaissait Roch Voisine.

– Bien sûr, c'est sa mère, a dit Mouffe, en me désignant.

J'avais beaucoup de plaisir avec Mouffe et Louis, il ne se passait pas une journée sans rires.

Cependant, en arrivant à Saint-Tropez, nous avons été très déçus. Ça faisait quelques années déjà que je n'y étais pas allée. Les petites boutiques sur le port étaient devenues des bric-à-brac où l'on vendait des t-shirts de mauvais goût, des reproductions du port de Saint-Tropez dans des boules de verre remplies de neige. Nous avons donc décidé de tourner plutôt à Saint-Paul-de-Vence, à Menton et à Cannes. Nous sommes revenus à Montréal, le show en tête, prêts à tourner.

Finalement, ce fut au Club Med d'Opio, dans l'arrière-pays, que nous sommes allés tourner.

J'y ai rencontré messieurs Trigano père et fils, qui se sont dit très satisfaits de nos émissions dans leurs clubs et nous ont donné le feu vert pour continuer. Joe Bocan était là, tout comme Diane Dufresne, qui m'a donné un très joli carré de soie qu'elle avait peint. Pour elle, nous avons installé, dans l'immense piscine du club, une passerelle à fleur d'eau; nous aurions ainsi l'impression que Diane marchait sur les eaux, avec en toile de fond, les majestueuses montagnes. Quand on tourne avec Diane, ça n'est jamais ordinaire. Elle étonne toujours.

La vedette montante en France était Jean-Pierre François, un jeune, beau et athlétique chanteur qui nous a interprété: *Je te survivrai*. Qu'est-il devenu? Je ne le sais pas. Et notre Claude Dubois faisait aussi partie de l'émission, quel chanteur! Tout s'est très bien passé. Nous avons aussi tourné à Cannes où nous avons déjeuné, sur la Croisette, avec nos sandwiches, assis sur le gazon dans la crotte de chiens. On en rigolait.

– Dans combien de crottes es-tu assise?

– Six et toi?

– Moi, seulement quatre.

Nous avons également tourné près de l'auberge de la Colombe d'Or à Saint-Paul-de-Vence, et sur la place où Montand jouait à la pétanque avec ses amis. Puis, la même journée, nous nous sommes transportés dans le Jardin exotique de Monaco.

Louis Plamondon n'aimait pas mon ensemble. Je portais un joli tailleur jaune et un serre-tête avec un gros chou pour retenir mes cheveux, comme un turban. Louis trouvait que le bandeau ne m'allait pas du tout. «On voit juste ça, le chou sur le côté. Ça n'est pas toi.» Il trouvait que j'avais l'air d'être déguisée. Il n'avait pas tort, mais je n'avais pas le choix, nous étions loin du Club Med d'Opio où se trouvaient notre base et le reste de mes vêtements. J'ai donc gardé ce que j'avais sur le dos.

Ce voyage avait mal commencé, nous étions arrivés très tard à Nice, Mouffe, Louis Plamondon et moi. Impossible de nous rendre à Opio dans l'arrière-pays. On devait nous attendre à l'aéroport, mais personne n'était au rendez-vous. Encore une chambre de passage, et je me suis levée le lendemain matin couverte de petites piqûres rouges, mangée par les puces, une plaie vivante. Pour me débarrasser des démangeaisons, j'ai dû me laver à la calamine pendant une semaine.

Nous avons tourné aussi au musée d'art moderne et contemporain de la Fondation Maeght, à Saint-Paul-de-Vence. Ce fut une émission des *Grandes vacances* tant éducative qu'amusante.

Au Jardin exotique de Monaco, j'ai pu admirer des plantes que je n'avais jamais vues. Si vous allez à Monaco, ne manquez pas ce jardin! Dans la Principauté, dans les buildings de 20 ou 30 étages avec jardins sur les toits, plusieurs appartements sont achetés par des entreprises ou des gens très riches et ne sont pas habités; les résidants de Monaco ne paient pas d'impôts! C'est un paradis fiscal. Devant certains édifices, on aperçoit un petit carré de gazon de quatre pieds sur six pieds de chaque côté de la porte d'entrée. Ceux qui y habitent en sont si fiers que pour te donner rendez-vous, ils disent: «C'est le building avec du gazon devant.» Facile à trouver, ils sont si peu nombreux.

Tous les 15 jours, nous rentrions à Montréal. Cette fois-là, j'avais un message très important sur mon répondeur. Mon père avait été admis d'urgence à l'hôpital de Joliette. Un couple d'amis de mon père m'avait laissé son numéro de téléphone. Ils m'ont informée que dans l'après-midi, mon père ne s'était pas senti bien et avait pris un taxi pour se faire conduire à l'hôpital. Ils m'ont aussi dit qu'ils avaient attaché mon chien Janko à la galerie d'une maison du village d'antiquités de mon père, et qu'ils lui avaient laissé de la nourriture et de l'eau.

J'ai sauté dans mes jeans et je suis partie sans défaire mes valises pour Berthier. D'abord chercher le chien, habitué à être libre la plupart du temps, il ne fallait pas qu'il angoisse; puis direction l'hôpital de Joliette. J'étais super énervée, mais je n'osais pas conduire trop vite, ce n'était pas le moment d'avoir un accident.

J'ai trouvé le chemin interminable. À l'urgence, papa n'avait pas l'air si mal en point. Il était assis dans son lit, il m'a souri.

– Ça va?

– Oui, oui, inquiète-toi pas.

Je lui ai posé la question plusieurs fois, et toujours la même réponse. Je me demandais s'il n'essayait pas de me cacher son état de santé, justement pour ne pas m'inquiéter. J'ai parlé au médecin: «C'est une petite alerte, il doit se reposer.» Il avait 80 ans.

Bien sûr, papa a demandé des nouvelles du chien. «Pas de problème, je suis allée le chercher, il est dans la voiture.» Je l'ai embrassé en l'assurant que j'allais venir le voir le lendemain. Je suis revenue à l'appartement, je demeurais à ce moment-là à Tropiques Nord, avenue du Casino. J'étais exténuée: papa à l'hôpital et le décalage horaire. Il était assez tard, environ 23 heures, soit pour moi 5 ou 6 heures du matin, heure de Monaco.

Henri était là. Il m'a semblé un peu distant: «Ça va?» Je ne sais pas pourquoi tout à coup, je lui ai demandé ça. Je sentais déjà que ça n'allait pas très bien et, en un éclair, m'est revenue la course Harricana qu'il était allé faire l'hiver précédent en tant que médecin de service. Des jumelles lui servaient d'assistantes médicales. J'avais reçu l'équipe à leur retour et j'avais remarqué que l'une des jumelles s'asseyait toujours près d'Henri, laissant traîner sa main sur sa cuisse, et lui disait des petits secrets à l'oreille. Nous, les femmes, on sent quand il se passe quelque chose, surtout que la jumelle n'était pas très subtile. Je m'étais dit: «Il a dû sauter la jumelle. Ça doit peut-être l'exciter, il a l'impression de sauter l'autre en même temps.» Puis j'ai oublié ce «flash» déplacé et je me suis couchée épuisée. On repassera pour l'amour. Ça faisait une semaine que j'étais partie, et pourtant rien, zéro caresses, zéro comme dans «O»uellette! Ce qui me préoccupait, c'est la santé de mon père.

Minuit et demi, coup de fil de l'hôpital, l'état de papa s'était soudainement détérioré. Il venait de faire un infarctus majeur du myocarde. De nouveau, j'ai sauté dans mes jeans et pris ma voiture. Je suis arrivée à Joliette 35 minutes plus tard. J'étais «sur le gros nerf»; à la porte d'entrée centrale, j'ai sonné, j'ai frappé, j'ai crié «Ouvrez-moi!» J'étais tellement tendue, énervée que je ne voyais pas la pancarte de deux pieds sur deux: «La nuit, s'il vous plaît, entrez par la porte de l'urgence à votre droite.» Finalement, je me suis précipitée à l'urgence, papa était mal en point, il souffrait, il avait de la difficulté à respirer.

– Nous ne sommes pas spécialisés ici pour des cas comme le sien, m'a annoncé le médecin. Il faudrait qu'il soit transféré dans l'unité coronarienne soit à Sacré-Cœur, soit à l'Institut de cardiologie de Montréal.

J'ai réveillé Henri, il m'a promis de s'en occuper. Il a été efficace, car papa était dans l'ambulance une demi-heure plus tard et nous quittions Joliette pour l'hôpital du Sacré-Coeur. Je n'arrivais pas à suivre l'ambulance qui allait vraiment très vite. Je suis arrivée après eux, il était encore tôt. Moi-même, j'étais au bord de la crise cardiaque. «Il va peut-être mourir, pensais-je, mais j'ai repoussé cette idée. Non, non, pas papa, pas lui!» Je l'ai retrouvé dans une chambre, branché de partout. «Il est stable», m'a-t-on assurée. Je suis restée à son chevet, il était à demi conscient. «Ce n'est pas possible, il va s'en sortir.»

Le D<sup>r</sup> Marc Frenette, un homme très gentil, m'a dit:

– Vous savez, un homme de cette génération c'est solide, il peut s'en sortir.

Je suis restée toute la journée à le veiller. Ça faisait deux jours que je n'avais pas dormi, le docteur m'a dit d'aller dormir.

– Non, non, je reste. Je suis fille unique, et la seule à pouvoir s'occuper de lui.

Mon père a ouvert les yeux:

– S'il arrivait quelque chose, ne me laisse pas branché. Tu me le promets?

– Je te le promets!

Henri est venu le voir et l'a rassuré. Puis papa m'a fait venir près de son lit:

– Va à la banque à Berthier dans mon coffre-fort, tu as la clé (car nous avions signé tous les deux pour le coffret de sûreté), il y a mon testament et un peu d'argent. Va bien verrouiller toutes les portes du «Village d'antiquités» et apporte mon porte-monnaie et des sous-vêtements qui sont dans la roulotte.

L'été, il aimait bien rester sur son terrain au «Village du défricheur» et demeurer dans sa roulotte, qui était très confortable.

Je suis repartie pour Berthier. À la banque, j'ai trouvé le testament, de vieux billets portant la photo de George V et de George VI, et d'autres billets retenus par des élastiques. Il gardait toujours des rouleaux de billets de banque dans ses poches, attachés avec des élastiques très larges.

J'ai fait tout ce qu'il m'avait demandé et je suis revenue à l'hôpital du Sacré-Cœur. Il dormait. Je me suis assise discrètement sur le seul fauteuil de la chambre et je l'ai regardé dormir. J'avais envie de pleurer, et pourtant, j'en étais incapable. C'était comme un immense chagrin d'amour que tu te sens incapable de gérer. Tu es sans ressource, tu ne peux pas chasser la maladie, elle est là, tu es impuissante.

J'avais envie de vomir; ça faisait 18 heures que je n'avais rien mangé, mais je n'avais pas faim. J'avais le cœur fendu, et une boule dans la gorge. Que c'est difficile la douleur!

Il a ouvert les yeux, et m'a souri:

– Puis, as-tu fait ce que je t'ai demandé?

– Oui, tout.

– J'ai oublié de te dire que dans la roulotte, y a pas mal d'argent caché, je ne me souviens plus où exactement, mais cherche bien, tu vas le trouver.

Je lui ai dit que j'irais en fin de semaine; j'étais trop épuisée.

Il m'a demandé des nouvelles de maman qui était chez elle, dans son appartement de Berthier. Je l'ai rassuré. Je ne lui ai pas dit que je l'avais trouvée complètement ivre, endormie par terre, et que j'avais dû la traîner jusqu'à son lit, la coucher et aussi jeter toutes les bouteilles à la poubelle. J'étais dans un état second, je n'avais pas besoin de ça. J'aurais eu besoin de l'aide de mon amie Denise Dion, qui est toujours très serviable, mais elle était en tournée avec Roch Voisine, qui était en rodage de son spectacle; il avait de plus en plus de succès.

Le D$^r$ Frenette et Henri Atlas m'ont suggéré d'aller dormir. L'état de papa était stable, il allait mieux. Je me suis couchée sans manger, je n'avais pas faim, j'étais malheureuse. Henri m'a rassurée: «Il va s'en sortir.» Mais au fond de moi, j'avais un mauvais pressentiment. J'espérais avoir tort.

Le lendemain matin, le samedi le 7 octobre 1989, j'étais à l'hôpital à la première heure. Il avait l'air d'aller mieux, il m'a souri.

– Mes vêtements sont vieux, j'aimerais avoir des vêtements plus propres! m'a-t-il dit.

– Ne t'en fais pas, je vais aller t'acheter un autre habit de sénateur!

C'était comme ça qu'on appelait son complet marine rayé. Je lui ai acheté un complet, une belle cravate, une chemise blanche comme il les aime, un pull en cachemire marine et une belle veste de laine très douce, des chaussettes, des chaussures neuves et des mouchoirs, il adorait les grands mouchoirs blancs.

Je suis revenue à l'hôpital avec mes cadeaux, fière de moi. Il était très heureux, il affichait un beau sourire

– Il n'y a pas une infirmière qui va te résister, lui ai-je soufflé.

– Oui, j'ai remarqué, y'en a des belles.

J'ai accroché le tout dans la penderie, je me suis réinstallée dans le fauteuil et je l'ai regardé dormir.

Vers 16 heures 30, il s'est réveillé.

– Tu as fait tout ce que je t'ai dit?, m'a-t-il demandé encore une fois.

– Oui papa, tout.

– Ta mère. Prends bien soin de ta mère.

– Ne t'inquiète pas papa, tu le sais, je m'en occupe toujours.

– Oui, je le sais.

Et là, il m'a regardée intensément comme pour graver mon visage dans sa mémoire. Nous avons gardé le silence tous les deux pendant trente secondes.

– Ferme tes yeux, dors, lui ai-je dit, sois sans inquiétude, je suis là.

Il a fermé les yeux. J'étais assise, j'attendais. J'étais très fatiguée. L'infirmière est entrée dans la chambre:

– Dominique, allez vous reposer chez vous, dormez dans votre lit, ça va vous faire du bien, il est très bien, il se repose.

Je suis rentrée à la maison, Henri n'était pas là. Ses filles étaient arrivées d'Europe et il était parti avec elles voir les baleines dans Charlevoix. Le téléphone a sonné, c'était l'hôpital. Le médecin de garde m'a dit:

– Madame Michel, il faudrait revenir à l'hôpital.

À sa voix, j'ai perçu la mauvaise nouvelle. C'était difficile pour lui. Un silence.

– Papa est mort?

– Oui.

– J'arrive.

Le téléphone a sonné de nouveau, c'était Ti-Paulo:

– Dominique, j'ai une place pour toi ce soir à Saint-Jean, pour le spectacle de Roch. Je t'attends, on ira souper après le spectacle, ça va super bien, la salle est pleine.

– Paul je ne peux pas, papa vient de mourir.

– Ah, Dominique! J'ai de la peine pour toi, je t'embrasse.

– Merci.

J'aurais voulu pleurer, j'en étais incapable, j'avais la gorge serrée. Une grande carrière commençait pour Roch le jour où je perdais mon père... La vie continuait!

De retour l'hôpital, j'ai constaté qu'un drap couvrait le visage de mon père. Je l'ai repoussé, pour le regarder. Rien. L'âme était partie. Ce n'était plus qu'une masse inerte. Moi qui l'ai tant aimé, lui avais-je dit hier que je l'aimais? Je ne crois pas! Pourquoi ne l'avais-je pas dit? Je sais qu'il le savait, mais lui dire... Je n'en revenais pas. Je n'avais même pas envie de le toucher. Ce n'était pas que j'avais peur, mais la vie n'y était plus. Je n'avais plus rien à faire ici, je devais partir. Ce que j'aimais tant n'était plus là.

Comme c'est étrange la mort. Je me suis souvenue tout à coup. Je l'avais sentie passer au sanatorium de Sainte-Agathe, quand elle avait enlevé la vie à Chris, ma petite amie anglaise morte de tuberculose. La mort était venue en mon absence me voler la vie, le sourire et l'âme de mon père.

J'ai replacé le drap et je suis partie.

Dans l'ascenseur de l'hôpital, un homme m'a apostrophée:

– Vous êtes Dominique Michel?

– Oui!

– Vous avez l'air triste.

– Oui, mon père vient de mourir.

Et il m'a fait le geste que je faisais dans *Moi et l'autre*, Hein! Hein! Je n'ai pas réagi, j'avais envie de crier: «Vous ne voyez pas que j'ai de la peine?» Mais je n'ai rien dit. J'ai gardé les yeux baissés et je suis sortie de l'ascenseur. Je suis rentrée à la maison seule, très seule. Je tournais en rond, complètement désœuvrée.

En fin de soirée, Henri m'a téléphoné.

– Henri, c'est fini, papa est mort.

– J'arrive demain, ça va pour le moment?

– Oui ça va!

Il restait encore un peu de tendresse entre nous.

Et puis ont commencé toutes les démarches nécessaires après la mort d'un proche. L'agent d'assurances de mon père m'a dit que papa n'avait pas d'assurance-vie. Ça m'a surprise, parce que mon père était le genre de personne à en avoir. Il avait bien une assurance de la maison funéraire au montant de 384 dollars pour payer les frais de l'enterrement. Je n'irai pas loin avec ça, ça allait coûter 15 000 dollars.

Onze ans plus tard, je suis allée manger au restaurant Les Chanterelles, installé dans mon ancienne maison à Saint-Denis-sur-Richelieu, le propriétaire m'a dit: «J'ai une lettre ici pour votre père, je ne savais pas où vous joindre.» C'était une lettre d'une compagnie d'assurances de Toronto. Mon père avait bien des assurances, mais la compagnie ne savait même pas qu'il était décédé. J'ai dû recommencer à zéro toutes les démarches entreprises 11 ans plus tôt et, pendant des mois, j'ai envoyé à la compagnie quelque chose comme 10 000 preuves du décès de mon père afin de confirmer que j'étais la seule héritière.

Après les assurances, je me suis occupée du certificat de décès, du notaire, du règlement avec la propriétaire de son logement à Berthier, une dame de 90 ans, très «d'affaires». Je lui ai annoncé que j'allais vider l'appartement de mon père, elle m'a rappelé que j'étais responsable du loyer jusqu'à la fin du bail. Elle n'a pas perdu le nord! Aucune inquiétude, j'allais payer jusqu'à la fin.

Je ne pouvais pas laisser ma mère seule à Berthier sans surveillance, maintenant que papa n'était plus là; j'allais devoir la reprendre avec moi. Quand je suis passée la voir, elle avait encore bu, mais elle m'a reconnue. Devais-je lui dire que papa était mort? J'ai décidé que non, car elle n'était pas en état de comprendre.

Les vieux amis de mon père m'ont téléphoné, ils voulaient le voir. J'ai décidé qu'il serait exposé à Montréal, pour qu'ils lui disent adieu. Il était parti si vite. Je ne l'ai pas regretté, c'était la fin de semaine de l'Action de grâces, ils sont tous venus me raconter combien mon père était beau; qu'il «pognait» avec les filles; qu'il leur volait leurs blondes; qu'ils étaient allés travailler avec lui dans l'Ouest canadien; qu'il était revenu au Québec parce qu'il était tombé amoureux fou de ma mère, ce qu'elle n'avait jamais su. Elle avait toujours pensé qu'il ne l'aimait pas. Qui sait, ça lui donnait peut-être une raison de boire! Ses amis m'ont dit combien il était fier de moi; il ne me l'avait jamais dit, on n'en parlait jamais. Je n'ai pas regretté de l'avoir exposé, il continuait à vivre avec moi par l'entremise de ses amis.

Puis, j'ai ouvert le testament, c'était un testament olographe qui disait: «Je laisse tout à ma fille bien-aimée Aimée». À la fin du testament, il avait écrit: «Prends bien soin de ta mère, je t'embrasse, Papa.»

Maintenant, il fallait que je prouve que j'étais fille unique, qu'il n'avait pas eu d'enfant auparavant, etc. C'est donc bien compliqué de mourir! Après l'enterrement de papa, je suis allée faire mon propre testament chez le notaire Paré, pour justement éviter toutes ces tribulations.

J'ai décidé de faire célébrer le service funéraire à Berthier où il avait presque toujours vécu, pas très loin de son lieu de naissance, Saint-Barthélémy. J'ai passé un coup de fil à ma mère avant de partir de Montréal avec le cortège funèbre: pas de réponse. Je suis passée à son appartement avant de me rendre à l'église. Elle était étendue par terre, elle avait encore bu; la maison était sens dessus dessous.

La moitié des antiquités qui meublaient son appartement avaient disparu. Je l'ai remise dans son lit. Je reviendrai la chercher à Berthier après le service et la crémation à Montréal. Des allers-retours épuisants dans les circonstances.

Puis, je me suis rendue à l'église pour le service. Mon ami Jean Bissonnette et sa femme, Denise, étaient là, tout comme Jean-Pierre Ferland, à qui mon père rendait visite de temps en temps. Philippe Dagenais et ma cousine Andrée marchaient devant moi.

– Tes chaussures sont différentes, tu as un talon haut et un autre plus bas, lui ai-je murmuré. Ce qui la faisait boiter. Et là tout à coup, nous avons eu un fou rire, qu'il nous était impossible de contrôler; l'énervement, la fatigue, je présume! Tout le monde a cru que nous pleurions comme des Madeleine, mais j'étais toujours incapable de verser une larme.

Retour à Montréal pour la crémation. Mes amis, mes cousins et cousines sont venus à la maison à Montréal, et nous avons mangé tous ensemble en nous rappelant de beaux souvenirs. Henri Atlas était à mes côtés; j'ai beaucoup apprécié sa présence, j'étais si malheureuse, inconsolable.

Le lendemain, je suis repartie à Berthier, où papa aimait vivre, avec les cendres de mon père pour les mettre dans un caveau avec les cendres d'autres gens qu'il connaissait.

Sept ans plus tard, le curé de Berthier m'a téléphoné pour me dire que les cendres de mon père et l'urne avaient été volées dans le caveau. Les voleurs les avaient peut-être vidées par terre près du caveau pour garder l'urne. Comme aurait dit papa: «Ça fait de mal à personne de la cendre!»

Je suis aussi retournée voir ma mère, elle dormait. Des gens l'avaient fait boire en sachant que mon père était mort et avaient profité de ce malheur pour vider la maison.

Je savais qu'il y avait, à Berthier, une belle maison sur le fleuve où la propriétaire, Mme Ferland, que mon père connaissait, gardait quelques personnes âgées, mais autonomes. Elle avait justement une belle chambre libre. Deux personnes charmantes s'occupaient des personnes âgées et faisaient de la très bonne cuisine. J'ai expliqué à Mme Ferland le problème d'alcool de ma mère, elle m'a assuré qu'elle la surveillerait, qu'elle serait heureuse dans cet endroit.

Sur un immense terrain, on trouvait de belles grosses balançoires anciennes. Les pensionnaires pouvaient se promener, jouer aux cartes, c'était très familial. Ma mère semblait enchantée. Je lui ai annoncé que papa était décédé cinq jours plus tôt. Elle ne m'a pas crue. «Pourquoi tu me l'as pas dit?» Je ne voulais pas parler de l'état dans lequel elle était, ça menait toujours à une dispute. Je lui ai dit que je lui expliquerais plus tard. Je la sentais diminuée, elle perdait aussi un peu la mémoire. Avec mon amie Denise, nous avons vidé les deux appartements, celui de mon père et celui de ma mère. Puis nous avons fermé le «Village d'antiquités» de mon père avant l'hiver. Au printemps, nous verrions.

Tout de suite après l'enterrement, j'ai dû partir pour Sainte-Lucie dans les Caraïbes, pour enregistrer les *Grandes vacances*. Je dois vous dire que de chanter *Haut les mains!* n'était pas ma priorité, à ce moment-là, mais, encore une fois, *the show must go on.*

Mouffe et Louis Plamondon m'attendaient sur place. Je me suis mise au travail avec Mitsou et Nathalie Simard, deux belles filles adorables et pas compliquées. L'équipe technique, Louis, Mouffe et moi sommes partis en catamaran pour faire un peu de tournage dans les Grenadines. Les deux Noirs qui pilotaient le catamaran buvaient «un peu pas mal» et je m'inquiétais pour le retour. Nous les surveillions du coin de l'œil, mais finalement tout s'est bien passé.

Puis, on m'a laissée seule sur une petite île pour les besoins du tournage, seule au milieu de l'océan. On m'a filmée de loin, du catamaran. J'éprouvais une sensation bizarre d'être seule entourée d'eau et sans rien à manger. Ça ne m'angoissait pas, mais j'avais tellement de chagrin à ce moment-là, la mort de mon père m'avait ébranlée. Mourir comme ça, peut-être! J'étais vide, comme si je n'avais plus d'ambition. J'ai vraiment su, sur cette petite île perdue, que je n'avais pas peur de mourir. J'ai repensé à ma vie, j'avais un homme que j'aimais et pour qui j'avais la plus grande admiration, qui m'attendait, un grand chirurgien dont j'étais fière et qui vivait, je crois, un désamour à mon égard, j'en avais du chagrin, mais je n'étais pas désespérée. «Dominique, Dominique, réveille-toi, il y a pire bien sûr.» Le tournage s'est terminé au miniclub de Sainte-Lucie avec des enfants de deux à huit ans qui nous ont fait un spectacle de cirque adorable. «Haut les mains, haut les mains, donne-moi ton cœur!»

Retour à Montréal le cœur moins lourd, ce tournage au soleil m'avait fait du bien. Je pensais quand même à mon père toutes les secondes. Heureusement, comme on le dit souvent, le temps arrange les choses.

Oui, aujourd'hui en 2006, j'y pense encore beaucoup, je dirais toutes les heures. Eh oui, au cours des ans, le temps s'est allongé, ce fut toutes les minutes, toutes les cinq minutes, tous les quarts d'heure, toutes les demi-heures. J'en suis à toutes les heures. Je fais du progrès!

# Chapitre 27

# DE TRÈS BEAUX VOYAGES

En revenant de Sainte-Lucie, je me suis remise à travailler encore très fort pour le *Bye! Bye! 89*, avec mes très chers Patrice L'Ecuyer, et Yves Jacques. Suzanne Champagne était aussi de la distribution. Le *Bye! Bye!* de cette année-là a été écrit par Jean-Pierre Plante et Michel Rivard, réalisé par mon ami Claude Maher et l'orchestre était dirigé par Claude Lemay, dit «Mégo». Cette année-là, les émissions télé *100 limites* et *Rira bien* faisaient aussi une revue des événements de l'année. Bien sûr, les trois émissions relataient presque les mêmes choses, ce que nous a reproché la presse écrite. On ne pouvait quand même pas inventer des événements!

Comme les trois émissions avaient adopté à peu près la même formule, nous qui étions les anciens, ayant moins l'attrait de la nouveauté, avons terminé au troisième rang des cotes d'écoute. Le soleil luit pour tout le monde.

Les enregistrements s'étaient mal passés. L'un des techniciens au son ne s'intéressait pas du tout à son travail, il lisait *Le Journal de Montréal*, il s'est même endormi pendant un enregistrement et est tombé en bas de son estrade. Je l'ai vu; il a essayé de faire passer sa chute pour une négligence de la part de la Société Radio-Canada. Même en étant en désaccord avec son attitude, je ne l'ai pas *stoolé*. Tout ça nous a retardés, et nous devions impérativement finir à 18 heures sinon le travail était compté en temps supplémentaire. Il nous restait un numéro à enregistrer, une parodie des *Démons du midi*. J'imitais Gilles Latulippe, et Suzanne Champagne, qui est grande et forte, personnifiait Suzanne Lapointe. Suzanne Champagne nous a fait attendre. Claude Maher était nerveux.

– Va la chercher dans sa loge, a-t-il lancé au régisseur.

– Elle flatte sa pyramide de verre pour attirer les bonnes ondes! a déclaré celui-ci à son retour.

La sainte colère de Claude, toi! Nous avons enregistré le sketch et terminé juste avant l'heure de tombée.

La critique a été dure pour nous: on était loin de faire l'unanimité. J'étais épuisée par les événements de la dernière année et cette fois, ce fut très sincèrement que j'ai annoncé: «C'est mon dernier *Bye! Bye!*» Pas à cause des critiques, à cause de moi... je me sentais vidée, j'avais besoin de repos. J'étais au bord de la dépression, vide dans mon corps, dans ma tête. Il fallait que je me ressaisisse. Ce que j'ai fait.

En février, nous avons fêté les 90 ans de Juliette Pétrie, que j'aime tant. À cette occasion, on lui a décerné le titre d'officier de l'Ordre national du Québec. Elle était comblée. Malheureusement, elle qui adorait faire du point de croix pour se distraire, était devenue aveugle. J'en étais très peinée. Juliette n'a jamais eu 90 ans, elle en avait 30: elle ne radotait pas, se souvenait de tout; c'était une super belle femme, grande, élégante. Sa fille unique Patricia l'a soignée jusqu'à son dernier souffle. Juliette a adoré sa fille et sa fille le lui a bien rendu. Adieu, ma belle Juliette! Il y a des femmes dont le charme et l'élégance sont innés, c'était ton cas. Elle est décédée le 13 mars 1995.

* * *

*Les Grandes vacances*, qui devaient finir à la fin de la saison, ont continué sur leur lancée pour six mois de plus. Destination: le Brésil. J'étais déjà allée dans ce pays avec mon amoureux de l'époque, Henri H., je n'en avais gardé que de merveilleux souvenirs. Mais là! Quelle déception!

Le pays était toujours aussi beau, mais Rio avait changé. Au Copacabana Palace Hôtel où, autrefois, il y avait une magnifique terrasse fleurie devant l'hôtel avec des tables et chaises blanches et nappes roses, plus rien, volées! Il y avait des milliers d'enfants qui mendiaient dans la rue. En sortant de l'hôtel j'en ai vu cinq ou six couchés par terre, je leur ai donné discrètement un peu d'argent à chacun, ils n'ont pas le droit de quêter. Pardon, ils ont le droit de quêter, mais pas de se faire prendre. Le lendemain matin, il y en avait au moins 20. Ils s'étaient passé le mot, ils me suivaient partout où j'allais. Nous étions comme un défilé de la Fête-Dieu.

Mes amis René et Marie-Olive Forté, Yvon Plante et Joyce, sa femme, Henri Atlas et Paulo Lévesque, mari de Mouffe, ont accompagné l'équipe de tournage. En groupe, nous avions obtenu de meilleurs prix pour les billets d'avion. Nous étions au Club Med de Rio Das Pedras, à 30 kilomètres à peu près de Rio. Faisaient partie de l'émission: Diane Tell, qui a chanté *Gilberto* en hommage au célèbre chanteur du pays Gilberto Gil, et Mario Pelchat. Alys Robi a fait une apparition à l'émission mais sa participation a été enregistrée à Montréal, sa santé ne lui permettant pas de faire le long voyage avec nous. J'ai dansé la lambada avec un vrai danseur de Rio. Laissez-moi vous dire que ça déménage tellement qu'Henri Atlas a dit à Diane Beaudoin: «Il va me la déboîter!» Pas de problème, avec un professionnel, j'ai eu l'air d'une vraie danseuse de lambada.

Sur place, Louis a engagé une chanteuse brésilienne inconnue au Canada, mais qui était une star au Brésil: Elba Ramalho; un disque à acheter pour vos soirées dansantes d'été!

Nous avons tourné des présentations au Corcovado, devant le Christ Rédempteur, une immense sculpture du Christ les bras tendus installée au sommet d'une montagne; elle se voit de très loin en arrivant à Rio. Nous avons aussi été au *pain de sucre* d'où on a une super vue sur la baie de Copacabana et de Guanabera. Le Brésil, c'est beau, c'est beau!

Le Club Med de Rio Das Pedras est un très beau club, mais dans la brochure des Club Med, les photos dataient de plusieurs années. Pourquoi? Parce que le chef du village refusait que les photographes attitrés des Clubs Med viennent prendre des clichés du Club. Il voulait donner le contrat à un photographe de Rio. Le chef, qui venait des favelas (quartiers pauvres du Brésil), contrôlait tout et demandait une fortune pour chaque photo qui sortait du Club. Alors, monsieur Trigano fils nous a demandé à Jean-Pierre Karsenty et à moi de lui en faire, mais discrètement. La raison que nous avons donnée pour prendre les photos est que nous avions besoin de diapos pour la promotion de notre émission de télévision. Jean-Pierre a fait semblant de me photographier, ce qu'il a fait aussi, et ensuite «pan» (panoramique) à gauche, à droite, et il a pris toutes les magnifiques installations du Club! Le numérique n'existait pas encore à ce moment-là, sinon ç'aurait été très facile de mieux nous surveiller.

Le Club de Rio Das Pedras était celui où l'on mangeait le mieux de tous les Clubs Med. Sur les photos qu'on a faites, je me voyais grossir à vue d'œil; j'ai dû prendre 15 livres. Les buffets étaient extra, tout était bon; ce Club et celui de Sandpiper en Floride sont les meilleurs. C'est dans ce dernier qu'on forme les chefs. C'est là que j'ai dégusté pour la première fois une tarte au fromage bleu. Josée di Stasio, à quand la recette?

\* \* \*

Puis, j'ai participé à plusieurs émissions de télévision, dont *Le 3505,* animée par Michèle Richard. Nous devions être sur notre 36, car c'était une émission très glamour. Pour l'occasion, j'ai porté un bustier rose, une veste et une jupe en paillettes. Aujourd'hui, on a oublié que Michèle Richard était la reine de TQS, remplacée par Chantal Lacroix de *Donnez au suivant.*

\* \* \*

J'ai continué à tourner *Les grandes vacances.* Cette fois, nous sommes partis de la Guadeloupe pour embarquer sur le Club Med One. Quel magnifique voilier! Un cinq-mâts de 180 mètres qui passait l'hiver à sillonner la mer des Antilles. Je n'avais pas le pied marin, mais j'étais rassurée: le voilier était muni de stabilisateurs et je n'aurais pas le mal de mer. Nous étions 400 passagers à bord. Robert et Laurence Charlebois, René Simard et Marie-Josée, Nathalie Simard, Guy Cloutier et Claudine Bachand étaient du voyage. Nous avons travaillé très fort. Levés à six heures, nous tournions toute la journée jusqu'au soir, aux escales aussi: Saint-Barth, les Saintes, Saint-Martin, Virgin Gorda, Porto Rico et Saint-Thomas.

Notre producteur, Laurent Gaudreau, et son amoureuse, Diane, étaient des nôtres. Je n'ai jamais vu un couple s'aimer autant. Si Diane disparaissait un peu de sa vue, il la cherchait. Finalement, ils se sont mariés, ils étaient fous d'amour l'un pour l'autre. Quelques années plus tard, j'ai appris qu'ils s'étaient séparés. Je ne le croyais pas. Pas eux, non, non, non. Eh oui!

Diane, à qui je parle régulièrement, ne m'en a jamais soufflé mot. Je respecte son silence. Comme elle a dû souffrir d'amour. Elle adorait cet homme. Je ne lui ai jamais demandé comment s'était produite la rupture. Elle reste très discrète. Je sais que les blessures d'amour sont difficiles à cicatriser.

Nous avons fait une belle croisière, et M. Trigano était tellement satisfait de l'émission et de l'interview que j'ai faite avec lui à Opio qu'il l'a envoyée partout pour faire la promotion des Clubs Med. Pour me remercier, il m'a offert une croisière sur le Club Med One avec mon amoureux, Henri Atlas, au moment de mon choix.

* * *

Au printemps, Gilbert Rozon m'a demandé d'animer encore une fois les cinq galas Juste pour rire avec cinq partenaires différents: Patrice L'Ecuyer, Michel Courtemanche, André-Philippe Gagnon, Normand Brathwaite et Martin Drainville. Les journalistes connaissaient peu Martin et se demandaient pourquoi lui? Je leur ai dit: «Parce qu'il est bon, exceptionnel, vous verrez.» Je n'avais aucune crainte; il a d'ailleurs eu un succès fou.

Le gala d'ouverture a marché très fort; Patrice L'Ecuyer m'a présentée comme une institution de l'humour québécois, un monument encore vivant qui effectuait peut-être ce soir son dernier retour à la scène. Il parlait fort, comme si j'étais sourde. Le public était en délire. Il a renchéri: «Nous allons présenter les étapes de sa carrière parce que la plupart des gens dans la salle n'étaient pas encore nés lorsqu'elle chantait *En veillant sul'per-ron.*» Et à l'écran géant, tout au long des étapes, on n'a vu que des photos de Denise Filiatrault. Le gala a été une réussite. Patrice et Bernard Fortin ont fait un numéro très physique et désopilant qu'ils avaient déjà joué plusieurs fois. Gros succès, Patrice était heureux, il avait gagné.

Pour le deuxième gala, j'ai laissé volontairement beaucoup de place à Michel Courtemanche. Il était la vedette de ce gala. Et que dire de Pierre Légaré, avec ses questions et réflexions pleines de bon sens et absurdes en même temps, du genre: «Quand c'est marqué saveur améliorée sur une boîte à manger pour chats, c'est qui qui y a goûté?» Délirant.

Au troisième gala, j'ai renoué avec deux chers, très chers amis, André-Philippe Gagnon en coanimateur et Stéphane Laporte aux textes, des travailleurs acharnés. Ça tombait bien, moi aussi j'en suis une! Nous avions plein de numéros, nous avions travaillé pendant un mois sans arrêt.

En lever de rideau, le couple Lise (Québec) Payette et Jean (Canada) Chrétien sont au lit: «J'veux me séparer» de dire Lise. Ensuite, il y a eu le numéro dans lequel je personnifiais Louise Lecavalier en tutu, qui s'accrochait à la jambe du chanteur, André-Philippe Gagnon; j'étais étendue par terre et il me traînait partout sur la scène en chantant comme si je n'existais pas. Puis, Marie-Josée Taillefer et René Simard jouant dans *Drôle de vidéo:* je me «pitchais» par terre et plongeais à plusieurs reprises. André-Philippe a imité Vanessa Paradis, et moi, Nadia Comaneci. Nous avons terminé en parodiant la Dernière Cène, André-Philippe en Mulroney et moi en Robert Bourassa. La critique de Daniel Lemay: «Vous figerez de bonheur, pas de farce!»

Normand Brathwaite et moi avons ouvert le quatrième gala en implorant les dieux de l'humour pour les mettre de notre côté. Nous étions déguisés en «restants de Festival de Jazz», un numéro fou, fou, fou, et avec Yves Jacques nous avons offert un numéro Brian Mulroney-Mila. Nous étions tellement bien maquillés que la salle était subjuguée. L'effet de surprise passé, le public nous a fait un triomphe. Ce soir-là, j'ai dû faire preuve de beaucoup d'attention; je faisais de nombreux numéros et l'accumulation de la fatigue des trois galas précédents ne m'a pas aidée.

Ginette Reno aussi était du gala. Elle devait entrer à la fin du numéro de Jean Pilote, son amoureux du moment. Je suis allée me changer, de Mila Mulroney en Dominique Michel, pour présenter Claudine Mercier, qui en était à ses premières armes à Juste pour rire. Ginette m'a dit: «J'en ai une bonne à te raconter. Une fois c't'un gars...» Je lui dis: «Ginette, je n'ai pas le temps, je dois me concentrer.» Elle a continué. Le régisseur m'a appelée: «Dominique c'est à toi.»

Claudine a un énorme talent et je lui ai fait une belle présentation. Mais au moment de la nommer, j'ai eu un énorme «blanc». J'avais oublié son prénom. J'ai regardé dans les coulisses, personne pour me souffler. Mon Dieu! Tout ça s'est passé en quelques secondes. Le prénom ne venait pas. J'ai dit tout simplement: «Mesdames et messieurs, la petite Mercier» Ah!... j'avais honte. Pardon, pardon Claudine, mais tu as triomphé quand même!

J'ouvrais le cinquième et dernier gala en tirant au sort un talon de billet d'entrée. Celui dont le siège serait tiré devenait mon coanimateur. J'ai dit: «Le gagnant est assis au EE2.» Vous l'aviez deviné, c'était bien sûr Martin Drainville. Il a joué à merveille le groupie heureux d'être là avec moi, notamment lorsque Michel Boujenah a fait une apparition-éclair pour m'embrasser. Martin était tout excité de le voir en personne, un vrai humoriste français qu'il pouvait toucher, etc.

Au programme, un hommage aux Cyniques: Marcel St-Germain, Marc Laurendeau, André Dubois et Serge Grenier, à qui on a remis le prix Victor présenté par Rock et Belles Oreilles: «On honore un groupe d'humoristes des années 1960. Tout comme nous, ils se sont connus à l'université. Tout comme nous, ils se sont rapidement rendu compte qu'il y avait du gros *cash* à faire. Après leur séparation, certains d'entre eux ont continué à nous faire rire, comme Marc Laurendeau, analyste politique, Serge Grenier, qui est responsable des clubs sandwichs à la cafétéria du Canal 10.» Tout le monde s'est levé spontanément lorsque les Cyniques sont montés sur scène. Ils ont remercié le Festival pour «son jugement très sûr. On a commencé à faire rire en même temps que Jean Chrétien et si l'on a arrêté de faire du spectacle, c'est parce que nos têtes de Turc s'en allaient et étaient en fin de carrière, comme Robert Bourassa, Michel Louvain et Lise Payette.» Ils termineront sur ces mots: «Ce prix vient confirmer ce que nous pensions: nous étions les meilleurs!» Ovation! Un très beau gala.

*La Presse* a titré: «Dernier gala Juste pour rire: le meilleur.» Bravo Martin et vous mes amis des Cyniques et de Rock et Belles Oreilles. Je dis bravo aussi aux découvertes du Festival: Michel Courtemanche et Claudine Mercier.

* * *

D'autres *Grandes vacances* en vue, direction la Polynésie française. C'est assez loin merci. Pour vous donner une idée de la longueur du voyage, au-dessus de Hawaï, nous étions à mi-chemin. Dix heures d'avion de Los Angeles à Tahiti. Je m'inquiétais un peu, lorsqu'on arriverait à Tahiti, il ne devrait plus rester beaucoup d'essence dans le réservoir. L'île de Tahiti m'a un peu déçue. Papeete est une grande ville, il y a de la circulation aux heures de pointe comme à Montréal. Partout en Polynésie, la vie est chère. Je me souviens avoir acheté un *Paris-Match* qui m'a coûté 30 dollars canadiens.

Nous sommes partis tout de suite pour Moorea, dans un petit avion de 16 places. Le vol était très court, 10 minutes dans les airs et nous étions au Club Med. Comme dans les films, on nous a reçus en chantant et on nous a passé au cou, en signe de bienvenue, un immense collier de fleurs de tiaré et de frangipanier, des fleurs très odorantes.

Nos chambres étaient spacieuses, confortables, et les plafonds très, très hauts; il y avait une large ouverture entre les murs et le toit.

Les lagons y sont turquoise et il y a là des milliers de poissons de toutes les couleurs, bleus, jaunes, rouges, rayés, tachetés, roses et noirs. Indescriptible. Je suis allée faire du *snorkel* avec le D<sup>r</sup> Paul Lévesque, le mari de Mouffe, un super plongeur. En apnée, il allait brasser le fond du lagon pour faire remonter à la surface ces poissons multicolores pour que je les voie bien. Une féerie!

Nous travaillions très tôt le matin, et la salle à manger n'était pas toujours ouverte. Alors j'ai demandé au jeune garçon au bar de me servir un espresso. Il m'a dit: «Demande au réré», qui veut dire «jeune homme gai» en tahitien. Je me voyais à Montréal dire: «Tiens, demande à l'homosexuel là-bas»... on me serait tombé dessus! Donc, j'ai demandé au réré qui m'a répondu: «Ah! non, pas ce matin, j'suis fiu (fatigué)», mais sans animosité. J'ai insisté, en lui disant que j'allais travailler toute la journée et qu'un petit café me ferait du bien.

– Bon d'accord, je vais te le faire, mais il ne sera pas bon!

Charmant! Pour eux, quand ils ne le font pas avec cœur, ça diminue la qualité du produit. Le tutoiement en usage en Polynésie est chaleureux sans être impoli; c'est comme une marque d'affection et il ne faut pas s'en offusquer. Une autre coutume est d'ajouter «noue» après le nom d'une femme; essayez c'est doux comme un câlin.

Nous tournions dans des champs d'ananas. Les ananas de la Polynésie sont les meilleurs du monde, sucrés, juteux. J'en ai beaucoup mangé, je n'étais jamais rassasiée. Dans les rues, nous avons croisé des petits cochons noirs. Les chauffeurs attendaient qu'ils se décident à traverser la rue.

Pour les Tahitiens, ce sont des animaux domestiques. Ils partent en courant et entrent dans les maisons comme un chien ou un chat. On les voit souvent assis sur le pas de la porte des petites cases. L'acteur George Clooney en a adopté un qu'il cajole comme un chien.

J'avais remarqué que les Tahitiens ne gueulaient pas, ne haussaient pas le ton, ils ne s'énervaient pas. Ils sont les rois du laisser-vivre. Si un garçon a des tendances féminines, ils ne feront rien pour le contrer. Ils lui mettront des robes si l'enfant le désire.

Filles et garçons portent des paréos, qu'ils prononcent «pareu», généralement en coton, colorés et flamboyants. Les motifs les plus connus sont la fleur ou le pied d'hibiscus, reproduits en blanc sur fond rouge.

Tous les matins, à la porte de notre chambre, nous avions droit à une couronne de fleurs fraîches à porter sur la tête: c'est d'un grand raffinement. C'est en Polynésie que j'ai mangé pour la première fois du mahi-mahi. J'ai aussi participé à un «tamaaraa», un grand repas tahitien pour 25 à 30 personnes. Les mets sont cuits dans un four creusé dans la terre. On dispose des branches sèches sur des galets volumineux au fond du trou. On y met le feu et on porte les pierres à une température très élevée. Dès que la combustion du bois est achevée, le four est prêt à recevoir les mets à cuire. Les viandes déjà coupées, assaisonnées et préparées sont placées dans des grands plats qui, à leur tour, sont déposés au fond du trou sur des clayettes de bois vert. On recouvre les aliments de feuilles de bananiers vertes, de sacs de jute légèrement mouillés et puis de sable. Les mets cuisent entre trois et quatre heures à l'étouffée grâce à la chaleur dégagée par les roches. C'est savoureux, fondant, cuit à point: cochon de lait, poulet, chevrette accompagnés de «fafa», feuilles de taro dont le goût ressemble à celui des épinards, deviennent un festin. Mettons qu'il ne faut pas être pressé!

Nous sommes aussi allés à Bora Bora, la perle des îles sous le Vent. L'aéroport et la piste d'atterrissage ne se trouvent pas sur l'île de Bora Bora même, mais sur un anneau corallien. Pour se rendre à Bora Bora, nous avons pris une vedette très rapide. L'océan était turquoise d'un côté et marine de l'autre, sans que rien d'évident ne les sépare.

Certains bungalows du Club Med de Bora Bora sont montés sur pilotis, comme dans beaucoup de grands hôtels de l'île. Au milieu du plancher du salon, il y a une grande plaque de verre par laquelle on peut voir nager des poissons multicolores. C'est très romantique.

Nous avons visité l'île avec un GO du Club Med qui nous a fait voir, sur une haute montagne, un immense canon installé à cet endroit pendant la dernière guerre et qui pointe directement sur l'entrée du lagon. Bora Bora fut une base navale américaine de 1942 à 1946, et j'ai vu le *blockhaus* qui abrite cette pièce d'artillerie lourde. Peu de personnes sont autorisées à visiter cet endroit. Nous l'avons fait en cachette.

À Bora Bora, la nuit, on peut voir des immenses crabes de sable traverser les rues; ils sont énormes, de la hauteur d'un chien comme Milou, et larges comme une très grande assiette de service. Je dois dire que la première fois que j'en ai vu un, j'étais très impressionnée, pas de peur, mais d'étonnement.

De retour à Moorea, nous avons entrepris un tournage avec Mitsou. Vers la fin de la semaine, comme notre travail était terminé, nous avons pris une journée de congé pour visiter l'île de Tetiaroa, l'île de Marlon Brando. Hélène Blitz, la fille aînée de M. Blitz, qui a été au début de la fondation des Club Med avec M. Trigano, nous a dit: «Il faut voir Tetiaroa, bientôt les touristes y seront interdits.»

Cette île abrite des colonies d'oiseaux de mer, les plus riches de la Polynésie, tant en diversité d'espèces qu'en volume de population. Le rêve! Voici ce que dit la publicité: «Vivez une journée d'aventures en Polynésie en découvrant le plus bel atoll de l'archipel avec le yacht *Seer*, un ketch. Des paysages de cartes postales avec des plages de sable blanc sans fin et de l'eau exceptionnellement claire. Visite de l'île aux oiseaux. Bonne chance!»

Donc nous sommes partis en bateau à moteur de 27 pieds, Mitsou, Henri Atlas, Paul Lévesque, notre coiffeuse Annie et moi. Mouffe a refusé de nous accompagner, elle avait déjà fait naufrage un jour avec Robert Charlebois, elle s'en souvenait, très peu pour elle, elle resta donc sur la terre ferme. Je me suis assise avec Mitsou sur le pont supérieur, c'était très, très agréable. Nous étions encore dans le lagon. Le bateau ne bougeait presque pas. À la minute où nous avons pris la mer, des vagues hautes de huit pieds se sont jetées sur nous. Nous étions dans le Pacifique et là a commencé l'aventure. Le bateau montait et descendait, un tangage du tonnerre! Nous avions 42 kilomètres à faire comme ça. À l'horizon, j'ai aperçu une immense barge. Tout à coup, elle a disparu; elle réapparaissait toutes les dix minutes. Imaginez-nous avec notre petit bateau de 27 pieds, un petit point noir sur l'eau bleue. Le mal de mer a commencé à se faire sentir; j'ai vomi. On venait tout juste de partir, le voyage allait être long! Après deux heures à rendre l'âme, nous sommes enfin arrivés près de Tetiaroa. Le bateau devait rester au large; une petite chaloupe pour quatre personnes avec un petit moteur cinq forces est venue nous chercher. Pour sauter la barrière de corail, nous avons dû attendre la troisième vague qui nous a projetés sur la plage. Henri m'avait confié sa caméra et des vêtements; je la portais à bout de bras pour ne pas la mouiller ainsi que ses vêtements. Quand la vague m'a jetée sur la plage, j'ai été déséquilibrée, j'ai tout lâché et je me suis accrochée à la chaloupe pour ne pas tomber à l'eau. La caméra et les vêtements flottaient dans le fond de l'embarcation. Sauve qui peut. Ça partait bien. Une pirogue devait nous attendre sur la plage pour nous faire traverser à Tetiaroa. Personne n'était là. On a fait le tour de la petite île pour nous retrouver de l'autre côté, en face de Tetiaroa. L'océan nous en séparait. On allait traverser comment?

Le guide qui nous accompagnait nous a dit qu'il y avait entre l'île de Tetiaroa et la petite île où nous étions un «genre» de banc de sable, mais qu'il fallait faire bien attention et regarder à gauche, à droite, car la mer était profonde de chaque côté. On s'y est engagés, tout le monde avait de l'eau jusqu'aux aisselles. Mitsou et moi jusqu'au cou. Sur le banc de sable, il y avait d'immenses sangsues qu'on essayait d'éviter. Pas grave, j'avais des chaussures en plastique transparent, comme des méduses...

Arrivée à Tetiaroa après 20 minutes de marche, j'ai tenu mes vêtements mouillés à bout de bras comme si j'attendais la révélation! Il y avait des œufs d'oiseaux ici et là, du sable blanc et de tous les côtés: mer, mer, mer. J'étais épuisée. J'ai étendu mon linge sur la plage pour le faire sécher, il faisait un soleil de plomb. Nous n'avions pas d'eau potable. J'étais déshydratée après avoir vomi et toujours pas de pirogue pour venir nous chercher, pour nous ramener de l'autre côté pour un merveilleux pique-nique comme nous l'avait dit le guide. Nous avons attendu, attendu, rien. Finalement, nous avons décidé de retraverser et de retourner sur notre petite île. Oui, mais la marée était plus haute. J'ai fait cinq pas, la tête dans l'eau, et je suis remontée respirer à la surface, je ne voulais pas perdre la file indienne. Au bout de 30 minutes, on y est arrivés. Henri a pris les choses en main et a décidé que nous avions assez marché et que nous ne ferions pas le grand tour de l'île, que nous allions prendre un raccourci et la traverser directement par le centre. Tout le monde était d'accord. On est partis, c'était la forêt. On zigzaguait. Tout à coup, la terre est devenue boueuse et on s'y est enfoncés. Henri le premier s'enfonçait tranquillement. Je le tirais. On devait retourner au point de départ.

– Est-ce que ce sont des sables mouvants? ai-je demandé au guide.

– Non, mais c'est tout comme.

On a essayé d'aller plus vite sur cette terre spongieuse. J'ai perdu une de mes sandales, il fallait que je la retrouve. Et je me suis retrouvée à plat ventre à fouiller dans la boue jusqu'au coude dans un champ de glaise. Je l'ai récupérée. J'étais crottée, assoiffée, épuisée.

Enfin, on est arrivé de l'autre côté. On a marché sur le bord de l'eau sur les galets et le corail. J'étais contente d'avoir sauvé ma sandale. J'avançais comme un automate, comme dans l'émission *Perdus*, tellement fatiguée que j'ai continué tout droit sans voir l'endroit du pique-nique.

– Dominique, reviens, c'est ici! m'a crié Henri.

Je suis revenue sur mes pas, vers des branches de palmier étendues par terre sur lesquelles on a posé le pique-nique. On s'est assis sur les palmes comme dans une peinture de Gauguin, sauf que dans les peintures, c'est très romantique, mais dans la vraie vie, il n'y a rien de plus inconfortable que des branches de palmiers, le coton des branches est aussi raide que les feuilles.

Le poulet était immangeable, comme tout le reste. J'ai mangé du pain avec un peu de beurre, c'est tout! Il était 17 heures 30, il fallait repartir. J'ai vu un avion.

– Je suis tellement épuisée et malade, ai-je dit à Henri, que je donnerais 10 000 dollars pour qu'il nous ramène au Club.

Je craignais le retour par bateau... et avec raison. À l'intérieur du bateau, en bas avec Mitsou, nous avons vomi dans un gros seau. Mitsou était couchée sur mon épaule. Henri devait vider le seau dans la mer tous les quarts d'heure. Paulo, assis sur le pont du bateau, avait le pied marin et était en super forme.

– Commences-tu à voir Moorea? lui ai-je demandé.

– Pas encore.

– Tu vois pas de lumière?

– Pas encore.

Au bout d'une heure et demie:

– Paulo, commences-tu à voir Moorea?

– Oui, un petit peu. Ah, soulagement!

– Heureusement qu'on est des amies, on partage tout, en stéréo! a murmuré Mitsou.

On a fini par arriver au Club. Des Gentils Membres sont venus nous accueillir. J'étais tellement défaite que je ne me ressemblais plus. J'avais l'air de n'importe quoi, sauf d'une personne. Comme dans la chanson de Brel: «Je suis l'ombre de mon ombre, l'ombre de ma main, l'ombre de mon chien.»

Les membres riaient de bon cœur, car ils avaient connu la même expérience la semaine précédente. Apercevant Mouffe, je lui ai dit:

– Tu as bien fait de ne pas venir.

– Je le sais!

J'ai eu envie de lui répéter ce qu'elle dit souvent: «On n'est pas dentiste, mais on n'arrache. On n'est pas chirurgien, mais on opère.» On a rigolé.

Le lendemain c'était le retour à Montréal. Dire que j'aurais pu me reposer gentiment au club avec les Gentils Membres et les Gentils Organisateurs. C'était le dernier soir et on tournait la fin de l'émission *Haut les mains!* avec les couronnes de fleurs sur la tête, les colliers de fleurs dans le cou. Rien de notre aventure n'a paru. Ah! la magie de la télévision. On en parle encore, des *Grandes vacances* à Tetiaroa.

La tradition veut qu'en quittant Tahiti, si tu as été apprécié, on t'offre des colliers de coquillages pour que tu reviennes. J'en ai reçu 20. Je crois que j'ai dû les faire bien rire. La tradition veut aussi que si tu jettes un collier de coquillages à la mer et que la mer le ramène sur la plage, c'est un signe que tu reviendras. J'en ai jeté un à la mer. Est-il revenu à terre? Je ne le sais pas. Mais j'ai souhaité que oui de tout mon cœur, la ora. Salut!

\* \* \*

Pour un autre enregistrement des *Grandes vacances,* nous sommes allés à Cancun, au Mexique. De là, nous sommes allés faire du repérage à la Isla de las Mujeres, l'île des Femmes. C'était assez loin; nous y allions dans une embarcation, disons, moyenne. Nous étions au moins 12 dans la chaloupe. Il restait environ quatre pouces avant que l'eau entre. J'ai dit à Mouffe, Louis et Diane: «C'est très imprudent ce que nous faisons, nous sommes en plein océan, nous n'avons pas de ceintures de sauvetage et s'il arrive une petite vague, c'est sûr qu'elle nous cale au fond.» Je l'ai mentionné au GO, qui m'a répondu que nous les Canadiens, nous étions des «critiqueux» et qu'il n'y avait aucun danger. Je voulais bien le croire, mais le danger était à quatre pouces, c'est pas bien loin! Comme il fallait y aller, on y est allés. Je guettais chaque vague. Enfin, l'île.

Entre-temps, le vent s'est levé, il a commencé à tomber des clous.

– Il n'est pas question que je retourne dans la même chaloupe avec 12 personnes sans ceinture de sauvetage ni bouée. Ça coûtera ce que ça coûtera! ai-je dit à l'équipe.

Finalement, on a négocié une grosse barque, mais sans banc. Pas grave, on s'est assis dans le fond de la grosse chaloupe, dans l'eau, tous les quatre avec des grosses bâches raides pour nous protéger un petit peu de la pluie; au moins la grosse barque était sûre!

Nous avons touché terre, mouillés jusqu'aux os, on avait vu la fin du monde! Y aurait-il un taxi pour accepter de nous prendre? Oui. On a dû négocier bien sûr, mais on a pris ça en riant. C'était ça les grandes vacances! Si les gens savaient!

* * *

Nous sommes aussi allés faire une émission aux îles Turks et Caicos, toujours au Club Med. C'est à cet endroit que le dauphin Jojo nage avec les gens, il adore les femmes. La fois où je l'ai frôlé, j'ai eu une drôle de sensation: c'est un mammifère, il est chaud, doux et très gentil.

À l'arrivée, nous avons eu un problème. Le douanier a demandé à Claudine Blanchet, notre styliste, de vider ses valises au grand complet; or, elle transportait tous les vêtements, souliers, bijoux de toute l'équipe pour le tournage. Le douanier ne voulait rien savoir, il voulait voir, même si sa liste de déclaration était remplie en bonne et due forme. Au bout d'une heure, il a dit à Claudine: «Bon, ça va» et il a poussé les valises et leur contenu empilés en désordre. Elle a mis une heure et demie à tout ranger.

L'île est belle, mais la végétation y est rare. L'arbre le plus haut a cinq pieds, comme moi. Mais pour la plongée, c'est merveilleux. D'ailleurs Louis a fait de magnifiques images de Joe Bocan en longue robe blanche au milieu des coraux de Turks et Caicos. C'est Paulo Lévesque qui s'est occupé de soulever la robe de Joe, pour qu'elle ne s'accroche pas aux coraux.

* * *

En même temps, ou à peu près, je tournais à Montréal avec Claude Fournier, qui réalisait *Les tisserands du pouvoir*, dont il avait écrit le scénario. J'étais heureuse de retrouver Claude Fournier avec qui j'avais fait *Je suis loin de toi mignonne*. Claude et moi étions copain-copain et un peu amoureux l'un de l'autre dans notre jeunesse. Dans *Les tisserands*, je jouais la mère du personnage de Gabrielle Lazure, une beauté rare. Elle est la fille de l'ex-ministre Denis Lazure du Parti québécois. J'avais aussi une scène avec Madeleine Robinson, qui jouait la mère du futur mari de Gabrielle. J'étais très impressionnée de jouer avec Madeleine Robinson, que j'ai tant admirée dans plusieurs films français quand j'étais jeune. Je savais mon texte à l'envers, à l'endroit. Elle s'est avérée une dame charmante; quand elle me donnait la réplique, elle me regardait intensément dans les yeux. J'ai fait des efforts pour ne pas être trop émotive et j'ai réussi. J'ai compris à ce moment-là le sentiment que des jeunes pouvaient éprouver quand ils doivent jouer avec leur aîné, moi par exemple! La première chose que je fais dans ces cas-là, c'est d'essayer de les mettre à l'aise et de rire avec eux pour détendre l'atmosphère.

Quand nous avions tourné sur le Club Med One, je m'étais beaucoup amusée avec René Simard. On faisait des imitations, on rigolait ensemble et ce fut là que j'ai pensé intégrer René au *Bye! Bye! 90* avec Yves Jacques et Patrice l'Ecuyer. J'en ai parlé à Claude Maher et à Jean-Pierre Plante, qui ont été d'accord. Claude a demandé aussi à Claudine Mercier de se joindre à nous. René était un peu nerveux, mais j'ai rassuré Guy Cloutier, son gérant: «Ne t'inquiète pas, il aura assez de matériel pour se défendre, Jean-Pierre va s'en charger.» Nous lui avons laissé de la place.

Tout le monde aime René. C'est un travailleur acharné, souriant. Patrice est comme ça aussi. Michel Côté et Marc Messier ont la même attitude quand je travaille avec eux.

Les critiques furent bonnes pour René et Claudine Mercier. Dans *TV Hebdo*, monsieur X a écrit: «La véritable surprise vient de deux nouveaux: René Simard et Claudine Mercier.

René Simard a dévoilé des talents que nous ne lui connaissions pas, Claudine Mercier a un talent fou.»

On s'en rendra compte dans ses spectacles suivants et, plus récemment, dans le film *Idole instantanée* où elle a été bien dirigée par Yves Desgagnés.

À la fin de la générale en studio le 31 décembre, je me sentais extrêmement fatiguée, mais j'ai continué sans me plaindre, car je savais que nous avions en main un bon *Bye! Bye!* Environ 20 minutes avant de commencer l'émission en direct, j'ai averti une des habilleuses que je ne me sentais pas bien. J'ai cru que je faisais une crise cardiaque. Affolée, elle a couru prévenir Patrice qui en a fait part au réalisateur Claude Maher. On a fait venir l'Ambulance Saint-Jean pour qu'ils soient prêts à me transporter s'il m'arrivait quelque chose.

C'est Patrice qui, plus tard, m'a raconté son immense inquiétude: «J'étais paniqué, je me disais comment je vais pouvoir faire le *Bye! Bye!* en direct, dire les textes de Dodo? Mon Dieu, faites qu'elle soit capable pour au moins la première demi-heure.» Il m'observait de loin, j'étais prostrée par des crampes, je crois d'anxiété, et c'est à ce moment-là, comme je vous ai déjà raconté, qu'Yves Jacques s'est approché de moi une minute et demie avant le début du *Bye! Bye!* et qu'il m'a dit: «J'pense que j'aime pas mon costume.» Un *timing* parfait!

Les B.B. ont été la surprise de ce *Bye! Bye! 90;* ils étaient si populaires que dès leur apparition ils ont soulevé la foule. Dans un des sketches, je jouais Michèle Richard habillée en mariée et Patrice me personnifiait, il marchait à genoux avec des petits souliers rouges accrochés aux genoux pour se moquer de ma petite taille; Yves Jacques incarnait René Simard et René jouait Patrice L'Ecuyer. C'était fou, fou, fou.

Ma Michèle Richard disait à Dominique Michel qu'elle était une vieille actrice. Un sketch délirant que je revois toujours avec plaisir. Une ombre au tableau, Michel Barrette, qui a obtenu aussi un grand succès, s'est fracturé un pied pendant l'émission. Nous étions en direct. Il a tenu jusqu'à la fin sans que personne ne s'en aperçoive. Courageux Michel, un gars de gang!

À la fin de la générale, j'ai appris que Robert Bourassa était malade et comme j'aimais beaucoup cet homme et que nous l'avions caricaturé souvent, à la fin de l'émission, je lui ai souhaité un prompt rétablissement en ajoutant: «On vous a manqué cette année M. Bourassa, mais on ne vous manquera pas l'an prochain. Bonne année!» Très gentiment, il m'a fait parvenir un mot pour me remercier en disant que ça l'avait beaucoup touché et que tous ses amis lui en avaient parlé.

Toujours dans le cadre de *Spéciaux vacances*, nous sommes allés au Maroc faire Maroc'n roll. Comme nous étions reçus cette fois par l'Office du tourisme marocain, nous ne sommes pas descendus au Club Med d'Agadir, qui est splendide, mais à Agadir même, dans un hôtel assez ordinaire. Par contre, nous y avons très bien mangé.

Le plus surprenant dans les boutiques de la ville, c'est que les vendeurs sont tous des hommes. Ils y vendent des produits en cuir signés Hermès, Gucci, Cartier, à des prix très bas. Et ce ne sont pas des imitations, me certifie-t-on. Le Maroc, pays où sont fabriqués ces produits, a droit à un certain nombre d'articles griffés, et ils peuvent être vendus dans ces boutiques. Est-ce vrai? Avec le recul, j'ai un peu de difficulté à le croire, mais peut-être que c'est vrai!

Nous avons tourné dans les souks avec Daniel Lavoie. Mais comment retrouver son chemin dans ce dédale de boutiques? Quelqu'un qu'on enlève et qu'on cache dans les souks disparaît pour toujours! Heureusement, nous avions un guide.

Le lendemain, nous avons visité la médina de Taroudant.

L'hôtel où nous logions était splendide. On nous a montré nos chambres. La porte de la mienne était tellement basse que j'ai dû baisser la tête pour y entrer. Vous imaginez? «Dans quel trou vais-je dormir?» ai-je pensé. Une fois la porte franchie, j'ai découvert un palais: une immense chambre avec des plafonds à

20 pieds, un grand salon, une grande salle de bains, des tapis luxueux, je ne voulais plus partir. Malheureusement, nous devions quitter ces lieux le lendemain matin.

Nous nous sommes dirigés vers Marrakech, la ville impériale. Sur la route, nous frôlions toujours le précipice. Quand le chauffeur s'arrêtait pour nous permettre d'admirer le paysage, j'étais obligée de longer l'autobus tellement le véhicule était près du vide. Puis, direction les monts Atlas. En pays de connaissance!

Finalement, Marrakech, en plein désert, où se trouve l'un des plus beaux hôtels du monde, La Mamounia. Les chambres y sont spacieuses et les terrasses individuelles sont protégées de rideaux en voile blanc qui flottent au vent. Comme c'est romantique!

Je me suis d'ailleurs inspirée de ce décor pour les rideaux blancs installés dans le solarium de mon petit chalet à Val-Morin et sur la terrasse de mon condo en Floride; romantique, oui, mais c'est loin de ressembler à La Mamounia.

Le soir, j'ai été invitée à un grand repas de fête, un méchoui. Nous devions nous servir à la main «directement» de l'agneau placé au milieu de la table. Moi qui suis dédaigneuse, je surveillais les autres invités pour m'assurer qu'ils avaient les mains propres. En tant qu'invitée d'honneur, on m'a réservé le morceau le plus prisé de l'agneau, l'œil. J'ai dû le manger. Mes amis canadiens et marocains m'observaient. Ces derniers savent bien que les étrangers répugnent à manger l'œil. Moi pas. J'ai déjà mangé des fourmis au miel, des sauterelles... Je n'irais pas jusqu'à dire que ce sont mes mets favoris, mais ça ne me dérange pas.

Donc, un peu sceptiques, les Marocains me regardaient avec un petit sourire aux lèvres. Pour les embêter, je l'ai dégusté à petites bouchées et je leur ai lancé: «Humhum... c'est bon!»

Notre tournage au Maroc fut une pure joie. Un soir, après le dîner dans un grand restaurant d'Agadir, alors que nous étions étendus sur des divans, l'un des officiels de l'Office du tourisme du Maroc m'a dit:

– Toi, tu viens avec moi ce soir.

– C'est à moi que vous vous adressez? ai-je répondu.

– Oui, je t'ai choisie.

– On va s'entendre tout de suite. C'est moi qui choisis, vous n'êtes pas mon choix, vous ne m'inspirez pas du tout et je rentre me coucher SEULE.

Il a semblé surpris, toute l'équipe de tournage l'a dévisagé. Après le repas, alors que nous étions remontés dans l'autobus, il s'est avancé de nouveau vers moi: «Si je dis tu viens, tu viens.» Je suis restée calme et lui ai dit poliment de descendre de l'autobus. Les gars de l'équipe étaient prêts à intervenir. «Laissez, je suis capable de me défendre seule.» Debout devant lui, je ne bougeais pas. Je le fixais droit dans les yeux, c'est une façon de parler, car il était plus grand que moi. Je n'ai pas bougé pendant trois minutes, je n'avais pas peur.

L'un de ses collègues l'a interpellé:

– Laisse tomber!

Le lendemain matin, je me suis dit: «Je vais me plaindre au directeur de l'Office du tourisme». Surprise! C'était lui le directeur, ça allait bien! Il ne m'a plus adressé la parole du reste du voyage. Rassurez-vous, je n'en suis pas morte de chagrin!

À Marrakech, la place Djemaa-el-Fna est un immense espace où les marchands se retrouvent dès 15 heures pour vendre de tout: des oiseaux, des vêtements, de la porcelaine, des serpents, des dentiers d'occasion, des légumes, etc. Quand je dis de tout, c'est vraiment de tout.

Depuis mon arrivée sur la place, un petit Marocain de 11 ans me suivait. Il était beau comme j'ai rarement vu. Il m'a dit qu'il était orphelin, qu'il voulait partir avec moi pour le Canada. Il m'a suivie au pas pendant trois jours. Je lui ai offert de l'argent, en me disant que quand il aurait son pognon, il allait sûrement me lâcher. Il a refusé l'argent et m'a suppliée de l'emmener au Canada. Je lui ai demandé qui s'occupait de lui. Personne.

– Tu me mens, je crois.

– Non, je te jure, je te jure.

Il prenait soin de lui, tout seul, depuis l'âge de six ans. Il s'était sauvé de l'orphelinat. J'en doutais. Notre guide, lui aussi un très gentil garçon, m'a cependant confirmé ses dires.

Un moment, j'ai songé à l'adopter, mais j'avoue avoir eu peur pour lui, pour son intégration ici. Je l'ai toujours un peu regretté par la suite. Quand nous sommes partis de Marrakech, il m'a serrée dans ses petits bras, si fort, les larmes coulaient sur ses joues. Je me suis trouvée sans cœur de l'abandonner, je lui ai laissé pas mal d'argent pour me donner bonne conscience. Est-ce que l'argent achète tout? Certainement pas la tendresse! J'ai toujours la photo prise avec lui où nous sommes face à face: le regard de cet enfant est indescriptible. On n'oublie pas. Jamais!

Pendant que nous tournions, l'un de nos techniciens est tombé malade, une fièvre de cheval. Il avait bu de l'eau du robinet dans un endroit public. On l'a transporté à l'hôpital. Marie Vien, notre directrice de production, et moi, sommes allées lui rendre visite tous les jours. Nous l'enveloppions dans de la glace pour faire descendre sa température, nous devions partir trois jours plus tard. Si les représentants de la compagnie d'aviation s'apercevaient qu'il était malade, ils ne le laisseraient pas monter avec nous. Marie et moi, nous nous occupions de lui matin et soir. Au bout de trois jours, la fièvre est tombée. Il en faisait encore un peu, mais il pouvait se tenir sur ses jambes. Il ne voulait pas rester seul au Maroc et nous désirions bien sûr le ramener. Quand il a passé la sécurité, il n'était pas fort, il n'était pas blanc, il était *off white* et avait de la difficulté à parler. Ses deux copains le soutenaient sous les bras à cause de sa grande faiblesse. Les agents ont pensé qu'il avait trop bu.

Aussitôt arrivés à Montréal, nous sommes allés directement à l'hôpital où il s'est débarrassé, après une semaine de soins, d'un virus attrapé dans l'eau et qui avait provoqué cette fièvre tropicale.

\* \* \*

Mars 1991, Télé-Métropole (TVA aujourd'hui) fêtait ses 30 ans. J'étais de la fête et heureuse de revoir mes amis: Jean «Pélo» Péloquin, Pierre Ste-Marie, Réal Giguère, Robert L'Herbier; une belle fête qui nous a rappelé de merveilleux souvenirs.

Je fêtais aussi à l'hôpital Sainte-Justine mes 10 ans de collaboration à Leucan. Je vous en ai déjà parlé. Mais une phrase me revient en repensant à ces enfants si courageux. Andréanne, huit ans, m'a dit un jour: «J'ai un cancer Dominique, mais ça va mieux, je vomis moins souvent.» Chère petite enfant. Souvent, j'ai honte de me plaindre. Quand je me regarde je me désole, mais quand je me compare, je me console. J'ai appris plus tard qu'elle avait vaincu la maladie.

\* \* \*

Monsieur Jean Gaulin, le président d'Ultramar, m'a demandé de faire la campagne publicitaire de l'entreprise. C'est un homme jeune, charmant et dynamique. En cours de contrat, on nous a proposé, à tous les deux, d'être les coprésidents d'honneur de la campagne de souscription de la Croix-Rouge. Nous l'avons fait avec plaisir. J'avais une liste de choses à faire auprès des médias: enregistrement radio au studio de Pointe-Saint-Charles; enregistrement vidéo à sept heures au studio, rue Sainte-Rose; conférence de presse à l'hôtel de ville, départ pour Québec, telle date; telle date ceci, telle date cela.

Primo: radio! Je me suis donc rendue au studio d'enregistrement.

– Je viens pour l'enregistrement de la Croix-Rouge, ai-je dit à la réceptionniste.

– Un moment. Je regrette, ç'a été annulé.

– Et quand sera l'enregistrement?

– On l'ignore.

À la Croix-Rouge, personne non plus ne savait rien. Le président de la Croix-Rouge était un Canadien anglais de Toronto qui venait très peu à Montréal. Donc j'ai dû attendre son retour pour avoir un nouvel horaire.

Je devais ensuite tourner la vidéo au studio, rue Sainte-Rose; je me suis donc pointée à sept heures comme convenu, personne. J'ai attendu dans ma voiture. À huit heures, une employée est enfin arrivée. Elle n'était pas au courant non plus. Tous étaient des bénévoles. Elle ne savait pas qui devait réaliser, à quelle heure l'équipement arrivait. J'ai attendu encore. Neuf heures, personne. J'ai appelé à la Croix-Rouge, personne n'était au courant. J'ai attendu, attendu. À 13 heures, les techniciens sont finalement arrivés, ont installé le décor, des nuages, etc. Le réalisateur est arrivé à son tour, m'a remis un texte de 30 secondes que j'ai dû apprendre là, tout de suite. Pas de coiffeur, pas de maquilleur, je devais tout faire moi-même. Une chance que j'apporte toujours mon maquillage, au cas où. J'ai eu raison. On a terminé vers 20 heures après une douzaine de prises. On a vérifié si la bande d'enregistrement était bonne, il n'y avait pas de cassette dans la caméra! On a dû reprendre et refaire le tout en cinq minutes, car l'équipe était fatiguée. Et moi donc!...

Quelques jours plus tard, je me suis rendue à la conférence de presse à l'hôtel de ville de Montréal, à 11 heures. On nous avait demandé d'être aux bureaux de la Croix-Rouge, à neuf heures, c'était le point de rencontre d'où nous partions pour l'hôtel de ville.

Monsieur Gaulin et moi avons attendu, on a même poireauté. Finalement, vers 10 heures, quelqu'un s'est aperçu de notre présence. «J'espère qu'on ne vous a pas trop fait attendre?» «Ben non!»

Arrivée à l'hôtel de ville pour 11 heures, interview avec les médias, et à midi et demi, départ prévu pour Québec. La dame qui s'occupait de nous m'a dit: «Vous aurez un petit lunch qui vous attend dans la limousine, nous vous avons fait faire des petites boîtes.» Quelle délicate attention, merci, car nous aurions sûrement faim, la conférence de presse à Québec était prévue à 15 heures 30. Fin de la conférence de presse de Montréal et départ pour Québec: pas de limousine, mais une berline Pontiac de quatre places, à l'avant le chauffeur et un ami du directeur anglais de Toronto, M. Gaulin et moi-même étions assis derrière. Monsieur Gaulin, qui est très grand, était recroquevillé sur lui-même. Moi, je suis petite, alors ça allait. J'ai demandé où étaient les petits sandwiches prévus pour nous, on commençait à avoir faim. Dans un éclat de rire, on m'a dit qu'il n'y en avait pas et «il n'y aura pas d'hôtesse non plus pour vous servir.» «Ah! Ah! comme c'est drôle! Je n'ai jamais tant ri de toute ma vie, maudit innocent!»

Je n'ai pas dit un mot de plus, je rongeais mon frein. Monsieur Gaulin n'en pensait pas moins. On s'est tus tous les deux.

Après Drummondville, j'ai été prise de nausées et j'ai eu envie de vomir. J'avais l'estomac vide. J'ai demandé au conducteur d'arrêter, il a obtempéré, car il ne voulait pas que je salisse son beau char! J'ai été malade pendant au moins 10 minutes. Mon rimmel coulait sur mes joues; j'étais passablement défaite. J'avais l'air d'un «restant de party».

À Québec, j'ai néanmoins participé à la conférence de presse. J'ai essayé d'être gentille. Non, j'ai été gentille. Pendant ce temps, le président de Toronto nous a dit qu'il s'en allait manger au restaurant avec son ami, il avait faim. «Ah oui! Bon appétit!» Je n'ai pas dit un mot, car les gens de Québec ont été super gentils. Après la conférence de presse, je me suis dirigée discrètement vers le vestiaire où j'ai demandé mon manteau «juste pour aller respirer un peu d'air frais». Et qu'est-ce qu'elle a fait Dominique? Elle a pris un taxi, s'est sauvée vers la gare et a pris le train de retour pour Montréal, en première classe.

Je ne veux pas que l'on pense que j'ai une piètre opinion de la Croix-Rouge, c'est une association extraordinaire, mais j'en veux à certaines personnes en place qui se sont conduites de façon cavalière avec ses porte-parole.

Chapitre **28**

# «MAMAN, ME RECONNAIS-TU?»

Le Festival Juste pour rire 1991 était lancé. J'ai animé le festival encore cette année-là. Louise Richer, directrice de l'École nationale de l'humour, m'a dit: «J'ai un gars formidable ici, à l'école, qui a un grand talent et qui est très drôle. Il pourrait faire avec toi un numéro qu'il a écrit, il viendrait te déranger dans tes présentations.» «Parfait!» Son nom, Patrick Huard.

Patrick est arrivé avec ses longs cheveux noirs attachés en queue de cheval. Il était hilarant. On a fait le numéro du régisseur au premier gala. Les gens riaient et découvraient ce jeune homme si talentueux. Il a triomphé. Il était si content que ça ait bien marché qu'il en a oublié de finir le numéro. Je lui ai crié dans les coulisses: «Vous n'avez pas autre chose à me dire?» Il est revenu et le public s'est bien rendu compte de la petite erreur, mais bon enfant, lui a réservé des applaudissements nourris. Les découvertes de ce gala ont été: Patrick Huard, Jim Corcoran, Jean-Marc Parent, Michel Barrette et Daniel Leblanc, qui m'imite si bien, autant par la voix que par les gestes. Lui aussi, je l'ai découvert à l'École. L'un de ses amis m'avait dit: «Il vous imite tellement bien, il est pareil comme vous.» Et c'était vrai, je l'ai engagé. Daniel ne donnait pas sa place non plus en Claire Lamarche.

Cette année-là, on a rendu hommage à deux grandes artistes que Denise et moi aimions beaucoup: mesdames Juliette Pétrie et Rose Ouellette. Ce fut à nous qu'est revenu l'honneur de leur remettre le prix Victor. J'étais très émue en les voyant, je me projetais dans l'avenir, je nous voyais Denise et moi, à travers ces femmes, la grande et la petite, recevoir ensemble l'hommage du public. Cet hommage fut présenté en ouverture. C'est difficile après ça de faire rire pendant tout un gala, quand on a la gorge nouée.

Après les cinq galas au théâtre St-Denis, j'ai animé pendant trois soirs à la salle Wilfrid-Pelletier de la Place des Arts, le «Gala des galas» et j'y présentais les meilleurs numéros, la crème de la crème des différents spectacles. Je me demande encore comment j'ai fait. J'avais 58 ans et 10 mois, je m'acheminais allègrement vers la soixantaine, ma santé était bonne, l'énergie toujours là, mais je dois avouer que j'étais aidée par une équipe de vrais professionnels.

Après le Festival, je suis allée avec des amis me reposer à Kennebunk, dans le Maine, pour y manger des homards et des tartes aux framboises, mes préférées, faites à Whistler Farm, fermée depuis. Je pouvais manger une tarte par repas. À vrai dire, j'en mangeais une par repas. Le défoulement, je suppose; la récompense après l'effort.

À l'automne, la compagnie d'aviation Nationair m'a approchée pour devenir leur porte-parole. Je prenais souvent les avions de cette compagnie à l'époque. Chaque fois que j'ai voyagé sur ses ailes, tout se déroulait très bien; il n'y avait pas de retard.

Un jour, en visitant ma mère à Berthier à la maison où l'on prenait bien soin d'elle, la propriétaire, Mme Ferland, m'a glissé: «Je suis tellement heureuse de vous voir faire la publicité de Nationair, ma fille est hôtesse de l'air pour cette compagnie.» Quelle coïncidence! J'étais en pays de connaissance, on a échangé nos impressions favorables.

J'ai donc enregistré les publicités, tout baignait dans l'huile. Au bout de quelques semaines, les vols de Nationair ont cependant commencé à connaître des retards de plus en plus fréquents. Certains avions étaient nolisés pour des voyages spéciaux et, comme la compagnie n'avait pas d'avions en surplus, les gens devaient attendre, partaient en retard et perdaient souvent une journée de vacances. On commençait à sentir la grogne de la clientèle.

Quelques mois plus tard, l'un des avions nolisés pour transporter des pèlerins à La Mecque s'est écrasé. La fille de Mme Ferland ne devait pas être sur ce vol, mais une de ses compagnes étant tombée malade, et elle avait offert de la remplacer. Le destin! Grande catastrophe pour Nationair. À ce moment-là, je tournais pour la télévision et j'avais des meetings pour de futures émissions. Je ne savais rien de la tragédie. En fin de journée, Mme Ferland m'a appelée, elle était hystérique. Sans explication, elle m'a crié: «Venez chercher votre mère, je ne veux plus la voir, c'est insupportable pour moi de la voir ici. Elle doit être sortie ce soir, sinon je la mets à la porte.»

J'ai demandé à mon amie Denise Dion de m'accompagner à Berthier après le travail, pour aller chercher ma mère. En partant vers 19 heures, nous pourrions y être à 20 heures 30.

– Qu'est-ce que ta mère a pu faire?

– Je ne sais pas.

Mme Ferland n'était pas présente à la résidence pour nous recevoir. C'est son fils qui nous a accueillies, il était très mal à l'aise. Il m'a appris la mort de sa sœur et je lui ai offert mes condoléances. C'est difficile de perdre un enfant, une sœur, dans un accident si tragique.

Il fallait donc que ma mère sorte de là au plus vite. Je l'ai trouvée un peu assoupie devant la télévision dans sa chambre. Délicatement, je lui ai appris qu'elle devait partir le soir même. Je ne me souviens plus quelle raison j'ai invoquée. Elle a refusé, elle ne voulait pas partir, elle pleurait. J'ai tenté de la raisonner, de lui expliquer qu'elle demeurerait chez moi avec son chat, un ti-mine, qui n'a jamais eu de nom, et qu'elle y serait très bien. Elle pleurait, pleurait. Par l'intermédiaire de son fils, j'ai offert 100 dollars de plus par semaine à Mme Ferland pour qu'ils gardent ma mère. Je sais que c'est bas de faire une chose pareille, mais pour moi tous les moyens étaient bons. J'avais pitié de ma mère, car sa sœur Éva se trouvait avec elle dans cette résidence, et elle ne voulait pas s'en séparer. Mais rien n'y a fait. J'étais désespérée. Je l'ai habillée de force; elle m'a traitée de méchante.

Denise a ramassé le chat, les vêtements. Pour le reste, la télévision, la radio, le réveille-matin, j'ai dit à Denise: «Laisse faire tout ça pour le moment, nous devons partir et vite. On en achètera d'autres.» J'avais le cœur brisé de voir ma mère dans cet état et nous sommes parties comme des parias.

Je résidais à Tropiques Nord, où tous les appartements donnent sur une serre chauffée l'hiver et climatisée l'été. Je l'ai assise avec son chat dans la serre, le temps de préparer sa chambre. Elle s'est remise à pleurer en me disant que je l'assoyais dehors, qu'elle allait geler. Elle était tellement perturbée qu'elle ne comprenait rien. J'ai essayé de l'apaiser, rien à faire. J'ai passé toute la nuit avec elle à tenter de la calmer. Elle pleurait sans arrêt, inconsolable.

Le lendemain, j'avais une grosse journée, j'enregistrais une émission de télé. J'ai trouvé une dame pour la surveiller en attendant mon retour. Après quelques jours, on aviserait. Henri Atlas a été d'une grande patience pendant ces moments: je l'en remercie. Mais je n'étais pas au bout de mes peines, et mon père me manquait beaucoup.

Nationair avait des gros problèmes que j'ignorais: grève des employés, salaires non payés, etc. J'ai contacté Jean Brault, le directeur de l'agence de publicité (oui, *le* Jean Brault!) pour lui dire d'annuler mon contrat. Il n'aurait pas à me payer, ils ne me devraient rien. L'agence et moi n'étions en rien responsables des problèmes de la compagnie, nous étions tous de bonne foi, mais trop c'est trop.

«On déchire le contrat», lui ai-je dit. Il a accepté, fin de l'aventure Nationair.

Ma mère voulait partir de chez moi, elle se plaignait toujours que je la faisais geler, elle était malheureuse. Pour elle, la serre c'était l'enfer, mais glacial. Un cousin éloigné qui avait une résidence pour personnes âgées à Joliette où ma mère avait des connaissances, m'a offert de la prendre. Je lui en ai parlé, elle a accepté. Pour qu'elle se sente bien, j'ai déménagé tous les meubles de la maison de Brossard que j'avais mis en entreposage. Elle s'est dite très heureuse. Je l'ai donc installée.

Au bout de quelques semaines, en arrivant à l'improviste un mercredi après-midi, alors que j'y allais habituellement tous les samedis, j'ai découvert que personne ne s'était occupé d'elle. Le ménage de la chambre n'était pas fait, de la nourriture traînait sur la commode. Je suis allée la rejoindre à la salle à manger, et j'ai constaté que le repas était dégueulasse. D'ailleurs, elle se plaignait souvent de la qualité de la nourriture.

J'ai donc appelé ma fidèle Denise Dion.

– Après ta journée, on va déménager maman.

– Encore!

– Oui, je t'expliquerai.

J'ai refait les valises, le chat était déjà chez moi. Je me trouvais sans cœur de lui faire subir tous ces traumatismes en quelques mois: arrêter de fumer, de boire, lui enlever son chat. Je m'accusais de tous les péchés du monde. Je me trouvais tellement méchante, mais Denise et Jean Bissonnette, ainsi qu'Henri, m'encourageaient. Je ne pouvais faire autrement.

J'avais une maison à Sainte-Adèle. Mon ami Bob Lagacé, un agent immobilier, m'avait dit: «Il y a ici une résidence très bien pour personnes âgées, c'est tout près de ta maison, à cinq minutes. Comme tu viens dans le Nord régulièrement, tu pourras facilement venir voir ta mère et l'emmener à ta maison deux ou trois jours.»

Les Terrasses les capucines étaient tenues par Mme Lessard, une dame fort gentille et dévouée qui s'est très bien occupée de ma mère, comme de tous ses pensionnaires. La résidence était d'une grande propreté.

Maman y a été très heureuse, la table était excellente. Des dames venaient préparer les repas. Quand j'y allais, je sentais toujours de bonnes odeurs sortant de la cuisine: l'endroit était très convivial. Elle s'est fait une amie là-bas. Elles étaient presque toujours ensemble.

Toutefois, chaque fois que je la voyais, je sentais qu'elle perdait de plus en plus la mémoire. En forçant un peu, j'essayais de lui rappeler certaines choses. Elle me parlait toujours de mon père et me demandait constamment de ses nouvelles, même si je lui disais souvent qu'il était décédé, elle ne me croyait pas. J'ai fini par mentir en lui disant qu'il lui faisait dire bonjour, qu'il l'embrassait et qu'il ne pouvait pas venir la voir parce qu'elle était loin de Berthier. Quelquefois, elle me regardait longuement et me demandait:

– C'est quoi ton nom?

– Dominique!

– Bien oui, bien oui, j'le sais!

J'ai trouvé difficile de la voir comme ça, une femme si joyeuse, drôle, allumée, qui aimait tant la vie. Je sentais qu'elle était bien dans cette maison. Elle faisait ses mots croisés, tout croche, mais ce n'était pas grave et lisait son *Journal de Montréal*. Sa télévision était allumée jour et nuit: elle adorait la télévision.

\* \* \*

La maison de production Coscient m'a demandé de faire une émission sur la rénovation, la construction, la décoration avec Robert Dubois, un expert dans le choix des matériaux de construction. Nous avions une excellente recherchiste, Johane Landry, et notre réalisateur, Percy Turcotte, était un homme charmant et un cuisinier hors pair. Il nous préparait souvent des petits lunchs, et combien de fois ai-je dîné chez lui? Ses repas étaient toujours délicieux. Encore maintenant il me fait parvenir ses spécialités.

Robert et moi avons aimé animer une émission sur la rénovation et avons bien travaillé ensemble. Aujourd'hui, je lis les chroniques de Robert dans les journaux. Si j'étais à la direction de la programmation d'un réseau télé, je le mettrais tout de suite à l'antenne, car il est extrêmement compétent.

Lors d'une émission, j'ai demandé à une compagnie de peinture, que je ne nommerai pas, de nous envoyer une experte pour nous parler des nouvelles tendances, et nous indiquer quel type de peinture mettre dans une salle de bains, ou à l'extérieur, et de nous expliquer les différences entre le gloss, le semi-gloss, etc. J'ai vu arriver une jeune fille timide qui, en me voyant, a été très impressionnée par Dominique Michel. Je le sentais, alors j'ai essayé de la mettre à l'aise pour qu'elle se détende. Je me suis rendu compte que plus je lui parlais, plus elle était stressée et gênée.

– On va quand même essayer de l'interviewer, ai-je dit à Percy.

Dominique: – Alors madame, quelles sont les couleurs tendance pour cette année?

Madame: – Les couleurs pastel.

Elle parlait tellement bas que je ne l'entendais pas.

Je fais un autre effort:

– Peut-être un mur plus foncé et des moulures plus pâles dans les mêmes tons?

Elle a fait signe que oui de la tête.

– Peut-on mettre les cadres de portes en émail?

Encore signe que oui.

– Une chambre peut-elle être peinturée foncée?

Elle fait toujours signe que oui.

Ce fut comme ça pendant 15 minutes. Nous l'avons remerciée gentiment. Mais comment dire au directeur de la compagnie que la représentante des relations publiques en peinture «a PARLE PAS, est TROP GÊNÉE!» Pas toujours facile, la télé.

Une autre fois, alors que nous faisions un reportage sur une ancienne maison victorienne, nous avions trouvé tellement de boîtes de carton empilées, de traîneries partout dans la maison, que nous avons été obligés de faire le ménage pendant trois heures dans la pièce principale pour montrer un peu les moulures, les fenêtres, le style général de la maison. Nous nous sommes beaucoup attardés sur la quincaillerie comme les poignées de portes, la sonnette, même les détails du plancher, pourtant bien ordinaire. À l'extérieur, sur la galerie, il a fallu enlever toutes les cochonneries avant de tourner. Encore une fois, ce n'est pas toujours facile de faire de la télé.

Les gens me demandent souvent: «Combien as-tu eu de maisons?» J'en ai eu 22. J'ai toujours eu la passion des maisons et j'ai eu la chance d'apprendre beaucoup grâce aux personnes que j'ai côtoyées pour les aménager, des professionnels dans le domaine. Marc Donolo, l'un des constructeurs les plus réputés à Montréal, m'avait dit: «N'achète jamais une maison dont les planchers ne sont pas de niveau, car les fondations de la maison ne le seront pas non plus. Tu fais rouler une balle de tennis, si elle glisse vers le fond de la pièce et y reste, le plancher n'est pas de niveau et le reste s'ensuit. Autre chose, les planchers qui craquent ça n'est pas trop important quand tu visites une maison et que tu restes seulement une heure, mais des planchers qui craquent à longueur de journée, ça tombe sur les nerfs.»

Il avait raison.

Pour les fêtes, Henri et moi sommes partis sur le Club Med One pour une croisière dans les Antilles que M. Trigano m'avait gracieusement offerte. Nous nous sommes arrêtés aux Saintes, à Antigua, à Saint-Martin et à Saint-Barth. Nous avons débarqué dans cette île que nous connaissions bien, car nous y passions habituellement toutes nos vacances d'hiver depuis le début des années 1980.

Nous avons appelé notre ami Robert Bolduc pour passer la journée avec lui dans sa maison à l'Anse des Gouverneurs. Nos amis, Diane et Claude Boulay, y étaient déjà. Bob nous a alors dit que la maison voisine de la sienne était à vendre. De même architecture que la sienne, elle possédait une piscine sur le patio à quelques mètres de la maison d'où nous apercevions, par beau temps, l'île de Saba et les bateaux qui mouillaient dans la baie de Gustavia, la capitale de Saint-Barthélemy. La vue était imprenable, comme on dit dans les annonces publicitaires. Henri et moi étions très intéressés. Bob nous a dit que la propriétaire, une

# «Mes amis...»

Le comédien Paul Dupuis, que l'on a pu voir pendant plusieurs années dans *Les belles histoires des pays d'en-haut*, était un ami de maman, à qui il rendait régulièrement visite.

Que c'est triste, Venise, maintenant que tu n'y es plus... mon très cher ami Yvon Duhaime.

J'étais accompagnée ce soir-là, lors d'un bal, par le comédien Jean-Paul Dugas (il interprétait le rôle de mon mari dans *Moi et l'autre*). Tout se passait merveilleusement bien jusqu'à ce que je réalise que mon magnifique boa avait déteint sur mon cou.

Mon ami Doris Lussier, qui aimait jouer les vieux libidineux pour me faire rire. Il porte sur cette photo le costume du célèbre Père Gédéon. ▸

◂ La chanteuse Guylaine Guy,
que son mari appelait
tendrement «guidoune»,
lors d'une entrevue que
nous avons faite avec
Guy D'Arcy pour la station
de radio CKAC.

Nous étions tous très fiers ▸
ce soir-là, Raymond
Lévesque, Paul Berval
et moi, de passer la soirée
avec l'immortelle Édith Piaf.
Une femme charmante.
Une artiste hors
du commun.

Une très belle photo de la chanteuse ▸
Mireille Mathieu, que je voyais à l'occasion
lors de ses séjours à Montréal.

◂ Je revoyais toujours Mme Juliette Pétrie avec
le même plaisir, car en plus d'avoir un immense
talent, c'était une femme attachante.
Cette photo a été prise à Noël 1967, dans mon
beau sous-sol en «nutty pine».

Roch Voisine, Paul Vincent, Sonia Benezra, la relationniste Francine Chaloult et moi avons été invités à l'inauguration du Casino de Montréal.

Paul Vincent, que je considérais comme un ami très proche, avait été très impressionné lors de sa rencontre avec le pape Jean-Paul II. Quand je lui téléphonais, je lui disais: «Est-ce que je pourrais parler à l'ami du pape Jean-Paul II?»

Comme on peut le constater sur cette photo, le film de Denys Arcand *Les invasions barbares* a obtenu du succès dans de nombreux pays. On voit ici mon amie Louise Mailhot, juge à la Cour d'appel, photographiée devant une affiche du film à Apka, au nord d'Alicante, en Espagne.

◄ Ma cousine Andrée. On disait de nous: «Andrée est belle, Dominique est intelligente...» C'est le fun pour les deux!

Pierre Péladeau avait un ▸
excellent sens de l'hu-
mour. Alors que je l'imi-
tais, nous avons été
présentateurs à un gala
en 1997. C'est
M. Péladeau lui-même
qui m'a envoyé cette
photo en précisant avec
humour que le vrai P.P.
était à droite.

L'imprésario Gilles Talbot et sa femme,
Nicole, lors de vacances à la Barbade.
Sa plus grande crainte était de mourir
noyé, et c'est malheureusement ce qui
lui est arrivé lorsque son avion s'est
écrasé dans la mer.
▾

Pierre Péladeau et moi étions devenus de bons
copains au fil des ans. Il était même venu passer des vacances à l'île de Saint-Barthélémy.

◂ Yvon Plante, propriétaire de l'auberge
Sacacomie à Saint-Alexis-des-Monts,
est mort tragiquement dans un
accident d'hélicoptère, en novembre
2005. Il est parti si vite que nous
n'avons pas eu le bonheur et le
plaisir de vieillir ensemble.

En compagnie de ma très chère amie Denise Dion (à gauche) et de Marie-Claude Geoffrion, recherchiste, à l'époque, de Sonia Benezra

J'ai eu le plaisir d'assister à la fête donnée à l'occasion des 60 ans de Lise Payette. Une belle sexagénaire, ne trouvez-vous pas?

Un voyage mémorable en caravane, qui nous a menés jusqu'à San Francisco. On n'a cependant jamais dormi dans le véhicule, car les gars ronflaient trop. De gauche à droite: Henri Atlas, M. et Mme Robert Milot, moi, Yvon Plante et son épouse, Joyce, à côté du Golden Gate.

Mes grands amis Jean et Denise Bissonnette

Entourée de mes meilleurs amis, ce 50ᵉ anniversaire est la fête qui m'a le plus marquée jusqu'ici!

De gauche à droite: Jean Bissonnette, Louise Claude, Jean-Claude Lespérance et Jacques-Charles Gilliot étaient là pour souligner mon 50ᵉ anniversaire.

Patrick Huard, avec qui j'ai eu de si bons moments sur scène lors des galas Juste pour rire.

◄ Patrice L'Ecuyer, mon inséparable ami, que j'aime presque d'amour et que je surnomme «Patatou».

Le photographe Daniel Poulin en compagnie
de mon grand copain Yvon Plante et de
l'épouse de ce dernier, Joyce. Daniel fut l'un
des très bons photographes artistiques de sa
génération. Il nous a hélas quittés trop tôt,
victime d'un cancer foudroyant.

Le cinéaste Jean-Claude Lauzon, qui
est décédé dans un accident d'avion
le 10 août 1997 avec Marie-Soleil Tougas,
était un ami dont le caractère frondeur
m'a plu immédiatement.

Mon amie Lorraine Barrette, qui est
malheureusement décédée très jeune,
à 51 ans, victime d'un cancer du poumon.

En compagnie du regretté Yvon ▸
Duhaime. Comme vous pouvez
le constater, au début de la
soirée, j'étais très élégante dans
cette robe noire. Quelques
heures plus tard, j'avais opté moi
aussi pour le chandail rouge que
porte Yvon sur la photo.

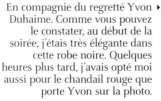

Mon amitié tant personnelle que ▸
professionnelle pour Denise dure depuis
plus de 50 ans. Cette photo a été prise
lors d'un gala des prix Gémeaux.

◂ Avec Valérie Blais et
la bédéiste Florence Cestac,
auteure du *Démon de midi*,
dont j'ai fait la mise
en scène.

Ma filleule Laurence Dagenais, ▸
que j'aime beaucoup, beaucoup... et que je surnomme
«Petite face».

# Les animaux

Je vous présente Janko, mon chien husky, qui est disparu en 1982 et qui est revenu trois ans plus tard, en 1985.

Mon chat Snow, un beau persan blanc chez qui j'habite.

Voici le chat de maman, qui s'appelait à l'origine Ti-mine et qui est devenu par la suite Timide.

# Le temps qui passe...

À 14 ans, l'influence des religieuses est évidente.

À 15 ans, un premier portrait officiel

En 1956, j'avais opté pour les cheveux courts.

◄ Au milieu des années 1950, un maquillage plus prononcé

20 ans... le bel âge. On se sent devenir une femme.

En 1951, à mes débuts professionnels

# Les années 1960

En 1962, une photo studio
que j'utilisais à des fins
promotionnelles.

En 1963, une photo plus
chic avec les gants longs et
les cheveux gonflés

En 1968, je porte une
création de Mario DiNardo.

À 34 ans, ma photo
préférée de l'époque

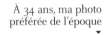

En 1967, la mode était aux grains de
beauté artificiels sous les yeux et aux
faux cils dessinés à la Twiggy.

# Les années 1970 à aujourd'hui...

Un autre portrait typique du début des années 1970

En 1976, un portrait de Daniel Poulin

Une photo réalisée dans les années 1970 par l'excellent Daniel Poulin, un ami décédé malheureusement trop jeune

◄ Une photo prise par Pierre Dury, un autre excellent photographe

Au début des années 2000, avec quelques rides en plus mais toujours la passion de vivre ▼

◄ Au début des années 1990, une photo style flou du photographe Michel Pilon

# Mon bikini, ma brosse à dents...

Bikini à Porto Rico, dans
les années 1960

Que de beaux souvenirs
à Acapulco!

Bikini à Acapulco,
toujours dans les
années 1960

Des vacances en compagnie
du comédien Jean-Paul Dugas, mon
mari dans la série télévisée
*Moi et l'autre*

Dans les années 1970, à la
Barbade... un tout petit
petit bikini.

Bikini jupette, comme c'était à ▸
la mode à une certaine époque.

J'ai toujours adoré les vacances du style mon bikini, ma brosse à dents... parfois même sans le haut du bikini!

Longue séance de bronzage sur un bateau qui vogue au gré des vagues.

J'ai toujours aimé les bains de mer.

En 2005, en Floride, la madame aime toujours les bikinis et essaie encore d'en porter!

# Nue...

◀ Les fameuses photos
de nu prises par
André Laurence,
qui m'ont donné
tellement de soucis.

Américaine, avait fortement hypothéqué la maison et était prise à la gorge. Il nous a fait part du prix. C'était cher, mais nous pourrions la louer pour en couvrir les dépenses. Les maisons de Saint-Barth se louaient, à ce moment-là, 2 000 dollars américains par semaine hors saison et entre 3 500 et 4 000 dollars américains par semaine en saison. Imaginez maintenant! C'est inabordable. Si l'on n'y arrivait pas financièrement, on pourrait la revendre. Bob nous a dit: «Laissez-moi ça, je vais vous la négocier.» C'est un homme d'affaires redoutable. Il a appelé le notaire et l'Américaine. En une heure l'offre d'achat était faite et acceptée. Tout était réglé, la maison était à nous.

– C'est une escale qui nous coûte cher! ai-je lancé à Henri.

Tandis que d'autres passagers profitaient de l'escale pour acheter des bijoux ou des t-shirts, on avait acheté une maison! Nous avons passé la journée à fêter ça. Nous étions maintenant des résidents de Saint-Barth.

On a contacté nos amis qui y habitaient déjà, Rosa et son mari, Gérard, Alfred et Joëlle Kuviateck, qui avaient une magnifique résidence dans les hauts de Saint-Jean. Tout le monde fut heureux. Nous avons invité Bob Bolduc, Diane et Claude Boulay à dîner sur le Club Med One. Ils étaient enchantés d'être sur le bateau avec nous. On a dîné et bien bu, c'était le party. Tout à coup, la sirène a retenti, nos trois amis devaient descendre et nous nous sommes retrouvés seuls. La poussière venait de redescendre, l'euphorie venait de tomber et là, les remords nous ont «pognés»:

– Ça n'est pas raisonnable, c'est pas mal cher, on a peut-être fait ça trop vite.

J'avais des réponses pour tout, Henri aussi.

– On l'aime?

– Oui!

– Est-ce un bon placement?

– Oui!

– Faut penser à la plus-value!

– Oui!

D'autres maisons que nous avions visitées se vendaient beaucoup plus cher que la nôtre, au-dessus du million. Décision trop rapide? Non. Pourquoi attendre si elle nous plaît? Tant pis pour les autres qui ne se décidaient pas. On a bien fait. Finalement, nous n'avons eu aucun regret. Comme on dit: si l'on meurt dans l'année, on aura eu au moins ce plaisir avant de mourir. Bel énoncé pour se donner bonne conscience!

Les remords finalement passés, nous avons poursuivi la croisière: Antigua, Virgin Gorda, Martinique. Ce cinq-mâts est une splendeur; quand les voiles sont déployées, c'est de toute beauté. Moi qui n'ai pas le pied marin, j'y étais bien et je m'amusais.

Les années suivantes, nous avons été très heureux dans la maison de Saint-Barth, avec tous nos amis, Mouffe et le D$^r$ Paulo Lévesque, le D$^r$ Ronald Denis et sa femme, la D$^{re}$ Nicole Gougeon, Véronique LeFlaguais et Michel Côté, Patrice L'Ecuyer et sa compagne de l'époque, Johanne Seymour, Louise Laparé et Gaston Lepage, Louis Grenier (et sa copine Nathalie), qui était le chum de pêche d'Henri Atlas et qui pilotait aussi son petit avion, Yvon Plante, le propriétaire de l'Auberge du lac Sacacomie et sa femme, Joyce, Stéphane Laporte et Pascale, sa copine de l'époque, Suzanne Landry, épouse de Roger D. Landry, leur fille Johane; sans oublier Naomi Campbell, qui avait loué notre résidence pour deux semaines pendant les vacances de Noël. Nous y allions toujours après les Rois, une semaine morte pour la location dans les Caraïbes. Les vrais vacanciers arrivent vers la troisième semaine de janvier.

Naomi Campbell avait fait installer trois lignes de fax et ajouté de nombreux éléments à la décoration de notre maison qu'elle trouvait «ordinaire.» Ah, les gens riches et célèbres! Nous, nous la trouvions très bien et étions assez fiers de notre maison. C'est que nous n'avions pas la même fortune. Nos amis, les Kuviateck, propriétaires d'une résidence du genre qu'on voit dans les magazines super chics, louaient régulièrement leur maison à Donatella Versace. Elle arrivait chaque année avec son décorateur; il mettait du Versace partout:

rideaux, coussins, robes de chambre, couvre-lits, tapis, beaucoup de couleurs et toujours le sigle Versace, la Méduse, la marque de la maison.

Ça doit commencer à être tannant à la fin de la journée de ne même pas voir un petit coussin neutre pour se reposer l'œil de temps en temps. Mais bon, c'est elle qui payait et pas des *peanuts*!

\* \* \*

Avec mes amis René Simard, Patrice L'Ecuyer, Yves Jacques, Claude Maher à la réalisation et Jean-Pierre Plante aux textes, nous avons embarqué dans le *Bye! Bye! 91*. Comme nous réservions une surprise au public, nous répétions dans une école désaffectée dans l'est de Montréal, pour ne pas qu'il y ait de fuite à propos de l'émission.

Et quelle surprise: Marina Orsini en Marjo et ses jambes d'enfer! J'avais vu Marina chanter dans un spécial variétés de *Lance et compte* à la fin de la série. J'avais parlé de sa prestation à Claude Maher, qui était d'accord à cent pour cent avec moi pour l'intégrer dans l'émission. Le public a mis au moins 15 secondes avant de reconnaître Marina. Elle avait gardé le secret jusqu'à la dernière minute, même auprès de sa mère qui l'attendait pour réveillonner le soir du 31 décembre: «Ne m'attends pas pour regarder le *Bye! Bye!*, je suis invitée ailleurs.» Sa mère a dû être fière d'elle. Elle a fait une performance du tonnerre, aussi percutante que ses inoubliables Suzie Lambert dans *Lance et compte* et Émilie Bordeleau dans *Les filles de Caleb*. Ça prenait beaucoup d'aplomb pour imiter Marjo en direct!

Patrice personnifiait Pierre Elliott Trudeau en fantôme de l'Opéra qui disait: «C'est l'vieux Christ qui est revenu.» Yves Jacques était époustouflant en Céline Dion. Pour mon imitation de Mitsou, je devais faire un rapide changement de costume, mais le technicien du son, qui avait commencé à fêter de bonne heure, n'arrivait pas à installer mon micro. Je n'ai pas eu le temps de mettre le haut de mon costume, je me suis assise à califourchon sur la chaise, le dossier devant ma poitrine pour cacher mes seins. J'étais à moitié nue devant deux millions de personnes et j'imitais Mitsou, même dans ses gestes, en essayant de ne rien dévoiler. Louise Cousineau l'a relevé dans sa critique du *Bye! Bye!* quelques jours plus tard. L'un de ses amis avait vu mon sein! Ah oui! Rien pour se lever la nuit pour en parler.

Après celui de Marina, le numéro le plus aimé de la soirée a été celui du petit chaperon rouge (Robert Bourassa, personnifié par Yves Jacques) avec Oncle Georges qui lui demande: «Où tu vas comme ça avec le rapport à l'air?» (rapport Allaire). Le baiser de minuit entre Marina et Roy Dupuis (Émilie Bordeleau et Ovila) a été touchant. René Simard a joué un Jean Leloup plus vrai que nature et Julie Masse, en beauté comme toujours, a chanté *C'est zéro*, elle était au sommet du palmarès cette année-là. Julie a arrêté de chanter quelques années plus tard pour épouser Corey Hart: un coup de foudre. Denise Filiatrault, qui faisait aussi partie de l'émission, a eu droit à une ovation. Elle s'est jointe à moi pour souligner les 25 ans de *Moi et l'autre*. Notre sketch n'était pas percutant, mais le public nous l'a pardonné. Tout le monde a travaillé comme des fous. Après l'émission, on a essayé de célébrer la nouvelle année... Difficile. Nous étions épuisés. Et j'ai redit que c'était mon dernier *Bye! Bye!*, encore une fois. «Et c'est pas fini, ce n'est qu'un début.» (Air connu)

\* \* \*

Cette année-là Lise Payette a écrit une série pour la télévision, *Montréal ville ouverte*, qui se passait dans les années 1940. J'y interprétais le rôle d'Anna Labelle-Beauchamp, tenancière de bordel; maison close, si vous préférez. Pendant la guerre, les soldats allaient «s'y divertir», c'était ce qu'on disait à l'époque. Les plus vieux se souviendront du 312, Ontario Est, dont on a beaucoup parlé lors de l'enquête sur la moralité de Pacifique Plante. Denise Filiatrault jouait Mme Delicato, ma rivale, une Italienne qui tenait aussi une maison close. Les deux partageaient le même amour du «métier» et de l'argent.

Madame Beauchamp invitait souvent à sa table les inspecteurs des mœurs. Moyennant une «contribution», ils devaient lui téléphoner avant de faire une descente. Avec

Mme Delicato, c'était différent. Anna contrôlait les agents de la police des mœurs de Montréal, à qui elle faisait la faveur d'une petite passe avec une des «filles». Nous étions toutes les deux un peu trop âgées pour personnifier ces femmes qui avaient 30 ans, mais comme la mode de ces années-là et les coiffures les vieillissaient, nos compositions étaient plausibles. À la mort de Mme Beauchamp, Mme Delicato lui a volé toutes ses filles. La concurrence était forte dans le milieu. Ça n'a pas changé!

C'est par téléphone que j'ai appris que j'étais la lauréate du Prix du Gouverneur général pour les arts de la scène 1992. Je me suis rendue à la cérémonie avec Henri Atlas, qui a hésité avant d'accepter de m'accompagner. Comme j'avais droit à deux autres invités, pour lui faire plaisir, j'y ai convié son ami Me Jean-Pierre Sutto et sa femme, Alexandrine, charmante et drôle. Elle est française, et peut fréquenter Chirac ou le voisin d'à côté, elle est à l'aise avec tout le monde et leur parle comme si elle les connaissait depuis toujours.

La remise des médailles avait lieu vers 17 heures. Tous les lauréats avaient un curriculum vitae assez important et je me disais: «Le mien va être bien trop long, depuis le temps...»

Mon tour est arrivé: «Madame Dominique Michel, artiste. Elle a participé à quelques *Bye! Bye!* et s'est fait connaître par l'émission *Moi et l'autre...*» Silence... J'ai attendu. C'était tout! Je n'en croyais pas mes oreilles, j'avais presque honte d'aller chercher ma médaille. J'avais l'impression que les gens de l'assistance se disaient: «Elle a dû coucher avec le gouverneur général du Canada pour avoir cette médaille-là.» J'avais les épaules courbées de honte. Si j'avais pu ramper, je l'aurais fait. «Quel est l'épais ou l'épaisse qui a résumé ma carrière en deux mots?» Je voulais tuer. Je ne l'ai jamais su. Un jour quelqu'un m'a dit:

– C'est quelqu'un de Radio-Canada.

– Ah oui! Ce quelqu'un devait avoir beaucoup d'admiration pour moi et avoir suivi ma carrière de très, très près je présume!

Ce soir-là au Centre national des arts d'Ottawa, je me suis retrouvée assise à côté d'Oscar Peterson, que je connaissais parce que j'allais souvent l'entendre quand il jouait à Montréal. Une jeune admiratrice qui était là tous les soirs, ça se remarque. On a parlé tous les deux du «résumé» de ma carrière à la remise des médailles l'après-midi. On en a beaucoup ri. Il me disait: «C'est comme si l'on avait dit de moi: il a joué au El Morocco et au Jazz Club de Montréal.» Au dîner du soir, j'étais assise à côté du gouverneur général, l'Honorable Ramon John Hnatyshyn. Henri était à une autre table. Lui qui est un peu timide et ne parle pas beaucoup, s'est ennuyé ferme. Quant à moi, le gouverneur général insistait pour me parler français. C'était long, long, long, les phrases n'en finissaient plus. J'ai apprécié son effort et je lui ai dit gentiment:

– Je parle anglais vous savez, nous pouvons continuer dans cette langue si vous voulez?

– Non, non, non, j'insiste ça me fait pratiquer mon français.

La soirée la plus longue de ma vie. Mais comme le gouverneur général était un couche-tôt, il s'est levé pour partir aussitôt le repas terminé. L'étiquette voulait que nous attendions son départ avant de nous en aller à notre tour. Henri est venu me rejoindre et m'a dit: «C'est parfait, on reste pas trop longtemps à table. Je vais m'acheter un gouverneur général quand j'aurai des dîners ennuyants, j'vais pouvoir partir tôt.»

La même année, on m'a demandé de faire un résumé de ma carrière pour la télévision, avec des extraits d'émissions. Un spécial d'une heure. Avec ce que j'avais entendu à la remise des Médailles du Gouverneur général, je me demandais s'ils réussiraient à remplir une heure. Le recherchiste, Pierre Brochu, a effectué un travail de moine. Il a trouvé des choses dont je ne me souvenais même pas. Il a sélectionné des interviews dans lesquelles je parlais de ma vie, de ma carrière, et qui étaient illustrées par des milliers d'extraits. Au lieu d'une heure, ils en ont fait trois.

Au cours d'une entrevue, une jeune femme me demande: «... et votre relation avec votre père?» Je me suis arrêtée net. J'étais incapable de parler, un nœud dans la gorge. J'ai respiré pronfondément. J'essayais de parler, mais rien, pas un son, comme si j'avais perdu la voix. J'avais beau prendre de profondes inspirations, rien. Je demeurais sans voix. Voyant que je ne répondais pas, elle a repris: «... et votre père?» Je sentais les larmes me monter aux yeux; puis elles ont coulé sur mes joues, le rimmel aussi. J'ai éclaté en sanglots. Je pleurais, pleurais, pleurais comme une fontaine. J'ai eu peine à dire: «Excusez-moi.»

– On va faire un petit arrêt.

J'avais perdu mon père depuis presque deux ans et demi et j'avais été tellement prise par toute la paperasse de son décès, par ma mère, par mon métier, par mes amours, que je n'avais pas eu, ni pris le temps de pleurer. Cette fois, je pleurais en hoquetant comme une petite fille qui a un immense chagrin. Au bout d'une heure, elle m'a demandé: «Est-ce que ça va?»

J'ai dit: Oui!» Je me suis un peu calmée, mais j'avais le nez rouge de quelqu'un qui a beaucoup pleuré. On a refait le maquillage. J'étais prête à repartir. Je me suis encore excusée.

Elle a repris: «Comment étaient les relations avec votre père?»

Je sentais encore ma gorge se nouer, les larmes monter, et là j'ai pleuré encore plus que la première fois, incapable d'arrêter.

– Bon, c'est un *wrap*, terminé pour la journée! a conclu le producteur.

Je me suis encore excusée avant de recommencer à pleurer. J'ai pleuré le reste de la journée et toute la nuit. Je croyais avoir versé toutes les larmes de mon corps. Mais non! Quand on me parle de mon père dans une émission ou dans la rue, les larmes me montent automatiquement aux yeux, dernièrement encore lorsque je suis allée à *Tout le monde en parle*. J'essayais de ne pas pleurer, de me contrôler, de me dire c'est fini, c'est passé, impossible. En ce moment même, en écrivant ces mots j'ai les larmes aux yeux. «Tu étais si drôle papa, si heureux d'être en vie; heureux de te lever le matin, de manger de la grosse nourriture de cabane à sucre, comme tu disais.» Il cuisinait très bien, rien pour faire un régime. Tu m'as souvent dit: «Un enfant ça grandit à la hauteur du cœur.» Le tien était immense et dans les nuages.

Mon amie Gabrielle Maîresse, notre attachée de presse à Cannes pour *Le Déclin de l'Empire américain,* est venue me rendre visite à Montréal. Je l'ai invitée à la pêche, dans le petit chalet en bois rond d'Henri Atlas, «une cabane au Canada», au lac de la Grosse Île, en Haute-Mauricie. Nous sommes arrivés en hydravion, piloté par Henri, et avons atterri sur le lac. Le rêve pour tout bon Français qui s'imagine le nord du Québec. Gabrielle était aux oiseaux. Elle a pêché la truite; j'étais chargée d'accrocher les vers; les huards sont venus chanter au bord du lac; elle a vu des castors nager près de la chaloupe; un orignal qui buvait tranquillement dans une crique, comme si je leur avais tous commandé de l'impressionner. D'ailleurs, elle n'en revenait pas.

Je l'ai invitée ensuite à Montréal pour découvrir les steaks de Moishes et le «pastrami» de Schwartz. Nous sommes ensuite allées à La Malbaie où nous sommes descendues au Manoir Richelieu. J'ai aussi réservé à La Pinsonnière, dans Charlevoix, qui fait partie des Relais & Châteaux, pour un repas gastronomique avec des amis qu'elle connaissait. L'atmosphère était à la fête, la salle pleine. Tout se passait bien. Nous avons commencé notre repas. Après la coupe de champagne, l'entrée était à peine servie qu'une gentille dame s'est approchée de moi:

– Je suis la femme de Roger Barbeau, l'un des premiers réalisateurs avec qui vous avez travaillé très jeune, il aimerait vous dire bonjour.

– Mais oui, avec plaisir!

Je me suis rendue à sa table, de loin, j'ai vu un homme. Je me suis dirigée vers lui:

– Roger, mon Roger, comment vas-tu?

Il m'a répondu par des onomatopées: «Aava, aava, aava!»

Victime d'un AVC, il était incapable de parler. Comme il faisait des «aava» très fort, les gens autour de nous se sont tus. Nous étions là tous les deux au milieu de la salle silencieuse. Les gens ont fait semblant de ne pas écouter. J'essayais de tenir une conversation normale pour montrer que je le comprenais bien, pour ne pas le diminuer:

– Je suis si heureuse de te revoir, ai-je dit.

Je ne pouvais pas dire «Comment va ta santé?», je le voyais bien. À court d'inspiration, je l'ai serré dans mes bras. Le souvenir de cet homme bon vivant, travailleur, aimant prendre un verre, et aimant tant rire, m'est revenu à la mémoire; de le voir ainsi diminué m'a énormément bouleversée. Et là, il a tenté de me dire en me faisant des signes avec ses bras et ses mains qu'il me regardait à la télé.

– Tu suis ma carrière, c'est gentil de ta part. Tu as été mon premier réalisateur, je ne pourrai jamais oublier ça.

– Aaaaaaa!, et il s'est mis à pleurer.

Tout le monde était figé et a plongé le nez dans son assiette. Je l'ai embrassé, l'ai serré très fort et l'ai quitté en l'assurant que j'avais été très heureuse de le revoir. Je suis revenue à la table en pleurant. Je n'avais plus faim. Adieu repas gastronomique, une soirée que je voulais si belle pour Gabrielle. Tout le monde était ému... tout le monde avait le «motton» comme on dit. «Je jouais avec mon manger», et je me suis dit: «Je suis privilégiée d'être en santé!»

Gabrielle avait déjà souffert d'un cancer du sein et était en rémission. Son cancer reviendra quelques années plus tard. Alors qu'elle était en phase terminale, je lui ai envoyé un bouquet de roses blanches, ses préférées. Denys Arcand, qui passait par Paris, est allé la voir. Je lui avais demandé de l'embrasser de ma part, ce qu'il a fait. Elle est morte peu de temps après. Elle m'a quand même téléphoné quelques jours avant sa mort.

– Je pense souvent à toi, Gabrielle, lui ai-je dit.

– Tu sais c'est fini, Dominique.

Quoi dire?

– Tu sais Gabrielle, je t'ai beaucoup aimée et je penserai encore à toi.

– Merci Dominique, adieu!

Adieu Gabrielle!

Mon ami Jean Bissonnette a été nommé personnalité de la semaine par *La Presse*, après avoir remporté le grand prix de l'Académie lors du Gala des Prix Gémeaux en 1993. «Il n'est pas de succès qui se mérite s'il n'est construit sur l'excellence.» Jean a été une personne dominante de notre télévision, je devrais dire dans le show-business québécois. Je tiens à vous en parler, ça vous rappellera tous les artistes et les grands succès dont il est le découvreur, l'inspirateur ou le créateur.

Jean a fait ses études au Collège Saint-Laurent où il a eu ses premiers contacts avec le théâtre. La grande vedette des spectacles au collège à cette époque était Jean-Pierre Goyer, ancien solliciteur général du gouvernement libéral du Canada. Jacques Normand a ouvert le premier théâtre d'été au Québec et c'est Robert Prévost, pressenti pour les décors, qui lui a proposé Jean Bissonnette.

À 18 ans, Jean devenait l'homme à tout faire du théâtre de Sun Valley. Au milieu des années 1950, Radio-Canada était à la recherche de décorateurs. Jean venait de sortir de l'École du meuble, on lui a proposé un emploi de décorateur ou pourquoi pas... un poste de réalisateur. Il avait le choix. Il est devenu régisseur, l'assistant du réalisateur, afin de se familiariser avec le métier; un an plus tard, il était nommé réalisateur. Il a réalisé, entre autres et plus ou moins dans l'ordre: *Au P'tit Café*, animé par Normand Hudon, Pierre Thériault et moi, l'ancêtre des *Bye! Bye!* dont il sera l'instigateur avec Gilles Richer et nombre de fois le réalisateur; *Les Couche-tard*, avec Jacques Normand et Roger Baulu; des *Music-Hall; Chez Clémence;* la première captation télévisée d'un *one-man show*, celui d'Yves Montand; *Tous pour un; Moi et l'autre; Appelez-moi Lise*, les cérémonies de fermeture des Jeux olympiques de 1976; l'inauguration de LG-2, *Les lundis des Ha! Ha!; Rêves à vendre*, une émission spéciale avec Félix Leclerc et Jean-Pierre Ferland; et j'en passe et des meilleures. Il fut un grand coordonnateur des variétés de Radio-Canada, qu'il quittera pour ouvrir sa maison de production Avanti avec Jean-Claude Lespérance. Luc Wiseman se joindra à eux. Ils produiront *Les détecteurs de mensonges*, avec mon cher Patrice l'Ecuyer; les séries *Montréal ville ouverte* et *Cher Olivier;* les shows sur scène et télévisés de Roch Voisine; *Le monde merveilleux de Ding et Dong, La p'tite vie; Besoin d'amour*, qui donnera naissance à cette hilarante série *Un gars, une fille*; sans oublier *Piment fort* et de nombreuses émissions spéciales dont la fermeture du Forum. On lui doit aussi l'émission *Catherine*, avec Sylvie Moreau, Marie-Hélène Thibault, François Papineau, Charles Lafortune et moi.

Il a fait des mises en scène pour les spectacles de Gilles Vigneault, Pauline Julien, Yvon Deschamps, Diane Dufresne, Jean Lapointe, moi dans *Showtime Dominique Showtime*, Claude Dubois, Céline Dion, André-Philippe Gagnon, Jean-Pierre Ferland. Il a été coordonnateur des spectacles des fêtes de la Saint-Jean, organisés par Lise Payette sur le mont Royal en 1975, et metteur en scène d'*Une fois cinq* en 1976, dans le cadre des fêtes de la Saint-Jean.

On m'avait demandé de lui rendre hommage aux Gémeaux, j'en étais plus qu'heureuse. J'ai accepté. Jean est le plus grand créateur du show-business québécois. Je viens de résumer en quelques phrases une fulgurante carrière. Je lui ai dit: «Tu devrais écrire un livre, ce serait notre histoire.» Il a dit avec raison d'ailleurs: «On est un peuple d'artistes. J'en prends conscience par comparaison chaque fois que je travaille en France. On est créatifs. C'est sans doute pour pouvoir survivre.»

Les Français sont exaspérés par cette invasion de leurs cousins québécois, que ce soit avec *Les Invasions barbares* de Denys Arcand qui rafle tous les prix; Céline Dion, merveilleuse chanteuse internationale, Isabelle Boulay, Natasha St-Pierre et la comédienne Marie-Josée Croze, qui ont suivi Félix Leclerc, Jean-Pierre Ferland, Gilles Vigneault: ils n'en peuvent plus de nous autres!

Jean Bissonnette dit toujours: «La condition fondamentale pour réussir, c'est le travail.» C'est pour ça qu'on l'avait surnommé bien amicalement «Ti-Jean la répète». C'est le goût du travail qu'il a transmis à ses trois filles, Anik et Sophie, les jumelles, qui ont fait de la danse leur passion, et Chantal. On lui doit beaucoup,

443

je lui dois beaucoup. Ce que je raconterai dans un autre livre qui s'intitulera: «Merci Jean!» C't'une blague! Ben... j'suis pas si sûre que ça!

* * *

Au mois d'octobre 1993, ce fut l'ouverture du Casino de Montréal. Tout le monde était là, mais je n'en nommerai que quelques-uns: Roch Voisine, Sonia Benezra, le maire Jean Doré, le ministre André Vallerand, Julie Snyder, Paul Vincent. Nous étions tous bien énervés, moi la première. Un casino comme à Monte-Carlo à Montréal! On nous a donné de faux jetons pour les photos. On a joué à la roulette, le ministre a joué lui aussi, le fun était «pogné». On a gagné des milliers de dollars qu'on a laissés sur la table. On a été reçus comme des rois par le président de Loto-Québec, le charmant Michel Crête. Petits fours, champagne... Je me demande aujourd'hui combien de ministres et de personnalités se présenteront à l'ouverture du prochain Casino de Montréal?

* * *

BCP, l'agence de publicité fondée par Jacques Bouchard et dirigée maintenant par Yves Gougoux et dont Luc Mérineau était le vice-président à la création, fêtait son 30ᵉ anniversaire. On m'a remis le Prix Jacques Bouchard pour mon «incomparable contribution à la publicité québécoise des 30 dernières années». Des critères rigoureux et précis avaient guidé le jury dans son choix. L'apport de l'artiste à une campagne de pub, son impact dans la publicité, la popularité de la campagne et les résultats obtenus, l'intégrité de l'artiste tant dans sa vie professionnelle que privée, et sa contribution à la culture québécoise. On m'a choisie, paraît-il, parmi une liste de personnalités prestigieuses.

Parallèlement, on a souligné ma participation à plusieurs pubs télé de BCP, notamment la publicité d'Air Canada pour les Antilles où je m'envolais avec mon bikini, ma brosse à dents, dont on me parle encore. J'ai reçu un magnifique lion en verre de Lalique, un cadeau précieux que j'ai toujours. Eh oui! Sur la tablette de ma cheminée. J'ai toujours aimé et admiré Jacques Bouchard, devenu châtelain en France,

444

où il a été victime de tous les tracas possibles de l'administration française qu'il nous raconte avec humour dans son livre intitulé: *La vie de château*; je vous le recommande. Jacques Bouchard était un bel homme, intelligent et élégant, son épouse, Caroline, nous l'a ravi et est très chanceuse de l'avoir cotoyé tous les jours jusqu'à sa mort.

\* \* \*

Stéphane Laporte m'a demandé de partie faire du *Bye! Bye! 93*. Stéphane est brillant, drôle et imaginatif. Il écrit les spectacles d'André-Philippe Gagnon. Il a créé pour la télé *L'enfer c'est nous autres*, avec Julie Snyder et avait trouvé une idée pour lancer le *Bye! Bye! 93*. Comme j'en faisais partie depuis plusieurs années, il m'a costumée en petit lapin Duracell. Vous vous souvenez de la publicité: le petit lapin qui joue du tambour avec ses lunettes soleil, et dont les piles durent, durent, durent. Pour le *Bye! Bye!*, j'étais celle qui dure, dure, dure.

– Ça fait 100 fois que j'annonce que je quitte le *Bye! Bye!*, on va rire de moi.

– Oui, pis! Ayons le sens de l'humour!

– O.K.

J'ai ri et accepté.

\* \* \*

Cette même année, j'ai décidé de suivre un cours d'agent immobilier au Collège Jean-Guy Lebœuf. On y offre un cours accéléré d'une semaine pour les agents qui ont une certaine expérience, qui ont quitté la profession et tentent de reprendre le métier, ou pour d'autres, comme moi, qui ont appris sur le tas et veulent devenir des professionnels.

Je me suis retrouvée dans le même cours que Serge Savard fils. On s'est beaucoup amusés. Les chaises étant en bois dur et comme on commençait très tôt le matin pour terminer vers 18 heures, j'apportais mon oreiller, ce qui faisait rire tout le monde. Mais au bout de trois jours, tout le monde traînait son petit coussin. J'ai passé l'examen avec mention Très bien, à cause de mon expérience sur le terrain.

J'étais dorénavant agent immobilier professionnel, mais le métier ne m'intéressait pas. J'ai cédé mes actes d'achat et de vente à mon ami et partenaire, Bob Lagacé, qui lui est un vrai professionnel. Je renoncerai à mon titre d'agent immobilier quelques années plus tard, après une dispute avec le directeur de l'ACAIQ qui refusait que j'emploie le nom de Dominique Michel, qui figure pourtant sur mon passeport. Si c'était bon pour le gouvernement, ça devait être bon pour l'ACAIQ. Il n'a rien voulu savoir. Tant pis, bye bye, on n'en parle plus!

Quand j'ai une maison à acheter ou à vendre, j'appelle toujours mon ami Bob Lagacé; il sait très bien négocier pour les deux parties. Il est très honnête et tout le monde y trouve son compte.

\* \* \*

Stéphane Laporte est un grand amateur de hockey et le *Bye! Bye!* a réussi un coup de maître. Jacques Demers, qui dirigeait alors le Club de hockey Canadien, était en froid avec Pierre Pagé, des Nordiques de Québec. Au début de la saison, les deux coachs s'étaient balancé des insultes.

Pagé: «Demers s'est retrouvé avec le Canadien parce que, nous, on a refusé de l'embaucher. Il a gagné la coupe Stanley, se croit aujourd'hui au sommet de la montagne et pense que personne ne l'y rejoindra.»

Demers: «Si les Nordiques avaient eu un autre entraîneur que Pagé au printemps dernier, ils nous auraient éliminés.»

Nous étions à la mi-saison de hockey, Stéphane Laporte a envoyé André-Philippe Gagnon en émissaire pour tenter de convaincre les deux hommes de se souhaiter la bonne année devant la caméra. Ils ont accepté sur-le-champ. La scène fut tournée au début du mois de décembre dans le plus grand secret. Voici comment ça s'est passé au *Bye! Bye!*

Bernard Derome a interrompu la diffusion pour annoncer un bulletin spécial: une réconciliation historique sous l'égide de Bill Clinton (André-Philippe) et, en personne, arrivent Demers et Pagé, les vrais!

Demers: «Je te souhaite le paradis à la fin de tes jours.»

Pagé: «Et la coupe Stanley avec ça?»

Demers: «Ben là, exagère pas.»

Bonne année!

Après l'inquiétude à l'annonce du bulletin spécial et un certain froid dans la salle d'enregistrement, ce fut le délire.

Sonia Benezra (moi) interviewait ensuite Michèle Richard (moi aussi), je faisais les deux. Mon personnage de Michèle était préenregistré et Sonia Benezra posait ses questions en direct. J'avais peur que la bande casse, mais mon merveilleux Claude Maher, le réalisateur, veillait au grain. J'avais confiance.

Michèle disait à Sonia: «T'as pas de classe, *shit!*» Elle lui reprochait de l'imiter avec des *freckles* sur le «poitrail» autour de la «craque»!

Dans un autre sketch, la famille Dion voulait profiter de sa popularité et maman Dion (moi) espérait faire ses recettes pour les Américains et lançait: «Good soir au lieu de bonsoir!»

Le gérant de Roch Voisine, Ti-Paulo Vincent (André-Philippe) brandissait sa sacoche, fameuse depuis l'ADISQ, et mendiait parmi les spectateurs.

Guy Cloutier (Patrice en Ti-Guy Thinking) se remplissait les poches en recyclant le Capitole et les nouvelles vedettes. Le premier ministre de l'époque, Jean Chrétien (André-Philippe), demandait à son maître Pierre Elliott Trudeau (Patrice) quoi dire au peuple. Celui-ci répondait: «Tu n'as qu'à leur dire de manger de la marde.» Louise Cousineau dans sa critique a ajouté avec humour: «Je me demande si le premier ministre Chrétien, fort malmené par une imitation éreintante, se servira de cette phrase lapidaire lorsque Radio-Canada lui demandera de nouvelles subventions.»

Nous avions tourné au bureau du premier ministre du Québec, M. Robert Bourassa, qui nous avait reçus fort aimablement. Il avait perdu le pouvoir en 1976, mais l'avait repris en 1985 (il a quitté ses fonctions au début de 1994.) Il avait dit: «Qui part revient. Je suis un peu comme Dominique Michel, j'aime bien partir pour mieux revenir.»

Super sympa, il nous a gardés quelques heures. Au début de l'enregistrement, il avait peur d'avoir l'air ridicule; je l'ai rassuré: «J'ai trop de respect pour vous monsieur Bourassa, vous ridiculiser en votre présence ne nous servira pas. En votre absence, oui.» Il avait ri. Il avait un bon sens de l'humour.

On a aussi parodié l'émission *Mon amour, mon amour*, avec Guy Fournier (André-Philippe) et Louise Deschâtelets (moi). Guy disait: «Il n'y a pas de différence entre mon émission et mon sexe, les deux ne lèvent pas à cause de toi, Louise.» Madonna (Patrice) inoubliable. Il n'a eu qu'à paraître, la salle hurlait. Jojo Savard (moi), la plus «grosse» médium du Québec qui disait aux téléspectateurs: «Je t'aime, je t'embrasse, je te vibre.» Julie Snyder en Kim Campbell voûtée, qui se traînait, grimpait difficilement l'escalier. Arrivée en haut, elle a commencé son discours et a disparu. Et Roger Brulotte de crier: «Bonsoir, elle est partie!»

Et cette parodie des curés qui apparaissaient dans deux séries différentes qui s'intitulaient pour le *Bye! Bye!* «*Au nom du père et du fif!*» Le clou de la soirée, Pascale Bussières en Michael Jackson qui chantait *I am Blanche, I am Black*, surprenante! Et à la fin du *Bye! Bye!*, les gars ne me l'avaient pas dit, ils m'ont chanté Ne «nous» quitte pas, de Brel. J'avais les larmes aux yeux, mais je ne voulais pas pleurer. J'avais tellement de bonheur à travailler avec eux. Je les aime tant, ils seront toujours dans mon cœur. Et j'ai dit: «C'est mon der.... vous l'avez deviné!»

En regardant aujourd'hui les critiques du *Bye! Bye! 93*, je me rends compte qu'elles ont été excellentes. Très bizarrement, j'avais l'impression que je n'avais pas été à la hauteur. Ça fait du bien de voir, avec le recul, que mon travail a été apprécié.

# Chapitre 29

# LE DÉCÈS DE MAMAN

Afin de me reposer, le lendemain du *Bye! Bye!*, je suis partie pour Saint-Barthélemy où le D$^r$ Ronald Denis et la D$^{re}$ Nicole Gougeon et d'autres amis m'attendaient avec Henri Atlas. J'y restais habituellement deux à trois semaines. J'étais épuisée. On était tous contents de se voir. Henri me semblait un peu distant. «Il est fatigué lui aussi», me suis-je dit. Il faisait un temps magnifique, on a mangé, on a ri, on s'est baignés; la belle vie qui recommençait.

Un après-midi, tandis que tout le monde était à la piscine à l'écart de la maison, le téléphone a sonné. J'étais dans la maison, donc loin de la piscine. C'était un journaliste de Montréal qui me demandait si la nouvelle parue dans les journaux était vraie. On disait que ma séparation avec Henri était imminente, qu'il avait été vu plusieurs fois avec une jeune étudiante en médecine qui faisait un stage à Sacré-Cœur, qui se nommait J. (le nom était au complet dans le journal), et que la nouvelle avait été confirmée par son entourage. J'ai répondu que je n'étais pas au courant, c'était vrai. J'étais en état de choc. J'ai raccroché et je me suis demandé si je devais lui en parler tout de suite. Devais-je attendre? C'est difficile de garder ça pour soi. Je n'ai rien dit. Je me suis tue, mais je n'étais pas dans mon assiette, comme on dit.

Le lendemain, nous avons décidé, mes amis et moi, de descendre à la plage des Gouverneurs tout près de notre maison, l'une des belles plages de l'île où il y a d'immenses vagues et toujours un peu de vent. Henri nous a dit qu'il était un peu fatigué et qu'il allait se reposer, lire et dormir bien tranquillement.

Nous sommes revenus au bout de trois heures. Je l'ai observé, il était un peu morose. J'étais méfiante. «Il attendait peut-être un appel ou voulait tout simplement en faire un», ai-je pensé.

Je ne sais pas ce qui m'a pris, mais j'ai appuyé sur la touche redial de l'appareil téléphonique. J'ai entendu la musique des numéros qui défilaient (interurbain). Un répondeur: «Ici J. et T. (le nom de SON petit chien). Nous ne sommes pas à la maison, mais laissez-nous votre message, hein Titi! Jappe un petit peu, jappe un petit peu.» Et le petit chien fait «wouf! wouf!» J'ai raccroché et me suis assise près d'Henri qui faisait ses mots croisés du *Figaro Magazine*. J'avais toujours le téléphone entre les mains, et j'ai de nouveau appuyé sur redial. Aussitôt le message enclenché, je le lui ai fait écouter. Il était bouche bée. Le message fini, j'ai lancé: «C'est *cute*, hein!» Pas un mot de sa part.

L'un de nos amis, qui s'était rendu compte de ce qui se passait et semblait au courant de la situation, lui a dit: «Dis-lui donc tout, pis après ça va être réglé.» Henri n'a pas desserré les dents. Rien.

Je sentais que c'était sérieux et que l'aventure durait depuis quelque temps. J'avais un immense chagrin, le cœur brisé. J'avais envie de tout casser, de crier, mais je n'ai rien fait. «Ça va donner quoi? Gâcher les vacances de tout le monde?» Je ressentais déjà un certain malaise chez mes amis. «Ça va, on n'en parlera pas pendant les vacances, on en discutera plus tard à Montréal» ai-je dit. Je me suis rendu compte qu'il était très amoureux.

Contre les coups de cœur, on ne peut rien. Il n'y a pas de remède, de solution. Est-ce que ça peut s'arranger? Rarement. Je le sais, ça m'était déjà arrivé d'avoir des coups de foudre. On sait qu'on fait de la peine à l'autre, mais la passion est la plus forte, c'est comme un aimant. On n'a plus de jugement. On doit partir. Ce qui blesse le plus je crois, c'est le manque de transparence, le mensonge, le manque de confiance.

C'est sûr que la vérité est difficile à dire, à accepter, mais il faut être capable de se parler franchement. Il faut assumer notre trahison sans blâmer l'autre pour se déculpabiliser. L'avouer, c'est faire preuve de respect envers l'autre. Quand la rumeur arrive après coup, tu ne perds pas la face, tu peux dire: «Je le savais.» À toi après de prendre la décision de partir ou de rester.

– Je ne sais pas comment c'est arrivé, m'a-t-il dit. Tu travailles beaucoup. (Est-ce un tort?) Tu fais le Festival Juste pour rire, le *Bye! Bye*, je ne te vois pas beaucoup, on est souvent séparés.

– Toi tu vas à la chasse, à la pêche, en Europe! aurais-je pu répliquer.

À mon avis, ce ne sont pas des excuses. D'ailleurs, je n'avais pas envie, à mon tour, d'accuser, de faire des reproches. À quoi bon! La proximité dans le travail peut en être la cause. Le chirurgien professeur, beau, intelligent, qui a toutes les solutions en salle d'opération, qui a réponse à tout, expérimenté, distingué, dont la compagne est souvent absente et la «jeune» interne mignonne, intelligente, remplie d'admiration, qui ne tarit pas d'éloges envers son professeur, ça crée des liens et contre cela, croyez-moi, il n'y a rien à faire. Sinon attendre que la relation se termine!

Henri et moi avons décidé d'un mutuel accord d'attendre... Combien de temps?...

Pendant ce temps d'attente, Henri a déménagé trois fois et est revenu trois fois. C'est difficile aussi de partir. On est malheureux, on culpabilise, on se trouve dégueulasse. On se souvient des beaux moments et des moins bons qui, au fond en y pensant bien, ne sont pas si mauvais que ça. Le quotidien use peut-être, mais moi j'aime le quotidien, parler à l'autre le soir en rentrant ou se taire. La présence de l'autre est réconfortante. La pire chose, je crois, c'est qu'on se sent rejeté, ce qui n'était pas le cas.

On se dit: «Qu'est-ce que j'ai fait?» Rien! Les champs d'intérêt sont ailleurs; la passion a changé de camp; l'autre n'aime plus, c'est tout. C'est difficile à digérer, mais c'est la dure vérité.

On ne force pas l'amour, on ne peut pas s'en confectionner, recharger la batterie. C'est fini! Quelle impuissance dans ces moments-là! On n'a pas changé du jour au lendemain, on est les mêmes, c'est juste que le partenaire a changé de «compagne». J'aime mieux ne plus y penser tellement c'était difficile à accepter. Tout ça est maintenant loin derrière moi.

\* \* \*

Pierre Parent, président du Salon de l'habitation, m'a approchée pour que j'en sois le porte-parole. Je le serai pendant de nombreuses années. Comme j'avais une émission de rénovation et de décoration à la télé, j'étais contente de connaître en primeur les nouveaux produits, que ce soit dans la construction ou la rénovation. Très souvent, des exposants me demandaient d'être leur porte-parole. J'ai toujours refusé. À mon avis, j'étais la porte-parole de tous les exposants du salon. Quand mon contrat fut terminé avec Pierre Parent et le Salon de l'habitation, je suis devenue le porte-parole des Portes, fenêtres et cuisines Verdun. Philippe Dagenais et moi avions travaillé avec eux; ils avaient fait un travail super professionnel à un prix compétitif. Des gens de chez nous que je recommande non seulement à la radio, mais dans la vraie vie à des connaissances et des amis.

Très souvent des journalistes me disaient: «Quand tu fais des rénovations dans ta maison, tu dois avoir plein de cadeaux des commanditaires?»

Non, j'ai toujours payé mes matériaux. Si on m'offre des fleurs, du parfum ou du chocolat, j'accepte avec plaisir, mais est-ce que pour une porte qui coûte entre 30 et 40 dollars, je vais m'obliger à aller signer des autographes dans les magasins durant des heures? Non, on me paie pour mon travail, et quand j'achète, je paie.

\* \* \*

J'essayais de ne plus penser à mes problèmes amoureux et de continuer à travailler. Claude Meunier m'a téléphoné pour faire la mère de Pôpa dans *La p'tite vie*. J'en étais très flattée, mais je ne me sentais pas très en état de faire rire, j'avais peur de ne pas être à la hauteur. J'avais de la difficulté à me concentrer, mais le texte était tellement fou qu'il allait sûrement m'aider à passer au travers. Toute l'équipe savait que je passais un mauvais moment. Claude a été d'une grande générosité à mon égard. Si j'avais été dans mon état normal, je crois que j'aurais été meilleure. Vous savez, dans n'importe quel métier, l'amour donne des ailes.

Michel Poulette, le réalisateur de Rock et Belles Oreilles à la télévision, m'a ensuite demandé de jouer la mère de Martin Drainville dans le film *Louis 19*. Le scénario très avant-gardiste était de Sylvie Bouchard, Émile Gaudreault et Michel Michaud. Nous étions en 1993-1994, les *reality shows* n'existaient pas encore, et le film racontait la vie de Louis au quotidien. La caméra le suivait pas à pas, jour et nuit, ses faits et gestes passaient directement à la télé. Sa mère, qui était censée être une mère ordinaire qui faisait la cuisine pour sa famille, se «crêtait» le matin dès le petit-déjeuner et cuisinait à la manière d'un grand chef de restaurant, comme une star de Hollywood, parce qu'elle était constamment filmée. Quand elle pleurait, elle regardait du coin de l'œil la caméra pour s'assurer qu'elle était dans l'objectif.

Elle devenait connue dans toute la province. C'était une star; elle était même invitée par Jean-Pierre Coallier, qui avait son show à TVA. Elle autographiait des tranches de jambon et des boîtes de céréales lorsqu'elle faisait son épicerie.

Le tournage avec Michel Poulette fut une vraie fête. Le caméraman dans le film était joué par l'excellent Benoît Brière. Agathe de Lafontaine, une jeune comédienne française dont Martin Drainville tombe amoureux dans le film, épousera plus tard, dans la vraie vie, un très grand footballeur français, Emmanuel Petit, et elle deviendra très riche!

Le film fut un succès et, pendant le tournage, j'avais pu oublier mes malheurs. Les Américains avaient été emballés par le sujet et en ont racheté les droits. Ron Howard a réalisé le film qui s'intitulait: *EdTV*, mais je crois que le film de Michel Poulette était meilleur. Je ne suis pas la seule à le dire.

Ti-Paulo (Vincent) me téléphonait souvent pour me donner des nouvelles de Roch. Ils étaient en France et revenaient à Montréal pour lancer un autre disque et faire un show au Forum de Montréal. Six millions de disques avaient été vendus. Paulo délirait. Nous étions heureux; enfin, Paulo avait de l'argent, Roch aussi. Paulo était très généreux et prenait bien soin de ses anciens collègues de CJMS, Jacques-Charles Gilliot et Colette Roger.

Paulo a toujours été fidèle à ses amis. Je le voyais souvent; j'étais fière de son succès. Il réalisait en Roch tout ce qu'il avait désiré pour lui-même. Je ne me rendis pas trop compte qu'il prenait des drogues dures. Je me souviens de notre voyage à ma maison de la Barbade, quelques années auparavant; il avait maigri énormément. On se couchait de bonne heure, on se baignait à longueur de journée. Nous fréquentions les meilleurs restaurants où je l'invitais, car à l'époque la vie n'était pas facile pour lui. Tout le monde le prenait pour un jeune «fou flyé.»

Et tout à coup, le succès, et l'argent: il a acheté un appartement dans l'immeuble où je résidais. Nous nous voyions donc plus souvent. Au bout de quelques mois, je me suis rendu compte que les drogues étaient en train de le détruire. Un jour, il m'a téléphoné:

– Il y a un homme dans la serre qui me regarde (il avait des hallucinations).

Après avoir compris la situation, je lui ai dit:

– Ne le regarde pas, il ne fait que passer.

J'étais inquiète, j'en parlais à ses amis pour qu'on tente de l'aider. Mais ces derniers sont allés dire à Paulo: «Méfie-toi de Dominique, elle dit à tout le monde que tu prends de la drogue», car plus Paul était drogué, plus il était généreux avec eux. Paul m'a téléphoné pour me raconter ce qu'on venait de lui dire.

Je croyais avoir été plutôt discrète. Il m'a dit des bêtises et m'a reproché de l'avoir trahi. Je suis allée le trouver pour lui parler seul à seul.

– Oui, j'ai confié à tes amis que tu prenais de la dope, je pensais sincèrement qu'ils allaient t'aider. Tu sais, moi je t'aime, tu es mon ami depuis si longtemps. Si tu as un problème, si tu penses que je peux te venir en aide, dis-le moi, ai-je dit en lui tenant les mains.

Il m'a regardée de ses yeux vitreux; les larmes coulaient, il a sangloté:

– J'ai commencé ça comme ça, pour le fun, et je ne suis plus capable d'arrêter. Des fois, j'ai envie de mourir.

– Tu as tout pour être heureux Paul. Tout ce dont tu as toujours rêvé, tu l'as. Rappelle-toi les temps difficiles, profites-en.

– Je sais, je sais!

On s'est embrassés et je suis partie. Quelques heures plus tard, j'ai reçu un immense bouquet et un petit diamant enchâssé dans un cœur de chez Cartier qu'il avait acheté pour lui; il me l'offrait, accompagné d'une carte sur laquelle était écrit: «Je t'aime! Signé Ti-Paulo dans la radio!» C'est comme ça que je l'appelais pour le faire rire.

Quand il avait ses hallucinations, il me téléphonait toujours pour que je le rassure. Il avait été reçu avec Roch en audience par le pape à Rome. Il en était tellement fier qu'il avait fait imprimer des photos autographiées qu'il donnait à ses amis.

Pour le taquiner quand je lui téléphonais, je lui disais:

– Est-ce que je pourrais parler à l'ami du pape Jean-Paul II? Je demande une audience.

Et quand je dînais avec lui, je lui disais:

– Est-ce que je peux vous toucher?

On riait, c'était des moments de joie et de franche amitié.

*  *  *

Jean Bissonnette me téléphone et me dit que Denise Filiatrault aimerait écrire une nouvelle série pour la télévision: *Moi et l'autre – 30 ans plus tard,* en demandant les droits pour les personnages à la famille de Gilles Richer, comme elle l'a fait avec Michel Tremblay pour *Le p'tit monde de Laura Cadieux.* Ça faisait un moment qu'on était en froid elle et moi. Je ne me souvenais plus pour quelle raison; ça ne devait pas être bien grave, comme toujours. C'est arrivé et ça arrivera encore plusieurs fois; c'est comme dans une famille, il y a des dissensions, mais c'est vite oublié.

Jean et Denise m'ont donné rendez-vous à 18 heures dans un restaurant chic de la rue Saint-Laurent, à la décoration magnifique, aux serveurs très beaux et à la table excellente: le Prima Donna. Nous étions en automne. J'étais un peu en retard. Habituellement, je suis toujours à l'heure, mais je les avais avertis que je terminais un enregistrement et qu'il se pourrait que je sois retardée.

Je suis donc arrivée dans le parking. J'avais un grand sac à main avec une courroie sur l'épaule. Le préposé au parking s'est avancé vers moi pour que je paie d'avance. J'ai sorti une liasse de billets, cent vingt dollars au total, pour y prendre l'un des vingt. Comme la courroie de mon sac était trop longue, j'avais fait deux tours autour de mon bras, pour ne pas qu'il traîne par terre. Du coin de l'œil, j'ai aperçu deux jeunes hommes, un grand Noir et un petit blond qui s'avançaient vers moi. J'ai vu aussi le préposé faire marche arrière vers son abri. En une seconde, je me suis dis: «Ça y est, ils veulent me voler!» Je le sentais. Le petit blond qui était dans la trentaine avancée m'a reconnue et m'a demandé: «Tu veux acheter un collier, Dominique?» Il l'avait dans ses mains. J'ai dit: «Non merci!» Le Noir était à un pied de moi, je ne le quittais pas des yeux: il avait les cheveux très courts et un manteau en tissu très épais, un *duffle coat*. Il a passé son bras dans mon dos, j'ai senti un revolver dans mes côtes. Ça s'est passé en quelques secondes. Il a tiré sur mon sac; instinct de possession, j'ai tiré aussi. Il tirait, je tirais. Je n'ai pas lâché mon sac. C'était ridicule! En même temps, j'avais peur à cause du revolver: s'il me tirait dans la colonne, j'allais rester infirme le reste de mes jours, je n'arriverai pas à temps à l'hôpital pour qu'on puisse me «stretcher». Comme j'étais fâchée noire de m'être fait agresser, je lui ai balancé en anglais: *«You son of a bitch!»* Il a été surpris, m'a arraché l'argent que j'avais encore dans les mains et est parti en courant, rue Saint-Laurent vers le nord. Des gens avaient vu l'altercation, mais n'avaient pas osé intervenir. Je les comprends. Avec un revolver, on n'a pas beaucoup le dessus.

À mon tour, je me suis mise à courir après lui. J'ai essayé de lui faire une «jambette» pour qu'il tombe. Il a trébuché sans tomber. J'ai essayé de l'attraper par son manteau, le tissu était trop épais pour que j'aie une bonne prise. J'étais enragée. Il s'est retourné d'un coup sec avec son revolver. J'ai eu juste le temps de me cacher derrière une voiture, il a tiré. Dans la rue, un coup de revolver ce n'est pas comme au cinéma où ça fait un long sifflement, non, ça fait tac! Un tac très sec. J'étais toujours fâchée. Aussitôt est arrivé un homme habillé *grunge*, deux trois épaisseurs de vêtements sur des jeans trop grands, les *running shoes* détachés. Je lui ai crié: «Tu ne me touches pas.» J'ai foncé sur lui, il m'a arrêtée, m'a montré sa «badge» de policier et m'a dit: «C'est très imprudent ce que vous avez fait là, vous auriez pu vous faire tuer.» Il avait raison. Il m'a demandé d'aller identifier les deux gars au poste de police dans le Vieux-Montréal. Ce que j'ai fait. Sur la photo, j'ai reconnu le Noir à ses yeux. L'autre faisait partie d'un gang de l'Est.

Je suis arrivée enfin au restaurant, Denise et Jean m'ont demandé: «Qu'est-ce qui t'est arrivé?» Il était 19 h 30, j'avais rendez-vous à 18 heures. J'ai raconté ma mésaventure, et là, secouée et énervée, je me suis mise à pleurer. Le garçon, très beau en passant, m'a consolée: «Ben voyons madame Michel, une belle femme comme vous, ne pleurez pas.» J'ai dit: «Merciiiiiiiii!» J'ai essuyé mes larmes pleines de rimmel avec la belle nappe blanche. J'avais un peu honte. Le beau garçon a changé la nappe très gentiment. J'ai fini par me calmer.

Nous avons convenu de faire *Moi et l'autre – 30 ans plus tard*, et de travailler comme dans le temps, de se réunir pour imaginer les intrigues, Jean, Denise et moi. Le projet m'emballait, j'aimais travailler avec Denise et Jean, nous avions une si grande complicité.

457

*\* \* \**

En 1994, Denise et moi avons reçu l'Ordre du Canada. Heureusement, cette fois, le résumé de ma carrière fut un peu plus long que celui qui avait été préparé pour le Prix du Gouverneur général du Canada. En même temps que nous, Serge Savard et Bernard Derome ont aussi reçu cet honneur.

Après maintes discussions à la radio et dans les journaux, allait-il y avoir un *Bye! Bye!*, n'y en aurait-il pas? «Ça coûte trop cher, tout le monde est trop payé», disaient certains, mais n'oublions pas que nous travaillions pendant six mois pour un seul salaire. Finalement, il y en a eu un, avec André-Philippe Gagnon, Patrice l'Ecuyer et moi, qui ne laissera pas un souvenir impérissable. La critique nous a éreintés.

*Le Devoir:* «Un bien petit *Bye! Bye!*»

*Le Journal de Montréal:* «*Bye! Bye!* Laporte.»

Vous l'aurez compris, il avait été écrit par Stéphane Laporte.

Franco Nuovo: «Il vient de signer pour deux autres années, on est mal barrés.»

Une seule bonne critique de Claude Langlois, *Le Journal de Montréal:* «Le *Bye! Bye!* de Stéphane Laporte a remporté haut la main son pari.»

Dans les journaux anglais, ce n'était guère mieux.

*The Gazette*, Paul Delean: «*Annual* Bye! Bye! *roast is a turkey.*»

J'aime mieux ne pas traduire.

Cette année-là, c'était la grève des joueurs de hockey. On s'était moqué d'eux et de Jacques Demers, qui était allé prier à Sainte-Anne-de-Beaupré. L'arrivée sur scène des joueurs du Canadien a fait son effet: Vincent Damphousse, Patrick Roy, Patrice Brisebois, Jean-Jacques Daigneault et Pierre Sévigny avaient formé une chorale et avaient chanté «Des Canadiens errants bannis de leur vestiaire.» Un bon moment du *Bye! Bye!*

Les joueurs de hockey aiment bien jouer des tours et André-Philippe, Patrice et moi avons eu droit à une initiation. Ils ont mis de la crème à barbe dans nos bottes pendant que nous faisions nos numéros. L'émission finie, nous étions épuisés; nous avions ramé fort, on sentait que le show n'avait pas levé comme il l'aurait dû. On s'est changés, on a enfilé nos bottes. Ah! non, pas de la crème à barbe!

– Les joueurs vont venir nous dire bonsoir, on ne dira pas un mot, on va trouver une petite revanche, ai-je dit à Patrice et André-Philippe. On en riait déjà.

Ils ont tous défilé: «Bonne année!», «Bonne année!», on s'est embrassés, pas un mot. André-Philippe imite à la perfection Serge Savard. Stéphane lui a donc suggéré de téléphoner à chacun des gars le lendemain matin en imitant Serge et de leur dire: «Écoutez les gars, vous vous êtes conduits en sauvages hier soir. Ça n'est pas très bon pour l'image du Canadien. Je vous demande de téléphoner aux acteurs pour vous excuser de votre attitude. Ils ont été très surpris de votre manque de savoir-vivre.»

Ils ont dû trouver que nous n'avions pas un grand sens de l'humour. Ils ont tous téléphoné à Stéphane pour s'excuser. Plus tard, on leur a dit: «C't'une joke!» Bien pris qui croyait prendre. Ils en ont bien ri eux aussi.

\* \* \*

En mai 1994, j'apprends le décès de Fernande Giroux. C'était une très, très belle femme, la plus belle fille de la ville de Québec disait-on en son temps, et je le crois. Elle avait épousé Normand Hudon, lui qui avait écrit à la tête de son lit: «Avis, je n'épouse pas.» Il s'était quand même laissé séduire par Fernande, qu'il adorait. Elle avait été chanteuse au Café du Ritz Carlton, «chantousie» comme disaient les anglophones. C'était le pianiste John Gallant qui l'accompagnait. Je crois que l'alcoolisme de son mari était venu à bout de leur couple. Elle avait quitté Normand, qui a eu un chagrin indescriptible, pour épouser un ami de ce dernier, Fernand Séguin, un chercheur scientifique intelligent et cultivé qui avait un charme fou et l'a beaucoup aimée.

Fernand est décédé en 1988 et, après son décès, Fernande a vécu paisiblement dans leur résidence de Saint-Charles-sur-Richelieu. Elle est décédée après une longue maladie; elle avait 61 ans.

\* \* \*

L'année 1995 a bien mal débuté pour moi et allait me réserver des hauts et des bas. Denise Filiatrault et moi avons reçu le Grand Prix de l'Académie des Gémeaux pour l'ensemble de notre carrière. Dans mon discours, j'ai remercié ceux avec qui j'avais travaillé; et j'ai fait une exception en parlant de mon ex, Henri Atlas, qui avait été là et m'avait soutenue pendant 15 ans. Je n'avais pas tellement le cœur à la reconnaissance, mais il avait été très correct quand nous étions ensemble. Je crois que ça lui a fait plaisir. Denise a dit: «J'ai trois personnes à remercier pour ma carrière: Moi, moi, moi!» Ben coudonc! Merci! Bonsoir!

Nous avons travaillé à la série *Moi et l'autre – 30 ans plus tard*. Ça marchait assez bien, malgré les sautes d'humeur de Denise. Mais je passais par-dessus, ce n'était pas le moment de se disputer. Pendant que nous préparions les émissions, l'ouragan *Luis* dévastait tout sur son passage dans les Antilles et l'île de Saint-Barthélemy a été touchée, y compris notre maison. Les volets anticyclones d'une épaisseur de trois pouces et demi n'ont pas résisté; les pales des ventilateurs ont été arrachées. C'est vous dire la force du vent. Le salon et la salle à manger à aire ouverte étaient sens dessus dessous. Dans la chambre principale, située du côté d'où venait le vent, il y a eu trois pouces d'eau, des oiseaux morts, des algues accrochées aux murs en pierre de corail. La moitié de la cuisine a été saccagée, les portes arrachées, comme si des vandales étaient passés par là; l'autre moitié était intacte: bizarre, les verres à champagne sur leur support étaient en parfait état. Les gens qui s'occupaient de notre maison ont entreposé tous les meubles du salon et de la salle à manger dans les deux chambres non touchées. Le cyclone a duré trois jours, toutes les plantes et les arbres de notre jardin ont été détruits. La piscine s'est vidée de son eau.

Heureusement, nous avions des assurances qui couvraient les dommages des ouragans. Les gens de Saint-Barth, qui étaient assurés dans la «Métropole» (France), devaient attendre. On privilégiait ceux qui encourageaient les assureurs locaux, dont nous étions. Tout sera rénové rapidement et, lorsque je retournerai sur place, je constaterai que le jardin contenait des plantes que je n'avais jamais vues auparavant: un cotonnier, un frangipanier, des bougainvilliers. Le jardin renaissait avec des fleurs nouvelles de toute beauté. Il faut dire qu'en un mois, toute la verdure était revenue à Saint-Barth; malheureusement, les plages étaient dévastées.

Un ami possédait une résidence sur la superbe plage des Flamands. Une de ses connaissances est allée voir les dégâts. La maison avait disparu. Celle de droite était là, celle de gauche aussi, aucune trace de la sienne: une maison avec patio, piscine, plus rien. Les vagues avaient 10 mètres, et elles avaient emporté la maison.

Les gens de Saint-Barth sont très fiers; en un mois et demi les routes de l'île étaient refaites; les gens se sont entraidés et les épiceries qui profitaient de la situation pour vendre leur eau plus cher ont été pénalisées par le maire de l'île, qui a dit: «En cas de malheur, on n'abuse pas de la souffrance et du désarroi des habitants de l'île, on s'aide!»

Ma mère a été hospitalisée au même moment. Je passais la voir presque tous les jours. Elle ne me reconnaissait pas, mais elle trouvait que j'étais gentille parce que j'allais la faire manger le midi. Chaque fois, elle me demandait mon nom et je lui disais:

– Dominique!

– Vous avez le même nom que ma fille.

Quand je ne pouvais pas y aller, c'est Mme Lessard de la maison de retraite qui s'en occupait. Je n'avais pas de chagrin de voir qu'elle ne me reconnaissait pas; j'avais surtout de la peine de la voir si diminuée, assise dans sa chaise roulante à regarder les gens passer dans le corridor. C'était sa seule distraction; les mots croisés qu'elle aimait tant ne l'intéressaient plus. Quand je lui par-

461

lais, elle me regardait de ses beaux yeux gris bleu, mais je sentais un tel vide derrière son regard. Mon Dieu, que c'est difficile de vieillir et de mourir à petit feu, de passer du fauteuil au lit et du lit au fauteuil. Je me rappelais cette femme enjouée qui aimait tant la vie, qui avait tant de plaisir à prendre un verre, à chanter, à danser. Cette femme si vive, intelligente, où était-elle? Quelquefois je me surprenais à penser que j'aimais mieux la voir boire que de la voir dans cet état.

Un midi de novembre, je venais de terminer une répétition de *Moi et l'autre* et je devais aller faire des essayages pour l'émission, ce qui me mettait en retard pour aller à l'hôpital Sacré-Cœur, à 45 minutes du centre-ville. Mon cellulaire a sonné, c'était l'hôpital. Maman était décédée. Je suis restée sans voix; elle était morte assise dans le corridor, elle devait sûrement attendre que «la gentille personne» qui allait la voir tous les jours soit là à la même heure que d'habitude. J'aurais tant aimé lui tenir la main pour les dernières secondes de sa pauvre vie; un peu de chaleur, un peu de tendresse, même si souvent elle m'avait excédée. Lui tenir la main, juste la main, il me semble que ça lui aurait fait du bien, à moi aussi c'est sûr.

Je ne suis pas allée voir sa dépouille; je me souvenais de la mort de mon père, voir une masse inerte m'avait assommée, j'aimais mieux me souvenir de ses beaux yeux gris.

Le lendemain, j'enregistrais *Moi et l'autre*, j'en ai eu pour toute la journée; j'étais un peu fatiguée, car je commençais encore une fois la course à la paperasse après le décès de maman. Dans l'émission, qui était assez drôle, j'étais la gardienne d'un serpent. Denise, qui a une peur maladive des reptiles, était impatiente et avait hâte que la scène finisse. Moi, j'étais déconcentrée et dans une réplique, au lieu de dire un serpent, je me suis trompée et j'ai dit une souris. Bien sûr, on a été obligés de reprendre la scène. Elle s'est mise à crier:

– T'es pas capable de te souvenir de ton texte!

À mon tour, j'ai crié:

– Tu vois pas que je suis épuisée? Ma mère est morte hier,

j'ai-tu le droit de me tromper? Si t'arrêtes pas de crier, j'vas te «câlicer» le serpent dans face pis j'vas sacrer mon camp, O.K.?

On hurlait, c'était l'enfer. Jean Bissonnette est venu nous calmer. «Arrêtez les filles s'il vous plaît, faut travailler.» On s'est tues, et on a recommencé à tourner. Adieu l'ambiance!

Le service funèbre de ma mère a eu lieu quelques jours plus tard. Je ne suis pas chiche, et j'ai payé pas mal cher pour le service. Nous étions cinq personnes «de la famille» à l'église, Jean et Denise Bissonnette, mon amie Denise Dion, Suzanne Landry et moi.

En entrant dans l'église, je m'attendais à ce que le prêtre officie au maître-autel. Les cendres de ma mère étaient dans une urne; j'ai regardé à droite, un prêtre disait la messe, personne ne nous avait prévenus que c'était pour ma mère. Il y avait là cinq ou six personnes étrangères. À la fin de la messe, le prêtre s'est retourné vers nous et a dit: «La messe était pour le repos de l'âme de Mme Émérentienne Dupuis-Sylvestre, la mère de Dominique Michel. Est-ce qu'elle est ici ce matin?» J'ai levé la main. «Ça me fait plaisir de vous voir et je voudrais vous souhaiter un beau *Bye! Bye!*» Eh oui! Vous avez de la difficulté à me croire? Je sais, moi aussi, j'ai eu de la difficulté à croire ce que j'entendais; mais n'en doutez pas, mes amis en ont été les témoins.

Quelle «annus horribilis!» comme l'a déjà dit la reine d'Angleterre. Et ce n'était pas fini. Avec Henri on se voyait, on ne se voyait plus. Un jour, il a débarqué chez moi et m'a dit: «Je veux revenir.» Surprise, je n'ai pas demandé d'explications; il voulait revenir, très bien. Je ferais de mon mieux pour qu'il soit de nouveau heureux et que tout se passe bien. J'étais super contente. Il m'a dit que Nicole, la femme du D$^r$ Denis, fêtait les 60 ans de son père et qu'elle aimerait que ça se passe dans mon appartement, qui était suffisamment grand et agréable, à cause de la serre, pour recevoir une trentaine de personnes. Il allait m'aider, il s'occuperait d'acheter le vin, et Nicole commanderait le buffet. Elle était gênée de me le demander; voyons, c'étaient nos amis, nous les voyions toutes les semaines, un peu moins depuis notre séparation. Ça m'a fait un immense plaisir, je lui ai téléphoné pour tout confirmer. Le bonheur revenait dans la maison. En plus du buffet, j'avais cuisiné tous les desserts que «lui» aimait: mousse au chocolat, crème anglaise, gâteau aux marrons, mon spécial de Noël. C'était pas Noël, mais ce fut une fête splendide. David, le père de Nicole, se souviendra longtemps de ses 60 ans. ET MOI AUSSI!

La veille de la fête, tout était prêt, je n'avais pas encore reçu le vin dont Henri devait s'occuper. Je lui ai téléphoné pour lui en parler. Il m'a répondu sur un ton impatient, comme quelqu'un qu'on dérange, et m'a répété qu'il s'en occupait. J'ai trouvé le changement de ton bizarre. Je me suis couchée, et j'ai assez bien dormi, mais j'étais comme... inquiète. Le lendemain matin, je me suis réveillée en sursaut comme si quelqu'un m'avait bousculée et voulait me tirer du lit. Je me suis douchée, habillée, maquillée. J'ai pris une enveloppe vide et me suis dirigée vers l'immeuble où se trouvait l'appartement d'Henri. Le gardien était derrière son comptoir. J'ai fait semblant de composer le numéro de l'appartement d'Henri. Puis, j'ai fait signe au gardien qu'il n'y avait pas de réponse. Il m'a ouvert la porte d'entrée. J'étais à l'intérieur, ouf! Je lui ai dit que j'avais une lettre importante à remettre à Henri Atlas et qu'il devait être chez lui parce qu'il venait de me téléphoner, il y avait à peine une demi-heure et qu'il attendait cette importante lettre. Il devait être sous la douche. «Ah! Vous êtes Dominique Michel.» Dans ces moments-là, je suis très contente d'être DOMINIQUE MICHEL! «Je vous annonce.» «Non, non, il m'attend.» Penses-tu, toi!

J'ai sonné à la porte de l'appartement en évitant l'œil magique. Il a ouvert et m'a aperçue:

– Tu ne peux pas entrer.

J'avais le pied sur le cadre de la porte pour qu'elle ne se referme pas.

– Je pense que je suis mieux d'entrer sinon je casse tout!

Sur les entrefaites, une jeune personne est arrivée, dans MA ROBE DE CHAMBRE!

– Qu'est-ce qui se passe? a-t-elle dit.

J'attendais. Silence. Il n'a pas répondu.

– Il m'a demandé mercredi dernier de revenir avec moi.

– Ce matin, tu m'as dit que tu voulais vivre avec moi toujours, a-t-elle repris.

Pas de réponse. Embarras. Ç'a continué comme ça pendant 10 minutes. Il n'a pas desserré les lèvres.

– Venez prendre un café! m'a-t-elle invitée.

Elle se rangeait de mon côté. Elle non plus ne la trouvait pas drôle.

– Je vous remercie, j'ai plein de choses à faire!

Je pensais «Ah! my God, le party ce soir!» Angoisse.

– Est-ce que vous êtes déjà venue ici?

– Oui, vous avez ma robe de chambre sur le dos.

Fin de la conversation, départ. J'ai pris l'ascenseur. J'ai salué le concierge comme si de rien n'était. Il m'a dit: «Je vous aime beaucoup et bonne chance!»

«Merci!» Je pensais que j'allais en avoir besoin.

Arrivée près de ma voiture, je me suis mise à vomir, vomir. Le cœur allait me sortir de la poitrine. Je me suis dit: «C'est pas vrai, j'vais pas mourir ici par terre, à côté de ma voiture, dans la *slutch*, "ça a pas de classe."»

Je me suis ressaisie et je suis allée chez mes amis, Nicole et Ronald. Je leur ai tout raconté. J'étais tellement énervée, hystérique et fâchée que j'en étais drôle. Nicole n'arrêtait pas de rire. Pis le party fallait qu'il ait lieu. «À ce soir! À ce soir!»

J'avais le cœur en bouillie. J'ai couru acheter les vins. Je pleurais. Je n'avais pas besoin de me forcer, les larmes coulaient toutes seules.

Tout fut prêt pour le soir. Je n'avais envie de voir PERSONNE. Mais, une promesse est une promesse. Henri m'a téléphoné pour me dire qu'il serait là.

– Non, je ne veux pas te voir! lui ai-je dit. De ma vie, je ne

465

vais plus t'adresser la parole. À partir de maintenant, je suis morte pour toi!

Je n'étais pas loin de la vérité. J., sa nouvelle copine, m'a elle aussi téléphoné. Comme moi, elle devait avoir le cœur brisé sans doute. Nous avons compati toutes les deux, aussi malheureuses l'une que l'autre et aussi blessées. Ah l'amour!... J'écoute Abba: «*The winner takes it all. The looser standing small!*»

Le party a eu lieu. J'ai passé la soirée dans la cuisine avec Suzanne Landry, Denise Dion et Ronald. J'étais incapable de parler. Eux étaient mes amis intimes, ils me comprenaient, je n'avais pas d'explication à donner.

Au cours de la soirée, l'alarme incendie de l'immeuble a retenti. Nous avons dû tous sortir et Nicole a perdu sa montre dans le parking, dans la *slutch*, mais elle l'a retrouvée plus tard vers deux heures du matin, après une longue recherche que nous avons effectuée avec nos lampes de poche. Quelle journée!

\* \* \*

On a préparé un autre *Bye! Bye!* J'en étais. On a travaillé beaucoup, mais le cœur n'y était pas. J'étais malade, malade d'amour. J'ai perdu 15 livres en deux mois, seul bienfait de la maladie d'amour.

Nous avons fait le *Bye! Bye!*, Patrice L'Ecuyer, André-Philippe Gagnon et moi avec Stéphane Laporte. On s'est plantés pas à peu près, et qui a pris les coups de bâtons? Mon Stéphane, bien sûr! C'est toujours l'auteur qui écope. C'est comme au hockey, quand l'équipe ne fonctionne pas, c'est la faute du coach. Je me souviens que Jean-Pierre Plante avait été écorché et que Franco Nuovo disait: «Il flotte encore sur les mers du Maalox», et qu'André Dubois «revit ses expériences passées au *Bye! Bye!* comme un mauvais flash-back d'acide». Comme c'est difficile pour les auteurs, pour nous aussi les comédiens, mais quand on ne frappe pas dans le mille «c'est bien de valeur»! C'est tout. La critique nous éreinte.

Paule Des Rivières, *Le Devoir*: «Un *Bye! Bye!* trop gentil.»

Louise Cousineau, *La Presse*: «*Bye! Bye!* loin du gros lot.»

Franco Nuovo, *Le Journal de Montréal*: «On flushe le *Bye! Bye!* ou pas?»

Eh que ça fait mal!

William Johnson, *The Gazette*: «Bye! Bye! '95, *an ugly portrait of Quebec entertainment establishment.*»

C'était UNANIME!

Nous avons eu le malheur de souhaiter, en cette année de référendum, une bonne année au «Oui! Yes!», une blague qui n'a pas passé; de toute façon, rien ne passait. On s'est plantés, on va vivre avec, mais que c'était lourd à porter: une critique, bonne ou mauvaise, nous suit pendant six mois. C'est long six mois quand elle est mauvaise. C'est long, long, long.

Encore une fois, j'ai dit que c'était mon dernier *Bye! Bye!* Pas à cause des mauvaises critiques; j'étais vidée physiquement, intérieurement, je n'avais plus de plaisir à travailler, à vivre quoi!

Je suis partie à Saint-Barth dans notre maison pour me reposer. Henri et moi faisions une trêve. Nos amis sont venus avec nous et nous nous sommes conduits comme des gens civilisés, mais je n'avais plus envie d'être avec lui.

La poussière était retombée et je me disais: «Pourquoi aimer quelqu'un qui ne vous aime plus?»

Une fin d'après-midi, j'étais assise sur la terrasse de notre villa, et je regardais la mer immense avec le cinq-mâts du Club Med One qui passait au loin, l'île de Saba qui se détachait, un coucher de soleil, l'un de ceux qu'on voit sur des photos et qu'on a de la difficulté à croire qu'ils existent. J'aurais dû être heureuse. «Je suis dans une des plus belles îles des Caraïbes, dans une belle maison, une température de rêve, la vie est belle et malgré tout, je suis malheureuse, ai-je pensé. Je n'ai plus rien à faire ici dans cette maison où nous avons été si heureux.»

J'ai regardé Henri longuement et je n'ai rien ressenti, plus rien. Je ne l'aimais plus. Je me suis levée sans un mot, j'ai fait ma valise.

– Où tu vas? a-t-il demandé.

À l'hôtel.

Ce furent mes derniers mots pour lui. Je mettrai cinq ans avant de lui adresser de nouveau la parole. J'étais arrivée au bout du chemin de croix. Quand notre séparation a été officielle, les journaux en ont parlé et Janette Bertrand très gentiment m'a téléphoné sachant que j'avais du chagrin.

– Mais qu'est-ce que j'ai fait? lui ai-je demandé.

– Rien! m'a-t-elle répondu. Ce serait bien de consulter.

Ce que j'ai fait. Une séance et j'étais sur pied. J'avais toujours le cœur brisé, mais il s'est réparé plus vite avec un psychologue. J'en ai gardé des cicatrices au cœur!

# Chapitre 30

# LA VIE CONTINUE

J'ai décidé de mettre mes efforts ailleurs que dans mes amours et de reprendre ma vie en main. J'ai réagi. J'allais travailler, me donner entièrement à mon émission de décoration que j'adorais.

J'ai pris un réel plaisir à retravailler avec Philippe Dagenais, qui m'a beaucoup appris; c'est un professeur hors pair, que je consulte régulièrement. En plus d'être un garçon dévoué à ses amis, à sa famille et à ses clients, il s'occupe encore beaucoup de son ex-conjointe, Andrée ma cousine, de son plein gré, sans y être forcé par des avocats. Fait assez rare aujourd'hui.

Un très beau jeune homme, qui demeurait dans mon immeuble et à qui je disais bonjour à l'occasion sans lui prêter plus d'attention, m'a téléphoné pour m'inviter à dîner un soir. Au départ, j'ai refusé, car j'étais incapable de mettre un visage sur cette voix. Je lui ai dit que j'étais occupée ce soir-là, mais que je pouvais le voir quelques minutes. Il est arrivé, super élégant, grand, mince, il était très séduisant. Il était anglophone, mais parlait très bien le français. Il m'a invitée pour le lendemain soir, j'ai accepté. Lui ne savait pas à quel point j'étais connue.

Le lendemain pendant le dîner au restaurant, des gens sont venus me saluer, me demander des autographes. Il trouvait ça bizarre et drôle en même temps. Je lui ai expliqué. Nous nous entendions bien; lui venait de vivre un divorce extrêmement pénible et moi une séparation tout aussi difficile. Nous sommes sortis ensemble pendant plusieurs mois sans qu'on ait de comptes à se rendre, nous ne posions pas de questions. Quand nous nous voyions, c'était toujours agréable, l'atmosphère était détendue.

\* \* \*

Et me voilà en nomination pour le MetroStar de la vedette féminine de l'année; il m'a dit qu'il voulait m'accompagner. Sa mère venait de mourir et je lui ai offert de se désister. Perdre sa mère, ça n'est pas facile à oublier. «Bien au contraire me dit-il, ça va me changer les idées.» Ce soir-là, Patrice L'Ecuyer et moi avons gagné les MetroStar des vedettes masculine et féminine de l'année, et le lendemain la photo de mon copain était dans tous les journaux. Lui qui n'était pas habitué à ce genre de popularité se voyait dans tous les kiosques à journaux. Il dirigeait une très grosse entreprise d'importation de vêtements. Ses copains et des gens d'affaires lui ont téléphoné: «*You are a star, are you gonna talk to us?*» Un choc, il ne s'attendait pas à ça, au fond ça le flattait et l'amusait.

Nous avons commencé à nous attacher l'un à l'autre, mais il était beaucoup plus jeune que moi et je lui ai dit qu'il serait plus sage de nous séparer. Il a protesté. Je l'aimais beaucoup, mais c'était évident que ça se terminerait sur une séparation, mieux valait arrêter maintenant, sinon il n'y aurait pas assez de kleenex dans la ville de Montréal pour sécher mes larmes.

Un an plus tard, j'ai reçu une des plus belles lettres d'amour qu'il m'ait été donné de recevoir. En voici un petit extrait: «*I do want to tell you that I think of you everyday. That's not a joke. My love for you never ever left my heart and it never will.*» Et un peu plus loin: «*We would have made a good team. Please be good and careful and stay beautiful. Love always L.*»

Je la relis de temps en temps, ça me fait du bien. Comme le dit si bien Mouffe: «Ça met du *pep* dans le soulier!»

Un jour, alors que je circulais dans ma voiture décapotable, mon attention a été attirée par une Ferrari rouge; au volant, un beau garçon. Lui était intrigué par cette blonde au volant d'une

Mercedes décapotable. C'était lui! C'était moi! Il m'a fait signe de me garer. Je venais de faire une émission de télévision, heureusement j'étais présentable, maquillée, bien habillée. Le cœur me débattait. On est sortis de nos voitures, on s'est jetés dans les bras l'un de l'autre: «*How are you?*» «*Fine and you?*» «*Fine!*» C'est tout ce qu'on s'est dit, au moins quatre fois de suite, car les larmes coulaient. Je devais avoir des traces noires sur les joues. Qu'importe, lui aussi était ému et essuyait discrètement ses larmes. On s'est serrés encore et encore, nous étions incapables de parler. Au bout de dix minutes, on s'est quittés. Il m'a dit: «*Take care!*» «*Yes! You too!*» «*Bye!*» «*Bye!*» Ce fut tout. Nous avons chacun monté dans notre voiture.

Je ne sais pas où il habite, ce qu'il fait, s'il est remarié, rien. C'est beaucoup mieux ainsi finalement. Les beaux souvenirs demeurent intacts.

\* \* \*

J'ai été invitée à un cocktail pour le lancement d'un nouveau restaurant, rue de la Montagne, Le Fouquet's, du même nom que le célèbre restaurant des Champs-Élysées à Paris. Le tout-Montréal était présent. Je venais de quitter mon amoureux anglophone et je me suis présentée seule au cocktail pour y retrouver une amie. Mes pensées étaient ailleurs, je venais de faire une offre sur une maison de Belvedere Road. J'avais envie d'avoir une maison sur la montagne. Plusieurs anglophones quittaient leurs maisons de Westmount à cause du référendum ou de la hausse des taux d'intérêt et les prix étaient en chute libre. Je l'ai perdue! Quelqu'un a fait une offre d'achat de 100 000 dollars de plus que moi; même à ce prix-là, elle n'était pas chère, mais je ne regrette rien.

Un avocat de mes connaissances, que j'avais déjà rencontré à Saint-Barth quand j'étais en vacances, s'est approché de moi. C'était un assez bel homme avec beaucoup d'humour, très charmant.

– Bonjour Dominique!

– Bonjour!

– Est-ce que tu es venue seule?

– Oui, je ne sais pas si tu es au courant mais...

Je n'ai pas le temps de finir ma phrase qu'il m'a dit:

– Je sais, tu es séparée.

– Oui, je suis seule et toi?

– Moi aussi!

Ça m'a surprise, car il fréquentait une assez jolie fille et que tout semblait bien aller pour eux!

– Je peux te téléphoner?

– Oui bien sûr, voici mon numéro.

Le cocktail s'est poursuivi, il ne me quittait pas des yeux. C'était un gentil monsieur, mais avais-je envie de commencer un nouveau flirt? Pas vraiment. J'étais fatiguée.

Il a fini par me rejoindre. On a trouvé une place pour s'asseoir et la conversation s'est poursuivie sur la maison que je venais de visiter. C'est un homme d'affaires redoutable:

– Qu'est-ce que tu as à faire avec une si grande maison?

– Je pourrais habiter une maison de 10 000 pieds carrés, j'en serais heureuse, et ça ne sera jamais trop grand.

J'ai quitté le cocktail seule ce soir-là.

Il m'a téléphoné à plusieurs reprises. Il m'a aussi appris qu'il partait pour Paris par affaires et m'y a invitée. J'hésitais un peu à partir avec quelqu'un que je connaissais à peine et avec qui j'allais partager la même chambre, peut-être le même lit pendant dix jours.

C'est petit une chambre quand on ne se connaît pas trop. Juste le fait d'aller aux toilettes sans déranger, c'est déjà quelque chose. On veut être belle au réveil, prendre une douche en trois minutes, se maquiller en une fraction de seconde pour ne pas faire attendre.

J'y suis tout de même allée et à ma grande surprise, tout s'est très bien passé. Voyage en première classe avec Air France; séjour dans l'un des hôtels les plus chics de Paris, le St-James. Il était amusant, on a ri beaucoup. Le soir, il m'a fait la surprise de m'emmener sur la Seine, sur un bateau qui se spécialise dans les dîners super romantiques aux chandelles. Un autre soir, nous avons dîné avec mon amie Lorraine et son mari Bernard St-Clivier, au restaurant la Maison Blanche. Bref, tous les soirs étaient des événements, des surprises. Nous allions du restaurant d'ambiance au restaurant le plus chic! Il m'a fait cadeau d'un sac Chanel, délicate attention; un voyage comme dans les romans. Nous sommes ensuite partis pour la Côte d'Azur, à l'hôtel Martinez sur la Croisette à Cannes. À Saint-Paul-de-Vence, nous avons visité le musée de la Fondation Maeght, où se trouvent des trésors d'art moderne, dont des peintures de Jean-Paul Riopelle, et la vieille ville d'Èze. Un voyage de rêve. Dix jours de pur bonheur. J'en avais bien besoin.

Au retour, j'ai emménagé dans sa maison d'été. Nous voyions des amis communs qui se trouvaient à Magog; concert de l'Orchestre symphonique chez Pierre Brunet; dîner chez Diane et Claude Boulay. Nous étions occupés. Cet été-là, il a plu. Il a plu des cordes pendant des semaines. Nous avons visité des appartements, dont un au Port-Royal, immense, l'ancien appartement de Peter Bronfman. Tout ce qu'il fallait pour recevoir ses clients, nos amis, etc. J'ai fait une offre d'achat. Si la liaison tournait au vinaigre, au moins je serais chez moi. L'offre a été acceptée. Tout baignait dans l'huile. Tout ça en deux mois. Je pense que la «fée Folie» m'avait frappée. Pourquoi? Pour oublier? Pour m'étourdir? Pour me distraire? Je ne me l'explique pas encore. Je pense tout simplement que ç'a été un moment de légère aberration. Vous savez, quand les gens disent: «Elle a viré sur l'top!» C'était ça!

J'avais toujours mon appartement de Tropiques Nord. Un jour, mon poste téléphonique a sonné. Nous avions une caméra dirigée sur l'entrée, pour voir qui sonnait. C'était l'ex de mon copain du moment, avec une gerbe de fleurs dans les bras. Je n'ai pas répondu. Elle s'est arrangée pour entrer. Le portier m'a téléphoné, il ne laissait monter personne aux appartements sans nous prévenir.

– Il y a quelqu'un ici qui vient vous porter des fleurs pour votre fête! m'a-t-il dit.

– Ne la laissez pas monter, lui ai-je répondu. Mon anniversaire est fin septembre et nous sommes en juillet.

Des appels répétés de menaces de mort ont commencé, des voix d'hommes, des messages très courts; je les ai conservés dans ma boîte vocale. Sur l'afficheur: appel privé. J'ai un ami ex-policier à qui j'ai fait entendre les appels.

– Tu dois faire un rapport maintenant, m'a-t-il conseillé. La police prend les appels de menaces de mort très au sérieux.

Ce que j'ai fait. Les policiers ont écouté les messages et m'ont fait un rapport que je ne peux pas dévoiler ici, il doit rester secret. Les menaces se sont arrêtées instantanément.

Mon ami m'a téléphoné et m'a dit soudainement:

– C'est fini. C'est tout!

– C'est tout? Et l'appartement?

– Je vais le prendre.

Nous avons rempli des papiers, mais il faudra cinq ans avant de tout régler. Quelle aventure!

En y repensant aujourd'hui, je me trouve sotte, naïve, conne. J'étais comme une naufragée, une *boat people* qui essayait de survivre, je crois.

Qu'est-ce qui a pu me pousser à faire toutes ces bêtises, à essayer de m'étourdir pour survivre? J'étais à la dérive.

Un jour, je me suis mise à repasser en pensée tous les événements des derniers mois. Comment avais-je pu me rendre jusque-là? Après un bon moment de réflexion, je me suis dis: «Dominique reprends-toi en main, tu as fait une folle de toi, tu es ridicule. Tu n'as pas besoin de ce genre de relation dans ta vie.» Je n'étais pas amère. Quelque part, je riais de moi. Je prenais cela comme une expérience, une parenthèse. Est-ce que je le regrette? Non. Referais-je une folie pareille? Noooooooon! Mais cet homme était charmant, drôle et intelligent, et j'ai passé de bons moments avec lui. Je suis certaine qu'il doit se dire aujourd'hui que j'étais partie sur le party! La preuve qu'on peut faire des folies à 50 ou 60 ans. Ça ne finira pas là, je récidiverai plus tard. Non? Ouiiiiiiiiiiii!

* * *

Mon amie Lorraine avait un chat persan tout blanc que j'adorais, il était très beau mais déplaisant. Il ne voulait pas être flatté et il me crachait dessus lorsque je passais trop près de lui. Il s'appelait Snow. Est-ce que j'ai été influencée par le souvenir du chat de Lorraine? Toujours est-il que j'ai décidé un mois plus tard d'aller m'acheter un chat.

Mon amie Denise Dion m'a dit: «Je vais te l'offrir pour ton anniversaire, tu aimes les animaux.» Elle savait que je m'ennuyais beaucoup de mon chien, Janko. Nous sommes allées dans les Laurentides, dans une animalerie tenue par une jeune vétérinaire que j'avais connue dans une clinique de Saint-Jérôme. Elle avait deux petites femelles persanes pas trop jolies. J'ai dit à Denise: «Elles sont laides.» Malgré tout, c'était de mignons petits chatons. J'ai dit à la jeune vétérinaire pour ne pas la blesser: «Ce n'est pas tout à fait ce que je cherche.» Tout à coup, j'ai vu arriver une petite boule de poil blanc, les yeux bleus, un petit nez rose; il courait comme un fou et a sauté sur ses deux petites sœurs laides pour jouer. C'était lui! Je l'aimais déjà. C'était «Snow!» La jeune vétérinaire m'a dit: «Ah non, pas celui-là!» Je l'ai soupçonnée de l'avoir caché. Il s'était sauvé le coquin pour venir me séduire. Après discussion, je suis repartie avec lui.

C'est un drôle d'animal, il vous regarde dans les yeux comme une personne. Nous nous entendons très bien, il a l'intelligence de Janko. Je dis toujours: «Snow, c'est la réincarnation de Janko, c'est un chien déguisé en chat!»

* * *

TVA a fêté ses 40 ans en mars 2001. On m'a demandé de coanimer, avec Charles Lafortune, une émission d'une heure par jour pendant une semaine. Tous mes vieux copains avec qui j'avais travaillé pendant tant d'années sont venus me rendre visite: Frenchie Jarraud, toujours aussi vert malgré ses 101 ans... c'est une blague! il avait 40 et on l'appelait déjà «le vieux» avec tendresse; mon ami Jean Péloquin toujours aussi vif et drôle, Paolo Noël beau et vrai; Fernand Gignac, toujours Fernand Gignac;

Mireille Daoust, ma fille dans *Dominique*, qui a survécu à un cancer, bonne petite au grand cœur; Vincent Bilodeau, quel comédien; mon vieil ami Edward Rémy avec qui j'ai tant rigolé; Pierre Ste-Marie, à l'époque réalisateur de *Dominique*, maintenant producteur pour TVA; Claude Taillefer, époux de Claudette Taillefer, père de Marie-Josée, qui était beau, beau, est encore beau, et aussi Jacques Thisdale, camarade dans *Dominique*. Réal Giguère m'a téléphoné, il était en voyage. Il manquait Jean Morin et Rod Tremblay, qui nous ont quittés. Tous ces amis sont ou étaient de bons vivants; les choses que j'aurais à raconter sur toutes ces années! Impossible, ce livre aurait 1 000 pages.

\* \* \*

Un jour, *out of the blue*, mon ami avocat, que je n'avais pas vu depuis un bon moment, m'invite à passer quelques jours en Floride au Boca Raton Resort Hotel. Et qu'est-ce qu'elle a fait la folle?... Elle y est allée! Nous sommes partis en cachette de tout le monde, sans raison évidente, juste pour le plaisir d'être ensemble! À Dorval, nous étions séparés, mais unis par nos cellulaires.

– Tu es où là?

– En dessous du panneau de direction Embarquement.

– Je passe la sécurité, je te rejoins.

– Oui, à tout de suite.

Ah surprise! Nous sommes tombés sur notre amie Diane Juster qui, heureusement, a su rester discrète. À l'hôtel, nous ne voulions pas être enregistrés sous nos vrais noms. Le préposé nous a demandé quel nom? Nous nous sommes regardés «Eeeeeee...», on a éclaté de rire. C'est comme si nous avions oublié nos identités. Je suis sortie de ma léthargie et j'ai dit Sylvestre, mon nom véritable. Tout était bien. Nous avons passé des jours de plaisir et, de retour à Montréal, Bye! Bye! mon cowboy! j'ai repris le boulot.

\* \* \*

Gilbert Rozon m'a invitée à dîner avec Jean Bissonnette et sa femme dans un restaurant japonais, le Tree House. Gilbert voulait me séduire... pour que j'anime le gala d'ouverture du Festival Juste pour rire avec Franck Dubosc, qui n'était pas encore connu du grand public québécois à ce moment-là.

Après un repas gastronomique et trois pichets, peut-être quatre ou cinq, de «saké», j'ai dit: «Oui, oui, oui, j'accepte!»

J'ai essayé de me lever de table, et me suis rendu compte que j'avais trop bu. Je me demandais si je pouvais me rendre à la porte du restaurant que je trouvais extrêmement éloignée. Je suivais Gilbert de très près, accrochée à son bras. C'était la deuxième fois de ma vie que je me sentais dans cet état. Je ne voulais pas avoir l'air «chaude», car des gens nous regardaient. Gilbert, Jean et Denise m'ont reconduite à la maison. Je me suis écroulée sur mon lit comme une roche et je me suis endormie.

Le lendemain matin, les vapeurs du saké disparues, je me suis souvenue de tout. «Mon Dieu, qu'est-ce que j'ai fait là, accepter d'animer un gala.» Je m'étais jurée de ne plus le faire. J'étais trop fatiguée. J'ai appelé Gilbert:

– Gilbert, je ne veux plus animer le gala, ce n'est pas que je n'aime pas Dubosc, ça n'a rien à voir. Hier, j'ai accepté sous l'effet de la boisson. Ce matin, c'est non.

– Voyons Dominique, j'ai déjà téléphoné à Franck qui est fou de joie d'animer avec toi. Je ne peux pas le rappeler et lui dire que ça ne marche pas, il va être tellement déçu.

Était-ce vrai? En tout cas, je l'ai cru. J'ai animé le gala avec Franck Dubosc et on s'est amusés ferme. J'ai trouvé Dubosc super talentueux et je lui ai laissé toute la place qu'il désirait.

C'est comme ça parfois que les choses se font. Maudite boisson!

J'ai ouvert le gala en souhaitant la bonne année à toute la salle. Patrice L'Ecuyer et René Simard sont venus me rejoindre sur scène pour me dire, en me parlant très fort comme à une personne vieille et sourde, qu'on était au Festival Juste pour rire au mois de juillet. Très drôles. À son entrée sur scène, Franck Dubosc s'est essuyé les pieds sur un tapis décontaminant pour ne pas propager le SRAS, comme le faisaient les voyageurs dans les aéroports canadiens à leur entrée au pays. Une soirée folle encore avec mes amis! Les critiques ont été bonnes.

* * *

Vous vous souvenez sans doute de l'endroit où vous étiez le 11 septembre 2001 lors de l'attaque des tours du World Trade Center. Moi, je partais enterrer définitivement la saga de l'appartement que j'avais acheté au Port-Royal avec mon copain avocat. Mais, avant mon rendez-vous, j'avais téléphoné à Bell South en Floride, et j'attendais qu'une préposée prenne mes coordonnées et me dise quand mon téléphone serait installé dans l'appartement que je venais de rénover.

Je regarde très rarement la télévision le matin, mais ce matin-là comme j'étais en attente et que ça prenait du temps, machinalement, j'ai ouvert la télé et j'ai vu un premier avion percuter une tour du World Trade Center. Tout de suite, j'ai pensé à une erreur de pilotage. Un avion n'avait pas l'autorisation de voler aussi bas au-dessus de Manhattan. Et, tout à coup, j'ai vu un deuxième avion entrer dans la deuxième tour. Je n'en croyais pas mes yeux. J'étais toujours en attente avec la Floride et ma deuxième ligne sonnait. C'était un copain-amoureux en voyage d'affaires à New York; il attendait impatiemment mon appel ce matin-là.

– Ouvre vite ta télé, le World Trade est en feu! lui ai-je lancé.

– Impossible, je m'en vais à un rendez-vous d'affaires au World Trade, je suis d'ailleurs en retard, j'attendais ton appel.

Je lui ai répété:

– Je t'en supplie, ouvre vite la télé et ne bouge pas de ton hôtel.

De retour sur ma première ligne, j'ai constaté que j'étais toujours en attente. Je suis revenue à mon copain, il était en état de choc devant sa télé. Il m'a promis de m'appeler de son cellulaire, ce qu'il a fait plus tard dans la journée pour me remercier d'avoir oublié de lui téléphoner ce matin-là. Le destin. Nos vies ne tiennent quelquefois qu'à un coup de fil!

Je me suis ensuite rendue à un rendez-vous dans une tour du centre-ville, boulevard René-Lévesque, pour régler la transaction de l'appartement. Autour de moi, les gens avaient peur de prendre les ascenseurs des tours à bureaux. C'était la panique. Je me suis dis que toutes les tours du monde n'allaient quand même pas exploser en même temps. J'ai descendu en ascenseur les vingt et quelque étages et je suis retournée chez moi.

Je suis restée «scotchée» sur mon divan pendant trois jours et trois nuits, incapable d'arrêter de regarder la télé. On repassait sans arrêt les images des avions qui entraient dans les tours; des gens qui sautaient des étages pour ne pas brûler; des deux tours qui s'effondraient; des gens qui couraient dans tous les sens; ils avaient l'air de zombies tout recouverts d'une poussière grise qui les faisait ressembler à des statues de ciment ambulantes qui marchaient dans les rues, perdus, hagards. C'était la fin du monde!

J'ai gardé beaucoup de magazines de cet événement et j'ai lu beaucoup aussi sur le sujet. Ce qui m'est le plus resté en mémoire, c'est le témoignage de cet homme d'affaires français installé à New York, et qui avait ses bureaux dans le World Trade Center. Quand le premier avion a frappé, il a fermé calmement tous ses ordinateurs avant de descendre à pied les 40 étages, et lorsqu'il s'est retrouvé en bas plus loin et a regardé le World Trade Center en flammes, qu'il a vu la première tour s'écrouler, là où étaient ses bureaux, il a pensé à son cactus qu'il soignait depuis de nombreuses années, enseveli sous les ruines. Il avait perdu tous les renseignements et les coordonnées de ses clients. Il lui serait probablement impossible de les récupérer, mais sa pensée a été pour son cactus. L'être humain est bizarre, la vie aussi!

Le lendemain, 12 septembre, je devais partir pour la Floride où l'on devait livrer des meubles de mon appartement de Deerfield. Inutile de vous dire que je suis restée à Montréal. De toute façon, le camion de déménagement était immobilisé à la frontière. La sécurité était devenue excessive du jour au lendemain. Heureusement, tout était identifié dans des boîtes en plastique transparent et a été livré comme prévu, car j'avais pris la précaution de laisser mes clés aux déménageurs. J'y suis allée quelques jours plus tard avec Suzanne Landry pour faire l'installation de l'appartement. Tout le monde me disait: «Tu n'as pas peur de prendre l'avion?» «Non!» De toute façon les aéroports étaient sous haute surveillance. Ce qui m'a frappée, c'était de voir des soldats armés à l'aéroport de Fort Lauderdale.

Quelques jours plus tard, j'ai appris que les terroristes kamikazes qui étaient morts dans les avions avaient habité le motel Panther, sur la A1A de notre petite ville si calme de Deerfield Beach, à deux rues de mon immeuble!

\* \* \*

Albert Millaire me téléphone pour m'annoncer que je fais partie des Grands Montréalais 2002, en même temps que M. Robert Lacroix, recteur de l'Université de Montréal, M. André Caillé, président et directeur général d'Hydro-Québec, le père Emmett Johns, que les jeunes surnomment «Pops», fondateur du Bon Dieu dans la rue en 1988. J'en étais très heureuse et j'ai accepté cet honneur avec plaisir. La petite Sylvestre était nommée GRANDE MONTRÉALAISE!

La soirée a eu lieu le 2 mai dans une immense salle du marché Bonsecours. J'y étais accompagnée de Philippe Dagenais. Je m'étais fait faire, par Michel Robidas, une robe somptueuse vert eau. Je me trouvais un peu beaucoup *over dress*, mais bon, «la p'tite Sylvestre du Faubourg à m'lasse sort à soir»! Ce fut une soirée extraordinaire. Nous avons reçu des hommages de nos amis. Pour ma part, c'est venu de Denys Arcand et du Dr Ronald Denis, qui a dit que s'il ne devait avoir qu'un ami dans la vie, c'est moi qu'il choisirait. J'étais très émue, et touchée aussi par le discours d'une jeune protégée du père Emmett Johns, qui s'en était sortie et qui a dit: «C'est grâce au père Emmett Johns que j'ai pu faire mes études. Lui ne juge personne, il nous aide, il a confiance en nous.»

Après ce témoignage, j'ai essayé de me conduire un peu plus comme le père Emmett Johns, d'aider sans juger.

Presque en même temps, j'ai reçu l'Ordre national du Québec. La veille du grand jour, il faisait un temps splendide, ensoleillé. C'était presque l'été. J'avais décidé de m'habiller en blanc. Mauvaise décision, le lendemain il tombait une pluie torrentielle.

J'ai de nouveau demandé à Philippe Dagenais de m'accompagner et nous sommes partis un peu plus tôt que nécessaire pour Québec. Il faisait très froid et la pluie se changeait en neige. Pour l'occasion, j'avais acheté des chaussures noires en daim, agrémentées de boucles noires, aussi en daim: elles étaient magnifiques. Comme ma mère, je suis folle des chaussures.

Nous avons bien fait d'arriver tôt, c'était la tempête. Nous avons déjeuné au Café du Monde, un restaurant que j'adore, très convivial, et c'est là que j'ai changé de vêtements. On est remontés en voiture. Je me suis alors aperçue que j'avais perdu une boucle de soulier. J'étais furieuse contre la boutique qui me les avait vendus, je les avais payés cher. Je ne pouvais pas recevoir ma décoration sans mes deux boucles. Ah! les filles! Dans la tempête, Philippe et moi avons refait le trajet du restaurant à la limousine. Pas de boucle. J'étais au désespoir. À quatre pattes, j'ai fouillé au fond de la limousine et je l'ai enfin trouvée. Quand on est super énervé, on cherche, on cherche et on ne trouve rien. Ça m'arrive fréquemment quand je cherche quelque chose dans mon sac à main.

Il fallait maintenant trouver un cordonnier. Philippe a fait deux ou trois magasins de chaussures, toujours dans la tempête, ils ne faisaient pas ce genre de réparation. Finalement, dans une petite cordonnerie, le cordonnier a collé la boucle À VIE.

La médaille d'officier m'a été remise par le premier ministre Bernard Landry qui, en galant homme, m'a fait un compliment. J'étais très heureuse aussi de revoir mon vieil ami Claude-H. Roy, alors chef de cabinet du premier ministre, et dont il sera «presque» obligé de se séparer quelques mois plus tard. En politique, on ne se fait pas que des amis. Je suis certaine que ç'a dû être difficile pour M. Landry et pour Claude, de si grands amis, d'autant plus que la fidélité de ce dernier pour M. Landry était à toute épreuve. Claude-H. a quitté avec élégance pour ne pas mettre M. Landry dans l'embarras.

Ce fut donc une journée super agréable à part l'incident de la boucle du soulier. Que voulez-vous, je suis très «fille!» Claude m'a dit: «Les deux personnes les plus applaudies aujourd'hui furent Brian Mulroney et toi. Ça aurait fait plaisir à ton père.» Je lui ai répondu: «...surtout que je reçoive l'Ordre national du Québec en même temps que Brian Mulroney», qui lui aussi m'a parlé de mon père qu'il avait déjà rencontré et qui était un conservateur militant, pur et dur.

Quelques jours plus tard, j'ai participé au dîner bénéfice du Fonds de traumatologie de l'hôpital du Sacré-Cœur qui se tenait au Casino de Montréal, dans la grande salle de spectacle. Vers la fin du dîner, l'un des serveurs s'est approché: «Il y a un monsieur qui fête son 60e anniversaire au restaurant Nuances du Casino, et si vous alliez lui souhaiter bon anniversaire en personne, ça lui ferait le plus grand des plaisirs.» J'ai lancé à Philippe: «Accompagne-moi», car nous devions traverser tout le Casino pour nous rendre au restaurant Nuances. Arrivée là, j'ai aperçu Michèle Richard et Danielle Ouimet accompagnées de messieurs. C'était Danielle qui m'avait fait demander pour le «monsieur» dont c'était l'anniversaire. On s'est embrassées et, en même temps, elle m'a désigné, assis en face, LE monsieur en question qui fêtait ses 60 ans. Je l'ai reconnu tout de suite, c'était Henri Heusdens!

Il était toujours aussi beau et toujours aussi jeune. Ça faisait 30 ans que je l'avais vu. Il était comme avant, très élégant, mince, il n'avait pas changé d'un iota. Il a dû vendre son âme au diable pour avoir l'air si jeune. La surprise passée, je l'ai embrassé et lui ai souhaité un bon anniversaire. Il était seul? Peut-être avec Michèle ou Danielle, plus peut-être avec Michèle? Ou ni l'une ni l'autre. Danielle m'a dit: «On ne lui en a pas parlé, on voulait lui faire la surprise.» Il semblait intimidé. Il a toujours été un peu timide sous des dehors frondeurs et son je-m'en-foutisme. Et là, tout à coup, c'était tout mon passé qui remontait à la surface, lui que j'avais tant aimé. J'étais si heureuse quand j'étais avec lui, je me sentais protégée, j'aurais donné mon âme pour lui, mais j'ai pensé aussi à toutes ses tromperies et coucheries avec les barmaids, clientes, piliers de discothèques. Que de souvenirs! Il n'avait pas changé, mais pourquoi était-il seul? J'aurais dû le savoir, même s'il vivait en couple, il n'appartenait à personne. Pour vivre avec lui, il fallait être super amoureuse ou folle. Je voterais pour les deux à la fois. Mais bon, pour ma part, ma période Mère Teresa était révolue. Je n'avais plus envie de m'étendre sur les rails et de me faire frapper par le train, de soigner mes blessures et de recommencer.

Après quelques minutes de conversation, Philippe et moi sommes retournés à notre dîner bénéfice.

– Comment te sens- tu? m'a demandé Philippe.

– Bien, je dois dire que ça m'a fait plaisir de le revoir après 30 ans.

Il avait toujours sa discothèque sur René-Lévesque, le H. Henri Club, que Philippe avait décorée il y a tant d'années. On n'en revenait pas tous les deux de voir qu'il avait l'air si jeune et si en forme. Il a toujours été sportif. Philippe m'a dit:

– Il semblait heureux de te revoir.

– Ah oui! Tu sais il n'y a jamais eu de grands problèmes entre nous. Tu te souviens de chez Zouzou, j'étais sa partenaire et je faisais sa publicité. Il ne doit rien à personne, ce qu'il a gagné est le fruit de son travail. Tu sais Philippe, cet homme je l'ai tellement aimé. J'ai tellement essayé de l'oublier. C'est comme si j'avais rangé ma passion dans un écrin quelque part, en sécurité, pour le plaisir de la retrouver et de me souvenir de ces beaux moments de mon existence, peut-être les plus beaux.

Je pensais sérieusement que le volcan était éteint. On se souvient tous de la chanson de Brel: «On a vu souvent rejaillir le feu de l'ancien volcan qu'on croyait trop vieux...»

Par la suite, j'ai reçu de nombreux appels d'Henri; je les ai laissés sans réponse.

* * *

Quelques jours plus tard, je suis tombée malade, victime d'un virus que les médecins étaient incapables de contrer. Je me levais à sept heures et 15 minutes plus tard, j'étais obligée de me recoucher; j'étais trop faible pour rester debout. Je devais partir à Paris pour affaires. J'ai dû annuler mon voyage. On ne savait pas ce que j'avais. Je ne mangeais plus, j'étais même incapable de boire de l'eau. On m'a donné des antibiotiques que j'ai vomis aussitôt. Je dépérissais, je me sentais sans force. J'avais de la difficulté à me lever, même pour prendre un bol de céréales que je vomissais aussitôt. Qu'est-ce que j'avais? Tous les jours, c'était la même histoire. J'étais bien 15 minutes et après ça se gâtait. J'étais incapable de faire 100 pas dans l'appartement. Je donnais à manger à mon chat qui ne me quittait pas d'une semelle. Il restait au pied de mon lit et, quelquefois, dormait près de moi. «Je crois que je vais mourir doucement comme ça», me suis-je dit. Mon chat devait le sentir aussi, car d'habitude il dormait ailleurs. Les animaux ont l'instinct de la mort. Mon chat me caressait la joue doucement de la patte et me regardait de longues minutes.

Je ne déprimais pas, j'étais résignée à mourir. Je me disais: «C'est comme ça! Trop faible, je vais aller au bout de mes forces et partir comme mes petits amis de Leucan.» Mais au fond de moi, je me révoltais: «Ce n'est pas possible, réagis!» Moi qui suis assez vaillante, j'en étais incapable. Je me suis confié à mon ami le Dr Ronald Denis, qui m'a dit: «Dors, Dominique, dors beaucoup et le seul exercice que tu peux faire c'est de zapper en regardant la télévision.» Malgré ses paroles rassurantes, je le sentais lui aussi inquiet pour moi. J'ai passé l'été alitée, incapable de mettre le nez dehors.

Le 7 août au matin, je me suis levée comme d'habitude, prête à aller me recoucher 15 minutes plus tard mais je me sentais bien. J'ai attendu, je devrais dire: «J'ai écouté mon corps.»

Allais-je être obligée de me recoucher? Une heure, deux heures, trois heures ont passé; j'étais bien bien. J'avais perdu des forces mais je me sentais bien, très bien. Je me suis habillée, je suis sortie pour aller au marché Atwater faire mes courses. J'ai appelé Denise Dion au travail:

– Je suis guérie!

– Qu'est-ce que t'avais?

– J'sais pas.

Puis, au docteur Denis:

– Je vais mieux, mieux, mieux.

– T'es sûre?

– Oui, c'est parti comme c'était venu, soudainement.

C'est parti si vite que je me posais la question, étais-je hypocondriaque ou folle? Non, c'était parti comme ça m'était tombé dessus.

– J'étais terriblement inquiet, j'ai eu peur, m'a-t-il dit, très peur que tu y passes.

– Ah, oui docteur, moi aussi!

C'était sûrement un virus, mais lequel? On se pose encore la question. Et mon chat a repris ses vieilles habitudes et continue toujours de dormir la nuit dans un des lavabos de la salle de bains, comme quand il était un tout petit chaton. Je crois qu'il ne sait pas qu'il est devenu un gros chat, mais il savait que j'étais guérie.

Cet été-là, pendant ma maladie, j'avais été obligée de me traîner pour aller au salon mortuaire dire un dernier adieu à François Moussette, le gérant de «ma» Banque nationale, qui me donnait toujours de judicieux conseils.

Un matin d'avril j'avais dit à François:

– Vous avez l'air un peu fatigué, je trouve que votre teint a changé. Êtes-vous malade?

– Non, mais je vais aller passer des radiographies au CLSC.

Ce qu'il a fait. Quelques jours plus tard, il m'a confié les propos de l'infirmière: «Je n'ai pas de bonnes nouvelles pour vous, mettez vos papiers en ordre.»

«Ben voyons, faut consulter un médecin qui vous dira vraiment ce qui en est, lui ai-je conseillé.» Malheureusement, l'infirmière avait raison. Je l'ai accompagné à sa consultation, j'ai vu le regard soucieux du médecin lorsqu'il a regardé les radiographies: cancer du poumon avec métastases. Il se plaignait de douleurs à l'épaule; les os étaient déjà attaqués. C'était un fumeur, un gros fumeur. L'hiver, il allait fumer dehors par -30°. Un mois et demi plus tard, il était mort. C'est à ce moment-là peut-être que j'ai commencé à me dire que moi aussi j'y passerais un jour. Une pensée de Jules Renard m'est revenue à la mémoire: «Je n'ai plus l'âge de mourir jeune.»

# Chapitre 31

# LES INVASIONS BARBARES

Denys Arcand, mon voisin en Floride avec Denise Robert, sa femme, et leur adorable fille Ming-Xia, m'a fait lire son nouveau scénario. Il n'avait pas encore de titre sur papier, mais il l'avait dans sa tête, j'en suis certaine. J'ai lu le scénario, j'étais très émue. Cependant, je trouvais douloureux de faire mourir Rémy Girard, le plus vivant de nous tous, ses amis du *Déclin de l'Empire américain*. En lui remettant le scénario, il m'a dévoilé le titre de son film: *Les Invasions barbares*. Quel titre! Denys a un don pour les titres. Quand il a fait *Le Déclin de l'Empire américain*, on disait que c'était trop long comme titre, que les gens ne le retiendraient pas. Mais dans les années qui ont suivi, on s'est servi souvent du titre de son film en parlant de politique, d'économie, et de déclin de certains empires. Au début de la guerre en Irak, on parlait des invasions barbares des Américains et c'était un mois ou deux avant d'annoncer que le film se ferait. L'excellent animateur de Télé-Québec, Georges Privet, nous avait tous réunis dans la maison du *Déclin* au bord du lac Memphrémagog pour nous interviewer et nous demander comment nous nous voyions aujourd'hui, 15 années plus tard dans nos personnages du *Déclin*. J'avais dit que je me voyais seule, sans compagnon régulier avec qui je vivrais, voyageant et ayant peut-être des amants d'occasion, mais surtout encore et toujours près de mes amis. Ce que je trouvais extraordinaire, c'était que nous étions tous encore vivants.

L'un de nous aurait pu mourir: eh bien non, pas d'accident tragique ni de maladie! Nous étions tous là encore pleins de rires, heureux de ces belles retrouvailles avec notre cher Denys Arcand.

Je souhaite à tous les comédiens de jouer une fois sous la direction de Denys et surtout de jouer l'un de ses textes. C'est une langue qui coule de source et on a l'air intelligent. C'est bon pour l'ego!

Quelques semaines plus tard, conférence de presse à la Place Ville-Marie. On annonce *Les Invasions barbares*. On était le 9 ou 10 mai, il faisait froid et il pleuvait, mais j'étais heureuse. Je me souvenais d'une journée ensoleillée, mais en revoyant les photos, j'ai constaté que la rue McGill College était mouillée par la pluie et que j'avais les cheveux qui allaient de tous bords, tous côtés, il ventait donc. C'est dire comme j'étais heureuse, je n'ai rien vu du mauvais temps!

De son côté, Denise Filiatrault récidivait avec la série pour la télévision: *Le p'tit monde de Laura Cadieux*, et m'a demandé de reprendre le rôle de la belle-mère de Laura. Denise Robert était à la fois la productrice des *Invasions barbares* et du *P'tit monde de Laura Cadieux*, et les tournages commençaient en même temps, c'est donc elle qui devait trancher. Je ne pouvais pas faire les deux. Mais comme Denise Filiatrault avait donné, pour la version télé, le rôle principal de Laura Cadieux (qui avait été joué au cinéma par Ginette Reno) à Lise Dion, je ne trouvais pas trop grave de ne pas jouer la belle-mère, un rôle qui sera repris avec succès par Véronique LeFlaguais, me permettant ainsi de jouer dans *Les Invasions barbares*!

Denise m'a téléphoné tôt le lendemain matin, j'étais en train de prendre un café, bien tranquillement avec mon amie et voisine Marie-Olive Forté. J'ai mis le téléphone sur le mode conférence, elle s'est mise à crier. Je n'ai pas eu la chance de placer un mot. J'ai essayé de la calmer et je lui ai dit de parler à Denise Robert. Elle a raccroché. Deux secondes après, elle a rappelé, toujours en colère, m'a sorti des histoires ridicules, que j'étais jalouse d'elle, hypocrite, des choses du genre. Elle était tellement en colère qu'elle ne savait plus ce qu'elle disait. Et moi pas plus intelligente, pour répondre aux allégations de jalousie de Denise, je lui ai lancé: «Moi jalouse, tu viendras compter mes trophées.» Explosion au téléphone! Elle parlait tellement vite que je ne comprenais plus rien. Résultat, j'ai été de nouveau dans la «cabane à chien» pour un bon bout de temps.

J'étais toujours sur le mode conférence; mon amie Marie-Olive avait les yeux ronds:

– Mon Dieu que tu dois avoir de la peine, elle est donc bien mauvaise!

– C'est pas grave Marie-Olive, c'est comme un vieux couple amour-haine. Je suis immunisée!

Les gens me demandent souvent:

– C'est quoi la cause de vos disputes?

C'est ce que je viens de raconter, pas plus que ça. C'est décevant, hein!

Denys a fait passer des auditions pour les rôles des enfants de Louise Portal et de Rémy Girard. La fille de Louise Portal serait incarnée par Marie-Josée Croze et la fille de Rémy, par Isabelle Blais. Au cours d'une conversation, Denys me dit qu'il n'avait pas encore trouvé le fils de Rémy. Il voulait un garçon qui ait un certain rapport avec l'argent, qui sache ce que c'est que d'en gagner beaucoup.

Une semaine ou deux avant le Grand Prix de Formule 1 de Montréal, j'ai été invitée dans plusieurs partys. J'y suis allée, car j'aime l'ambiance de fête qui y règne, un peu comme au Festival Juste pour rire. Cette année-là, j'étais invitée au party des Imposteurs offert par Alexandre Daigle. Je me suis retrouvée à la même table que Jean Bissonnette et sa femme, Denise. Vers la fin du repas, Stéphane Rousseau est venu m'embrasser. J'adore Stéphane, c'est un gentil garçon pas compliqué. Il a perdu sa mère très jeune. Quand elle était malade, chaque soir en rentrant de l'école, il lui préparait des petites séances, des monologues et des histoires pour la faire rire. Attendrissant Stéphane!

J'ai eu un flash!

– Qu'est-ce que tu dirais de Stéphane Rousseau pour le rôle? ai-je lancé au téléphone à Denys Arcand.

– Oui, pas bête. Est-ce qu'il parle anglais?

– Il a été élevé par sa grand-mère qui parlait anglais et dont il s'est inspiré pour créer sa marionnette, madame Jigger.

– Est-ce qu'il va vouloir passer une audition?

– Je te reviens.

– Stéphane, passerais-tu une audition pour Denys Arcand pour le rôle du fils de Rémy Girard?

– Oui.

Il a passé une très bonne première audition, mais Denys voulait le revoir dans une scène plus difficile. Stéphane a accepté le défi et a gagné le rôle. J'étais si heureuse pour lui.

En septembre 2002, Denys nous a tous rencontrés chez lui avant le début du tournage et nous a fait lire le scénario autour d'une table. Déjà Marie-Josée était parfaite pour le rôle, Stéphane aussi. À la fin de la réunion, Denys, qui était déjà allé filmer la scène d'Isabelle Blais sur son bateau, quand elle fait ses adieux à son père, nous l'a fait visionner. Tout le monde pleurait. Isabelle Blais était «écoeurante», et Denys a dit: «Je ne veux rien en bas de ça.» Un gros challenge, la barre était haute! J'oserais même dire ben... ben... haute! On allait se forcer!

Jean-Marc Parent a aussi passé une audition, pour personnifier le chef syndical un peu véreux de l'hôpital. Denys l'a appelé pour lui annoncer qu'il avait le rôle. Il a répondu qu'il avait changé d'idée, qu'il ne voulait plus incarner le personnage un peu douteux, un peu «chien». Denys m'en a parlé:

– Laisse-moi lui téléphoner.

– Jean-Marc, il faut que tu fasses ce rôle-là, tu vas être extraordinaire.

Jean-Marc avait été beaucoup «brassé» ces dernières années par les journalistes et les gens du métier, à tort ou à raison, je ne voulais pas juger, et il essayait de se refaire une crédibilité. C'est un garçon talentueux et un raconteur hors pair.

– Je ne veux pas jouer les "trous du cul", je vais encore me faire critiquer.

– Il faut que tu joues ce rôle, ceux qui t'aiment vont toujours t'aimer et ceux qui ne t'aiment pas ne t'aimeront pas plus, mais ils vont être obligés de dire que tu étais très bon.

Finalement il a accepté. On connaît la suite, il était excellent dans le rôle du chef syndical véreux qui, en même temps, nous faisait rire. Le texte d'Arcand était taillé sur mesure. Deux ans plus tard, en 2005, Jean-Marc a fait un retour en force à Juste pour rire, avec un nouveau spectacle. Jean-Marc peut tout jouer, c'est un grand acteur. Je le verrais bien dans le rôle d'un des témoins de la commission Gomery; il joue très bien les personnages à double personnalité.

On a amorcé le tournage des *Invasions barbares* à Ville LaSalle, dans un hôpital désaffecté. Le tournage se déroulait bien; je n'avais pas l'impression de travailler. Rémy Girard avait des «pianos» à n'en plus finir. J'étais stupéfaite: il a une mémoire d'enfer. J'étais un peu jalouse et je l'admirais à la fois; ses prises étaient toujours parfaites!

Après l'hôpital, où nous sommes restés quelques semaines, nous nous sommes rendus à Magog, non pas dans la maison où nous avions tourné le *Déclin* et qui, dans le film, appartenait à Rémy, mais dans celle de Pierre Curzi. Nous avons tourné une scène de nuit, dehors sur le gazon, près du lac Memphrémagog en automne. Il faisait tellement froid qu'on nous a couverts de couvertures et l'on a mis sur nos cuisses, nos pieds, nos mains des petits sachets qui ont réchauffé nos membres. Dans cette scène, je devais fumer du pot, et je ne sais pas fumer, j'ai dit à Denys: «Essaie de me prendre quand je mets la cigarette dans ma bouche et quand j'envoie de la fumée, sinon les gens vont s'apercevoir que je ne sais pas fumer.» Ce qu'il a fait.

Puis, nous sommes arrivés à la fameuse scène où Rémy a recours à l'euthanasie. Nous ses amis, devions passer l'un derrière l'autre pour lui faire nos adieux. Nous n'avions pas de texte.

– Faites ce que vous voulez, mais ne parlez pas! nous a dit Denys.

Dorothée Berryman, qui jouait l'ex-femme de Rémy dans le film, devait simplement dire: «L'homme de ma vie.»

Au moment où nous étions prêts à tourner, un hydravion a atterri sur le lac. Nous avons entendu que le bruit s'estompe. J'ai pensé à Jean-Claude Lauzon qui s'était tué en hydravion. C'était comme si l'âme de Jean-Claude était venue nous dire: «Je suis là avec vous, pensez à moi.»

On a repris le tournage et nous sommes passés les uns après les autres faire nos adieux à Rémy. Je ne me sentais pas bien. J'avais le cœur dans la gorge. Je me suis rendu au chevet de Rémy et j'ai été incapable de retenir une larme, une seule qui coulait le long de ma joue. On avait tous la gorge nouée. Quand Denys a dit: «Coupez!», tout le monde pleurait. Les techniciens s'essuyaient les yeux avec leurs gros gants de machinistes. Nous avions senti la mort.

Rémy avait choisi d'être euthanasié, ça nous mettait vraiment en face d'une réalité, d'un choix que peut-être nous aurions à faire un jour ou l'autre. Pas facile. La mort de Jean-Claude Lauzon était encore très proche dans mes souvenirs, pas facile d'oublier ceux qu'on a aimés.

Pour la scène du dîner d'adieu de Rémy, nous nous sommes installés de très bonne heure sur le plateau, dès six heures. Quand je suis arrivée, Dorothée Berryman pleurait, elle avait les yeux rouges. J'ai regardé Yves Jacques et lui ai demandé par signes: «Qu'est-ce qu'elle a?» Il a haussé les épaules pour répondre qu'il ne le savait pas. Je me suis approchée de Dorothée: «Est-ce qu'il est arrivé quelque chose de grave? Est-ce que quelqu'un t'a fait de la peine?» Louise Portal m'a fait signe que non et m'a dit qu'elle se préparait pour la scène finale. Nous n'avons tourné qu'en fin d'après-midi, elle a pleuré toute la journée. J'étais impressionnée; je me disais «à un moment donné elle n'aura plus de larmes». Pas du tout, «les chutes du Niagara».

Tous, nous avons été heureux pendant le tournage. L'assistant de Denys, Jacques, que nous appelions «Wilbrod», que nous adorions et qui criait gentiment aux acteurs avec humour: «Le talent, c'est à votre tour!» est mort un an et demi plus tard d'un cancer du poumon. Lui aussi fumait beaucoup. Quand il est entré à l'hôpital, il était avec Denys et il lui avait dit: «J'ai l'impression d'être dans *Les Invasions barbares*, take two!» Salut, notre ami Jacques que nous aimions tant!

\* \* \*

À Banff, en même temps que cinq autres personnes, la Fondation de la télévision m'a remis un parchemin honorifique en tant que personnalité marquante des 50 dernières années du petit écran. Comme le temps passe vite. À Montréal, j'ai fait la couverture de l'*Actualité* avec d'autres vedettes pour marquer 50 ans de télé québécoise.

En mars 2003, on m'a offert le Prix hommage Olivier-Guimond au Gala des Oliviers, le gala des humoristes. J'ai beaucoup d'empathie pour les humoristes, c'est si difficile de faire rire, donc j'ai accepté!

— Est-ce que je peux savoir comment va se dérouler le gala et qui sera à mon hommage?

Je voulais quand même me préparer pour ne pas avoir l'air d'une «épaisse» lors de mes remerciements.

— C'est un secret!

— Ah bon! Qui me présente ce secret?

Pas de réponse. Alors finalement je n'ai rien préparé.

On m'a demandé d'arriver vers 18 heures au St-Denis. J'étais accompagnée de Philippe Dagenais. Nous étions obligés de descendre de la voiture dans la *slutch*, au coin des rues Ontario et St-Denis, à un coin de rue du théâtre, car il y avait une manifestation des syndiqués de Vidéotron en face du théâtre. J'étais en tailleur blanc et ma jupe longue traînait dans la neige mouillée. Au théâtre, on m'a demandé:

— Qu'est-ce que vous faites ici?

— Bien... euh... je viens pour l'hommage de ce soir et pour le cocktail, on m'a dit d'être là à 18 heures.

— Ah, le cocktail c'est pas ici.

– C'est où le cocktail?

– Ah... on ne le sait pas.

– On reste ici, on va boire une bouteille d'eau, ai-je dit à Philippe. Je ne sors pas d'ici, car les manifestations continuent à l'extérieur et je n'aime pas tellement ça passer une ligne de piquetage.

Le spectacle était animé par Jean-Michel Anctil, qui est arrivé sur scène avec une chemise d'hôpital et qui nous a montré ses fesses; ce qui n'était pas sans rappeler l'affiche des *Invasions barbares*.

Puis est arrivé le moment de me remettre mon prix. Qui me l'a présenté? Michel Chartrand. En le voyant, je me suis dis: «Un plus un ça fait deux, piquetage dehors, grève de Vidéotron, oupelaye! Il va y avoir du sport. *Fuck* l'hommage à Dominique Michel!»

Je ne me suis pas trompée, il a parti le bal:

– Les filles du Bell câlissées dehors par Monty, Paul Desmarais et les multimillionnaires de *La Presse* qui ont décidé de se défaire de leurs pressiers pour aller imprimer ailleurs..., et ç'a continué.

Jean-Michel Anctil a bien essayé de l'arrêter, mais Chartrand ne voulait rien savoir. On avait l'impression qu'il était en train de se caricaturer lui-même. Ça m'a fait de la peine, car c'était un homme que j'aimais, mais il avait des trous de mémoire et devenait un peu incohérent. Au bout de cinq minutes, j'ai fait signe discrètement au caméraman, Sébastien LeCorre que je connais bien, de venir vers moi. Je me suis levée et j'ai dit à Michel pour l'arrêter:

– Michel, est-ce que je peux aller chercher mon trophée?

Je l'ai surpris je crois, et je suis montée sur scène. Je l'ai embrassé et il m'a lancé:

– Je n'ai pas fini.

J'ai répondu fermement tout bas à son oreille:

– Oui, c'est fini!

– Ah bon! m'a-t-il répondu.

Je me suis approchée du micro en pensant: «C'est l'fun une surprise, mais c'est pas toujours commode.» J'ai remercié tant bien que mal tous ceux et celles avec qui j'avais travaillé. C'était une belle occasion, j'aurais aimé savoir à qui je m'adressais, faire quelques blagues. Y'a des secrets qui sont lourds, lourds de conséquences!

\* \* \*

*Les Invasions barbares* sortaient en salle. C'était la première, nous n'étions pas trop nerveux, on savait que Denys avait fait un très grand film et tous les comédiens étaient heureux d'y avoir eu un rôle. On se sentait bien ce soir-là.

Nous avons vu le film en projection privée. J'étais incapable de ne pas pleurer lorsqu'est arrivée la fin du film sur la chanson de Françoise Hardy, *L'Amitié*: «Beaucoup de mes amis sont venus des nuages...»

Dans chaque ville où nous avons fait la promotion, nous arrivions toujours vers la fin du film et, chaque fois, je pleurais, le mascara coulait et j'avais toujours peur de salir mes vêtements. Yves Jacques me disait: «Tu pleures comme une religieuse, penchée en avant pour que les larmes tombent par terre.»

La critique était très bonne: «Dix-sept ans après *Le Déclin de l'Empire américain*, le grand succès de Denys Arcand, voici *Les Invasions barbare*s, une réflexion coup-de-poing sur un monde en pleine mutation.» Hélène de Billy, *l'Actualité*, mai 2003.

\* \* \*

Une petite anecdote du *Déclin* me revient. Roger Frappier, qui représentait l'ONF à ce moment-là, m'a raconté une projection à Paris devant Christian Fechner, l'associé français de René Malo, qu'on avait approché pour distribuer le *Déclin* en France. À la fin de la projection, à laquelle assistaient une quinzaine de personnes, tout le monde fixait le plancher. Personne n'avait aimé le film. Flechner a bombardé les producteurs de notes suggérant des changements. Même le titre faisait problème. S'agissait-il d'un documentaire sur l'Amérique? René Malo et Roger Frappier ont laissé tout ça se décanter pendant une journée, a raconté Roger. Le lendemain, ils ont appelé Denys pour lui faire part des exigences des distributeurs français.

– C'est le film que j'ai fait! fut sa réponse. Je ne changerai rien. Je vais vivre ou je vais mourir avec.

On connaît la suite, le *Déclin* a remporté le Grand Prix de la critique à Cannes.

* * *

Nous avons fait la promotion du film *Les Invasions barbares* partout au Québec. Nous nous levions très tôt, à cinq heures, pour aller à toutes les émissions de radio et de télévision de toutes les chaînes; à 17 heures, les conférences de presse pour les médias et à 20 heures, les projections pour le grand public.

À Trois-Rivières, Dorothée, Stéphane et moi étions dans une émission de télé du midi pendant laquelle l'animateur m'a demandé: «C'est quoi *Les Invasions barbares*?» Comme je répondais toujours et partout à peu près la même chose et que j'étais extrêmement fatiguée, une fraction de seconde je me suis endormie en radotant mes explications que je trouvais d'une platitude extrême. Un sursaut. Je me suis réveillée ne sachant pas trop ce que j'avais raconté et où j'en étais. J'ai terminé en disant: «C'est ça *Les Invasions barbares*.» J'ai vu les visages étonnés de mes camarades qui étaient sur le point d'éclater de rire et moi-même je me rendais compte du ridicule de la situation. J'ai eu un fou rire que j'avais peine à contrôler. L'animateur était en beau maudit. Par la suite, au cours de la table ronde, j'ai essayé de m'immiscer dans la conversation; il m'a totalement ignorée. Je suis certaine qu'il a pensé: «Quelle conne cette Dominique Michel, je ne veux plus la voir même en peinture.» Quand il voit ma photo dans le journal, il doit attraper des boutons.

Un peu avant la grande première à Montréal à la Place des Arts, nous avons appris que *Les Invasions barbares* était sélectionné en compétition officielle au Festival de Cannes, 10 ans après *Léolo* de Jean-Claude Lauzon. Les comédiens iraient-ils à Cannes, n'iraient-ils pas? Denys Arcand et Denise Robert, Stéphane Rousseau et Rémy Girard oui, mais les autres? Denise Robert tenait à ce que nous y allions. Discussions, pas d'argent. Re-discussions, trop de fonctionnaires, pas assez d'artistes, etc. Finalement, on a pu y aller et y rester trois jours, comme tous les artistes du monde entier. ON Y EST ALLÉS. YÉ!

Tout le monde est parti par Air France: Stéphane, Rémy, Pierre Curzi, Dorothée, Louise Portal, Jean-Marc Parent, Gaston Lepage, Johanne-Marie Tremblay, Isabelle Blais, Marie-Josée Croze, Mitsou et moi. Comme nous devions partager les chambres, Louise Portal a demandé à partager la mienne, car, disait-elle, Dominique se couche de bonne heure. Ça, c'était avant Cannes.

À Cannes, je suis devenue un *party animal*. Après toutes les conférences de presse, les déjeuners et dîners sur la Croisette, je me suis transformée en bête de fête. Si j'ai dormi cinq heures en trois jours, c'est beau.

À l'aéroport de Nice, des chauffeurs très beaux, très élégants, nous attendaient, nos noms inscrits sur des affichettes. Nous sommes montés dans des limousines identifiées par un petit drapeau du Festival de Cannes; on se prenait pour des chefs d'État. On nous a conduits à notre hôtel où on nous a remis un horaire très précis; tout le monde devait se retrouver dans le hall de l'hôtel 45 minutes plus tard. Ça commençait tout de suite. Louise et moi sommes montées nous rafraîchir. Déjeuner sur la plage du Carlton, avec au cou, nos cartes d'identification qui étaient nos laissez-passer. Les journaux étaient là, les photographes aussi. Photos, entrevues, etc. On a mangé divinement. Après deux verres de rosé et avec un manque de sommeil, je commençais à être «guerlot» et fatiguée aussi.

Autre conférence de presse avec les journalistes et les photographes du Festival. Pour dîner, activité libre. On a cherché un restaurant pour dîner, nous étions une douzaine. Tous les restos étaient pleins. Après s'être perdus les uns les autres, heureusement que le cellulaire existe, on a fini par se retrouver dans un petit restaurant sympathique dans une toute petite rue. Ce n'était pas la bouffe du siècle, mais on s'en foutait, on riait.

Après le dîner, sur la plage du Carlton, ça a brassé: disco, drink, jet set, des beaux gars et des belles filles. On s'amusait ferme. Ils adoraient notre accent.

– Vous êtes du Canada pour quel film?

– *Les Invasions barbares.*

– Pardon? Les barbares arrivent?

– Non, non. *Les Invasions barbares*, un film de Denys Arcand.

– Ah! Ah! Ah! Bon on, on...

C'était pas grave, on avait du fun. Je suis rentrée assez tard, je devrais dire tôt le matin et comme nous n'avions qu'une carte-clé pour nous deux, j'ai dû réveiller Louise pour qu'elle m'ouvre la porte. Ce n'était pas très pratique, je ne voulais pas réveiller Louise toutes les nuits. J'ai donc demandé une autre carte à la réception.

– Impossible, une carte par chambre, m'a-t-on répondu.

– Je vais vous laisser 100 dollars en garantie pour la deuxième carte.

– Non, impossible!

– 200?

– Non!

– 300?

– Non, UNE CARTE PAR CHAMBRE!

J'ai expliqué le cas à Louise. Je devrais la réveiller souvent, j'étais désolée. Louise, charmante, a accepté mes petites virées nocturnes avec grande gentillesse. Je m'entendais bien avec elle et nous avions un réel plaisir ensemble.

J'étais scandalisée par le prix des chambres: 700 dollars la nuit. Les lits étaient si étroits que quand tu te retournais, tu risquais de tomber par terre. Sans parler du plastique qui recouvrait les matelas, creusés au milieu, et qui faisait Crouch! Crouch! à chaque mouvement. Mais c'était pas grave, on était au Festival de Cannes.

Après deux grosses heures de sommeil, le lendemain de notre arrivée, nous avons rencontré les journalistes qui venaient de visionner *Les Invasions barbares* en projection privée. Aussitôt que Denys Arcand est entré dans la salle de conférence du Festival, les journalistes se sont levés pour l'ovationner. Du jamais vu! Pour moi en tout cas. Puis ce fut le visionnement officiel le soir, au Grand Palais. D'excellentes maquilleuses et coiffeuses de chez Christian Dior sont venues dans nos chambres nous faire belles. Elles étaient super gentilles. Encore une fois, c'est notre accent qui les a séduites.

Au Festival de Cannes, on peut vous prêter des robes de grands couturiers pour le soir de la projection de votre film. Moi, je suis trop petite. Rien ne me faisait. On ne coupe pas une robe de Gagliano! Que voulez-vous, quand on est naine! Heureusement, je portais un tailleur du soir tout blanc, une création de Michel Robidas. Comme le disait Coco Chanel: «Si tu ne sais pas quoi porter, habille-toi en blanc, tu ne te trompes pas.» Elle avait raison.

Les photographes nous attendaient, bien plantés sur leur numéro inscrit par terre. Marie-Josée Croze, qui avait déjà marché sur le tapis rouge pour le film d'Atom Egoyan l'année précédente, était connue des photographes. «Ici, Marie-Josée!» «Marie-Josée, de ce côté-ci!» «Par ici, Marie-Josée!» Elle s'exécutait très gentiment, elle était en beauté.

Le film a commencé et Denys s'est esquivé aussitôt. Il dit qu'il porte la poisse à ses films. Il est revenu pour les dernières images. Comme à New York, au moment où la chanson de Françoise Hardy a commencé, les gens ont applaudi, et ils ont applaudi durant tout le générique.

À Cannes, on ne se lève jamais avant la toute fin du générique d'un film et on allume les lumières seulement quand tout est bien terminé. Les gens applaudissaient toujours. Denys s'est levé, ça criait. Rémy, Stéphane ont reçu ça comme un coup au cœur. Denise Robert était super heureuse; Daniel Louis, le coproducteur du film aussi. Du coin de l'œil, je voyais Rémy qui essuyait une petite larme. Denys voulait sortir, car le succès le gêne, mais un directeur du festival qui était à côté de moi m'a dit: «Dites-lui qu'il reste encore pour saluer.» Je l'ai dit à Denys en montrant le directeur:

– Il fait dire de rester et de saluer encore.

Il ne m'a pas très bien comprise.

– Quoi?

– *Stay!*

– O.K.!

Finalement, on a remonté les marches pour sortir. Ça applaudissait toujours. Arrivés en haut des marches du Grand Palais, la foule était là qui criait elle aussi. Je crois que l'ovation a duré entre 15 et 20 minutes. C'est difficile à décrire la fierté que l'on ressent, une petite gang de Québécois, un petit gars de Deschambault, acclamés par des producteurs, des acteurs de tous les pays, les gros bonnets de Hollywood. Un directeur de film tchèque est venu vers moi, m'a présenté sa carte, c'est comme ça que j'ai su qu'il était de la République tchèque, il a mis sa main sur son cœur et m'a saluée pour me dire qu'il avait aimé le film.

Nous nous sommes ensuite tous dirigés vers le Majestic où un fabuleux dîner nous attendait. Tout le monde était heureux.

Quand tu as travaillé très fort et que tu obtiens du succès, au moins c'est gratifiant, et tout compte fait, c'est le même travail que pour un échec. Nous n'étions plus «les barbares arrivent», mais «les Invasions barbares du Canada!»

Le lendemain, nous avons été invités à la projection officielle de *La petite Lili*, un film de Claude Miller dans lequel jouait aussi Yves Jacques. Malheureusement Yves était retenu à Montréal où il présentait le spectacle créé par Robert Lepage, *La face cachée de la lune*. Dommage, il aurait apprécié.

Dans la journée, Louise et moi sommes allées manger une salade de tomates, qui nous a coûté 65 dollars chacune! C'était bon, très bon et très cher. C'est le Festival de Cannes!

Après la projection de *La petite Lili*, les gens nous ont reconnus, nous ont demandé des autographes, de prendre des photos avec eux. On est dociles, nous les Québécois, on s'exécute gentiment, tout en étant un peu gênés, car on ne veut pas prendre le plancher. Après tout c'était la soirée de *La petite Lili*, mais les gens insistaient tellement que, finalement, on l'a fait sans trop se faire prier. Pourquoi pas!

Nous devions être invités au dîner de *La petite Lili*, mais à la dernière minute un changement. Nous, les barbares, n'étions plus invités. J'ai demandé à Rémy: «On fait quoi? Les restaurants étaient bondés, c'était notre dernière soirée, il fallait manger quelque part et fêter.» On a essayé d'entrer au Majestic, toute la troupe des *Invasions* suivait. J'avais gardé une affichette qui était sur mon siège où était écrit *Les Invasions barbares*. Je la tenais à bout de bras, comme ça tout le monde me voyait et me suivait. On nous a laissés passer partout. On était hot! Au Majestic, j'ai présenté Rémy au maître d'hôtel:

– Vous le reconnaissez, la vedette des *Invasions barbares*. On est comme des petits enfants perdus dans la tourmente, on cherche un endroit pour manger. Pitié!

Le maître d'hôtel a ri.

– Vous êtes combien?

– 13!

– Ah non, pas 13 à table, non, non!

– Venez prendre un verre avec nous, ça nous fera plaisir et nous serons 14.

Il nous a installés une longue, longue table près de la piscine. Il a prévenu:

– Une seule addition, vous vous débrouillerez entre vous.

– Oui, oui!

On a ri, on a mangé, on a porté un toast à notre maître d'hôtel préféré. C'était bon, c'était bon; on était heureux!

Plus tard, les comédiens de *La grande séduction* sont arrivés. Ils venaient de sortir de leur projection; leur film avait aussi obtenu un grand succès. Ils se sont joints à nous. On était contents pour eux, c'était un bon film, adorable, charmant. On est repartis encore sur le party, d'autres toasts à nos succès.

L'année 2003 a été bonne pour le cinéma québécois. Nous avons fêté très tard dans la nuit. À la discothèque de la plage du Carlton, les gars étaient beaux, beaux et j'y ai retrouvé des amis italiens, des mannequins, des copains. Eh oui! Mes amis canadiens étaient impressionnés.

– C'est qui ces gars-là?

– De bons copains. *Ciao!*

Mais il fallait que je rentre faire mes valises, on partait quelques heures plus tard. J'ai dormi dans l'avion. Quel voyage!

À notre arrivée à Montréal, tous les médias nous attendaient. Je me suis vue aux nouvelles. Défaite, vous dites? Le mot est faible! J'avais l'air de mademoiselle Swan avant sa transformation.

À Montréal, nous avons été sollicités partout, dans toutes les émissions. Puis, finalement ce fut la journée de la remise des prix à Cannes, dont le Palme d'or. J'étais invitée avec Dorothée Berryman sur les ondes de LCN. Denys Arcand a gagné le prix du meilleur scénario pour *Les Invasions barbares.* J'étais contente.

Rima Elkouri dans sa chronique à *La Presse* a écrit le lendemain un article dont voici un petit extrait: «Le Prix du chauvinisme. Dominique Michel avait une mine d'enterrement. En direct, à LCN hier après-midi, elle était appelée à commenter en compagnie de Dorothée Berryman le palmarès du Festival de Cannes. On venait d'annoncer que *Les Invasions barbares* avait gagné le Prix du scénario. À lire le visage de la comédienne, on aurait dit qu'on venait plutôt de découvrir un cadavre dans le studio. Plus loin, l'animateur dit: "J'ai une mauvaise nouvelle à vous apprendre, le prix d'interprétation masculine a été remis à un acteur turc." Il a dit turc, un peu comme on dit "barbare". L'air aigri de Dominique Michel qui a fait une moue dédaigneuse.» Elle a continué son article ainsi: «La scène était pathétique, d'un chauvinisme qui donne de l'urticaire. Sensible la madame, un peu de dignité. En direct à la télé, c'est bien aussi.»

Fallait-il que je sois assez chauvine et sans dignité pour souhaiter que l'œuvre de Denys Arcand soit récompensée par la Palme d'or? Fallait-il être assez prétentieuse et bête d'être déçue? Moi, madame Elkouri, quand je vais voir jouer le Canadien, j'aime qu'il gagne. Ce n'est pas normal? Est-ce du chauvinisme? Faut-il que je me réjouisse, madame Elkouri, que ce soit deux Turcs, dont vous ne savez même pas citer les noms (pour votre information, ce sont Muzaffer Özdemir et Mehmet Emin Toprak) qui gagnent à la place de Rémy Girard et de Stéphane Rousseau? Bien oui, moi aussi, je vous prête de l'ignorance.

Que les Turcs gagnent, très sincèrement je m'en sacre! Un prix, ce n'est peut-être pas important pour vous. Vous vous êtes quand même réjouie du prix de Marie-Josée Croze. Ne vous inquiétez pas, je ne vous accuserai pas de chauvinisme, moi. Fin de la parenthèse.

J'aurais aimé lui parler en personne. C'est en relisant son article du lundi 26 mai 2003, deux ans plus tard, que j'ai sursauté. Je laisse à mon éditeur le soin de garder ce passage ou de l'enlever. Ce n'est pas un règlement de compte, c'est une réplique. Moi aussi, je me suis réjouie que Marie-Josée Croze gagne à la place de Nicole Kidman. Un peu de chauvinisme, madame, des fois ça fait du bien. Entre vous et moi, on s'en sacre-tu de Nicole Kidman «UNE AMÉRICAINE (d'origine australienne)» et je signe: Dominique Michel, une barbare!

\* \* \*

Ça me rappelle une anecdote qui me faisait bien rire, celle de Johnny Carson, qui avait été critiqué injustement pour son émission par un journaliste américain. Il avait eu cette réplique très drôle et acidulée: «J'ai téléphoné à monsieur Untel pour lui parler et sa femme m'a répondu: "Il n'est pas là, il est allé promener son rat!"»

\* \* \*

Marie-Josée Croze a gagné la Palme d'or de l'interprète féminine. Elle l'a appris en direct dans l'émission de Christiane Charette. Quelle surprise! Son agente était à Cannes et Marie-Josée à Montréal chez Roger, où elle était venue à bicyclette. J'ai trouvé malheureux qu'elle n'ait pas été à Cannes pour recevoir ce prix. C'est Denys qui est allé le chercher. Dorothée et moi, on s'est réjouies pour elle; nous sommes allées la retrouver au bar, chez Roger. Nous avons passé la fin de l'après-midi avec Marie-Josée et nous avons dîné le soir au Continental, son restaurant préféré. Après ce prix prestigieux, la France l'a vite réclamée. Elle a enchaîné film sur film. Je ne l'ai pas revue depuis un bon moment. Marie-Josée voyage toujours avec son chien. Son chien, comme on dit en anglais: «*It's home away from home!*»

\* \* \*

Le dernier jour de l'enregistrement de *Catherine*, j'ai reçu un appel de la compagnie hollandaise avec laquelle je devais faire une croisière en Alaska. La croisière était annulée à cause du SRAS. Si je désirais reporter mon voyage à plus tard, j'aurais une plus grande suite pour le même prix. «Merci, ai-je répondu j'avais prévu la croisière ce mois-ci, pas pour le mois prochain, j'irai une autre fois.» En fait, j'avais des réservations pour août 2006. On en reparlera peut-être dans un autre livre. J'ai appelé tous mes amis pour leur dire que je ne partais plus.

\* \* \*

J'étais fatiguée, une journée de studio, c'est pas reposant. Mon cellulaire a sonné de nouveau. D'habitude, après une journée en studio, je ne répondais pas. Ce soir-là, j'ai décroché. Pourquoi? Le destin?

– C'est Henri!

– Henri?

– Henri, on s'est revus au restaurant Nuances.

– Oui.

J'ai réalisé que c'était Henri Heusdens. Silence.

– Je peux t'inviter à dîner?

– Quand?

– Ce soir!

– Non, non merci. Je suis épuisée, je sors du studio, une autre fois.

– J'insiste.

– N'insiste pas!

J'étais déçue de l'annulation de la croisière et fatiguée de ma journée.

– J'aimerais te revoir, te parler.

– Oui, quand?

– Ce soir!

– Non, demain.

– O.K.! À quelle heure?

– 10 h, 11 h.

– Non à 9 h.

– OK, à 9 h.

Je me suis couchée, en me disant que le hasard était bizarre. Je devais partir, je restais. Un coup de téléphone et la vie changeait.

À neuf heures pile, il était là. Nous étions intimidés. Nous avons parlé de tout et de rien. Je l'écoutais, je le regardais, et je me disais: «J'avais enseveli cet amour pour essayer de l'oublier. J'ai aimé, adoré cet homme.»

À l'occasion, je regardais ses photos quand je rangeais mes beaux souvenirs. J'avais passé les plus beaux moments de ma vie avec lui, il y a 30 ans. Je l'ai écouté, nous avons ri. La connivence était toujours là. «Comme je l'ai aimé!» La passion, c'est bien à 30 ans, mais pas maintenant, pas à mon âge. Il m'a dit que j'avais été très importante pour lui dans sa vie. Quand même, ça fait plaisir.

Avait-il eu du chagrin quand on s'était laissés? M'avait-il oubliée? Avait-il pensé à moi? Il m'a semblé que oui. Pourquoi n'avais-je pas été le voir dans sa discothèque, boulevard René-Lévesque. Pourquoi? Bien sûr, il entendait parler de moi et lisait aussi des articles sur moi. Il dit qu'il ne m'avait jamais oubliée. Devais-je le croire? Il a toujours eu «sa» vérité. La conversation s'est poursuivie. Il était charmant, gai, spirituel.

Après un long moment, on n'avait plus besoin de se parler. «On se revoit quand tu veux!» m'a-t-il dit. En le regardant, j'ai pensé à cette histoire qui me fait toujours rire et que je répète souvent: «Dis-moi mon amour, m'as-tu été fidèle?» «Très souvent mon amour, très souvent!»

\* \* \*

Avec *Les Invasions barbares*, Denys a gagné toutes les récompenses imaginables, dans tous les pays. Il a été mis en nomination aux Oscars pour le meilleur film étranger où il a représenté le Canada, et aussi en nomination pour le meilleur scénario original. Le soir des Oscars, j'ai réuni tous les comédiens chez moi. On a mangé, on a bu, on a ri. On s'est installés pour regarder la cérémonie des Oscars. Meilleur scénario: Denys Arcand. Yé! On était heureux. J'avais commandé pour l'occasion le vin que nous buvions dans le film au dîner d'adieu de Rémy, un vin italien, Casttello Banfi «Excelcius». Je vous le recommande.

Puis, est arrivé le meilleur film étranger. Je n'avais pas besoin de dire silence, tout le monde se taisait. On aurait pu entendre marcher un chat. *Les Invasions barbares*. On a crié, on s'est embrassés. Chut! Denise Robert a un bon mot: «Heureusement que *Le Seigneur des anneaux* n'était pas en nomination pour le meilleur film étranger.» Cette mégaproduction avait tout ramassé.

J'ai trouvé dommage que Denys n'ait pas eu le temps de parler; il est toujours si drôle, si percutant. Quel *rush* ce doit être d'aller chercher un Oscar devant le tout-Hollywood. Nous aurions pu être là, mais pas dans la même salle que les lauréats, alors nous avions tous décidé de rester à Montréal. Denise Robert a essayé en vain de nous téléphoner, mais mon téléphone ne dérougissait pas. J'ai essayé moi aussi d'avoir la communication pour dire notre joie à Denys et à Denise. On a pu enfin se parler une heure plus tard. Ils étaient dans la limousine et s'en allaient au party des Oscars.

Le soir du gala pour la Fondation de l'hôpital du Sacré-Cœur, un an plus tard, les gens pouvaient se faire photographier avec l'Oscar et Denys Arcand moyennant 100 dollars. On a ramassé un bon montant.

Avant que le film soit projeté en salles en France, certaines mauvaises critiques sont tombées comme des roches sur *Les Invasions*.

*Le Nouvel Observateur*, *Le Monde* ainsi que les pompeux *Cahiers du Cinéma* se déchaînaient. Dans *Libération*, le critique a dit: «Les barbares bien bavards.» Bien oui, ce n'est pas comme les films français où tu as seulement 30 000 mots à la minute!

Il a écrit aussi que le film «verse dans le borborygme oiseux» (expression très populaire en France, employée très souvent par la télé parisienne). Je sais, on va encore me dire que je fais du chauvinisme. Les Français rient de nous, on peut bien rire d'eux.

Faire un film sur la mort, ce n'est pas facile et ça prend du talent. Je me suis retenue longtemps, mais je vais le dire ici: l'affiche française était laide, tiens un mauvais point pour eux! Bon, ça y est, je l'ai dit. Le film a connu en France un succès public. Il y avait plus de «pour» que de «contre», et le film a remporté quatre prix aux Césars! Mais bien sûr, ça ne veut rien dire! N'est-ce pas, monsieur Pascal Mérigeau? (un critique français). Aux États-Unis le film a eu, comme je l'ai déjà dit, un gros succès.

\* \* \*

Le matin du 7 juin 2003, en me levant, j'ai appris la mort de Pierre Bourgault. C'était lui qui avait écrit mon allocution pour présenter Lise Payette à une assemblée de comité au lendemain du scandale des Yvette. Fallait être fort et avoir un bon discours pour répondre aux accusations. Pierre avait su trouver les mots. Je l'ai vraiment mieux connu par Jean-Claude Lauzon, qui l'adorait. Pierre est mort d'une maladie pulmonaire. C'était un fumeur invétéré et il souffrait d'emphysème. Celui qui aurait pu l'arrêter n'est pas encore né.

*La Presse* écrivait: «L'ardent nationaliste et grand communicateur a succombé à une maladie pulmonaire. Il n'y avait finalement que la mort pour lui imposer le silence.»

Nathalie Collard et Lysiane Gagnon l'appelaient: «Le dernier rebelle.»

J'y pense encore avec nostalgie. C'était un très grand ami de Franco Nuovo, qui a passé les derniers jours à ses côtés.

* * *

Et la vie continuait. On m'a annoncé que j'allais faire partie de la télésérie *Tribu.com*, réalisée par François Bouvier et dont je suis une fan. J'allais travailler avec Patrice L'Ecuyer, Anick Lemay et Sophie Prégent.

Sophie peut tout faire, je la trouvais époustouflante dans *Catherine*, où elle jouait Chantal «pas de e». C'est une comique exceptionnelle. Comme elle est très belle, on lui donne plus souvent des rôles de jeunes premières, mais dans Chantal «pas de e», elle était aussi belle et blonde que stupide, un rôle superbement bien écrit pour elle par Stéphan Dubé et Jean-François Léger, deux bons auteurs qu'on aimerait voir revenir à la télévision.

Puis, les Éditions Stromboli ont publié un magnifique livre du photographe Gaby et on m'a demandé l'autorisation de reproduire ma photo en page couverture. Un livre magnifique avec des photos des années 1950 et 1960, de vedettes de chez nous et d'ailleurs, dont Jean Duceppe, Yvette Brind'Amour, Roche et Aznavour, Louis Armstrong. Les grandes vedettes internationales et les chefs d'État venaient se faire photographier par Gaby.

Le livre n'a pas eu le succès qu'on espérait. La mise en marché fut trop discrète et il coûtait 70 dollars; mais il en valait la peine. Jean Cocteau, qui avait été photographié par Gaby, disait de lui: «Puisque la peinture se veut abstraite, les photographes restent nos meilleurs portraitistes, de véritables miroirs qui pensent. Chez Gaby, le miroir ne se contente pas de penser et de réfléchir, il parle...»

Bel hommage à un Québécois devenu un très grand photographe international.

# Chapitre 32

# FABIENNE, CATHY, VALÉRIE ET LES AUTRES

Ça fait 38 ans que Henri Heusdens est propriétaire de discothèques. Il est arrivé au Canada à 23 ans, je crois. Je l'ai connu deux ans plus tard. Il a ouvert Chez Zouzou avec moi et, par la suite, a été propriétaire du Vert Galant et du H. Henri Club, qu'il dirige depuis 31 ans.

Ce soir-là, il fêtait cet anniversaire et m'avait invitée. Des copines de travail m'accompagnaient: Marlène, ma coiffeuse, Manon, ma réalisatrice de *Déco Dodo*, ma filleule, Laurence, son amie Mélanie, et Édith, productrice à la télé. Les filles étaient belles. Nous avons fait une entrée remarquée, on était «crêtées» mais «cool».

Henri nous a reçues comme des princesses, il adore les femmes. Il nous a offert le champagne et nous, pour le remercier, on lui a fait une petite danse en ligne de filles sexy. Il a apprécié, mais comme il est timide, il a rougi! Les hommes timides sont tellement séduisants. Des invités mâles... seuls ou accompagnés, se sont jetés sur nous comme «la misère sur le pauvre monde» pour nous faire danser. On a accepté. Le fun était «pogné». Finalement, vers minuit trente, comme Cendrillon, nous avons décidé de partir. Les gars avec qui nous étions déjà copains-copains, nous ont dit:

– Ah! non, pas déjà, le party commence!

Édith a entendu une des femmes qui accompagnaient les gars dire:

– Enfin, elles partent les maudites écœurantes!

Même *Le Devoir*, le sérieux *Devoir* en a parlé. Je cite: «Ce soir-là, une vieille connaissance et ancienne flamme d'Henri fit une entrée remarquée: Dominique Michel. Elle était accompagnée d'amies bien roulées, nées pour la plupart après *Moi et l'autre*, mais Dodo très classe, en beauté et en forme, les éclipsait toutes!»

Y'était-tu assez fin! Peut-être exagéré, mais j'étais assez fière, j'te dis pas! Je buvais du petit lait....

Quelques mois plus tard, je suis allée voir mon plasticien, le D$^r$ Jacques Bouchard, pour me faire faire une chirurgie du cou. J'aime mieux être un peu plus «pitoune» que «passée date». Je n'étais plus capable de voir le petit plissé dans le cou, comme un petit cou de dinde, tous les matins dans le miroir. C'est surtout quand j'ai vu mon petit plissé dans *Les Invasions barbares* sur grand écran, un petit plissé de quatre à cinq pieds de large, que j'ai pris rendez-vous avec mon plasticien.

Mes amies m'ont demandé: «Est-ce que ça fait mal?» Non. J'ai eu une anesthésie mitigée, ce qui veut dire, je crois, qu'on insensibilise les endroits où l'on coupe et qu'on t'administre un calmant; mais tu ne dors pas, tu es relax. J'ai parlé, parlé tout le temps de l'intervention. Demain matin, je recommencerais; j'avais entière confiance en mon plasticien; c'est très important et s'il est habile en plus, c'est encore mieux!

Sept jours plus tard, j'assistais au lancement du disque de René Simard. Ni vu, ni connu. Tout le monde me disait: «T'as l'air reposée.» Parfait! Moi, avoir les sourcils près de la racine des cheveux, un sourire éternel, les joues et les lèvres gonflées au Botox, ça n'est pas «ma tasse de thé». Faut quand même avoir l'air un petit peu de son âge, mais pas trop! Ça me rappelle une phrase de Mme Geneviève Gilliot, un jour qu'on parlait d'une femme qui avait l'air beaucoup plus vieille que son âge et dont on disait: «On lui donnerait bien 75 ans.» Mme Gilliot de répliquer: «Et elle n'est pas paresseuse pour les porter.»

* * *

Isabelle Massé de *La Presse* a eu la bonne idée de réunir, en février 2003, Cathy Gauthier, Claudine Mercier et moi pour un reportage dans son journal. L'article s'intitulait «L'humour au féminin». Pas facile de faire rire pour trois générations de filles.

J'adore Claudine Mercier, qui a travaillé très fort à monter un spectacle où elle se surpasse tous les soirs. C'est une imitatrice formidable, avec une voix extraordinaire: Diane Dufresne et Ginette Reno font partie de ses hallucinantes imitations; c'est pas peu dire!

Au Gala des Oliviers, tous les artisans de son spectacle avaient remporté des trophées: mise en scène, meilleurs textes, meilleur spectacle, etc., sauf elle. «C'est qui qui a fait le spectacle?» S.V.P. allumez!

Je me suis souvenue que lorsque j'ai fait *Showtime Dominique Showtime*, il m'est arrivé la même chose.

Quant à la jeune humoriste Cathy Gauthier, j'ai tout de suite aimé son assurance, son effronterie, son talent. «*When you play with him, you fight for your life all the way!*» disait Tony Randall, qui jouait avec Walter Matthau. Elle dit toujours ce qu'elle a à dire. Si ça choque, tant pis. Elle dit aussi souvent qu'elle ne veut pas faire des petites «jokettes de tapettes», elle veut faire rire!

Deux ans ont passé, et Lucie Rozon m'a demandé de travailler avec Cathy Gauthier. J'ai accepté d'emblée!

Entre-temps, j'avais assisté à la première de *Don Juan*, spectacle produit par Guy Cloutier et ses partenaires canadiens et français, dont Charles Tallar, une comédie musicale écrite par Félix Gray sur des musiques de Gray et Guy St-Onge. Oui, oui, notre Guy St-Onge. Des mélodies si belles et douces à l'oreille que tout le monde peut les chanter.

À la sortie du CD de *Don Juan*, j'en ai acheté une montagne pour les donner en cadeau; sans mentir, presque 100 exemplaires, si ce n'est plus. J'adore *L'homme qui a tout*, chanté par Mario Pelchat, quelle émotion, quelle voix! Le spectacle est magnifique;

511

Jean-François Brault, beau, beau, bon; les filles, superbes avec des voix à faire damner; le flamenco splendide et la première danseuse est d'une sensualité extraordinaire. Tout le monde a été emballé. Ce fut un succès, un très gros succès.

J'étais heureuse pour Guy, qui a débuté dans le métier comme chanteur. Rapidement, il s'était rendu compte qu'il n'était pas voué à une grande carrière et il avait ouvert un petit magasin de disques à Alma. Et c'était là que nous allions signer des autographes lorsque nous étions en tournée. À l'époque, j'avais commis plusieurs 45 et 33 tours.

Guy a gravi les échelons de peine et de misère et plusieurs années plus tard, il a lancé des artistes, dont Natasha St-Pierre, qui font des carrières fabuleuses autant ici qu'en Europe; il a produit des émissions de télé qui ont obtenu un très grand succès populaire dont *La fureur,* avec sa fille, la belle et talentueuse Véronique (une travailleuse!), et L*es trouvailles de Clodine.* Il a atteint un sommet avec la production *Don Juan.* Guy et moi, on se connaît depuis longtemps. Il a travaillé très fort et j'étais heureuse pour lui de son immense succès.

Un mois plus tard, à la une de *La Presse,* j'ai lu: «Guy Cloutier arrêté» Quoi? Je n'en croyais pas mes yeux! Huit chefs d'accusation, dont un de viol. Ce n'était pas vrai, ce n'était pas possible. J'étais surprise, à terre comme on dit. Des journalistes m'ont téléphoné. *No comment!*

Je ne savais pas trop de quoi il s'agissait. Je ne voulais pas juger, je n'étais au courant de rien. J'ai appris les événements en même temps que tout le monde. «Lui qui a tant travaillé toute sa vie pour monter une entreprise devenue une grande réussite et tout ce travail qui s'écroule d'un coup comme un château de cartes. Quel enfer pour lui, ses proches, pour tout le monde!» ai-je pensé.

Je n'ai jamais commenté ni jugé l'affaire Cloutier, et je ne le ferai pas, mais j'ai en mémoire cette excellente et en même temps terrible caricature de Chapleau dans *La Presse* du 27 mars 2004: Guy Cloutier en Don Juan, auréolé de lumière, de gloire, et l'épée qui transperce sa poitrine et le tue. Légende en bas de la caricature: une production de Guy Cloutier. Il n'y a rien à ajouter, tout est dit!

* * *

Lucie Rozon, de Juste pour rire, m'a demandé de faire la mise en scène de la pièce *Le démon de midi*, tirée de la bande dessinée de Florence Cestac, et jouée à Paris par Michèle Bernier. La pièce mettait en scène un seul personnage, une femme trompée.

J'avais beaucoup d'expérience en ce domaine. Premièrement, pour l'avoir été et deuxièmement pour avoir trompé. Lucie m'a proposé Valérie Blais, qui avait déjà travaillé avec Denise Filiatrault dans *Le p'tit monde de Laura Cadieux*; elle jouait la fille lesbienne de Laura, qui avait été mariée et était mère d'un enfant. Elle était excellente.

J'ai lu la pièce qui m'emballait et j'ai accepté d'en faire l'adaptation québécoise. J'ai rencontré Valérie et tout de suite, le courant est passé. Valérie est une travailleuse, une bûcheuse, je dirais un bon petit soldat. Une pièce en quatre actes sans entracte et presque 160 pages à mémoriser, il faut être courageuse et avoir une mémoire d'éléphant pour se jeter dans ce projet.

Mettre en scène une seule artiste, pour moi, c'est mettre en place. Il ne fallait pas que le propos soit éclipsé par trop de déplacements. Je ne sais pas si j'étais à côté de la plaque, mais j'ai privilégié l'artiste et le texte, et j'ai laissé beaucoup de place à l'intuition de la comédienne.

On m'a reproché, et peut-être avec raison, d'avoir influencé le jeu de l'interprète, mais je crois qu'au bout d'une dizaine de représentations, Valérie s'est appropriée le spectacle. Les hommes, ceux qui n'avaient pas le sens de l'humour, ont détesté la pièce, dont Paul Toutant, alors à Radio-Canada. Les femmes, par contre, ont beaucoup aimé. C'est sûr que dans l'adaptation québécoise, j'y avais mis beaucoup de ma vie. C'était peut-être pour ça qu'on y avait trouvé une influence. La pièce originale finissait par: «Je vais devenir veuve!» et la comédienne pointait un revolver vers la salle. Je trouvais que ça finissait en queue de poisson. Alors, j'ai ajouté la maîtresse, qui revenait à la fin du spectacle et qui, doucement, se glissait dans la peau d'une femme qui, au-delà de son chagrin, aimait encore les hommes.

J'ai écrit ces paroles pour adoucir la finale et faire un p'tit coup de chapeau aux messieurs: «Merci pour l'amour, merci pour la tendresse, merci pour les caresses, merci aussi pour les belles fesses», que Valérie chantait sur une musique de mon cher Iohann Martin: un hommage aux hommes qu'on a aimés, même s'ils nous ont trompées. Vaut mieux se souvenir des choses positives! Je ne gagnerai pas le prix Nobel de littérature avec ça, mais ça finissait bien le spectacle!

Florence Cestac, l'auteure de la bande dessinée dont la pièce avait été tirée, est venue à Montréal pour voir la représentation pendant le Festival Juste pour rire.

– Elle va avoir un choc culturel quand Valérie raconte que son mari a changé depuis quelque temps, et qu'elle sait qu'il la trompe, me suis-je dit. Elle dit: «Mon mari ne porte plus de sous-vêtements, la paparloute lousse!»

J'avais réécrit certains passages pour que ça colle mieux à notre réalité. Elle a aimé! Ouf! Et surtout la fin. Merci mon Dieu!

– Je peux reprendre ce que vous avez écrit pour la fin et le faire à Paris? m'a-t-elle demandé.

– Certainement, *Be my guest* Florence!

Elle m'a dédicacé sa bande dessinée et a fait une caricature de moi, un peu «pitoune». J'étais contente.

– Vous me voyez vraiment comme ça, Florence?

– Oui!

– Vous savez quel âge j'ai?

– Cinquante et un, cinquante-deux?

– Ah! Florence, quelle femme perspicace vous êtes. J'ai 70 ans.

– Non!

– Oui, merci pour le compliment!

C'était l'anniversaire de Florence. Et comme j'étais devenue intime avec elle lors de son séjour à Montréal, je lui ai acheté une sculpture au Musée des beaux-arts de Montréal, faite par mon sculpteur inuit préféré. Je collectionne l'art inuit, les ours dansants ont ma préférence. J'ai choisi un ours dansant pas trop gros, pas trop petit, pas trop lourd, pour qu'elle puisse le rapporter dans sa valise en France. Elle est repartie avec son cadeau et, sur la caricature qu'elle m'a laissée, je tiens un ours en laisse qui dit: «Je vais voir la tour Eiffel. Youpi!»

À la fin de la 22ᵉ édition du Festival Juste pour rire, le 25 juillet 2004, Valérie et Billy Tellier, un autre jeune humoriste très talentueux, ont remporté les prix des révélations de l'année. J'étais plus qu'heureuse pour Valérie, un prix mérité.

Luce et Lucie Rozon, ainsi que Pierre Bernard, ont été très présents tout au long de ma collaboration à la mise en scène, tout en me laissant beaucoup de liberté. Quand on demandait à Valérie comment j'étais comme metteuse en scène, elle répondait: «Elle est gentille, mais têtue, obstinée.» C'est vrai, je ne lâche pas le morceau, tant que je n'ai pas ce que je veux.

Pauvre Valérie, je l'ai poussée «au bout d'elle-même», à la limite. Elle faisait 26 personnages dans la pièce; elle tenait la scène sans entracte pendant une heure quarante; elle courait à l'arrière-scène pour se changer en quelques secondes. Tout en courant, Valérie, qui est asthmatique, prenait sa pompe pour inhaler entre les scènes. Je me sentais coupable, un bourreau. J'avais de la peine de la voir dans cet état. Courageuse Valérie! J'ai plein d'admiration pour elle, elle est devenue une amie. Nous nous téléphonons toujours et à l'occasion nous mangeons ensemble. C'est toujours un bonheur. Bravo Valérie, ce trophée de révélation de l'année Juste pour rire 2004, tu ne l'as pas volé!

\* \* \*

Fabienne Larouche m'a offert un rôle dans *Virginie*. J'ai joué quelques mois avec plaisir, un rôle différent, qui me changeait de ce que j'avais déjà fait. Fabienne est une bonne auteure, une travailleuse qui aime la vie. J'ai cependant dû arrêter ma participation à *Virginie*, j'avais des engagements ailleurs, mais je souhaite y revenir.

Durant l'été, j'ai commencé à tourner sous la direction de François Bouvier le rôle d'une directrice d'entreprise dans *Tribu.com*, avec Patrice L'Ecuyer. La joie! Quand on joue ensemble, on a l'impression de se parler comme dans la vraie vie. Patrice a tous les talents, animateur, acteur, humoriste chaleureux.

Un jour, au cours d'une émission de radio, il m'a dit comme ça:

– On aurait pu faire un bout ensemble.

– Bien sûr, mais à l'époque que veux-tu, j'étais fidèle. (Une pause.) Je le regrette un peu.

– Moi aussi!

Depuis, nous avons tous deux changé de conjoints. Mieux vaut avoir des regrets que des remords, je crois! Non, je dirais plutôt: «Mieux vaut avoir des remords que des regrets, les remords ça s'estompe.» Aujourd'hui, il est heureux avec une superbe femme, Judith; ils ont deux belles petites filles.

Puis arrive le 20ᵉ anniversaire des MetroStar. C'était le printemps, il faisait un temps magnifique. Cette année-là, le Gala MetroStar était animé par Éric Salvail, jeune animateur de talent qui «mange» de la télévision depuis son tout jeune âge. Il a participé à tous les quiz imaginables au cours des 20 dernières années. C'est un animateur de foule hors pair. Il venait d'animer avec succès une émission de téléréalité: *Occupation double*. Il était le protégé de Danielle Ouimet et de Julie Snyder. Ce soir, il allait faire ses preuves, animer un gala de trois heures.

Il est 15 heures, et je me dirige vers le Monument-National, boulevard Saint-Laurent. Tous les gagnants des MetroStar des 20 dernières années étaient là. Quel plaisir de revoir tout le monde. J'ai présenté le meilleur animateur ou la meilleure animatrice de talk show avec Stéphane Rousseau; en nomination: Julie Snyder, Guy A. Lepage, Patrice L'Ecuyer et Éric Salvail. Le gagnant: Guy A. Lepage.

Guy a parlé du courage des filles du show-business qui se tenaient debout: Véronique Cloutier, dont le père était en prison et qui faisait la une des journaux, comment faisait-elle? C'était son père et elle l'aimait; de France Beaudoin, qui s'était fait offrir un pont d'or par Radio-Canada et qui avait quitté TVA. On l'avait beaucoup critiquée. Elle tenait debout. Qui refuserait 250 000 dollars pour une émission d'été?... et de Sophie Chiasson, avec qui j'ai travaillé dans des émissions de décoration, qui a poursuivi Jeff Filion pour les insanités qu'il avait dites sur elle à la radio: une petite Miss Météo qui a fait tomber cet animateur et sa petite langue sale. Guy A. a été très applaudi. Le Gala a été un immense succès. Éric y a gagné ses lettres de noblesse.

Et ce fut la fin du gala, le clou de la soirée, la remise du trophée du grand MetroStar des 20 dernières années. J'étais en compétition avec des grosses pointures: Jean-Luc Mongrain, qui a gagné au moins 17 trophées; Patrice L'Ecuyer, qui en a gagné autant; Ginette Reno; Rémy Girard. Être la gagnante ne m'a même pas effleuré l'esprit.

J'avais passé une belle soirée, j'avais eu du plaisir à revoir tout le monde, et en passant devant la salle VIP, où attendaient des petites gâteries, j'ai vu un morceau de gâteau aux carottes; comme je suis gourmande et que j'étais affamée, j'en ai pris un morceau et j'ai commencé à le manger.

On m'a présentée, je me suis dirigée vers la scène en mâchant discrètement ma bouchée de gâteau. Janette Bertrand et Michel Jasmin allaient annoncer le gagnant ou la gagnante, sans doute Jean-Luc Mongrain ou Ginette Reno... J'avais des petits morceaux de noix entre les dents que j'essayais tant bien que mal d'éliminer. Tout à coup, j'ai entendu mon nom. «Hein quoi? Ah non! Non non!» Mon cœur battait, je l'entendais dans mes oreilles. Tout le monde s'est levé. «Ah non, pas moi!» J'ai vu Laurence, debout dans la salle, ma filleule qui m'accompagnait à la soirée, me faire des bye bye. Les gens continuaient à applaudir, ça n'arrêtait pas; les larmes me sont montées aux yeux et avec le mascara, ça chauffait... Ça continuait à applaudir. Qu'est-ce que j'allais bien dire... Le trou... Rien ne venait. Je «crois» que j'ai dit: «C'est terrible de me faire une surprise comme ça à mon âge; merci de ne pas m'avoir crue quand j'ai dit tant de fois "je ne fais plus le *Bye! Bye!*" ... et je vais emprunter les paroles de Richard Desjardins: Quand on nous aime une fois, c'est pour toujours. Bonne soirée!»

Quelle soirée! J'ai mis deux jours à m'en remettre, moi qui ai reçu si souvent des récompenses, je ne m'y habitue pas. Demandez à tous ceux qui ont reçu des trophées, ils vous le diront, on ne s'habitue jamais.

* * *

Le Festival Juste pour rire est revenu comme chaque année et François Flamand, le gérant et metteur en scène de Patrick Huard, m'a demandé de reprendre le rôle du régisseur, que Patrick avait fait avec moi lors de précédents galas. J'ai accepté avec plaisir. J'ai fait quatre apparitions et, à la fin du numéro, je devais changer la fréquence du *body pack* (batterie) du micro de Patrick. Le réalisateur, à qui je fais semblant de parler, me dit dans mes écouteurs que le *body pack* est dans la poche gauche de Patrick.

Alors je fouille, je fouille et je lance:

– Je l'ai!

Et Patrick sans bouger me réplique:

– Non, c'est pas ça, il est dans l'autre poche.

Et là dans le numéro, j'enchaîne:

– On se vante!

On a eu beaucoup de plaisir soir après soir.

Après les spectacles, nous nous retrouvions tous au Charlot, une tente que le Festival Juste pour Rire avait fait installer et où l'on pouvait manger et boire assez tard dans la nuit.

Le Festival est pour moi une fête. Je veille tard, on boit un peu de vin, on rit, on se réjouit du succès des camarades et très sincèrement on est déçus quand un de nous se plante. Je n'ai jamais senti de jalousie entre les humoristes, au contraire on s'entraide beaucoup, on se donne des conseils, comment améliorer des répliques, et tout ça bien amicalement.

Cette année-là, j'ai vu des spectacles qui m'ont réjouie: mon cher, très cher Stéphane Rousseau, dans un spectacle un peu autobiographique m'a fait rire et pleurer, une mise en scène de Josée Fortier; Jean-Marc Parent, ce raconteur intarissable et iné- galable, a fait un retour, un hit encore une fois!

\* \* \*

Un jour que je rédigeais ma biographie, et que je racon- tais comment j'avais appris l'accident de Jean-Claude Lauzon, les circonstances, mon amitié, etc., je décide, après quatre heures de travail de faire une petite pause pour me changer les idées et aller faire un peu de ménage dans mon «locker», sans emporter mon cellulaire avec moi. Il était 13 heures 30.

Je suis remontée vers 15 heures 30. J'ai pris mes messages, j'en avais au moins une vingtaine dans ma boîte vocale. Le pre- mier était de Louis Grenier, qui me disait avec délicatesse qu'il était arrivé un grave accident à notre ami Yvon Plante, en héli- coptère. Un très grave accident: il s'était tué.

Mon Dieu, en quelques heures, toutes nos vies ont été bouleversées, surtout celle de sa femme, Joyce, et de ses fils, Sébastien et Julien, que j'ai vus grandir.

Voici comment ça s'est produit. Le 29 octobre, Yvon est parti en hélicoptère vers 13 heures pour aller chercher ses enfants à son chalet du lac de la Grosse Île en Haute-Mauricie, où nous avions eu tellement de plaisir à pêcher, Jean-Pierre Sutto, Robert Sézé, Henri Atlas et lui.

Sa femme, Joyce, l'avait regardé décoller. Elle revenait vers l'Auberge Sacacomie. Yvon n'avait pas fait 30 mètres dans les airs qu'elle a entendu une grosse explosion. Elle s'est retournée, l'hélico était tombé, et déjà en feu. Elle ne pouvait même pas lui porter secours, les flammes étaient tellement fortes que la chaleur l'obligeait à se tenir loin. Elle l'a regardé brûler, folle de désespoir.

C'est terrible, ça ne s'explique pas. Quelle fin!

Nous, les amis, avons essayé de nous consoler et de nous

dire, comme je l'ai entendu mille fois: «Il est mort en faisant ce qu'il aimait.» Oui, mais dans son cas, c'était trop tôt! Heureusement, je l'avais vu souvent l'été d'avant aux partys du Festival Juste pour rire, après les galas. Il aimait s'amuser, adorait la bonne chair, les bons vins et la nature. On se connaissait depuis 33 ans.

Je transcris ici un petit extrait de l'article que Nathalie Petrowski a écrit dans *La Presse* le mercredi 3 novembre 2005: «Ma cabane au Canada est en deuil. Yvon était un rêveur doublé d'un entrepreneur sans peur et sans reproche, comme on les aime. On lui doit une des plus belles auberges du Québec, l'Auberge Sacacomie, joyau de la Haute-Mauricie. Vendredi dernier, le 28 octobre, il a reçu après six mois de cours intensifs son brevet officiel de pilote d'hélicoptère. Le lendemain, Yvon s'est élevé brièvement dans le ciel pur et bleu de Saint-Alexis à bord de son hélico, avant de s'écraser au sol, comme son grand ami Jean-Claude Lauzon il y a huit ans. La cabane au Canada est en deuil, les grands pins de la Mauricie orphelins. Mais si jamais le paradis existe et qu'il abrite une forêt boréale, soyez assurés qu'Yvon est déjà en train de la parcourir, avec pour seule boussole les étoiles dans les yeux!»

Dans ce livre, j'ai raconté des anecdotes sur Yvon; je n'ai rien changé de ce que j'avais écrit sur lui au premier jet. C'est comme ça que je l'ai connu, fréquenté et aimé avec sa femme, Joyce, et ses enfants.

* * *

J'ai commencé à travailler avec Cathy Gauthier en août 2005. Cathy est née en Abitibi, dans la petite ville d'Arnfield. Elle a été élevée par ses grands-parents qui sont devenus, par la force des choses, ses parents. Elle est arrivée à Montréal grâce à la générosité d'un client qui fréquentait le bar où elle travaillait et qui lui a dit: «Tu as du talent, tu n'as rien à faire ici. Tu perds ton temps. Je vais te prêter de l'argent pour que tu puisses entrer à l'École de l'humour de Juste pour rire à Montréal.» Ce qu'elle a fait. Elle a remboursé le prêt en entier, en un seul paiement, quand elle a reçu le prix de la Découverte de l'année, en 2000.

Elle s'est battue comme un diable dans l'eau bénite et continue de le faire. Elle est différente, mignonne, énergique. Ce n'est pas facile pour une jolie jeune femme d'être humoriste. «Certains sujets, dit-on, ne doivent pas être touchés par une femme.» C'est mal la connaître; elle brise toutes les barrières, tous les tabous. Elle fonce, elle dit ce qu'elle a à dire, se fout des convenances.

À son premier spectacle, elle a réussi à gérer son trac comme une vraie pro! J'étais heureuse de la voir triompher, elle a toujours eu la maîtrise de la situation. À sa première apparition à Montréal, j'avais remarqué que dans les cinq premières minutes de son spectacle, elle avait le souffle court, sans doute un peu de nervosité. Après quelques blagues auxquelles le public répondait en riant aux éclats, le spectacle s'est mis à couler comme un ruisseau qui connaît son parcours. Je la regardais et je me revoyais à mes débuts, pleine d'espoir et de rêves, ne sachant pas trop ce qui m'attendait. Je me disais: «Elle connaîtra elle aussi des déceptions, des succès, elle travaillera jusqu'à aller au bout d'elle-même, c'est une fonceuse.»

\* \* \*

«Est-ce que j'aimerais recommencer?... Peut-être!» Mais je crois que j'ai fait ce que j'avais à faire, de la façon que je croyais la meilleure, en travaillant avec passion à faire le métier que j'aimais et que j'aime toujours. Je suis sereine, je suis toujours passionnée. Je ne regrette pas non plus tous les hommes que j'ai aimés.

Je connais la question qui vous brûle les lèvres: «Lequel de vos amoureux avez-vous le plus aimé?» Je vais vous répondre: Henri H., une passion qui ne s'est jamais éteinte, malgré une pause de 30 ans. On n'arrête pas d'aimer quand le cœur est pris, il reste en attente!

Ce qui m'irrite le plus maintenant, c'est quand on me parle de l'ÂGE. D'accord, quand j'avais 18 ans, je disais moi aussi: «Ils sont très vieux, ils ont 40 ans!» Pensez donc!

Maintenant, quand j'entends parler de «Liberté 55», je pète les plombs. À 50 ans, je «commençais» au Festival Juste pour rire; j'animais cinq galas en plus de jouer dans de nombreux numéros.

Dans le miroir de mes souvenirs, j'ai essayé de les revoir le plus justement possible. J'ai rencontré des êtres extraordinaires, d'autres moins; des crétins aussi. De tous, je n'ai gardé que le meilleur. Tout est joué d'avance... on n'échappe pas à son destin.

Naître, grandir, jouer, tomber, se relever, avancer, poursuivre, pleurer, rire, aimer et puis... aimer, aimer, aimer... Quand on se pose, on est mort...!

Montréal, décembre 2005.

# TABLES DES MATIÈRES

Achevé d'imprimer au Canada